아름다운샘
A~ssam

기본기를 다지는
문제기본서 하이 매쓰

Hi Math

확률과 통계

수학의 자신감

역시! 믿고 보는 아샘 하이매쓰 와 함께...

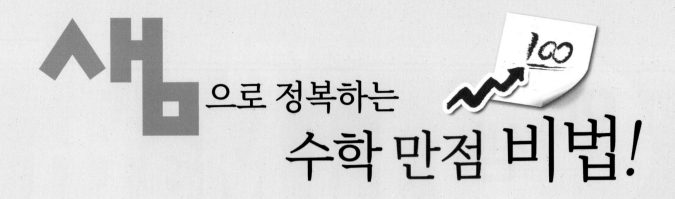

샘으로 정복하는 수학 만점 비법!

수학의 샘으로 기본기를 충실히!

수학 기본서 '수학의 샘'은 자세한 개념 설명으로 수학의
원리를 쉽게 이해할 수 있는 교재입니다. 최고의 기본서
수학의 샘으로 수학의 기본기를 충실히 다질 수 있습니다.

Hi Math로 학교 시험에 대한 자신감을!

충분한 기본 문제, 학교 시험에 자주 출제되는
문제를 수록하여 구성한 교재입니다.
유형별 문제기본서 '아샘 Hi Math'로 학교 시험에
대한 자신감을 가질 수 있습니다.

Hi High로 최고난도 문제에 대한 자신감을!

중간 난이도 수준의 문제부터 심화 문제까지
충분히 수록하여 구성한 교재입니다.
출제빈도가 높은 최상위권 유형을 충분히 연습하여
학교 시험 100점을 자신하게 됩니다.

◎ **대표저자 :** 이창주(前 한영고, EBS·강남구청 강사, 7차 개정 교과서 집필위원), 이명구(한영고, 수학의 샘, 수학의 뿌리-3점짜리 시리즈, 전국 모의고사 집필위원)
◎ **편집 및 연구 :** 박상원, 전신영, 신혜미, 장혜진, 정홍래, 권유림, 김지민
◎ **일러스트 출처 :** 1쪽_좌, 2쪽, 3쪽_상, 4쪽_상 designed by freepik.com

수능 레전드인 이유

짱 적중률
7년 평균

85.3%
EBS 연계율 50%

Hi Math
확률과 통계

" 아름다운 샘 Hi Math는? "

Hi Math의 특징

개념기본서 「수학의 샘」과 연계된 문제기본서

개념기본서 「수학의 샘」에서 익힌 수학적 개념을 적용하여 문제 연습을 할 수 있는 문제기본서입니다. 단원의 구성과 순서가 동일하여 「수학의 샘」의 개념과 「Hi Math」의 문제를 연계하여 공부할 수 있습니다.

수학의 기본을 다지는 문제기본서

처음으로 문제집을 공부하거나 기본기가 부족하다고 생각하는 학생을 위한 교재입니다. 기본 연산의 충분한 반복 연습, 알기 쉽게 체계적으로 분류된 유형별 문항 연습이 가능합니다.

기본 문제 수가 많은 문제기본서

이 교재의 구성은 [개념 정리] + [기본 문제] + [유형 문제] + [쌤이 시험에 꼭 내는 문제]입니다. 특히, [기본 문제]를 많이 수록하여 확실하게 개념 이해를 할 수 있도록 하였습니다.

내신 성적 2등급까지 책임지는 문제기본서

학교 시험 및 모의고사 등에 자주 출제되는 문제들을 분석하여 그 문제들을 위주로 수록한 교재입니다. 효율적인 문제 유형별 해법을 제시하여 시험 대비에 적합하며 시험에 대한 자신감을 갖게 합니다.

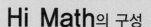

Hi Math의 구성

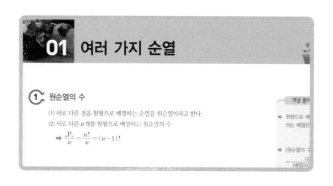

● **개념 정리**

교과서 내용을 꼼꼼하게 분석하여 각 단원의 중요 핵심 개념을 한눈에 볼 수 있도록 정리하였습니다. 보충설명이 필요한 부분은 개념플러스에서 추가하여 제시하였습니다.

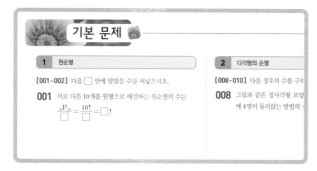

● **기본 문제**

수학의 기본을 다지는 계산 문제, 개념 이해 문제입니다. 단원의 핵심 개념에 해당하는 문제들을 충분히 반복 연습할 수 있도록 많은 문제들을 수록하였습니다.

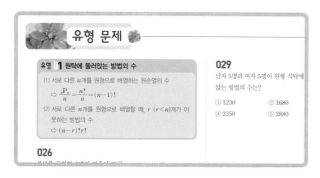

● **유형 문제**

학교 시험의 출제 경향을 치밀하게 분석하여 그 유형을 분류한 후, 해법을 제시하였습니다. 다양한 문제를 연습할 수 있도록 구성하였고, 시험에서 출제 비율이 높은 문항에는 '중요' 표시를 하였습니다.

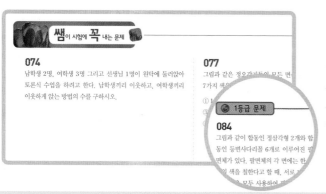

● **쌤이 시험에 꼭 내는 문제**

학교 시험에 꼭 나오는 단골 문제들을 선별하여 구성하였습니다. 자주 출제되는 유형의 문제들을 집중적으로 풀어 볼 수 있도록 하였고, 만점을 위한 '1등급 문제'도 수록하였습니다.

차례

01 여러 가지 순열

01 여러 가지 순열

1 원순열의 수

(1) 서로 다른 것을 원형으로 배열하는 순열을 원순열이라고 한다.

(2) 서로 다른 n개를 원형으로 배열하는 원순열의 수

$$\Rightarrow \frac{{}_n\mathrm{P}_n}{n} = \frac{n!}{n} = (n-1)!$$

개념 플러스

◀ 원형으로 배열할 때는 회전하여 일치하는 배열은 모두 같은 것으로 본다.

◀ (원순열의 수)
$$= \frac{(\text{순열의 수})}{(\text{배열하는 원소의 개수})}$$

2 다각형의 순열

다각형으로 배열하는 순열의 수는 다음 방법으로 구한다.

[방법 1] $\dfrac{(\text{순열의 수})}{(\text{같은 경우의 수})}$

[방법 2] (원순열의 수) × (다른 경우의 수)

참고 서로 다른 n개를 원형으로 배열할 때에는 어느 자리를 기준으로 하더라도 모두 같은 경우이지만 다각형의 모양으로 배열할 때에는 기준이 되는 것의 위치에 따라 서로 다른 경우가 될 수 있다.

◀ 다각형의 순열
(1) 정사각형 모양의 테이블에 n명을 앉히는 방법의 수
$$\Rightarrow (n-1)! \times \frac{n}{4}$$
(2) 직사각형 모양의 테이블에 n명을 앉히는 방법의 수
$$\Rightarrow (n-1)! \times \frac{n}{2}$$
(3) 정삼각형 모양의 테이블에 n명을 앉히는 방법의 수
$$\Rightarrow (n-1)! \times \frac{n}{3}$$

3 중복순열의 수

(1) 서로 다른 n개에서 중복을 허용하여 r개를 택하여 일렬로 배열하는 것을 n개에서 r개를 택하는 중복순열이라 하고, 이 중복순열의 수를 기호로 ${}_n\Pi_r$와 같이 나타낸다.

(2) 서로 다른 n개에서 r개를 택하는 중복순열의 수

$$\Rightarrow {}_n\Pi_r = n^r$$

◀ ${}_n\mathrm{P}_r$에서는 $0 \le r \le n$이어야 하지만 ${}_n\Pi_r$에서는 $r > n$일 수도 있다.

◀ 중복순열의 계산법
${}_n\Pi_r$에서 n은 받는 쪽(고정 숫자), r는 주는 쪽(선택 숫자)으로 생각한다.

4 같은 것이 있는 순열

n개 중에서 서로 같은 것이 각각 p개, q개, $\cdots$, r개 있을 때, n개를 모두 일렬로 배열하는 순열의 수는

$$\frac{n!}{p!q!\cdots r!} \quad (\text{단}, p+q+\cdots+r=n)$$

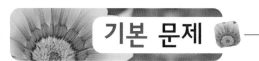

기본 문제

1 원순열

[001-002] 다음 □ 안에 알맞은 수를 써넣으시오.

001 서로 다른 10개를 원형으로 배열하는 원순열의 수는

$$\frac{_{10}P_{10}}{□} = \frac{10!}{□} = □!$$

002 6명이 원탁에 둘러앉는 방법의 수는

$$\frac{_6P_6}{□} = \frac{6!}{□} = □! = □$$

[003-004] 다음 경우의 수를 구하시오.

003 남학생 2명과 여학생 5명이 원탁에 둘러앉는 방법의 수

004 그림과 같이 원을 4등분한 영역에 A, B, C, D 네 가지 색을 칠하는 방법의 수

[005-007] 연석이와 준호를 포함하여 8명이 원탁에 앉아 회의를 하려고 한다. 다음을 구하시오.

005 8명이 원탁에 둘러앉는 방법의 수

006 연석이와 준호가 이웃하여 앉는 방법의 수

007 연석이와 준호가 이웃하지 않게 앉는 방법의 수

2 다각형의 순열

[008-010] 다음 경우의 수를 구하시오.

008 그림과 같은 정사각형 모양의 탁자에 4명이 둘러앉는 방법의 수

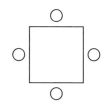

009 그림과 같은 직사각형 모양의 탁자에 6명이 둘러앉는 방법의 수

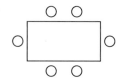

010 그림과 같은 정삼각형 모양의 탁자에 6명이 둘러앉는 방법의 수

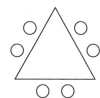

3 중복순열

[011-014] 다음 값을 구하시오.

011 $_5P_2$

012 $_5\Pi_2$

013 $_2\Pi_5$

014 $_3\Pi_r = 81$일 때 r의 값

기본 문제

[015-016] 다음을 중복순열의 수의 기호 $_n\Pi_r$를 써서 나타내시오.

015 서로 다른 6개에서 2개를 택하는 중복순열의 수

016 서로 다른 3개의 상자에 중복을 허용하여 서로 다른 5개의 공을 넣는 방법의 수

[017-020] 다음 경우의 수를 구하시오.

017 3개의 문자 a, b, c 중에서 중복을 허용하여 4개를 택하여 일렬로 배열하는 방법의 수

018 ♠ 또는 ♣를 다섯 번 사용하여 일렬로 나열해서 만들 수 있는 무늬의 개수

019 네 개의 숫자 1, 2, 3, 4에서 중복을 허용하여 만들 수 있는 세 자리 자연수의 개수

020 0부터 9까지 10개의 숫자에서 중복을 허용하여 만들 수 있는 4자리의 비밀번호의 개수

---

4 **같은 것이 있는 순열**

[021-023] 다음 경우의 수를 구하시오.

021 다섯 개의 문자 a, a, a, b, c를 일렬로 나열하는 방법의 수

022 다섯 개의 숫자 1, 1, 2, 3, 3을 사용하여 만들 수 있는 다섯 자리 자연수의 개수

023 internet의 여덟 개의 문자를 모두 사용하여 일렬로 배열하는 방법의 수

[024-025] 그림과 같은 도로망이 있다. A지점에서 B지점까지 가는 최단 경로의 수를 구하시오.

024

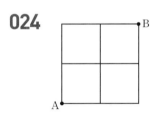

025

유형 문제

정답 및 해설 03쪽

유형 01 원탁에 둘러앉는 방법의 수

(1) 서로 다른 n개를 원형으로 배열하는 원순열의 수
$$\Rightarrow \frac{{}_n\mathrm{P}_n}{n} = \frac{n!}{n} = (n-1)!$$

(2) 서로 다른 n개를 원형으로 배열할 때, $r\ (r<n)$개가 이웃하는 방법의 수
$$\Rightarrow (n-r)!\,r!$$

026

부모를 포함한 6명의 가족이 그림과 같이 크기와 모양이 같은 6개의 의자가 놓여 있는 원형 식탁에 모두 둘러앉을 때, 부모가 이웃하여 앉는 방법의 수는?

① 12   ② 24   ③ 48
④ 120   ⑤ 240

027

유도부원 3명과 축구부원 2명이 원형 식탁에 둘러앉을 때, 축구부원끼리 이웃하지 않게 앉는 방법의 수는?

① 8   ② 10   ③ 12
④ 14   ⑤ 16

중요 028

A, B, C를 포함한 6명을 원형의 탁자에 앉힐 때, A의 양 옆에 B와 C가 앉는 방법의 수를 구하시오.

029

남자 5명과 여자 5명이 원형 식탁에 둘러앉을 때, 남녀가 교대로 앉는 방법의 수는?

① 1230   ② 1680   ③ 1960
④ 2350   ⑤ 2880

030

부모와 자녀를 포함하여 5명의 가족이 원형 식탁에 둘러앉을 때, 부모 사이에 한 자녀가 앉는 방법의 수를 구하시오.

중요 031

부모를 포함한 6명의 가족이 6개의 의자가 놓여 있는 원형 식탁에 둘러앉을 때, 부모가 이웃하여 앉는 방법의 수를 a, 부모가 마주보고 앉는 방법의 수를 b라 하자. 이때, $a+b$의 값은?

① 24   ② 36   ③ 48
④ 60   ⑤ 72

유형 **02** 다각형 모양의 탁자에 둘러앉는 방법의 수

다각형으로 배열하는 방법의 수는 다음과 같이 구한다.
① 원형으로 배열하는 방법의 수를 구한다.
② 다각형으로 배열할 때 서로 다른 경우의 수를 구한다.
③ ①, ②에서 구한 방법의 수를 곱한다.

032

그림과 같은 정육각형 모양의 식탁에 12명이 둘러앉는 방법의 수가 $2 \times a!$ 일 때, 상수 a의 값을 구하시오.

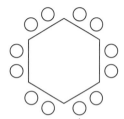

033

그림과 같은 직사각형 모양의 탁자에 10명의 학생을 앉히는 방법의 수는?

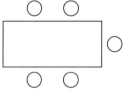

① $9!$ ② $9! \times 2$
③ $9! \times 5$ ④ $10! \times 3$
⑤ $10! \times 5$

034

그림과 같은 직사각형 모양의 탁자에 5개의 의자가 놓여 있다. 여학생 3명과 남학생 2명을 앉힐 때, 남학생끼리 마주 보도록 앉히는 방법의 수를 구하시오.

유형 **03** 도형에 색칠하는 방법의 수

도형에 색칠하는 방법의 수는 다음과 같이 구한다.
① 기준이 될 수 있는 부분에 색을 칠하는 방법의 수를 구한다.
② 원순열을 이용하여 나머지 부분에 색을 칠하는 방법의 수를 구한다.
③ ①, ②에서 구한 방법의 수를 곱한다.

035

그림과 같이 정사각형을 4등분하였을 때, 서로 다른 6가지의 색 중에서 4가지 색을 선택하여 4개의 영역을 칠하는 방법의 수를 구하시오.

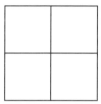

036

빨강, 주황, 노랑, 초록, 파랑, 보라의 6가지의 색을 모두 사용하여 그림과 같이 균등하게 6등분된 비치파라솔의 각 부분을 칠하려고 한다. 빨강의 오른쪽 바로 옆에는 항상 보라를 칠할 때, 비치파라솔을 칠할 수 있는 방법의 수를 구하시오.

037

서로 다른 4가지의 색을 모두 사용하여 정사면체의 각 면을 칠하는 방법의 수는?

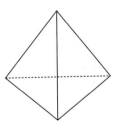

① 2   ② 4
③ 8   ④ 16
⑤ 32

유형 04 중복순열

서로 다른 n개에서 중복을 허락하여 r개를 택하는 중복순열의 수

$\Rightarrow {}_n\Pi_r=n^r$

참고 중복순열의 수 ${}_n\Pi_r$에서 n은 선택받는 쪽, 즉 고정된 숫자라 생각하고, r는 선택하는 쪽으로 생각하여 문제를 해결한다.

038

○, ×만으로 답을 하는 10개의 문제에서 나올 수 있는 답안의 개수를 구하시오.

039

5명의 유권자가 3명의 후보 중에서 한 명의 후보에게 각각 투표하는 방법의 수를 구하시오. (단, 투표용지에는 유권자의 이름이 공개되고, 무효는 없는 것으로 한다.)

040

열쇠로 문을 열 때에는 열쇠에 인식되는 지점이 있어서 이 지점에서 열쇠를 깎은 깊이에 따라 인식이 되어 문이 열린다고 한다. 그림과 같이 열쇠를 a, b, c의 세 지점에서 각각 4개의 서로 다른 깊이로 깎아서 만든다고 할 때, 만들 수 있는 서로 다른 열쇠의 종류는?

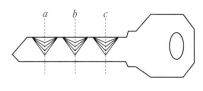

① 60   ② 64   ③ 68
④ 72   ⑤ 76

041

1층에서 5명이 엘리베이터를 타고 출발하였다. 이들은 4층부터 7층까지 중에서 어느 한 층에서 내리며 7층에서는 엘리베이터에 남은 모든 사람들이 내린다. 내리는 모든 방법의 수는? (단, 엘리베이터는 2, 3층에서 멈추지 않으며 어느 한 층에서 모두 내릴 수도 있다.)

① 976   ② 1000   ③ 1024
④ 1048   ⑤ 1072

042

A, B, C, D, E의 다섯 도시를 경유하는 버스가 승객 10명을 태우고 A도시를 출발하여 세 도시 B, C, D를 순서대로 거쳐서 E도시에 도착할 예정이다. 10명의 승객 중에서 특정한 두 명은 같은 도시에 내리지 않는다고 할 때, 10명의 승객이 네 도시 B, C, D, E에 내리는 방법의 수는?

① 2^{18} ② 3×2^{18} ③ $2^{20}-1$
④ $2^{20}-4$ ⑤ $2^{20}-3^{10}$

043

여섯 개의 알파벳 A, B, C, D, E, F 중에서 알파벳 B는 중복을 허락하지 않고 A, C, D, E, F는 중복을 허락하여 3개를 택해 일렬로 나열하는 경우의 수를 구하시오.

(1) 서로 다른 n개에서 중복을 허락하여 r개를 택하는 중복
순열의 수

$$\Rightarrow {}_n\Pi_r = n^r = \underbrace{n \times n \times n \times \cdots \times n}_{r개}$$

(2) 서로 다른 n개에서 최대 r개까지 택할 수 있는 중복순열
의 수

$$\Rightarrow {}_n\Pi_1 + {}_n\Pi_2 + {}_n\Pi_3 + \cdots + {}_n\Pi_r$$

044

파랑, 흰색, 빨강 세 가지의 깃발이 한 개씩 있다. 이 깃발 중에서
하나를 택하여 들어 올리는 시행을 5번하여 만들 수 있는 신호의
수를 구하시오.

045

두 가지 부호 ‘·’, ‘—’을 5개 이하로 사용하여 만들 수 있는 신
호의 개수는? (단, 적어도 한 개 이상의 부호를 사용한다.)

① 60 　　　　　② 62 　　　　　③ 64

④ 66 　　　　　⑤ 68

중요
046

기호 •, ◇를 사용하여 일렬로 나열해서 100가지의 신호를 만들
려고 할 때, 두 기호를 합쳐서 최소한 몇 개를 사용해야 하는가?

① 4개 　　　　　② 5개 　　　　　③ 6개

④ 7개 　　　　　⑤ 8개

두 자연수 m, n에 대하여

(1) 1, 2, 3, $\cdots$, n의 n개의 숫자에서 중복을 허용하여 만들
수 있는 m자리 정수의 개수

$$\Rightarrow {}_n\Pi_m = n^m$$

(2) 0, 1, 2, $\cdots$, n의 $n+1$개의 숫자에서 중복을 허용하여 만
들 수 있는 m자리 정수의 개수

$$\Rightarrow n \times {}_{n+1}\Pi_{m-1} = n(n+1)^{m-1} \text{ (단, } m \geq 2)$$

047

네 개의 숫자 0, 1, 2, 3 중에서 중복을 허용하여 만들 수 있는 세
자리 정수의 개수는?

① 42 　　　　　② 44 　　　　　③ 46

④ 48 　　　　　⑤ 50

중요
048

다섯 개의 숫자 1, 2, 3, 4, 5 중에서 중복을 허용하여 네 개를 택
해 일렬로 나열하여 만든 네 자리 자연수가 5의 배수인 경우의
수는?

① 115 　　　　　② 120 　　　　　③ 125

④ 130 　　　　　⑤ 135

049

여섯 개의 숫자 0, 1, 2, 3, 4, 5 중에서 중복을 허용하여 만들 수
있는 네 자리 정수 중에서 짝수의 개수를 구하시오.

050

8의 양의 약수 중에서 중복을 허용하여 4개의 수를 뽑아 네 자리 정수를 만들 때, 두 번 이상 사용된 수가 있는 정수의 개수를 구하시오.

051

중복 사용이 가능한 네 개의 숫자 1, 2, 3, 4 중에서 네 수를 택하여 만들 수 있는 네 자리 자연수 중에서 2422보다 작은 수의 개수는?

① 108　　　② 111　　　③ 114

④ 117　　　⑤ 120

052

세 개의 숫자 1, 3, 5 중에서 중복을 허용하여 네 자리 자연수를 만들 때, 1과 3이 모두 포함되어 있는 자연수의 개수는?

① 50　　　② 52　　　③ 54

④ 56　　　⑤ 58

n개 중에서 같은 것이 각각 p개, q개, $\cdots$, r개 있을 때, n개를 일렬로 배열하는 순열의 수

$\Rightarrow \dfrac{n!}{p!q!\cdots r!}$ (단, $p+q+\cdots+r=n$)

053

흰색 깃발 5개, 파란색 깃발 5개를 일렬로 모두 나열할 때, 양 끝에 흰색 깃발이 놓이는 경우의 수는? (단, 같은 색 깃발끼리는 서로 구별하지 않는다.)

① 56　　　② 63　　　③ 70

④ 77　　　⑤ 84

054

0, 3, 3, 6, 6, 6의 6개의 숫자를 일렬로 배열하여 만들 수 있는 여섯 자리 정수의 개수는?

① 10　　　② 20　　　③ 30

④ 40　　　⑤ 50

055

CECILIA의 7개의 문자를 일렬로 배열할 때, 자음과 모음이 교대로 배열되는 경우의 수는?

① 12　　　② 24　　　③ 36

④ 48　　　⑤ 60

056

7개의 숫자 1, 1, 2, 2, 3, 3, 3을 일렬로 배열할 때, 맨 앞에는 1이 오고 맨 뒤에는 3이 오지 않는 경우의 수는?

① 20   ② 30   ③ 40

④ 50   ⑤ 60

057

1, 3, 3, 5, 6, 6의 6개의 숫자를 일렬로 배열하여 여섯 자리 자연수를 만들 때, 400000보다 큰 자연수의 개수를 구하시오.

중요
058

1, 1, 2, 2, 2, 3, 3, 3의 8개의 숫자를 일렬로 나열할 때, 양쪽 끝에는 서로 다른 숫자가 오는 경우의 수를 구하시오.

유형 08 순서가 정해진 순열

서로 다른 n개의 문자를 일렬로 배열할 때, 순서가 정해져 있는 문자는 같은 문자로 본다.

참고   순서가 정해진 것을 모두 X로 치환하여 같은 것이 있는 순열로 푼다.

중요
059

5개의 숫자 1, 2, 3, 4, 4를 모두 사용하여 일렬로 배열할 때, 1, 2, 3이 이 순서로 배열되는 방법의 수를 구하시오.

060

5개의 문자 a_1, a_2, a_3, b_1, b_2를 일렬로 배열할 때, a_2는 a_1의 오른쪽에, a_3은 a_2의 오른쪽에, b_2는 b_1의 왼쪽에 오도록 배열하는 방법의 수를 구하시오.

061

한국 선수 3명, 중국 선수 1명, 일본 선수 1명, 미국 선수 1명이 참가한 스키 점프 대회에서 다음 조건을 만족시키는 순서로 점프 순서를 정한다.

(가) 중국 선수가 일본 선수보다 먼저 점프한다.
(나) 일본 선수가 미국 선수보다 먼저 점프한다.

만들어질 수 있는 점프 순서는 몇 가지인가?

① 20가지   ② 40가지   ③ 60가지

④ 120가지   ⑤ 144가지

유형 **9** 최단 경로의 수

(1) P지점을 반드시 지나야 하는 경우

  (출발점에서 P지점까지의 최단 경로의 수)

$\qquad$ ×(P지점에서 도착점까지의 최단 경로의 수)

(2) P지점을 지나지 않는 경우

  (전체 경우의 수)−(P지점을 반드시 지나는 경우의 수)

(3) 그림과 같이 크기가 같은 정육면체
를 쌓아 올려 직육면체를 만들었을
때, 꼭짓점 A에서 꼭짓점 B까지
최단 거리로 가는 방법의 수는

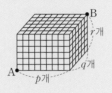

$\Rightarrow \dfrac{(p+q+r)!}{p!q!r!}$

062

그림과 같은 도로망을 가진 지역이 있다.
A지점에서 출발하여 P지점을 거쳐 B지
점으로 가는 최단 경로의 수를 구하시오.

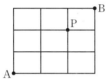

063

두 마을 A, B는 그림과 같은 도로
망으로 서로 연결 되어 있다. A마을
에서 출발하여 B마을까지 가는 최단
경로의 수를 구하시오. (단, 색칠한
지역은 침수되어 지나갈 수 없다.)

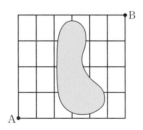

064

수영이는 그림과 같은 직사각형
모양의 도로망을 따라 A지점을
출발하여 B지점까지 가려고 한
다. 수영이가 최단 거리로 갈 수
있는 방법의 수를 구하시오.

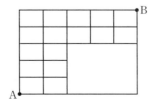

065

그림과 같은 도로망이 있다. P지점에서 Q
지점으로 가는 최단 경로의 수를 구하시오.

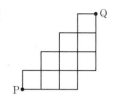

066

그림과 같은 모양의 도로망이 있다. 지점 A에서 지점 B까지 도
로를 따라 최단 거리로 가는 방법의 수는? (단, 가로 방향 도로와
세로 방향 도로는 각각 서로 평행하다.)

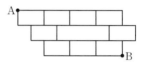

① 14   ② 16   ③ 18

④ 20   ⑤ 22

067

그림과 같이 정육면체 두 개를 붙여 놓은 도형에서 모서리를 따
라 최단 거리로 두 꼭짓점 A, B 사이를 한 번 왕복하는 방법의
수는?

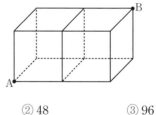

① 12   ② 48   ③ 96

④ 122   ⑤ 144

유형 10 함수의 개수

두 집합 $X=\{a_1, a_2, a_3, \cdots, a_m\}$, $Y=\{b_1, b_2, b_3, \cdots, b_n\}$에 대하여 X에서 Y로의 함수의 개수
$$\Rightarrow {}_n\Pi_m=n^m$$

068

두 집합 $X=\{a, b, c, d, e, f\}$, $Y=\{1, 2, 3, 4\}$에 대하여 X에서 Y로의 함수의 개수는?

① ${}_4\Pi_6$　　　　② ${}_6\Pi_4$　　　　③ $6!$
④ ${}_6\mathrm{P}_4$　　　　⑤ $5! \times 2$

069

두 집합 $X=\{1, 3, 5, 7\}$, $Y=\{1, 2, 3, 4, 5, 6, 7\}$에 대하여 그림과 같은 대응 관계를 만족하는 함수 f의 개수를 구하시오.

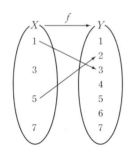

중요
070

두 집합 $X=\{1, 2, 3\}$, $Y=\{1, 2, 3, 4\}$에 대하여 X에서 Y로의 함수 f 중에서 $f(1) \neq 1$인 것의 개수는?

① 36　　　　② 48　　　　③ 64
④ 72　　　　⑤ 81

071

두 집합 $X=\{1, 2, 3, 4\}$, $Y=\{1, 2, 3\}$에 대하여 X에서 Y로의 함수 중에서 치역과 공역이 일치하는 것의 개수는?

① 36　　　　② 40　　　　③ 44
④ 48　　　　⑤ 52

중요
072

집합 $X=\{1, 2, 3, 4\}$에 대하여 다음 조건을 만족시키는 함수 $f: X \longrightarrow X$의 개수는?

$$f(1) \times f(2) \times f(3) \times f(4)=4$$

① 10　　　　② 11　　　　③ 12
④ 13　　　　⑤ 14

073

두 집합 $X=\{1, 2, 3\}$, $Y=\{1, 2, 3, 4, 5\}$에 대하여 함수 $f: X \longrightarrow Y$가 있다. $f(1)+f(2)+f(3)=11$을 만족시키는 함수 f의 개수를 구하시오.

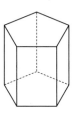

074

남학생 2명, 여학생 3명 그리고 선생님 1명이 원탁에 둘러앉아 토론식 수업을 하려고 한다. 남학생끼리 이웃하고, 여학생끼리 이웃하게 앉는 방법의 수를 구하시오.

075

그림과 같이 부채꼴 2개를 붙여 놓은 모양의 탁자에 14명의 학생을 앉히는 방법의 수는?

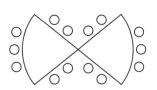

① 13!　　　　　② 2×13!

③ 7×13!　　　　④ 14!

⑤ 2×14!

076

그림과 같이 크기가 다른 두 원 사이를 6등분한 원판의 각 영역을 구분하여 칠하려고 한다. 서로 다른 7가지의 색을 모두 사용하여 7개의 영역을 칠하는 방법의 수는? (단, 두 원의 중심은 같다.)

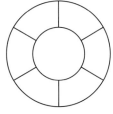

① 120　　　　　② 240　　　　　③ 360

④ 720　　　　　⑤ 840

077

그림과 같은 정오각기둥의 모든 면을 서로 다른 7가지 색을 모두 사용하여 칠하는 방법의 수는?

① 144　　　　　② 256

③ 504　　　　　④ 720

⑤ 5040

078

서로 다른 과일 5개를 네 접시 A, B, C, D에 남김없이 담으려고 할 때, 두 접시 A와 B에는 과일이 한 개씩만 담기는 경우의 수는? (단, 빈 접시가 있어도 된다.)

① 150　　　　　② 160　　　　　③ 170

④ 180　　　　　⑤ 190

079

여섯 개의 숫자 0, 1, 2, 3, 4, 5 중에서 중복을 허용하여 만든 자연수를 크기가 작은 순서로 나열할 때, 3000보다 작은 수의 개수는?

① 641　　　　　② 643　　　　　③ 645

④ 647　　　　　⑤ 649

쌤꼭 문제

080

각 자리의 수가 0이 아닌 네 자리 자연수 중에서 각 자리의 수의 합이 6인 자연수의 개수를 구하시오.

081

6개의 문자 B, A, N, A, N, A를 이용하여 만든 문자열들을 사전식으로 AAABNN, AAANBN, …과 같이 일렬로 배열할 때, NAAABN은 몇 번째에 오는 문자열인가?

① 39번째   ② 40번째   ③ 41번째
④ 42번째   ⑤ 43번째

082

그림과 같이 마름모 모양으로 연결된 도로망이 있다. 이 도로망을 따라 A지점에서 출발하여 C지점을 지나지 않고, D지점도 지나지 않으면서 B지점까지 최단 거리로 가는 경우의 수는?

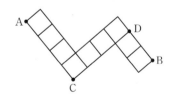

① 26   ② 24   ③ 22
④ 20   ⑤ 18

083

두 집합 $X=\{1, 2, 3, 4\}$, $Y=\{0, 1, 2, 3, 4\}$에 대하여 X에서 Y로의 함수 f는 $f(1)+f(2)=2$를 만족할 때, 함수 f의 개수를 구하시오.

1등급 문제

084

그림과 같이 합동인 정삼각형 2개와 합동인 등변사다리꼴 6개로 이루어진 팔면체가 있다. 팔면체의 각 면에는 한 가지의 색을 칠한다고 할 때, 서로 다른 8개의 색을 모두 사용하여 팔면체의 각 면을 칠하는 경우의 수를 구하시오. (단, 팔면체를 회전시켰을 때 색의 배열이 일치하면 같은 경우로 생각한다.)

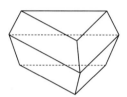

085

그림과 같은 좌표평면 위에서 점 P는 다음과 같은 규칙으로 '이동'한다.

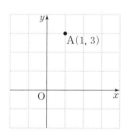

> 한 번의 '이동'으로 상하 또는 좌우 방향으로 1만큼 움직이거나 대각선 방향으로 $\sqrt{2}$만큼 움직인다.

점 P가 원점을 출발하여 4번 '이동'을 시행했을 때, 점 A에 도달하는 방법의 수를 구하시오.

02 중복조합과 이항정리

① 중복조합

서로 다른 n개에서 중복을 허락하여 r개를 택하는 조합을

     n개에서 r개를 택하는 중복조합

이라 하고, 이 중복조합의 수를 기호로 다음과 같이 나타낸다.

     $_n\mathrm{H}_r$

② 중복조합의 수

서로 다른 n개에서 r개를 택하는 중복조합의 수는

     $_n\mathrm{H}_r = {}_{n+r-1}\mathrm{C}_r$

③ 이항정리

자연수 n에 대하여

$$(a+b)^n = {}_n\mathrm{C}_0 a^n + {}_n\mathrm{C}_1 a^{n-1}b + \cdots + {}_n\mathrm{C}_r a^{n-r}b^r + \cdots + {}_n\mathrm{C}_{n-1} ab^{n-1} + {}_n\mathrm{C}_n b^n$$

$$= \sum_{r=0}^{n} {}_n\mathrm{C}_r a^{n-r}b^r$$

이와 같이 $(a+b)^n$을 전개하는 것을 이항정리라 하고, 전개식에서 각 항의 계수

     $_n\mathrm{C}_0,\ _n\mathrm{C}_1,\ \cdots,\ _n\mathrm{C}_r,\ \cdots,\ _n\mathrm{C}_{n-1},\ _n\mathrm{C}_n$

을 이항계수라고 한다.

한편, $_n\mathrm{C}_r a^{n-r}b^r$을 $(a+b)^n$의 전개식의 일반항이라고 한다.

④ 파스칼의 삼각형

$n=0,\ 1,\ 2,\ \cdots$일 때, $(a+b)^n$의 전개식의 이항계수를 차례로 다음과 같이 배열한 것을 파스칼의 삼각형이라고 한다.

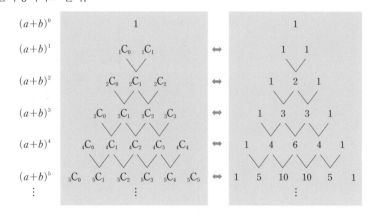

1 중복조합

[001-004] 다음 값을 구하시오.

001 $_5C_2$

002 $_5C_3$

003 $_5H_2$

004 $_3H_5$

[005-006] 다음 등식을 만족시키는 자연수 n의 값을 구하시오.

005 $_7H_2 = {}_nC_2$

006 $_nH_8 = {}_9C_8$

[007-008] 다음을 중복조합의 수의 기호 $_nH_r$를 써서 나타내시오.

007 서로 다른 3개에서 5개를 택하는 중복조합의 수

008 서로 다른 4종류의 꽃에서 10송이를 택하여 꽃다발을 만드는 방법의 수

2 중복조합의 수

[009-012] 3개의 숫자 1, 2, 3이 있다. 다음을 구하시오.

009 3개의 숫자 중에서 서로 다른 두 개를 뽑아 일렬로 배열하는 경우의 수

010 3개의 숫자 중에서 중복을 허용하여 두 개를 뽑아 일렬로 배열하는 경우의 수

011 3개의 숫자 중에서 서로 다른 두 개의 숫자를 뽑는 경우의 수

012 3개의 숫자 중에서 중복을 허용하여 두 개를 뽑는 경우의 수

[013-015] 다음을 구하시오.

013 서로 다른 2개에서 중복을 허락하여 4개를 택하는 중복조합의 수

014 사과, 배, 감의 세 종류의 과일 중에서 7개의 과일을 사는 방법의 수

015 같은 물건이 들어 있는 6개의 택배를 4곳에 나누어 보내는 방법의 수

[016-017] 다음 식을 전개할 때, 생기는 서로 다른 항의 개수
를 구하시오.

016 $(x+y)^6$

017 $(x+y+z)^5$

[018-019] 다음 방정식을 만족시키는 음이 아닌 정수해의 개수
를 구하시오.

018 $x+y=6$

019 $x+y+z=5$

---

3 이항정리

[020-022] 다음 식의 전개식에서 x^2y^3의 계수를 구하시오.

020 $(x+y)^5$

021 $(x-y)^5$

022 $(x+2y)^5$

[023-024] 다음 물음에 답하시오.

023 $(2x+1)^6$의 전개식에서 x^3의 계수를 구하시오.

024 $\left(x+\dfrac{1}{x}\right)^4$의 전개식에서 상수항을 구하시오.

025 그림과 같은 파스칼의 삼각형을 이용하여 주어진 전개
식에서 두 상수 a, b의 값을 구하시오.

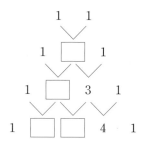

$$(x+y)^4=x^4+ax^3y+bx^2y^2+4xy^3+y^4$$

[026-027] $(1+x)^n$의 전개식을 이용하여 다음 값을 구하시오.

026 $_5C_0+_5C_1+_5C_2+_5C_3+_5C_4+_5C_5$

027 $_6C_1+_6C_2+_6C_3+_6C_4+_6C_5$

유형 01 중복조합의 수

서로 다른 n개에서 중복을 허락하여 r개를 택하는 중복조합의 수

$\Rightarrow {}_n\mathrm{H}_r = {}_{n+r-1}\mathrm{C}_r$

028

${}_3\mathrm{C}_2 + {}_3\mathrm{H}_5$의 값은?

① 21   ② 22   ③ 23

④ 24   ⑤ 25

029

자연수 r에 대하여 ${}_2\mathrm{H}_r = {}_5\mathrm{C}_1$일 때, ${}_3\mathrm{H}_r$의 값을 구하시오.

중요
030

두 가지 맛의 사탕이 들어 있는 봉지에서 4개의 사탕을 택하는 방법의 수를 구하시오.

031

동일한 7통의 편지를 서로 다른 3개의 우체통 A, B, C에 넣으려고 할 때, 그 방법의 수는?

① 15   ② 20   ③ 28

④ 36   ⑤ 45

중요
032

빨간 구슬 6개, 파란 구슬 5개, 노란 구슬 8개가 들어 있는 상자에서 5개의 구슬을 꺼내는 방법의 수를 구하시오.

033

붉은 구슬 4개와 흰 구슬 5개를 서로 다른 2개의 상자에 담는 방법의 수를 구하시오. (단, 빈 상자가 있을 수 있다.)

유형 02 조건이 있는 중복조합의 수

서로 같은 r개를 n명에게 적어도 하나씩 나누어 주는 방법의 수

⇨ 서로 다른 n명에게 먼저 하나씩 나누어 주고 남은 $(r-n)$개를 n명에게 나누어 주는 방법의 수와 같다.

$$_n\mathrm{H}_{r-n}={}_{r-1}\mathrm{C}_{r-n}$$

034

사과 주스, 포도 주스, 감귤 주스 중에서 7병을 선택하려고 한다. 사과 주스, 포도 주스, 감귤 주스를 각각 적어도 1병 이상씩 선택하는 방법의 수는? (단, 각 종류의 주스는 7병 이상씩 있다.)

① 11   ② 13   ③ 15
④ 17   ⑤ 19

035

똑같은 연필 14자루를 다섯 명의 학생 A, B, C, D, E에게 나누어 주는데 1인당 적어도 2자루씩은 나누어 주는 방법의 수를 구하시오.

036

준수네 가족 6명은 볼링 경기를 하러 갔다. 볼링공은 빨간색, 파란색, 보라색, 초록색의 4종류가 각각 10개씩 있었고, 이 중에서 6개의 공을 선택하려고 할 때, 빨간색 볼링공이 적어도 2개 이상 포함되도록 선택하는 방법의 수를 구하시오.

037

빨강, 파랑, 주황, 초록색의 볼펜이 각각 같은 종류로 5개씩 있다. 이 볼펜 중에서 5개를 선택할 때, 2가지 색으로만 선택하는 방법의 수는?

① 21   ② 22   ③ 23
④ 24   ⑤ 25

038

양념 치킨, 프라이드 치킨, 간장 치킨 중에서 m개를 주문하는 방법의 수가 36일 때, 양념 치킨, 프라이드 치킨, 간장 치킨을 적어도 하나씩 포함하여 m개를 주문하는 방법의 수를 구하시오.

039

같은 종류의 딸기 맛 사탕 5개와 같은 종류의 포도 맛 사탕 5개를 세 명에게 남김없이 나누어 주려고 할 때, 포도 맛 사탕은 각 사람이 적어도 1개씩 받도록 나누어 주는 방법의 수를 구하시오.
(단, 딸기 맛 사탕을 받지 않은 사람이 있을 수 있다.)

유형 03 다항식의 항의 개수

$(a+b+c)^n$의 전개식에서 서로 다른 항의 개수

⇨ 서로 다른 3개의 문자 a, b, c에서 중복을 허용하여 n개를 택하는 중복조합의 수와 같으므로

$$_3H_n={}_{n+2}C_n$$

040

$(a+b+c)^9$의 전개식에서 서로 다른 항의 개수는?

① 45　　　　② 50　　　　③ 55

④ 60　　　　⑤ 65

041

$(a+b+c)^4(d+e)^3$의 전개식에서 서로 다른 항의 개수를 구하시오.

042

다항식 $(a+b+c)^n$을 전개하여 동류항끼리 정리하였을 때 나타나는 서로 다른 항의 개수가 28이었다. 자연수 n의 값을 구하시오.

유형 04 방정식의 해의 개수

방정식 $x_1+x_2+\cdots+x_n=r$ (n, r는 자연수)에 대하여

(1) 음이 아닌 정수해의 개수 ⇨ $_nH_r$

(2) 양의 정수해의 개수 ⇨ $_nH_{r-n}$ (단, $r \geq n$)

043

세 자연수 x, y, z에 대하여 방정식 $x+y+z=7$을 만족시키는 순서쌍 (x, y, z)의 개수는?

① 15　　　　② 20　　　　③ 25

④ 30　　　　⑤ 35

044

방정식 $x+y+z=k$를 만족시키는 음이 아닌 정수해의 개수가 105일 때, 자연수 k의 값을 구하시오.

045

방정식 $x+y+z=14$에 대하여 $x \geq 1$, $y \geq 2$, $z \geq 3$을 만족시키는 정수해의 개수를 구하시오.

046

방정식 $x+y+z+5w=8$을 만족시키는 음이 아닌 네 정수 x, y, z, w의 순서쌍 (x, y, z, w)의 개수를 구하시오.

047

세 양의 홀수 x, y, z에 대하여 방정식 $x+y+z=51$을 만족시키는 해의 개수는?

① 320   ② 325   ③ 330

④ 335   ⑤ 340

048

다음 조건을 만족시키는 네 자연수 x, y, z, w의 모든 순서쌍 (x, y, z, w)의 개수를 구하시오.

> (개) $x+y+z+w=21$
> (내) x, y, z, w 중에서 2개는 3으로 나눈 나머지가 1이고, 2개는 3으로 나눈 나머지가 2이다.

유형 **05** 조건을 만족시키는 순서쌍의 개수

n개의 자연수에서 r개를 택하여

(1) $a_1 < a_2 < a_3 < \cdots < a_r$를 만족시키는 순서쌍 $(a_1, a_2, a_3, \cdots, a_r)$의 개수는 $\Rightarrow {}_nC_r$

(2) $a_1 \le a_2 \le a_3 \le \cdots \le a_r$를 만족시키는 순서쌍 $(a_1, a_2, a_3, \cdots, a_r)$의 개수는 $\Rightarrow {}_nH_r$

049

$3 \le a \le b \le c \le d \le 10$을 만족시키는 네 자연수 a, b, c, d의 모든 순서쌍 (a, b, c, d)의 개수는?

① 240   ② 270   ③ 300

④ 330   ⑤ 360

050

다음 조건을 만족시키는 세 자연수 a, b, c의 모든 순서쌍 (a, b, c)의 개수를 구하시오.

> (개) a, b, c는 홀수이다.
> (내) $a \le b \le c \le 20$

051

음이 아닌 네 정수 a, b, c, d에 대하여 부등식 $a \le b \le 4 < c < d \le 10$을 만족시키는 모든 순서쌍 (a, b, c, d)의 개수를 구하시오.

유형 **06** 함수의 개수

함수 $f: X \longrightarrow Y$에 대하여

$n(X)=p$, $n(Y)=q$이고, $a \in X$, $b \in X$일 때,

(1) $a<b$이면 $f(a)<f(b)$인 함수의 개수

$\Rightarrow {}_q\mathrm{C}_p$ (단, $p \leq q$)

(2) $a<b$이면 $f(a) \leq f(b)$인 함수의 개수

$\Rightarrow {}_q\mathrm{H}_p$

052

집합 $X=\{a, b, c\}$에서 $Y=\{1, 2, 3, 4\}$로의 함수 f에 대하여 다음을 구하시오.

(1) 함수의 개수

(2) 일대일함수의 개수

(3) $f(a)<f(b)<f(c)$인 함수의 개수

(4) $f(a) \leq f(b) \leq f(c)$인 함수의 개수

053

두 집합 $A=\{1, 2, 3, 4\}$, $B=\{1, 2, 3, 4, 5\}$에 대하여

$a \in A$, $b \in A$이고 $a<b$이면 $f(a) \geq f(b)$

를 만족시키는 함수 $f: A \longrightarrow B$의 개수를 구하시오.

054 중요

두 집합 $X=\{1, 2, 3, 4, 5\}$, $Y=\{6, 7, 8, 9, 10\}$에 대하여 함수 $f: X \longrightarrow Y$ 중에서 다음 조건을 만족시키는 함수 f의 개수를 구하시오.

(가) $f(3)$은 홀수이다.

(나) 집합 X의 임의의 두 원소 x_1, x_2에 대하여 $x_1<x_2$이면 $f(x_1) \leq f(x_2)$이다.

유형 **07** $(a+b)^n$ 꼴의 이항계수 구하기

이항정리에서 계수를 구할 때,

$(a+b)^n$의 전개식의 일반항이 ${}_n\mathrm{C}_r a^{n-r}b^r$임을 이용한다.

055

$(x+y)^{10}$의 전개식에서 $x^3 y^7$의 계수는?

① 60　　　　② 90　　　　③ 120

④ 150　　　　⑤ 180

056

$\dfrac{1}{2}(x-2y)^{10}$의 전개식에서 $x^7 y^3$의 계수를 구하시오.

057

$(x^2+x)^4$의 전개식에서 x^5의 계수를 구하시오.

058

$x(x^2+y)^5$의 전개식에서 x^3y^4의 계수는?

① 5　　　　　　② 10　　　　　　③ 18

④ 24　　　　　　⑤ 30

중요
059

$(ax+2)^4$의 전개식에서 x^2의 계수가 216일 때, 양수 a의 값을 구하시오.

060

다항식 $(x-1)^n$의 전개식에서 x의 계수가 -12일 때, 자연수 n의 값을 구하시오.

유형 08 $\left(x+\dfrac{1}{x}\right)^n$ 꼴의 이항계수 구하기

$\left(x+\dfrac{1}{x}\right)^n$의 전개식의 일반항이 $_nC_rx^{n-r}\left(\dfrac{1}{x}\right)^r$임을 이용한다.

061

$\left(x^2+\dfrac{1}{x}\right)^6$의 전개식에서 x^3의 계수는?

① 12　　　　　　② 14　　　　　　③ 16

④ 18　　　　　　⑤ 20

중요
062

$\left(x-\dfrac{a}{x^2}\right)^6$의 전개식에서 상수항이 60이 되도록 하는 양수 a의 값을 구하시오.

063

$\left(\dfrac{1}{x}+x^2\right)^n$의 전개식에서 x^2의 계수와 x^8의 계수가 같을 때, 자연수 n의 값을 구하시오.

유형 **09** 이항계수의 응용

(1) $(a+b)(c+d)^n=a(c+d)^n+b(c+d)^n$임을 이용한다.

(2) $(a+b)^p(c+d)^q$의 전개식의 일반항은 $(a+b)^p$과 $(c+d)^q$의 전개식의 일반항을 각각 구하여 곱한다.
$$\Rightarrow {}_pC_r \times {}_qC_s a^{p-r}b^r c^{q-s}d^s$$

(3) $(a+b+c)^n$의 전개식의 일반항 [교육과정 外]
$$\Rightarrow \frac{n!}{p!q!r!}a^pb^qc^r$$
(단, $p+q+r=n$, $p\geq0$, $q\geq0$, $r\geq0$)

064

$(1+2x)^6(1-x)$의 전개식에서 x^4의 계수는?

① 40   ② 50   ③ 60

④ 70   ⑤ 80

⭐중요 065

$(x+1)^5(x+2)^2$의 전개식에서 x의 계수를 구하시오.

066

$(a+b+c)^6$의 전개식에서 ab^2c^3의 계수를 구하시오.

유형 **10** 파스칼의 삼각형

파스칼의 삼각형에서
$${}_{n-1}C_{r-1}+{}_{n-1}C_r={}_nC_r$$
임을 이용한다.

067

파스칼의 삼각형을 이용하여
$${}_3C_3+{}_4C_3+{}_5C_3+{}_6C_3+\cdots+{}_{10}C_3$$
을 간단히 하면?

$$\begin{array}{ccccccccc} & & & & {}_1C_0 & & {}_1C_1 & & \\ & & & {}_2C_0 & & {}_2C_1 & & {}_2C_2 & \\ & & {}_3C_0 & & {}_3C_1 & & {}_3C_2 & & {}_3C_3 \\ & {}_4C_0 & & {}_4C_1 & & {}_4C_2 & & {}_4C_3 & & {}_4C_4 \\ & & & & & \vdots & & & \end{array}$$

① ${}_{11}C_3$ ② ${}_{11}C_5$

③ ${}_{11}C_7$ ④ ${}_{10}C_4$

⑤ ${}_{10}C_5$

⭐중요 068

${}_2C_0+{}_2C_1+{}_3C_2+{}_4C_3+{}_5C_4$의 값을 구하시오.

069

파스칼의 삼각형에서
$${}_1C_0+{}_1C_1={}_2C_1,$$
$${}_2C_0+{}_2C_1={}_3C_1,$$
$${}_2C_1+{}_2C_2={}_3C_2$$

$$\begin{array}{ccccccccc} & & & & {}_1C_0 & & {}_1C_1 & & \\ & & & {}_2C_0 & & {}_2C_1 & & {}_2C_2 & \\ & & {}_3C_0 & & {}_3C_1 & & {}_3C_2 & & {}_3C_3 \\ & {}_4C_0 & & {}_4C_1 & & {}_4C_2 & & {}_4C_3 & & {}_4C_4 \\ & & & & & \vdots & & & \end{array}$$

가 성립한다. 이것을 이용하여
${}_5C_1+{}_5C_2$를 다음과 같이 나타낼 때, $a+b$의 값을 구하시오.
(단, a, b는 상수이다.)

$$\begin{aligned}
{}_5C_1+{}_5C_2 &= ({}_4C_0+{}_4C_1)+({}_4C_1+{}_4C_2) \\
&= {}_4C_0+a\,({}_3C_0+{}_3C_1)+{}_3C_1+{}_3C_2 \\
&= {}_4C_0+a\,{}_3C_0+b\,({}_2C_0+{}_2C_1)+{}_2C_1+{}_2C_2
\end{aligned}$$

유형 11 $(a+b)^n$의 전개식의 이해

$(a+b)^n = \underbrace{(a+b)(a+b)\cdots(a+b)}_{n개}$의 전개식에서

$a^r b^{n-r}$의 계수는 $(a+b)$가 n개 있을 때 a를 r개, b를 $n-r$개 택하는 경우의 수 $_nC_r$와 같다.

$\Rightarrow {}_nC_r a^r b^{n-r}$

070

$(a+b)^5$을 다음 두 가지 방법을 이용하여 전개하시오.

(1) 파스칼의 삼각형

(2) 이항정리

071

다음 등식이 성립함을 증명하시오.

$$_nC_0 - {}_nC_1 + {}_nC_2 - {}_nC_3 + \cdots + (-1)^n {}_nC_n = 0$$

072

다음 등식이 성립함을 증명하시오.

$$_{2n}C_0 + {}_{2n}C_2 + \cdots + {}_{2n}C_{2n} = {}_{2n}C_1 + {}_{2n}C_3 + \cdots + {}_{2n}C_{2n-1} = 2^{2n-1}$$

유형 12 이항계수의 성질

(1) $_nC_0 + {}_nC_1 + {}_nC_2 + \cdots + {}_nC_n = 2^n$

(2) $_nC_0 - {}_nC_1 + {}_nC_2 - {}_nC_3 + \cdots + (-1)^n {}_nC_n = 0$

(3) $_nC_0 + {}_nC_2 + {}_nC_4 + \cdots = {}_nC_1 + {}_nC_3 + {}_nC_5 + \cdots = 2^{n-1}$

073

$_{10}C_2 + {}_{10}C_3 + {}_{10}C_4 + \cdots + {}_{10}C_9$의 값은?

① 510 ② 512 ③ 1012

④ 1022 ⑤ 1024

074

$\dfrac{{}_{55}C_1 + {}_{55}C_3 + {}_{55}C_5 + \cdots + {}_{55}C_{55}}{{}_{55}C_0 + {}_{55}C_1 + {}_{55}C_2 + {}_{55}C_3 + \cdots + {}_{55}C_{55}}$의 값을 구하시오.

075

$_nC_0 + {}_nC_2 + {}_nC_4 + \cdots + {}_nC_n = 128$을 만족시키는 자연수 n의 값을 구하시오.

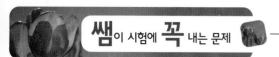

076

자연수 n에 대하여 $_n\mathrm{H}_3={}_{n+2}\mathrm{C}_4$일 때, n의 값은?

① 3   ② 4   ③ 5

④ 6   ⑤ 7

077

레몬 맛, 자두 맛, 포도 맛 사탕 중에서 13개를 사려고 한다. 레몬 맛 사탕은 2개 이상, 포도 맛 사탕은 3개 이상 사는 방법의 수를 구하시오. (단, 각 종류는 13개 이상씩 있다.)

078

3개의 문자 x, y, z를 이용하여 만들 수 있는 서로 다른 5차 단항식은 모두 몇 가지인가? (단, 계수는 1이다.)

① 15가지   ② 17가지   ③ 19가지

④ 21가지   ⑤ 23가지

079

다음 조건을 만족시키는 음이 아닌 네 정수 x, y, z, w의 모든 순서쌍 (x, y, z, w)의 개수를 구하시오.

> (가) $x+y+z+w=6$
> (나) $x \geq 3$

080

집합 $X=\{1, 3, 5, 7, 9\}$에 대하여 다음 조건을 만족시키는 함수 $f: X \longrightarrow X$의 개수는?

> (가) $f(1)<f(3)<f(5)$
> (나) $f(7) \leq f(9)$

① 110   ② 120   ③ 130

④ 140   ⑤ 150

081

다항식 $(x+a)^6$의 전개식에서 x^4의 계수가 x^5의 계수의 50배일 때, 양수 a의 값을 구하시오.

쌤꼭 문제

082

$\left(x-\dfrac{a}{x}\right)^6$의 전개식에서 x^4의 계수가 -12일 때, 상수항은?

(단, a는 상수이다.)

① -138 ② -142 ③ -148

④ -152 ⑤ -160

083

〈보기〉에서 옳은 것만을 있는 대로 고른 것은?

> **보기**
>
> ㄱ. $2^{10}-1={}_{10}C_0+{}_{10}C_1+{}_{10}C_2+\cdots+{}_{10}C_9$
> ㄴ. ${}_5C_0-{}_5C_1+{}_5C_2-{}_5C_3+{}_5C_4-{}_5C_5=0$
> ㄷ. ${}_7C_2+{}_7C_4+{}_7C_6={}_7C_1+{}_7C_3+{}_7C_5$

① ㄱ   ② ㄴ   ③ ㄱ, ㄴ

④ ㄴ, ㄷ   ⑤ ㄱ, ㄴ, ㄷ

084

전체 회원이 9명인 어떤 스포츠 동아리에서 전국 대회에 출전할 대표 팀을 만들려고 한다. 대표 팀에 필요한 인원이 5명 이상이라 할 때, 팀을 만들 수 있는 방법의 수를 구하시오.

085

$\log_2\left(\displaystyle\sum_{k=8}^{15}{}_{15}C_k\right)$의 값은?

① 7   ② 9   ③ 11

④ 14   ⑤ 15

1등급 문제

086

방정식 $(a+b+c)(d+e)=35$를 만족시키는 다섯 개의 자연수 a, b, c, d, e의 모든 순서쌍 (a, b, c, d, e)의 개수를 구하시오.

087

21^{21}을 40으로 나눈 나머지를 구하시오.

03 확률의 뜻과 성질

03 확률의 뜻과 성질

1 시행과 사건

(1) 시행: 같은 조건에서 반복할 수 있으며 그 결과가 우연에 의하여 결정되는 실험이나 관찰

(2) 표본공간: 어떤 시행에서 일어날 수 있는 모든 가능한 결과 전체의 집합

(3) 사건: 시행의 결과, 즉 표본공간의 부분집합

(4) 근원사건: 어떤 시행에서 더 이상 세분할 수 없는 사건

(5) 전사건: 어떤 시행에서 반드시 일어나는 사건

(6) 공사건: 어떤 시행에서 결코 일어나지 않는 사건

◀ 표본공간은 공집합이 아닌 경우만 생각한다.

◀ 사건을 벤다이어그램으로 나타내면 다음과 같다.
(1) 합사건

(2) 곱사건

(3) 배반사건

(4) A의 여사건

2 배반사건과 여사건

표본공간 S의 두 사건 A, B에 대하여

(1) 합사건: A 또는 B가 일어나는 사건 ➡ $A \cup B$

(2) 곱사건: A와 B가 동시에 일어나는 사건 ➡ $A \cap B$

(3) 배반사건: A와 B가 동시에 일어나지 않는 사건 ➡ $A \cap B = \varnothing$

(4) A의 여사건: A가 일어나지 않는 사건 ➡ A^C

◀ $A \cap A^C = \varnothing$이므로 A와 A^C은 서로 배반사건이다.

3 수학적 확률

(1) 어떤 시행에서 각각의 근원사건이 일어날 가능성이 같은 정도로 기대될 때, 표본공간 S에서 사건 A가 일어날 확률 $\mathrm{P}(A)$는

$$\mathrm{P}(A) = \frac{n(A)}{n(S)} = \frac{(\text{사건 } A\text{가 일어날 경우의 수})}{(\text{일어날 수 있는 모든 경우의 수})}$$

(2) 확률의 기본 성질

① 임의의 사건 A에 대하여 $0 \le \mathrm{P}(A) \le 1$

② 전사건 S에 대하여 $\mathrm{P}(S) = 1$ ← 반드시 일어날 때

③ 공사건 $\varnothing$에 대하여 $\mathrm{P}(\varnothing) = 0$ ← 절대로 일어나지 않을 때

◀ 기하학적 확률 [교육과정 外]
어떤 영역 S 안에서 각각의 점에 대하여 일어날 가능성이 모두 같은 정도로 기대될 때, 사건 A가 S의 부분 영역에서 일어난다고 할 경우 사건 A가 일어날 확률 $\mathrm{P}(A)$는
$$\mathrm{P}(A) = \frac{(\text{영역 } A\text{의 크기})}{(\text{영역 } S\text{의 크기})}$$

4 통계적 확률

동일한 조건에서 같은 시행을 n회 반복하였을 때, 사건 A가 일어난 횟수를 r_n이라 하면 사건 A가 일어날 통계적 확률 $\mathrm{P}(A)$는

$$\mathrm{P}(A) = \lim_{n \to \infty} \frac{r_n}{n} = p \quad (\text{단, } p\text{는 수학적 확률})$$

참고 $\lim\limits_{n \to \infty} \dfrac{r_n}{n}$의 의미는 n의 값이 한없이 커질 때의 $\dfrac{r_n}{n}$의 값으로 「미적분」에서 공부한다.

◀ 시행 횟수가 충분히 클 때 통계적 확률은 수학적 확률에 가까워지므로 수학적 확률을 구하기 어려운 경우에 통계적 확률을 대신 사용할 수 있다.

기본 문제

1   시행과 사건

[001-003] 한 개의 주사위를 던지는 시행에 대하여 다음을 구하시오.

001 표본공간

002 근원사건

003 짝수의 눈이 나오는 사건

2   배반사건과 여사건

[004-008] 1부터 12까지의 숫자가 각각 적힌 12개의 공이 들어 있는 상자에서 한 개의 공을 꺼낼 때, 다음을 구하시오.

004 2의 배수가 나오는 사건

005 3의 배수가 나오는 사건

006 2의 배수 또는 3의 배수가 나오는 사건

007 2의 배수이고 3의 배수가 나오는 사건

008 2의 배수가 아닌 수가 나오는 사건

[009-015] 1부터 10까지의 자연수가 각각 하나씩 적힌 10장의 카드 중 한 장을 뽑는 시행에서 5의 배수가 적힌 카드를 뽑는 사건을 A, 8의 약수가 적힌 카드를 뽑는 사건을 B라 하자. 다음을 구하시오.

009 사건 A

010 사건 B

011 $A \cup B$

012 $A \cap B$

013 B^c

014 $A \cap B^c$

015 $A^c \cap B^c$

3 확률의 뜻

[016-022] 서로 다른 두 개의 주사위를 동시에 던질 때, 다음을 구하시오.

016 나오는 두 눈의 수가 모두 3일 확률

017 나오는 두 눈의 수가 서로 같을 확률

018 나오는 두 눈의 수의 합이 10보다 클 확률

019 나오는 두 눈의 수의 합이 8이 될 확률

020 나오는 두 눈의 수의 곱이 12일 확률

021 나오는 두 눈의 수가 서로 다를 확률

022 나오는 두 눈의 수가 모두 4 이상일 확률

4 순열을 이용하는 확률

[023-025] A, B, C, D 네 사람을 일렬로 세울 때, 다음을 구하시오.

023 모든 방법의 수

024 A를 맨 앞에 세우는 방법의 수

025 A가 맨 앞에 서는 확률

5 조합을 이용하는 확률

[026-029] 노란 구슬 3개, 빨간 구슬 2개가 들어 있는 주머니에서 구슬을 꺼낼 때, 다음을 구하시오.

026 한 개의 구슬을 꺼낼 때, 노란 구슬이 나올 확률

027 두 개의 구슬을 꺼낼 때, 빨간 구슬이 2개 나올 확률

028 두 개의 구슬을 꺼낼 때, 노란 구슬이 2개 나올 확률

029 두 개의 구슬을 꺼낼 때, 노란 구슬 1개, 빨간 구슬 1개가 나올 확률

유형 01 시행과 사건

두 사건 A, B에 대하여

(1) 배반사건: A와 B가 동시에 일어나지 않을 때, 즉 $A \cap B = \varnothing$일 때, A와 B는 서로 배반이라 하고 이 두 사건을 서로 배반사건이라고 한다.

(2) 여사건(A^C): 사건 A에 대하여 A가 일어나지 않는 사건을 A의 여사건이라고 한다.

030 중요

서로 다른 두 개의 주사위를 동시에 던질 때, 나오는 두 눈의 수가 서로 같은 사건을 A, 두 눈의 수의 차가 1인 사건을 B, 두 눈의 수의 합이 6인 사건을 C라 하자. 〈보기〉에서 서로 배반사건인 것만을 있는 대로 고른 것은?

┤ 보기 ├
ㄱ. A와 B ㄴ. A와 C ㄷ. B와 C

① ㄱ   ② ㄴ   ③ ㄱ, ㄴ
④ ㄱ, ㄷ   ⑤ ㄴ, ㄷ

031

표본공간 $S = \{x \mid x$는 10 이하의 자연수$\}$의 부분집합인 두 사건 A, B에 대하여

$$A \cap B^C = \{3, 5, 6\}, \quad A \cup B = \{1, 2, 3, 4, 5, 6, 7, 8\}$$

일 때, 사건 B의 원소의 개수를 구하시오.

032

서로 다른 n개의 동전을 동시에 던지는 시행에서 표본공간의 원소의 개수가 128이고, 서로 다른 n개의 동전 중에서 표시한 2개의 동전이 앞면이 나오는 사건의 수가 m일 때, $m+n$의 값을 구하시오.

유형 02 수학적 확률

표본공간 S의 임의의 사건 A에 대하여

$$P(A) = \frac{n(A)}{n(S)} = \frac{(\text{사건 } A \text{가 일어날 경우의 수})}{(\text{일어날 수 있는 모든 경우의 수})}$$

033

서로 다른 두 개의 주사위를 동시에 던질 때, 나오는 두 눈의 수의 차가 4 이상일 확률은?

① $\frac{1}{6}$ ② $\frac{1}{3}$ ③ $\frac{1}{2}$

④ $\frac{2}{3}$ ⑤ $\frac{5}{6}$

034 중요

흰 공과 검은 공이 합하여 모두 8개가 들어 있는 주머니에서 임의로 1개의 공을 꺼낼 때, 그 공이 흰 공일 확률이 $\frac{1}{4}$이다. 주머니 속에 들어 있는 검은 공의 개수를 구하시오.

035

1에서 5까지의 숫자가 각각 적힌 5장의 카드 중 두 장을 뽑는 시행에서 처음 뽑은 카드의 숫자를 a, 두 번째 뽑은 카드의 숫자를 b라 할 때, $3a+b>17$이 될 확률을 구하시오.

(단, 처음 뽑은 카드는 다시 집어넣는다.)

036

한 개의 주사위를 두 번 던져서 나온 두 눈의 수를 차례로 a, b라 할 때, 두 직선 $y=\dfrac{a}{4}x+1$과 $y=\dfrac{b}{2}x+3$이 서로 평행할 확률을 구하시오.

037

$-2\leq m\leq 4$인 정수 m에 대하여 이차방정식 $x^2+mx+m=0$이 허근을 가질 확률은?

① $\dfrac{1}{7}$ ② $\dfrac{2}{7}$ ③ $\dfrac{3}{7}$

④ $\dfrac{4}{7}$ ⑤ $\dfrac{5}{7}$

038

그림과 같이 한 변의 길이가 1인 정사각형 ABCD의 꼭짓점 A 위에 검은색 바둑돌을 놓고 주사위를 던져서 나온 눈의 수만큼 변을 따라 시계 반대 방향으로 움직인다고 한다. 한 개의 주사위를 두 번 던질 때, 바둑돌이 꼭짓점 A 위에 놓여 있을 확률을 구하시오.

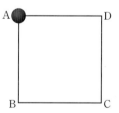

유형 03 순열을 이용하는 확률

서로 다른 n개 중 r개를 뽑아서 일렬로 나열하는 방법의 수는
$$_nP_r=n\times(n-1)\times(n-2)\times\cdots\times\{n-(r-1)\}$$
$$=\dfrac{n!}{(n-r)!}\ \text{(단, }0<r\leq n)$$

039

네 사람 A, B, C, D를 일렬로 세울 때, 다음을 구하시오.

(1) C를 가장 앞에 세울 확률
(2) C와 D를 이웃하여 세울 확률
(3) C와 D를 이웃하지 않게 세울 확률
(4) 양 끝에 C, D를 세울 확률

040

다섯 개의 문자 a, b, c, d, e가 각각 적혀 있는 5장의 카드를 일렬로 나열할 때, c, d, e가 적힌 카드가 서로 이웃할 확률은?

① $\dfrac{3}{10}$ ② $\dfrac{2}{5}$ ③ $\dfrac{1}{2}$

④ $\dfrac{3}{5}$ ⑤ $\dfrac{7}{10}$

041

여학생 4명, 남학생 4명이 한 줄로 설 때, 여학생과 남학생이 번갈아 가며 서게 될 확률을 구하시오.

042

5개의 숫자 1, 2, 3, 4, 5에서 서로 다른 4개의 숫자를 사용하여 네 자리 정수를 만들 때, 5의 배수일 확률은?

① $\dfrac{1}{5}$ ② $\dfrac{1}{4}$ ③ $\dfrac{1}{2}$

④ $\dfrac{3}{5}$ ⑤ $\dfrac{3}{4}$

중요
043

5개의 숫자 1, 2, 3, 4, 5를 한 번씩 사용하여 다섯 자리 자연수를 만들 때, 45000보다 큰 수일 확률을 구하시오.

044

41번부터 50번까지 한 줄에 배치되어 있는 10개의 좌석이 있다. 좌석 번호가 41, 42, 43, 46, 47인 5장의 극장표를 A, B, C, D, E 5명이 임의로 나누어 가졌을 때, A, B 두 사람이 서로 옆좌석에 앉게 될 확률을 구하시오.

유형 04 원순열을 이용하는 확률

서로 다른 n개를 원형으로 배열하는 원순열의 수

$\Rightarrow \dfrac{n!}{n} = (n-1)!$

045

남학생 3명, 여학생 2명이 원탁에 둘러앉을 때, 여학생끼리 이웃하여 앉게 될 확률을 구하시오.

중요
046

부모와 자녀를 포함하여 6명의 가족이 원탁에 둘러앉을 때, 부모가 서로 이웃하지 않을 확률은?

① $\dfrac{1}{3}$ ② $\dfrac{2}{5}$ ③ $\dfrac{1}{2}$

④ $\dfrac{3}{5}$ ⑤ $\dfrac{2}{3}$

047

남자 4명과 여자 4명이 원탁에 둘러앉을 때, 남녀가 교대로 앉게 될 확률을 구하시오.

유형 **05** 중복순열을 이용하는 확률

서로 다른 n개에서 중복을 허용하여 r개를 택하는 중복순열의 수

$\Rightarrow {}_n\Pi_r = n^r$

048

아샘고등학교는 내년도 신입생을 10개 반으로 편성하려고 한다. 신입생을 임의로 반에 배정한다고 할 때, 내년에 아샘고등학교에 입학할 예정인 A, B, C 세 학생이 모두 다른 반에 배정될 확률은? (단, 각 반의 학생 수는 같다.)

① $\dfrac{1}{50}$ ② $\dfrac{39}{100}$ ③ $\dfrac{1}{2}$

④ $\dfrac{13}{25}$ ⑤ $\dfrac{18}{25}$

049

네 개의 숫자 1, 2, 3, 4에서 중복을 허용하여 세 수를 택한 후 이 수들로 세 자리 자연수를 만들 때, 320보다 클 확률을 구하시오.

050

상자 안에 1부터 5까지의 자연수가 각각 하나씩 적혀 있는 5개의 공이 있다. 상자에서 1개의 공을 꺼내어 숫자를 확인하고 다시 집어넣는 시행을 3회 반복하여 나오는 세 수를 꺼낸 순서대로 x, y, z라 하자. $(x-y)(y-z)=0$을 만족시킬 확률을 구하시오.

유형 **06** 같은 것이 있는 순열을 이용하는 확률

n개 중에서 같은 것이 각각 p개, q개, $\cdots$, r개씩 있을 때, n개를 모두 일렬로 나열하는 순열의 수

$\Rightarrow \dfrac{n!}{p!q!\cdots r!}$ (단, $p+q+\cdots+r=n$)

051

6개의 문자 C, H, U, R, C, H를 일렬로 나열할 때, 두 개의 H가 서로 이웃할 확률은?

① $\dfrac{1}{8}$ ② $\dfrac{1}{6}$ ③ $\dfrac{1}{5}$

④ $\dfrac{1}{4}$ ⑤ $\dfrac{1}{3}$

052

영문자 A, B와 숫자 0, 0, 1, 2를 모두 사용하여 임의로 6자리 비밀번호를 만들려고 할 때, 영문자끼리 이웃하지 않을 확률을 구하시오.

053

7개의 문자 A, B, A, S, H, E, D를 일렬로 나열할 때, 자음과 자음 사이마다 모음이 들어갈 확률이 $\dfrac{b}{a}$이다. ab의 값을 구하시오. (단, a, b는 서로소인 자연수이다.)

★중요
054

5개의 문자 a, b, c, d, e를 모두 한 번씩 사용하여 문자열을 만들 때, b, c, d가 이 순서를 유지할 확률은?

① $\frac{1}{8}$ ② $\frac{1}{7}$ ③ $\frac{1}{6}$

④ $\frac{1}{5}$ ⑤ $\frac{1}{4}$

055

세 사람이 가위바위보를 할 때, 단 한 번의 시행에서 한 사람의 승자가 결정될 확률을 구하시오.

056

그림과 같은 길을 따라 A지점에서 B지점까지 최단 거리로 가려고 할 때, P지점을 지나가게 될 확률을 구하시오.

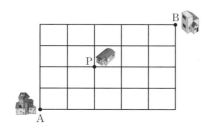

유형 07 조합을 이용하는 확률

서로 다른 n개에서 순서를 생각하지 않고 r개를 택하는 조합의 수

$$\Rightarrow {}_n C_r = \frac{{}_n P_r}{r!} = \frac{n!}{r!(n-r)!} \quad (\text{단}, \ 0 \le r \le n)$$

057

A, B를 포함한 8명의 수학 동아리 회원 중에서 수학 체험전에 참가할 5명의 회원을 임의로 뽑을 때, A, B가 모두 뽑힐 확률은?

① $\frac{1}{7}$ ② $\frac{3}{14}$ ③ $\frac{5}{14}$

④ $\frac{3}{7}$ ⑤ $\frac{1}{2}$

★중요
058

주머니 속에 흰 구슬 4개와 검은 구슬 5개가 들어 있다. 이 주머니에서 임의로 3개의 구슬을 동시에 꺼낼 때, 흰 구슬 1개와 검은 구슬 2개가 나올 확률을 구하시오.

059

A, B, C, D, E, F의 6명 중에서 3명의 대표를 뽑을 때, A는 포함되고 B는 포함되지 않을 확률을 구하시오.

060

대표 2명, 부대표 3명, 부원 4명인 어느 모임에서 대표 2명은 각자 나머지 7명과 모두 악수를 하였다. 그리고 부대표 3명은 각자 나머지 4명의 부원과 모두 악수를 하였다. 이 모임의 9명 중에서 임의로 3명을 택했을 때, 3명이 모두 서로 악수를 나눈 사람들일 확률을 구하시오.

061

n개의 당첨 제비가 들어 있는 10개의 제비 중에서 2개를 뽑을 때, 2개가 모두 당첨될 확률이 $\dfrac{1}{15}$이라고 한다. n의 값을 구하시오.

062

A, B, C 세 사람이 각각 한 개의 주사위를 한 번씩 던져서 나온 세 눈의 수를 각각 a, b, c라 할 때, $a<b<c$ 또는 $a>b>c$일 확률은?

① $\dfrac{5}{108}$ ② $\dfrac{5}{54}$ ③ $\dfrac{5}{27}$

④ $\dfrac{5}{18}$ ⑤ $\dfrac{5}{9}$

063

한 모서리의 길이가 1인 정육면체에서 서로 다른 두 꼭짓점을 택할 때, 그 거리가 1.1 이상일 확률을 구하시오.

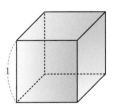

064

그림과 같이 반원의 호를 6등분하는 점 7개와 지름의 중점 O가 있다. 이 중에서 임의로 세 점을 뽑아 선분으로 연결했을 때, 그 도형이 직각삼각형이 될 확률을 구하시오.

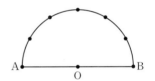

065

남학생 3명과 여학생 3명으로 구성된 과학 동아리가 있다. 이 동아리에서 회원을 임의로 2명씩 3팀으로 나누어 실험을 할 때, 남학생으로만 구성된 팀이 생기게 될 확률은?

① $\dfrac{1}{2}$ ② $\dfrac{3}{5}$ ③ $\dfrac{7}{10}$

④ $\dfrac{4}{5}$ ⑤ $\dfrac{9}{10}$

유형 08 중복조합을 이용하는 확률

서로 다른 n개에서 중복을 허용하여 r개를 택하는 중복조합
의 수

$\Rightarrow {}_n\mathrm{H}_r = {}_{n+r-1}\mathrm{C}_r$

066

빨간색, 파란색, 검은색 구슬을 파는 가게에서 임의로 10개의 구슬을 고를 때, 빨간색, 파란색, 검은색 구슬이 적어도 1개씩 포함될 확률을 구하시오. (단, 각 종류의 구슬은 10개 이상씩 있다.)

067

같은 모양의 탁구공 10개를 서로 다른 3개의 바구니에 넣으려고 할 때, 각 바구니에 적어도 2개의 탁구공이 들어갈 확률은?

① $\dfrac{1}{11}$ ② $\dfrac{7}{55}$ ③ $\dfrac{3}{22}$

④ $\dfrac{5}{22}$ ⑤ $\dfrac{3}{11}$

중요
068

방정식 $x+y+z=8$을 만족시키는 음이 아닌 정수해의 순서쌍 (x, y, z) 중에서 하나를 임의로 택할 때, x, y, z가 모두 양의 정수로만 이루어질 확률을 구하시오.

유형 09 함수의 개수를 이용하는 확률

두 집합 $X=\{x_1, x_2, \cdots, x_m\}$, $Y=\{y_1, y_2, \cdots, y_n\}$일 때,

(1) X에서 Y로의 함수의 개수 $\Rightarrow {}_n\Pi_m = n^m$

(2) $m \leq n$일 때,

  ① $x_i \neq x_j$이면 $f(x_i) \neq f(x_j)$인 함수의 개수 $\Rightarrow {}_n\mathrm{P}_m$

  ② $x_i < x_j$이면 $f(x_i) < f(x_j)$인 함수의 개수 $\Rightarrow {}_n\mathrm{C}_m$

  ③ $x_i < x_j$이면 $f(x_i) \leq f(x_j)$인 함수의 개수 $\Rightarrow {}_n\mathrm{H}_m$

    $\Rightarrow$ 서로 다른 n개에서 중복을 허락하여 m개를 택하는 중복조합의 수와 같다.

069

두 집합 $A=\{1, 2, 3\}$, $B=\{a, b, c, d\}$에 대하여 A에서 B로의 함수 f를 만들 때, f가 일대일함수일 확률을 구하시오.

중요
070

두 집합 $A=\{1, 2, 3\}$, $B=\{1, 2, 3, 4, 5, 6\}$에 대하여 $f : A \longrightarrow B$인 함수 중에서 하나를 택할 때, 그 함수가 $i \in A$, $j \in A$에 대하여 $i > j$이면 $f(i) > f(j)$를 만족시키는 함수일 확률을 구하시오.

071

두 집합 $A=\{1, 2, 3\}$, $B=\{x \mid x$는 18의 양의 약수$\}$에 대하여 함수 $f : A \longrightarrow B$를 만들 때, 다음 조건을 만족시킬 확률은?

> $x_1 \in A$, $x_2 \in A$일 때, $x_1 < x_2$이면 $f(x_1) \leq f(x_2)$

① $\dfrac{1}{27}$ ② $\dfrac{1}{9}$ ③ $\dfrac{5}{27}$

④ $\dfrac{7}{27}$ ⑤ $\dfrac{1}{3}$

유형 **10** 확률의 기본 성질

(1) 임의의 사건 A에 대하여 $0 \le P(A) \le 1$
(2) 전사건에 대하여 $P(S)=1$
(3) 공사건에 대하여 $P(\varnothing)=0$

072

표본공간 S의 임의의 두 사건 A, B와 공사건 $\varnothing$에 대하여 〈보기〉에서 옳은 것만을 있는 대로 고른 것은?

┤ 보기 ├

ㄱ. $0 \le P(A) \le 1$
ㄴ. $P(S)+P(\varnothing)=1$
ㄷ. $P(A \cup B)>1$
ㄹ. $0 \le P(A)+P(B) \le 2$

① ㄱ, ㄴ   ② ㄱ, ㄹ   ③ ㄴ, ㄷ
④ ㄱ, ㄴ, ㄹ   ⑤ ㄴ, ㄷ, ㄹ

073

어떤 시행에서 표본공간 S의 부분집합인 서로 다른 두 사건을 A, B라 할 때, 〈보기〉에서 옳은 것만을 있는 대로 고른 것은?

┤ 보기 ├

ㄱ. $A \subset B$이면 $P(A) \le P(B)$
ㄴ. $P(A)+P(B)=1$이면 두 사건 A와 B는 서로 배반사건이다.
ㄷ. $A \cup B=S$이면 $P(A)+P(B)=1$

① ㄱ   ② ㄴ   ③ ㄱ, ㄴ
④ ㄱ, ㄷ   ⑤ ㄱ, ㄴ, ㄷ

유형 **11** 통계적 확률

사건 A가 n번에 r번 꼴로 일어날 때,

사건 A가 일어날 통계적 확률 ⇨ $\dfrac{r}{n}$

074

다음 표는 어느 프로 야구 선수가 올해 기록한 성적이다. 이 선수의 올해 타율을 구하시오. $\left(\text{단, 타율은 } \dfrac{(안타 수)}{(타수)} \text{를 의미한다.}\right)$

타수	안타 수			
	1루타	2루타	3루타	홈런
320	41	23	6	10

075

다음 표는 어떤 단추를 여러 번 던져서 앞면이 나온 횟수를 조사한 것이다. 이 단추의 앞면이 나올 확률의 근삿값을 소수점 아래 둘째 자리까지 구하시오.

던진 횟수	20	50	100	200	300
앞면이 나온 횟수	10	23	44	91	136

076

주머니 속에 노란 공이 2개, 빨간 공이 3개, 파란 공이 n개 들어 있다. 이 주머니에서 한 개의 공을 꺼내어 색을 확인하고 다시 넣는 시행을 1500번 하였더니 그중 노란 공이 120번 나왔다. n의 값을 추측하면?

① 1   ② 2   ③ 10
④ 20   ⑤ 40

077

표본공간 $S=\{x\,|\,x$는 10 이하의 자연수$\}$에 대하여 두 사건 A, B가 $A=\{x\,|\,x$는 10의 약수$\}$, $B=\{x\,|\,x$는 10 이하의 홀수$\}$일 때, 두 사건 A, B와 모두 배반인 사건 C의 개수를 구하시오.

078

한 개의 주사위를 두 번 던질 때 나오는 두 눈의 수를 차례로 a, b라 하자. 이차함수 $f(x)=x^2-6x+5$에 대하여 $f(a)f(b)<0$이 성립할 확률은?

① $\dfrac{1}{18}$　　　② $\dfrac{1}{9}$　　　③ $\dfrac{1}{6}$

④ $\dfrac{2}{9}$　　　⑤ $\dfrac{5}{18}$

079

8개의 문자 c, o, m, p, u, t, e, r를 일렬로 나열할 때, c와 r 사이에 3개의 문자가 들어올 확률은 $\dfrac{n}{m}$이다. $m+n$의 값을 구하시오. (단, m, n은 서로소인 자연수이다.)

080

다섯 개의 숫자 0, 1, 2, 3, 4에서 서로 다른 세 개의 숫자를 사용하여 세 자리 자연수를 만들 때, 3의 배수일 확률을 구하시오.

081

그림과 같이 10등분한 원판의 각 영역에 빨간색과 파란색을 포함한 서로 다른 10가지 색을 모두 사용하여 칠하려고 한다. 빨간색의 맞은편에 파란색을 칠할 확률을 구하시오.

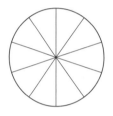

082

서로 다른 세 개의 주머니에 1부터 5까지의 자연수가 각각 하나씩 적혀 있는 카드 5장씩이 들어 있다. 각 주머니에서 임의로 카드를 한 장씩 뽑을 때, 세 장의 카드에 적힌 수의 최솟값이 3일 확률은?

① $\dfrac{13}{125}$　　　② $\dfrac{16}{125}$　　　③ $\dfrac{18}{125}$

④ $\dfrac{19}{125}$　　　⑤ $\dfrac{21}{125}$

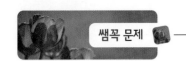
쌤꼭 문제

083

5명의 학생 A, B, C, D, E 중에서 임의로 3명을 뽑아 일렬로 세울 때, C, D가 이웃하게 서 있을 확률을 $\dfrac{q}{p}$라 하자. $p+q$의 값을 구하시오. (단, p, q는 서로소인 자연수이다.)

084

6명의 유권자가 A, B, C 세 후보 중에서 한 명에게 기명 투표를 할 때, B가 2표를 받을 확률은? (단, 무효표나 기권은 없다.)

① $\dfrac{50}{243}$
② $\dfrac{20}{81}$
③ $\dfrac{70}{243}$

④ $\dfrac{80}{243}$
⑤ $\dfrac{10}{27}$

085

그림과 같이 서로 평행한 세 직선 l_1, l_2, l_3을 포함한 8개의 직선 중에서 임의로 3개의 직선을 택할 때, 이 3개의 직선으로 삼각형이 만들어지지 않을 확률을 구하시오.

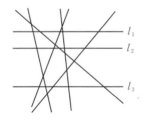

086

한 개의 주사위를 3번 던질 때 나오는 눈의 수를 차례로 a, b, c라 하자. 부등식 $a \le b \le c$를 만족시킬 확률이 $\dfrac{q}{p}$일 때, $p+q$의 값을 구하시오. (단, p와 q는 서로소인 자연수이다.)

1등급 문제

087

집합 $X=\{1, 2, 3\}$에서 X로의 함수 중에서 임의로 선택한 함수를 f라 할 때, $f(1)f(2)f(3)$의 값이 6의 배수일 확률을 구하시오.

088

집합 $A=\{1, 2, 3, 4\}$가 있다. A의 부분집합 중에서 임의로 서로 다른 두 집합을 택하였을 때, 한 집합이 다른 집합의 부분집합이 될 확률은?

① $\dfrac{7}{24}$
② $\dfrac{9}{24}$
③ $\dfrac{11}{24}$

④ $\dfrac{13}{24}$
⑤ $\dfrac{15}{24}$

04 덧셈정리와 조건부확률

① 확률의 덧셈정리

두 사건 A, B에 대하여

$\mathrm{P}(A \cup B) = \mathrm{P}(A) + \mathrm{P}(B) - \mathrm{P}(A \cap B)$

특히 두 사건 A, B가 서로 배반사건, 즉 $A \cap B = \varnothing$이면

$\mathrm{P}(A \cup B) = \mathrm{P}(A) + \mathrm{P}(B)$

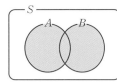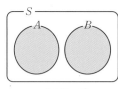

개념 플러스

◀ 합의 법칙
두 사건 A, B에 대하여 $A \cap B = \varnothing$
일 때
$n(A \cup B) = n(A) + n(B)$

② 여사건의 확률

사건 A의 여사건 A^C에 대하여

$\mathrm{P}(A^C) = 1 - \mathrm{P}(A)$

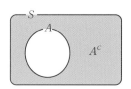

◀ 조건 속에 '적어도 ~인 사건', '~ 이상인 사건', '~ 이하인 사건' 이라는 표현이 있는 경우에는 여사건 의 확률을 이용하면 편리하다.

③ 조건부확률

확률이 0이 아닌 두 사건 A, B에 대하여 사건 A가 일어났다고 가정할 때, 사건 B가 일어날 확률을 사건 A가 일어났을 때의 사건 B의 조건부확률이라 하고, 기호로 $\mathrm{P}(B|A)$와 같이 나타낸다.

$$\mathrm{P}(B|A) = \frac{\mathrm{P}(A \cap B)}{\mathrm{P}(A)} \ (\text{단, } \mathrm{P}(A) \neq 0)$$

◀ $\mathrm{P}(B|A)$는 A를 새로운 표본공간 으로 생각하고 표본공간 A에서 사건 $A \cap B$가 일어날 확률을 뜻한다.

◀ 조건부확률의 성질
$\mathrm{P}(A) > 0$, $\mathrm{P}(B) > 0$일 때,
(1) $\mathrm{P}(B^c|A) = 1 - \mathrm{P}(B|A)$
(2) 두 사건 A와 B가 서로 배반사건
이면 $\mathrm{P}(B|A) = \mathrm{P}(A|B) = 0$

④ 확률의 곱셈정리

두 사건 A, B에 대하여 두 사건이 동시에 일어날 확률은

$\mathrm{P}(A \cap B) = \mathrm{P}(A)\mathrm{P}(B|A) = \mathrm{P}(B)\mathrm{P}(A|B) \ (\text{단, } \mathrm{P}(A) > 0, \ \mathrm{P}(B) > 0)$

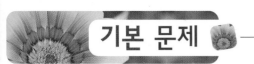

1 확률의 덧셈정리

[001-003] 다음 물음에 답하시오.

001 두 사건 A, B에 대하여 $P(A)=\dfrac{1}{3}$, $P(B)=\dfrac{2}{5}$, $P(A\cap B)=\dfrac{1}{15}$일 때, $P(A\cup B)$를 구하시오.

002 두 사건 A, B에 대하여 $P(A)=\dfrac{3}{10}$, $P(B)=\dfrac{1}{5}$, $P(A\cup B)=\dfrac{9}{20}$일 때, $P(A\cap B)$를 구하시오.

003 서로 배반사건인 두 사건 A, B에 대하여 $P(A)=\dfrac{1}{4}$, $P(B)=\dfrac{2}{3}$일 때, $P(A\cup B)$를 구하시오.

[004-007] 1부터 10까지의 자연수가 각각 하나씩 적힌 10장의 카드에서 한 장의 카드를 뽑을 때, 카드에 적힌 수가 2의 배수인 사건을 A, 소수인 사건을 B, 홀수인 사건을 C라 하자. 다음을 구하시오.

004 $P(A\cap B)$

005 $P(A\cup B)$

006 $P(A\cap C)$

007 $P(A\cup C)$

2 여사건의 확률

[008-012] 두 사건 A, B에 대하여 다음을 구하시오.

008 $P(A)=\dfrac{1}{6}$일 때, $P(A^c)$

009 $P(A\cup B)=\dfrac{3}{4}$일 때, $P(A^c\cap B^c)$

010 $P(A)=\dfrac{5}{6}$, $P(A\cap B)=\dfrac{1}{6}$일 때, $P(A\cap B^c)$

011 $P(A)=\dfrac{1}{3}$, $P(B)=\dfrac{1}{2}$, $P((A\cap B)^c)=\dfrac{5}{6}$일 때, $P(A\cup B)$

012 $P(A)=\dfrac{1}{3}$, $P(B^c)=\dfrac{3}{4}$, $P(A\cup B)=\dfrac{1}{2}$일 때, $P(A\cap B)$

[013-014] 다음 확률을 구하시오.

013 서로 다른 세 개의 동전을 동시에 던질 때, 적어도 한 개가 뒷면이 나올 확률을 구하시오.

014 8개 중에서 3개의 불량품이 들어 있는 상자에서 2개의 인형을 동시에 꺼낼 때, 적어도 한 개가 불량품일 확률을 구하시오.

기본 문제

3 조건부확률

[015-017] 두 사건 A, B에 대하여 $\mathrm{P}(A)=\dfrac{3}{8}$, $\mathrm{P}(B)=\dfrac{1}{2}$, $\mathrm{P}(A\cup B)=\dfrac{5}{8}$일 때, 다음을 구하시오.

015 $\mathrm{P}(A\cap B)$

016 $\mathrm{P}(B|A)$

017 $\mathrm{P}(A|B)$

[018-020] 한 개의 주사위를 던질 때, 다음을 구하시오.

018 홀수의 눈이 나올 확률

019 소수의 눈이 나올 확률

020 홀수의 눈이 나왔을 때, 그것이 소수일 확률

[021-023] 1부터 10까지의 자연수 중에서 임의로 한 개의 자연수를 택할 때, 3의 배수가 나오는 사건을 A, 짝수가 나오는 사건을 B라 하자. 다음을 구하시오.

021 $\mathrm{P}(A\cap B)$

022 $\mathrm{P}(B|A)$

023 $\mathrm{P}(A|B)$

[024-026] 두 사건 A, B에 대하여 $\mathrm{P}(A)=0.3$, $\mathrm{P}(B)=0.2$, $\mathrm{P}(B|A)=0.5$일 때, 다음을 구하시오.

024 $\mathrm{P}(A\cap B)$

025 $\mathrm{P}(A\cup B)$

026 $\mathrm{P}(A|B)$

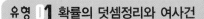

유형 문제

유형 01 확률의 덧셈정리와 여사건

표본공간 S의 두 사건 A, B에 대하여

(1) $P(A \cup B) = P(A) + P(B) - P(A \cap B)$

(2) A, B가 서로 배반사건, 즉 $A \cap B = \varnothing$이면
$$P(A \cup B) = P(A) + P(B)$$

(3) $P(A^c) = 1 - P(A)$

027

두 사건 A, B에 대하여
$$P(A) = \frac{1}{2}, \ P(A \cap B) = \frac{1}{4}, \ P(A \cup B) = \frac{7}{12}$$

일 때, $P(B)$는?

① $\frac{1}{4}$ ② $\frac{1}{3}$ ③ $\frac{1}{2}$

④ $\frac{2}{3}$ ⑤ $\frac{3}{4}$

중요 028

서로 배반사건이 아닌 두 사건 A, B에 대하여
$$P(A) = \frac{1}{4}, \ P(B^c) = \frac{7}{12}, \ P(A \cup B) = \frac{1}{2}$$

일 때, $P(A \cap B)$를 구하시오.

029

표본공간 S의 두 사건 A와 B는 서로 배반사건이고
$$A \cup B = S, \ P(A) = 4P(B)$$

일 때, $P(B)$를 구하시오.

030

두 사건 A, B는 서로 배반사건이고
$$P(A) = \frac{1}{4}, \ P(A) + P(B) = 3P(A^c \cap B^c)$$

일 때, $P(B)$를 구하시오.

031

두 사건 A, B는 서로 배반사건이고
$$P(A \cap B^c) = \frac{1}{5}, \ P(A^c \cap B) = \frac{1}{4}$$

일 때, $P(A \cup B)$는?

① $\frac{9}{20}$ ② $\frac{11}{20}$ ③ $\frac{13}{20}$

④ $\frac{17}{20}$ ⑤ $\frac{19}{20}$

중요 032

서로 배반사건이 아닌 두 사건 A, B에 대하여
$$P(A) = \frac{2}{3}, \ P(B) = \frac{3}{5}$$

이 성립할 때, $P(A \cap B)$의 최솟값을 구하시오.

유형 **02** 확률의 덧셈정리 – 배반사건이 아닌 경우

표본공간 S의 두 사건 A, B에 대하여 $A \cap B \neq \varnothing$일 때, 사건 A 또는 사건 B가 일어날 확률은

$$P(A \cup B) = P(A) + P(B) - P(A \cap B)$$

033

한 개의 주사위를 던질 때, 6의 약수 또는 소수의 눈이 나오는 확률을 구하시오.

⭐중요 034

1부터 30까지의 자연수가 각각 하나씩 적힌 30장의 카드에서 1장의 카드를 꺼낼 때, 적힌 숫자가 2의 배수이거나 5의 배수일 확률은?

① $\dfrac{7}{30}$ ② $\dfrac{3}{10}$ ③ $\dfrac{2}{5}$

④ $\dfrac{7}{15}$ ⑤ $\dfrac{3}{5}$

035

어느 마을에는 어업에 종사하는 가구의 수가 전체의 $\dfrac{5}{7}$, 농업에 종사하는 가구의 수가 전체의 $\dfrac{2}{5}$이고, 어업과 농업에 모두 종사하는 가구의 수는 전체의 $\dfrac{1}{3}$이다. 이 마을에서 임의로 한 가구를 뽑았을 때, 이 가구가 어업 또는 농업에 종사하는 가구일 확률을 구하시오.

036

어느 반 학생 36명 중에서 방과후 수업에 참여하는 학생은 20명, 야간 자율 학습에 참여하는 학생은 28명이고, 방과후 수업과 야간 자율 학습에 모두 참여하지 않는 학생은 6명이다. 이 반에서 임의로 한 학생을 택할 때, 그 학생이 방과후 수업과 야간 자율 학습에 모두 참여하는 학생일 확률을 구하시오.

037

서로 다른 두 주사위 A, B를 던질 때, 주사위 A의 눈의 수가 주사위 B의 눈의 수보다 3만큼 크거나 주사위 A의 눈의 수가 주사위 B의 눈의 수의 2배일 확률은 $\dfrac{n}{m}$이다. $m+n$의 값을 구하시오. (단, m, n은 서로소인 자연수이다.)

⭐중요 038

좌표평면 위에 두 점 O$(0, 0)$, A$(6, 0)$이 있다. 한 개의 주사위를 두 번 던져서 나온 눈의 수를 차례로 a, b라 할 때, 점 B는 순서쌍 (a, b)를 좌표로 하는 점이다. 삼각형 OAB가 직각삼각형 또는 이등변삼각형이 될 확률을 구하시오.

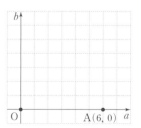

표본공간 S의 두 사건 A, B가 서로 배반사건, 즉
$A \cap B = \varnothing$이면 사건 A 또는 사건 B가 일어날 확률은
$$\mathrm{P}(A \cup B) = \mathrm{P}(A) + \mathrm{P}(B)$$

039

서로 다른 2개의 주사위를 동시에 던질 때, 나오는 두 눈의 수의
합이 5이거나 차가 2일 확률은?

① $\dfrac{1}{9}$ ② $\dfrac{2}{9}$ ③ $\dfrac{1}{3}$

④ $\dfrac{4}{9}$ ⑤ $\dfrac{5}{9}$

040

4명의 남학생과 3명의 여학생 중에서 2명의 대표를 뽑을 때, 2명
모두 남학생이거나 2명 모두 여학생일 확률을 구하시오.

041

상자 속에 크기와 모양이 같은 흰 공
3개, 검은 공 5개가 들어 있다. 이 상자
에서 임의로 2개의 공을 꺼낼 때, 2개
모두 같은 색의 공일 확률을 구하시오.

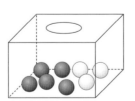

042

흰 공 6개, 파란 공 4개가 들어 있는 주머니에서 임의로 3개의
공을 꺼낼 때, 흰 공 2개, 파란 공 1개가 나오거나 흰 공 1개, 파
란 공 2개가 나올 확률은?

① $\dfrac{9}{10}$ ② $\dfrac{4}{5}$ ③ $\dfrac{3}{5}$

④ $\dfrac{1}{2}$ ⑤ $\dfrac{3}{10}$

043

두 개의 정육면체 모양의 상자 A, B가 있다. A는 6개의 면에
각각 1, 1, 2, 2, 3, 3의 숫자가 적혀 있고, B는 6개의 면에 각각
1, 2, 2, 3, 3, 3의 숫자가 적혀 있다. A, B를 동시에 던져 바닥
과 닿는 면에 해당하는 두 수의 합이 4가 될 확률을 구하시오.

044

$-2 \le a \le 6$인 실수 a에 대하여 이차방정식 $2x^2 + 2ax + a = 0$
이 실근을 가질 확률을 구하시오.

유형 04 여사건의 확률

(1) 사건 A의 여사건 A^c에 대하여
$$P(A)=1-P(A^c)$$
(2) '적어도 ~인 사건' ⇨ 여사건을 생각한다.
(3) ('적어도 하나 ~'의 확률)=1−(반대인 사건의 확률)

045

빨간 공 4개, 파란 공 3개, 노란 공 3개가 들어 있는 상자에서 2개의 공을 꺼낼 때, 직어도 한 개가 빨간 공일 확률은?

① $\frac{1}{4}$ ② $\frac{1}{3}$ ③ $\frac{1}{2}$

④ $\frac{2}{3}$ ⑤ $\frac{3}{4}$

046

어떤 회사에서 만들어지는 제품은 10개 중에 3개가 불량품이라고 한다. 이 회사에서 만든 10개의 제품 중에서 임의로 3개의 제품을 동시에 택할 때, 적어도 하나가 불량품일 확률을 구하시오.

047

16개의 제비 중에 당첨 제비가 3개 들어 있는 주머니에서 한꺼번에 2개의 제비를 뽑았을 때, 적어도 1개가 당첨 제비일 확률을 구하시오.

048

서로 다른 두 개의 주사위를 동시에 던질 때, 나온 두 눈의 수의 합이 5 이상일 확률은?

① $\frac{1}{6}$ ② $\frac{1}{3}$ ③ $\frac{1}{2}$

④ $\frac{2}{3}$ ⑤ $\frac{5}{6}$

049

그림과 같이 9장의 카드에 1, 2, 3, …, 9의 번호가 각각 하나씩 적혀 있다. 이것을 잘 섞어서 두 장을 뽑을 때, 1, 2 중에서 어느 카드 하나만 뽑을 확률을 구하시오.

050

어느 바둑 동아리 회원의 구성이 표와 같다. 이 회원 중에서 2명의 대표를 임의로 뽑을 때, 여학생이 포함되거나 1학년 학생이 포함될 확률을 구하시오.

(단위: 명)

학년 \ 성별	남	여	합계
1학년	6	2	8
2학년	10	2	12
합계	16	4	20

유형 05 조건부확률의 계산

사건 A가 일어났을 때, 사건 B의 조건부확률은

$$P(B|A) = \frac{P(A \cap B)}{P(A)} \text{ (단, } P(A) \neq 0)$$

051

두 사건 A, B에 대하여

$$P(A) = \frac{2}{3}, \ P(A \cap B^c) = \frac{1}{4}$$

일 때, $P(B|A)$는?

① $\dfrac{1}{8}$ ② $\dfrac{1}{4}$ ③ $\dfrac{3}{8}$

④ $\dfrac{1}{2}$ ⑤ $\dfrac{5}{8}$

052

두 사건 A, B에 대하여

$$P(A) = \frac{1}{2}, \ P(A|B) = \frac{1}{6}, \ P(A \cup B) = \frac{3}{4}$$

일 때, $P(B)$를 구하시오.

053

두 사건 A, B에 대하여

$$P(A^c) = \frac{1}{5}, \ P(B|A) = \frac{3}{4}$$

일 때, $P(A \cap B^c)$을 구하시오.

054

두 사건 A, B에 대하여

$$A \subset B \text{이고, } P(A) = \frac{1}{4}, \ P(B) = \frac{2}{3}$$

일 때, $P(A|B)$는?

① $\dfrac{1}{8}$ ② $\dfrac{1}{4}$ ③ $\dfrac{3}{8}$

④ $\dfrac{1}{2}$ ⑤ $\dfrac{5}{8}$

055

두 사건 A, B에 대하여

$$P(A \cup B) = 2P(A), \ P(B|A) = \frac{3}{5}$$

일 때, $P(A|B)$를 구하시오.

056

두 사건 A, B가 서로 배반사건이고

$$P(A) = \frac{1}{5}, \ P(B) = \frac{2}{3}$$

일 때, $P(B|A^c)$을 구하시오.

유형 06 조건부확률

(1) 사건 A가 일어났을 때, 사건 B가 일어날 확률
   ⇨ 조건부확률 $P(B|A)$를 구한다.

(2) 사건 E가 일어났다는 조건 하에 사건 A가 일어날 확률은

$$P(A|E)=\frac{P(A\cap E)}{P(E)}=\frac{P(A\cap E)}{P(A\cap E)+P(A^c\cap E)}$$

057

다음은 남학생 20명, 여학생 15명으로 이루어진 어느 반에서 동생이 있는지 없는지를 조사한 후 그 결과를 표로 나타낸 것이다.

(단위: 명)

성별 \ 동생	있다	없다	합계
남학생	5	15	20
여학생	8	7	15
합계	13	22	35

이 반에서 임의로 남학생 한 명을 뽑을 때, 그 학생에게 동생이 있을 확률을 구하시오.

058

남녀 60명인 어느 반에서 학교 통학 방법을 조사하였더니 다음 표와 같은 결과가 나왔다.

(단위: 명)

성별 \ 통학 방법	자전거	비자전거	합계
남	24	16	40
여	11	9	20
합계	35	25	60

이 반에서 남학생 1명을 임의로 뽑을 때, 그 학생이 자전거로 통학하는 학생일 확률을 a, 또 이 반에서 자전거로 통학하는 학생 1명을 임의로 뽑을 때, 그 학생이 남학생일 확률을 b라고 한다. $a+b$의 값을 구하시오.

059

어느 학급은 남학생 18명, 여학생 16명으로 이루어져 있다. 이 학급의 모든 학생은 중국어와 일본어 중에서 한 과목만 수업을 받는다고 한다. 남학생 중에서 중국어 수업을 받는 학생은 12명이고, 여학생 중에서 일본어 수업을 받는 학생은 7명이다. 이 학급에서 임의로 뽑은 한 학생이 중국어 수업을 받는다고 할 때, 이 학생이 여학생일 확률을 구하시오.

060

어느 학생이 어떤 시험에서 1차 시험에 합격할 확률이 $\frac{5}{100}$이고, 1차 시험과 2차 시험에 모두 합격할 확률은 $\frac{2}{100}$이다. 이 학생이 1차 시험에 합격했을 때, 2차 시험에도 합격할 확률은?

① $\frac{1}{5}$ ② $\frac{2}{7}$ ③ $\frac{2}{5}$

④ $\frac{4}{7}$ ⑤ $\frac{3}{5}$

061

3학년 전체 학생에 대한 남학생의 비율이 48 %인 어느 고등학교에서 이들 학생을 대상으로 수시모집 응시여부를 조사하였다. 그 결과 응시를 희망한 남학생은 3학년 전체 학생의 30 %가 되었다. 이 학교 3학년 전체 학생 중에서 임의로 뽑은 한 학생이 남학생이었다면 이 학생이 수시모집 응시를 희망했을 확률을 구하시오.

062

7명의 학생 중에서 3명은 1월생이고, 4명은 2월생이다. 이 중에서 2명을 선발하였더니 2명의 생일이 같은 달이었을 때, 2명의 생일이 1월일 확률을 구하시오.

063

주머니 A에는 1, 2, 3, 4, 5의 숫자가 하나씩 적혀 있는 5장의 카드가 들어 있고, 주머니 B에는 6, 7, 8, 9, 10의 숫자가 하나씩 적혀 있는 5장의 카드가 들어 있다. 두 주머니 A, B에서 임의로 각각 한 장씩의 카드를 꺼냈다. 꺼낸 2장의 카드에 적혀 있는 두 수의 합이 홀수일 때, 주머니 A에서 꺼낸 카드에 적혀 있는 수가 짝수일 확률을 구하시오.

064

상자에 흰 공 3개와 검은 공 2개가 들어 있다. 민호가 먼저 임의로 1개의 공을 꺼낸 후 다시 넣지 않았고, 다음에 창민이가 남은 4개의 공 중에서 임의로 1개의 공을 꺼냈다. 창민이가 꺼낸 공이 흰 공이었을 때, 민호가 먼저 꺼냈던 공도 흰 공일 확률은?

① $\frac{1}{2}$ ② $\frac{1}{3}$ ③ $\frac{1}{4}$

④ $\frac{1}{5}$ ⑤ $\frac{1}{6}$

유형 07 확률의 곱셈정리 – P(A∩B)=P(A)P(B|A)

두 사건 A, B가 동시에 일어날 확률은
$$P(A \cap B) = P(A)P(B|A) = P(B)P(A|B)$$

065

8개의 제비 중 당첨 제비가 3개 들어 있는 상자에서 갑, 을 두 사람이 갑, 을의 순서로 제비를 한 개씩 뽑을 때, 두 사람 모두 당첨 제비를 뽑을 확률을 구하시오.

(단, 뽑은 제비는 다시 넣지 않는다.)

066

어느 동아리의 전체 회원은 모두 25명이고, 이 중에서 9명이 여학생이다. 이 동아리에서 한 사람씩 차례로 두 명을 뽑을 때, 뽑힌 두 명이 모두 여학생일 확률을 구하시오.

067

파란 공 5개, 노란 공 3개가 들어 있는 주머니에서 갑, 을 두 사람이 갑, 을의 순서로 공을 한 개씩 꺼낼 때, 두 사람 모두 파란 공을 꺼낼 확률은? (단, 꺼낸 공은 다시 넣지 않는다.)

① $\frac{3}{14}$ ② $\frac{2}{7}$ ③ $\frac{5}{14}$

④ $\frac{3}{7}$ ⑤ $\frac{1}{2}$

068
올해 A 회사 신입 사원 7명 중에서 4명은 남자, 3명은 여자였다. 이들 중에서 대표 사원 두 명을 차례로 호명할 때 처음에는 여자 사원, 두 번째에는 남자 사원이 호명될 확률은?

① $\frac{1}{7}$　　② $\frac{2}{7}$　　③ $\frac{3}{7}$

④ $\frac{4}{7}$　　⑤ $\frac{5}{7}$

069
어느 고등학교의 동아리 연합 체육대회에 참석한 학생 중에서 2학년 학생이 전체의 40 %이고, 이들 2학년의 남녀 구성비는 3 : 2 라고 한다. 추첨을 통해 행운상을 받을 때, 2학년 여학생이 받을 확률을 구하시오.

070
어떤 자물쇠에 맞는 2개의 열쇠가 포함되어 있는 10개의 열쇠 뭉치에서 하나씩 차례로 확인하여 이 자물쇠에 맞는 2개의 열쇠가 모두 발견되면 확인하는 작업을 끝내려고 한다. 네 번째에서 확인이 끝날 확률을 구하시오.

유형 08 확률의 곱셈정리 − P$(A \cap E)$+P$(A^c \cap E)$

두 사건 A, E에 대하여

$$P(E) = P(A \cap E) + P(A^c \cap E)$$
$$= P(A)P(E|A) + P(A^c)P(E|A^c)$$

071
A, B가 순서대로 과녁에 화살을 쏠 때, A가 쏜 화살이 명중할 경우 B가 쏜 화살도 명중할 확률은 0.6, A가 쏜 화살이 명중하지 못했을 경우 B가 쏜 화살이 명중할 확률은 0.7이라고 한다. 명중할 확률이 0.4인 A가 먼저 화살을 쏠 때, B가 화살을 쏘아 과녁에 명중시킬 확률은?

① 0.48　　② 0.52　　③ 0.66

④ 0.78　　⑤ 0.84

072
9장의 복권 중에서 당첨 복권이 3장 들어 있는 주머니에서 처음에 갑이 한 장을 뽑고, 다음에 을이 한 장을 뽑을 때, 을이 당첨 복권을 뽑을 확률을 구하시오. (단, 뽑은 복권은 다시 넣지 않는다.)

073
어느 지역에 거주하는 자동차 운전자 중에서 보험 가입자와 미가입자가 자동차 사고를 일으킬 확률은 각각 10 %, 20 %이고, 이 지역의 자동차 운전자 중에서 보험에 가입한 운전자의 비율은 80 %라고 한다. 어느 날 자동차 사고가 일어났을 때, 사고를 일으킨 운전자가 보험 가입자일 확률은?

① $\frac{1}{4}$　　② $\frac{1}{3}$　　③ $\frac{1}{2}$

④ $\frac{2}{3}$　　⑤ $\frac{3}{4}$

074

서로 배반사건인 두 사건 A, B에 대하여

$$P((A \cup B)^c) = \frac{1}{5}, \ P(A) = 3P(B)$$

가 성립할 때, $P(A^c)$을 구하시오.

075

두 사건 A, B에 대하여

$$P(A^c \cap B^c) = \frac{1}{6}, \ P(A \cap B^c) = \frac{1}{2}$$

일 때, $P(B^c)$은?

① $\frac{1}{6}$ ② $\frac{1}{3}$ ③ $\frac{1}{2}$

④ $\frac{2}{3}$ ⑤ $\frac{5}{6}$

076

어느 학급은 35명으로 이루어져 있다. 이 학급의 모든 학생 중에서 대학수학능력시험 사회탐구 영역에서 경제를 선택한 학생은 24명, 세계사를 선택한 학생은 15명이고, 경제와 세계사 중에서 어느 것도 선택하지 않은 학생은 4명이다. 이 학급에서 한 명의 학생을 뽑을 때, 이 학생이 경제와 세계사를 모두 선택하였을 확률은?

① $\frac{6}{35}$ ② $\frac{1}{5}$ ③ $\frac{8}{35}$

④ $\frac{9}{35}$ ⑤ $\frac{2}{7}$

077

수학 경시대회에 출전할 학교 대표 2명을 선발하는 시험에 1, 2, 3학년 학생이 각각 3명, 5명, 7명 참가하였다. 대표로 뽑힌 두 학생이 모두 같은 학년일 확률은? (단, 모든 학생의 실력은 같다.)

① $\frac{34}{105}$ ② $\frac{38}{105}$ ③ $\frac{8}{21}$

④ $\frac{44}{105}$ ⑤ $\frac{16}{35}$

078

9명의 학생 중에서 여학생이 n명 있다. 이 9명의 학생 중에서 임의로 2명의 대표를 선발하였을 때, 적어도 한 명이 여학생일 확률이 $\frac{5}{6}$이다. n의 값을 구하시오.

079

두 사건 A, B에 대하여

$$P(A) = \frac{2}{5}, \ P(B) = \frac{2}{3}, \ P(B|A) = \frac{5}{6}$$

일 때, $P(A|B^c)$을 구하시오.

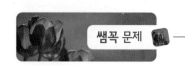
080

어느 프로야구 경기의 관중 중에서 80 %가 어른이고, 55 %가 남자이며 여자 중에서 20 %가 어린 아이이다. 관중 중에서 어른 한 명을 택했을 때, 그 사람이 여자일 확률은?

① 0.35   ② 0.4   ③ 0.45
④ 0.5   ⑤ 0.55

081

당첨 제비 2개를 포함한 5개의 제비 중에서 한 개를 꺼내어 친구에게 보여 주었더니 당첨 제비라고 하였다. 그 친구는 4번에 1번 꼴로 거짓말을 한다고 할 때, 꺼낸 것이 당첨 제비일 확률을 구하시오.

082

비가 온 다음 날에 비가 올 확률은 0.4이고, 비가 오지 않은 날의 다음 날에 비가 올 확률은 0.3이라고 한다. 월요일에 비가 왔을 때, 같은 주 수요일에 비가 올 확률을 구하시오.

083

3개의 당첨 제비가 들어 있는 10개의 제비 중에서 철수, 영희의 순서로 제비를 한 개씩 뽑는다. 영희가 당첨 제비를 뽑았을 때, 철수도 당첨 제비를 뽑았을 확률을 구하시오.

(단, 뽑은 제비는 다시 넣지 않는다.)

1등급 문제

084

집합 $X=\{1, 2, 3, 4\}$에서 집합 $Y=\{-2, -1, 0, 1\}$로의 함수 중에서 임의로 선택한 함수를 $y=f(x)$라 할 때, $f(1)f(2)f(3)=0$ 또는 $f(4) \geq 0$이 성립할 확률이 $\dfrac{q}{p}$이다. $p+q$의 값을 구하시오.

(단, p, q는 서로소인 자연수이다.)

085

흰 공 3개와 검은 공 2개가 들어 있는 주머니가 있다. 1개의 주사위를 던져서 2 이하의 눈이 나오면 흰 공 1개를 주머니에 넣고, 3 이상의 눈이 나오면 검은 공 1개를 주머니에 넣은 후 이 주머니에서 임의로 2개의 공을 동시에 꺼낼 때, 서로 다른 색의 공이 나올 확률을 구하시오.

05 독립과 독립시행의 확률

05 독립과 독립시행의 확률

1 사건의 독립과 종속

(1) 두 사건 A와 B에 대하여 사건 A가 일어나는 것이 사건 B가 일어나는 (또는 사건 B가 일어나는 것이 사건 A가 일어나는) 확률에 영향을 미치지 않을 때 두 사건 A와 B는 서로 독립이라고 한다.

$$\mathrm{P}(B|A)=\mathrm{P}(B) \ \text{또는} \ \mathrm{P}(A|B)=\mathrm{P}(A)$$

(2) 두 사건 A와 B에 대하여 사건 A가 일어나는 것이 사건 B가 일어나는 확률에 영향을 미칠 때 두 사건 A와 B는 서로 종속이라고 한다.

$$\mathrm{P}(B|A)\neq\mathrm{P}(B) \ \text{또는} \ \mathrm{P}(A|B)\neq\mathrm{P}(A)$$

개념 플러스

◀ 꺼낸 공을 다시 넣고 또 꺼내는 시행(복원추출)은 서로 독립이고, 꺼낸 공을 다시 넣지 않고 꺼내는 시행(비복원추출)은 서로 종속이다.

2 독립사건의 성질

두 사건 A와 B ($\mathrm{P}(A)>0$, $\mathrm{P}(B)>0$)가 서로 독립이면

$$\mathrm{P}(B|A)=\mathrm{P}(B|A^C)=\mathrm{P}(B)$$
$$\mathrm{P}(A|B)=\mathrm{P}(A|B^C)=\mathrm{P}(A)$$

◀ 두 사건 A와 B가 서로 독립이면 A^C과 B, A와 B^C, A^C과 B^C도 서로 독립이다.

3 독립사건의 곱셈정리

두 사건 A와 B가 서로 독립이기 위한 필요충분조건은

$$\mathrm{P}(A\cap B)=\mathrm{P}(A)\mathrm{P}(B) \ (\text{단, } \mathrm{P}(A)>0, \mathrm{P}(B)>0)$$

◀ 두 사건 A와 B가 서로 종속이기 위한 필요충분조건은
$$\mathrm{P}(A\cap B)\neq\mathrm{P}(A)\mathrm{P}(B)$$

◀ 두 사건 A와 B가 서로 배반사건
$\Rightarrow \mathrm{P}(A\cap B)=0$
두 사건 A와 B가 서로 독립사건
$\Rightarrow \mathrm{P}(A\cap B)=\mathrm{P}(A)\mathrm{P}(B)$

4 독립시행의 확률

(1) 주사위나 동전을 여러 번 던지는 경우와 같이 어떤 시행을 같은 조건에서 반복할 때, 각 시행의 결과가 다른 시행의 결과에 아무런 영향을 받지 않는 시행, 즉 시행의 결과가 각각 독립인 시행을 독립시행이라고 한다.

(2) 매회의 시행에서 사건 A가 일어날 확률이 p로 일정할 때, 이 시행을 n회 반복하는 독립시행에서 사건 A가 r회 일어날 확률은

$${}_n\mathrm{C}_r p^r q^{n-r} \ (\text{단, } r=0, 1, 2, \cdots, n, p+q=1)$$

◀ 독립시행의 확률을 구하는 과정
① 1회의 시행에서 사건 A가 일어날 확률을 구한다.
② 독립시행의 횟수와 사건 A가 일어나는 횟수를 파악하여 독립시행의 확률을 구한다.

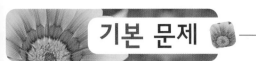

1 독립사건의 확률의 계산

[001-005] 두 사건 A, B가 서로 독립이고
$P(A) = \dfrac{3}{4}$, $P(B) = \dfrac{2}{3}$일 때, 다음을 구하시오.

001 $P(A \cap B)$

002 $P(B^c)$

003 $P(A \cap B^c)$

004 $P(A \mid B)$

005 $P(A \mid B^c)$

2 사건의 독립과 종속

[006-007] 흰 공 2개와 검은 공 3개가 들어 있는 주머니에서 한 개씩 두 개의 공을 꺼낼 때, 첫 번째 꺼낸 공이 흰 공인 사건을 A, 두 번째 꺼낸 공이 흰 공인 사건을 B라 하자. 다음 확률을 구하시오.

006 꺼낸 공을 다시 주머니에 넣는다고 할 때,
$P(B), P(B \mid A)$

007 꺼낸 공을 다시 주머니에 넣지 않는다고 할 때,
$P(B), P(B \mid A)$

[008-010] 한 개의 주사위를 던질 때, 짝수의 눈이 나오는 사건을 A, 3 이상의 눈이 나오는 사건을 B라 하자. 다음 물음에 답하시오.

008 $P(A)P(B)$를 구하시오.

009 $P(A \cap B)$를 구하시오.

010 두 사건 A, B가 서로 독립인지 종속인지 말하시오.

[011-013] 1부터 20까지의 자연수가 각각 하나씩 적힌 20장의 카드 중 1장을 꺼낼 때, 카드에 적힌 수가 3의 배수인 사건을 A, 5의 배수인 사건을 B라 하자. 다음 물음에 답하시오.

011 $P(A)P(B)$를 구하시오.

012 $P(A \cap B)$를 구하시오.

013 두 사건 A, B가 서로 독립인지 종속인지 말하시오.

[014-015] 다음을 만족시키는 두 사건 A, B가 서로 독립인지 종속인지 조사하시오.

014 $P(A)=\dfrac{2}{3}$, $P(B)=\dfrac{1}{2}$, $P(A\cap B)=\dfrac{1}{3}$

015 $P(A)=\dfrac{1}{3}$, $P(B)=\dfrac{3}{4}$, $P(A\cap B)=\dfrac{1}{5}$

[016-017] 주사위를 한 번 던지는 시행에서 세 사건 A, B, C가

$$A:2의 배수, B:3의 배수, C:4의 배수$$

일 때, 다음 두 사건이 서로 독립인지 종속인지 조사하시오.

016 A, B

017 A, C

[018-019] 다음 물음에 답하시오.

018 어떤 수학문제를 맞힐 확률이 윤주는 $\dfrac{4}{5}$, 도현이는 $\dfrac{2}{3}$일 때, 윤주와 도현이 두 사람 모두 이 문제를 맞힐 확률을 구하시오.

019 주사위 한 개와 농전 한 개를 동시에 던질 때, 주사위는 소수의 눈이 나오고 동전은 앞면이 나올 확률을 구하시오.

3 독립시행의 확률

[020-021] 어떤 독립시행에서 사건 A가 일어날 확률이 $\dfrac{1}{3}$이다. 이 독립시행을 10번 반복할 때, 다음 □ 안에 알맞은 값을 구하시오.

020 (사건 A가 3번 일어날 확률)

$$={}_{10}C_{\square}\left(\dfrac{1}{3}\right)^{3}\left(\boxed{}\right)^{7}$$

021 (사건 A가 4번 일어날 확률)

$$={}_{10}C_{\square}\dfrac{\square^{6}}{3^{10}}$$

[022-023] 한 개의 주사위를 1번 던질 때, 5의 약수의 눈이 나오는 사건을 A라 하자. 다음을 구하시오.

022 $P(A)$

023 주사위를 3번 던질 때, 사건 A가 2번 일어날 확률.

[024-026] 다음 물음에 답하시오.

024 한 개의 동전을 4번 던질 때, 앞면이 3번 나올 확률을 구하시오.

025 두 프로야구팀 A, B가 경기를 할 때, A팀이 이길 확률은 $\dfrac{3}{5}$이다. 3번의 경기를 할 때, A팀이 2번 이길 확률을 구하시오. (단, 비기는 경우는 없다.)

026 파란 공 3개, 빨간 공 6개가 들어 있는 상자에서 한 개의 공을 꺼내어 그 색깔을 확인하고 다시 넣는 시행을 5번 반복할 때, 파란 공이 2번 나올 확률을 구하시오.

유형 문제

(1) 두 사건 A, B가 서로 독립이면
　① $P(A \cap B) = P(A)P(B)$
　② $P(A \cup B) = P(A) + P(B) - P(A)P(B)$
(2) 두 사건 A, B가 서로 독립이면 A^c과 B, A와 B^c, A^c과 B^c도 서로 독립이다.

027

두 사건 A, B가 서로 독립이고 $P(A) = \dfrac{1}{4}$, $P(B) = \dfrac{2}{3}$일 때, $P(A \cap B)$는?

① $\dfrac{1}{2}$　　　② $\dfrac{1}{3}$　　　③ $\dfrac{1}{4}$

④ $\dfrac{1}{5}$　　　⑤ $\dfrac{1}{6}$

028

서로 독립인 두 사건 A, B에 대하여 $P(A) = \dfrac{1}{2}$, $P(A \cup B) = \dfrac{2}{3}$일 때, $P(B)$를 구하시오.

029

두 사건 A, B가 서로 독립이고 $P(A) = \dfrac{1}{3}$, $P(B) = \dfrac{1}{3}$일 때, $P(A \cap B^c)$은?

① $\dfrac{5}{27}$　　　② $\dfrac{2}{9}$　　　③ $\dfrac{7}{27}$

④ $\dfrac{8}{27}$　　　⑤ $\dfrac{1}{3}$

030

두 사건 A, B가 서로 독립이고 $P(A \cap B^c) = \dfrac{1}{4}$, $P(A \cup B) = \dfrac{3}{4}$일 때, $P(A)$는?

① $\dfrac{3}{16}$　　　② $\dfrac{1}{4}$　　　③ $\dfrac{3}{8}$

④ $\dfrac{1}{2}$　　　⑤ $\dfrac{3}{4}$

031

서로 독립인 두 사건 A, B에 대하여
$$P(A|B) = P(B|A) = \dfrac{3}{4}$$
이 성립할 때, $P(A \cup B)$는?

① $\dfrac{15}{16}$　　　② $\dfrac{13}{16}$　　　③ $\dfrac{11}{16}$

④ $\dfrac{9}{16}$　　　⑤ $\dfrac{7}{16}$

032

두 사건 A, B는 서로 독립이고 $P(A \cup B) = 0.7$, $P(A \cap B) = 0.2$, $P(A) < P(B)$일 때, $P(A)$는?

① 0.3　　　② 0.4　　　③ 0.5

④ 0.6　　　⑤ 0.7

유형 02 사건의 독립과 종속의 판정

두 사건 A, B에 대하여
(1) $P(A \cap B) = P(A)P(B)$ ⇨ 독립
(2) $P(A \cap B) \neq P(A)P(B)$ ⇨ 종속

033

표본공간 $S = \{1, 2, 3, 4, 5, 6\}$에서 한 개의 원소로 이루어진 사건이 일어날 확률이 모두 같을 때, 〈보기〉에서 사건 $\{1, 2, 3, 4\}$와 독립인 것을 모두 고른 것은?

┤ 보기 ├
ㄱ. $\{4, 6\}$ ㄴ. $\{3, 4, 5\}$ ㄷ. $\{3, 4, 5, 6\}$

① ㄱ   ② ㄴ   ③ ㄱ, ㄷ
④ ㄴ, ㄷ   ⑤ ㄱ, ㄴ, ㄷ

034

한 개의 주사위를 던질 때, 홀수의 눈이 나오는 사건을 A, 소수의 눈이 나오는 사건을 B, 2 이하의 눈이 나오는 사건을 C라 하자. 〈보기〉에서 서로 독립인 것을 모두 고른 것은?

┤ 보기 ├
ㄱ. A와 B ㄴ. B와 C ㄷ. A와 C

① ㄱ   ② ㄴ   ③ ㄷ
④ ㄱ, ㄴ   ⑤ ㄴ, ㄷ

035

한 개의 주사위를 던지는 시행에서 짝수의 눈이 나오는 사건을 A, 3의 배수의 눈이 나오는 사건을 B, 홀수의 눈이 나오는 사건을 C라고 할 때, 〈보기〉에서 옳은 것만을 있는 대로 고른 것은?

┤ 보기 ├
ㄱ. 두 사건 A와 B는 서로 종속이다.
ㄴ. 두 사건 A와 C는 서로 배반사건이다.
ㄷ. 두 사건 A와 C는 서로 종속이다.

① ㄱ   ② ㄴ   ③ ㄱ, ㄷ
④ ㄴ, ㄷ   ⑤ ㄱ, ㄴ, ㄷ

036
중요

서로 다른 3개의 동전을 동시에 던질 때, 앞면이 나오는 동전이 1개 이하인 사건을 A, 동전 3개가 모두 같은 면이 나오는 사건을 B라 하자. 〈보기〉에서 옳은 것만을 있는 대로 고르시오.

┤ 보기 ├
ㄱ. $P(A) = \dfrac{1}{2}$ ㄴ. $P(A \cap B) = \dfrac{1}{8}$
ㄷ. 두 사건 A와 B는 서로 독립이다.

유형 **03** 독립과 종속의 성실

두 사건 A, B가 서로
(1) 독립이면 ⇨ $P(B|A) = P(B|A^C) = P(B)$,
  $P(A|B) = P(A|B^C) = P(A)$
(2) 종속이면 ⇨ $P(B|A) \neq P(B|A^C)$,
  $P(A|B) \neq P(A|B^C)$

037

확률이 0이 아닌 두 사건 A, B에 대하여 〈보기〉에서 옳은 것만을 있는 대로 고르시오.

┤ 보기 ├
ㄱ. $A \subset B$이면 $P(B|A) < 1$이다.
ㄴ. A, B가 서로 배반사건이면 $P(B|A) = 0$이다.
ㄷ. A, B가 서로 독립이면 $P(A^C|B) = P(B|A^C)$이다.

038

확률이 0이 아닌 두 사건 A, B가 서로 독립일 때, 〈보기〉에서 옳은 것만을 있는 대로 고르시오.

┤ 보기 ├
ㄱ. $P(A^C|B) = 1 - P(A)$
ㄴ. $P(A \cap B) = P(A|B^C)P(B|A^C)$
ㄷ. $P(B) = P(A)P(B) + P(A^C)P(B)$

039

표본공간 S의 공사건이 아닌 세 사건 A, B, C에 대하여 〈보기〉에서 옳은 것만을 있는 대로 고르시오.

┤ 보기 ├
ㄱ. A, B가 서로 배반사건이고 B, C가 서로 배반사건이면 A, C도 서로 배반사건이다.
ㄴ. A, B가 서로 독립이고 B, C가 서로 독립이면 A, C도 서로 독립이다.
ㄷ. A, B가 서로 배반사건이고 B^C, C가 서로 배반사건이면 A, C는 서로 종속이다.

유형 **04** 독립사건의 확률의 곱셈정리

(1) 두 사건 A, B가 서로 독립이면
  ⇨ $P(A \cap B) = P(A)P(B)$
(2) 세 사건 A, B, C가 서로 독립이면
  ⇨ $P(A \cap B \cap C) = P(A)P(B)P(C)$

040

한 개의 주사위를 두 번 던질 때, 두 번 모두 1의 눈이 나올 확률은?

① $\dfrac{1}{36}$　　② $\dfrac{5}{36}$　　③ $\dfrac{1}{6}$

④ $\dfrac{11}{36}$　　⑤ $\dfrac{1}{3}$

041

두 주머니 A, B에는 각각 9개의 구슬이 들어 있다. A주머니에는 흰 구슬이 3개, 검은 구슬이 6개 들어 있고, B주머니에는 흰 구슬이 n개, 나머지는 모두 검은 구슬이 들어 있다. 두 주머니 A, B에서 각각 임의로 1개의 구슬을 꺼낼 때, 꺼낸 구슬이 모두 흰 구슬일 확률이 $\dfrac{2}{9}$가 되도록 하는 자연수 n의 값을 구하시오.

042

어떤 프로야구팀의 1번, 2번 두 명의 타자가 한 타석에서 안타를 칠 확률이 각각 $\dfrac{1}{3}$, $\dfrac{1}{4}$이라고 한다. 이 두 사람이 한 번씩 타석에 들어설 때, 한 명 이상 안타를 칠 확률을 구하시오.

043

축구 선수 A와 B가 승부차기에서 성공할 확률은 각각 0.8, 0.9 이다. 두 선수가 한 번씩 승부차기를 할 때, 두 선수 중 한 명만 성공할 확률은?

① 0.22   ② 0.26   ③ 0.3
④ 0.34   ⑤ 0.38

044

어떤 제품은 3개의 부품 A, B, C로 만들어진다. 부품 A, B, C 가 1년 이내에 고장이 날 확률이 각각 $\frac{1}{2}$, $\frac{1}{3}$, $\frac{1}{4}$이라 할 때, 1년 이내에 이 제품의 어딘가에 고장이 날 확률은?

① $\frac{1}{3}$ ② $\frac{2}{3}$ ③ $\frac{1}{2}$
④ $\frac{1}{4}$ ⑤ $\frac{3}{4}$

045 중요

어느 회사의 전체 직원은 기혼 남성 6명, 미혼 남성 20명, 기혼 여성 36명, 미혼 여성 x명이고, 이 회사의 직원 중 한 사람을 선택하여 선물을 주기로 하였다. 선택된 직원이 남성인 경우를 사건 A라 하고, 미혼인 경우를 사건 B라 하자. 두 사건 A와 B가 서로 독립일 때, x의 값을 구하시오.

(단, 각 직원이 선택될 확률은 같다.)

유형 **05** 독립시행의 확률

매회의 시행에서 사건 A가 일어날 확률이 p로 일정할 때, n회의 독립시행에서 사건 A가 r회 일어날 확률은
$_nC_r p^r (1-p)^{n-r}$ (단, $r=0, 1, 2, \cdots, n$)

046

어느 시험에서 오지선다형 문제가 5문제 출제되었다. 문제를 보지 않고 임의로 답을 적었을 때, 한 문제만 맞힐 확률을 구하시오.

047 중요

주머니 속에 흰 바둑돌이 2개, 검은 바둑돌이 3개 들어 있다. 이 주머니에서 1개의 바둑돌을 꺼내 색을 확인하고 다시 넣는 시행을 3번 반복할 때, 검은 바둑돌을 2번 꺼낼 확률은?

① $\frac{8}{125}$ ② $\frac{27}{125}$ ③ $\frac{36}{125}$
④ $\frac{54}{125}$ ⑤ $\frac{27}{1000}$

048

서로 다른 2개의 주사위를 동시에 3번 던졌을 때, 두 주사위 모두 3의 배수의 눈이 나오는 사건이 2번 일어날 확률을 구하시오.

049

실력이 같은 정도로 기대되는 A, B 두 팀이 7번의 시합에서 먼저 4번을 이기면 우승한다고 할 때, A팀이 6번째 시합에서 우승할 확률은? (단, 비기는 경우는 없다.)

① $_5C_3\left(\dfrac{1}{2}\right)^4$ ② $_5C_3\left(\dfrac{1}{2}\right)^5$ ③ $_5C_3\left(\dfrac{1}{2}\right)^6$

④ $_6C_4\left(\dfrac{1}{2}\right)^5$ ⑤ $_6C_4\left(\dfrac{1}{2}\right)^6$

050

한 개의 주사위를 6회 던지는 시행을 할 때, 짝수의 눈이 4회까지 2번 나오고 6회까지 3번 나올 확률은?

① $\dfrac{1}{16}$ ② $\dfrac{1}{8}$ ③ $\dfrac{3}{16}$

④ $\dfrac{1}{4}$ ⑤ $\dfrac{5}{16}$

051

주사위 한 개를 던져 나온 눈의 수가 3의 배수일 경우 2점, 3의 배수가 아닐 경우 1점을 얻는 게임이 있다. 주사위를 4번 던질 때까지 얻은 점수가 5점일 확률은?

① $\dfrac{2^4}{3^4}$ ② $\dfrac{2^5}{3^4}$ ③ $\dfrac{2^3}{3^3}$

④ $\dfrac{2^4}{3^3}$ ⑤ $\dfrac{2^5}{3^3}$

유형 06 독립시행의 확률 – 합사건

두 사건 A, B가 배반사건, 즉 $P(A \cap B) = 0$이면
$$P(A \cup B) = P(A) + P(B)$$

052

주사위 한 개를 10번 던질 때, 짝수의 눈이 9번 이상 나올 확률은?

① $\dfrac{11}{1024}$ ② $\dfrac{13}{1024}$ ③ $\dfrac{15}{1024}$

④ $\dfrac{17}{1024}$ ⑤ $\dfrac{19}{1024}$

053

어떤 축구 선수가 패널티킥을 성공시킬 확률이 80%라 한다. 이 선수가 3번의 패널티킥 상황에서 2번 이상 성공할 확률은?

① 0.128 ② 0.384 ③ 0.512

④ 0.64 ⑤ 0.896

054

A, B 두 선수가 겨루는 권투 경기가 3명의 심판의 판정에 의해 승패가 결정된다. 각 심판이 A가 경기에 이겼다고 판정할 확률이 $\dfrac{3}{4}$일 때, 세 심판의 다수결에 의한 판정으로 A가 이길 확률을 구하시오.

055

주사위를 던져 나오는 눈의 수에 따라 동전 던지는 횟수를 정하는 놀이가 있다. 6의 눈이 나오면 동전을 3번, 6이 아닌 눈이 나오면 동전을 2번 던지기로 한다. 주사위 한 개와 동전 한 개로 이 놀이를 할 때, 동전의 앞면이 한 번 나타날 확률을 구하시오.

056

그림과 같은 바둑판 위에서 점 A를 출발점으로 하여 동전을 던져 앞면이 나오면 오른쪽으로, 뒷면이 나오면 위로 각각 한 눈금씩 바둑돌을 옮긴다. 동전을 4회 던질 때, 바둑돌이 점 B 또는 점 C에 도달할 확률을 구하시오. (단, 바둑돌이 바둑판 밖으로 나가게 될 경우 움직이지 않는다.)

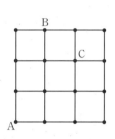

057

수직선 위의 원점 O에 점 P가 있다. 동전을 던져서 앞면이 나오면 P의 위치를 오른쪽으로 1만큼 이동하고, 뒷면이 나오면 왼쪽으로 1만큼 이동한다. 동전을 9회 던질 때, $\overline{OP} \le 2$일 확률은?

① $\dfrac{125}{256}$　　② $\dfrac{63}{128}$　　③ $\dfrac{127}{256}$

④ $\dfrac{1}{2}$　　⑤ $\dfrac{65}{128}$

유형 07 독립시행의 확률 – 여사건

'적어도 ~인' 사건의 확률을 구할 때는 여사건의 확률을 이용한다.

('적어도 ~인' 사건의 확률)=1−(반대인 사건의 확률)

058

한 개의 동전을 4번 던질 때, 앞면이 적어도 1번 나올 확률은?

① $\dfrac{1}{16}$　　② $\dfrac{3}{16}$　　③ $\dfrac{9}{16}$

④ $\dfrac{11}{16}$　　⑤ $\dfrac{15}{16}$

059

어느 시험에서 옳은 것에는 ○표, 옳지 않은 것에는 ×표를 하는 문제가 6개 출제되었다. 임의로 ○표 또는 ×표를 할 때, 적어도 3문제를 맞힐 확률을 구하시오.

060

주사위를 던져 나오는 눈에 따라 동전을 던지는 횟수를 정하는 놀이가 있다. 짝수의 눈이 나오면 동전을 3번, 홀수의 눈이 나오면 동전을 2번 던진다고 한다. 주사위 한 개와 동전 한 개로 이 놀이를 할 때, 동전의 뒷면이 적어도 한 번 나올 확률은?

① $\dfrac{11}{16}$　　② $\dfrac{3}{4}$　　③ $\dfrac{13}{16}$

④ $\dfrac{7}{8}$　　⑤ $\dfrac{15}{16}$

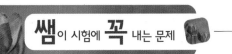

061

두 사건 A, B가 서로 독립이고 $P(A)=\frac{1}{4}$, $P(A\cup B)=\frac{5}{8}$일 때, $P(A\cap B^c)$은?

① $\frac{1}{8}$ ② $\frac{1}{4}$ ③ $\frac{3}{8}$

④ $\frac{5}{8}$ ⑤ $\frac{3}{4}$

062

두 사건 A와 B는 서로 독립이고 $P(A\cup B)=\frac{1}{2}$,

$P(A|B)=\frac{3}{8}$일 때, $P(A\cap B^c)$을 구하시오.

063

500원짜리, 100원짜리, 10원짜리 동전을 각각 1개씩 던질 때, 500원짜리 동전의 앞면이 나올 사건을 A, 적어도 앞면이 2개 나올 사건을 B, 3개 모두 같은 면이 나올 사건을 C라 하자. 〈보기〉에서 서로 독립인 것을 모두 고른 것은?

┤ 보기 ├

ㄱ. A와 B ㄴ. A와 C

ㄷ. B와 C ㄹ. A^c과 C

① ㄱ, ㄴ ② ㄴ, ㄷ ③ ㄴ, ㄹ

④ ㄴ, ㄷ, ㄹ ⑤ ㄱ, ㄴ, ㄷ, ㄹ

064

1부터 10까지 자연수가 각각 하나씩 적힌 10장의 카드 중에서 임의로 한 장을 뽑을 때, n의 배수가 적힌 카드를 뽑는 사건을 A_n이라 하자. 〈보기〉에서 옳은 것만을 있는 대로 고른 것은?

┤ 보기 ├

ㄱ. A_3과 A_4는 서로 배반사건이다.

ㄴ. $P(A_4|A_2)=\frac{1}{5}$

ㄷ. A_2와 A_5는 서로 독립이다.

① ㄱ ② ㄱ, ㄴ ③ ㄱ, ㄷ

④ ㄴ, ㄷ ⑤ ㄱ, ㄴ, ㄷ

065

표본공간 S의 두 사건 A, B에 대하여 〈보기〉에서 옳은 것만을 있는 대로 고르시오. (단, 두 사건 A, B는 공사건이 아니다.)

┤ 보기 ├

ㄱ. $P(A|B)=P(A)$이면 $P(A\cap B)=P(A)P(B)$

ㄴ. $P(A|B^c)+P(A^c|B^c)=1$

ㄷ. $P(A|B)+P(A^c|B^c)=1$이면 두 사건 A, B는 서로 독립이다.

066

A, B, C 세 학생이 어떤 시험에서 합격할 확률이 각각 $\frac{2}{3}$, $\frac{1}{2}$, $\frac{2}{5}$일 때, 두 사람만 합격할 확률을 구하시오.

067

수직선 위를 움직이는 점 A는 주사위를 던져서 6의 약수가 나오면 1만큼, 그 외의 눈이 나오면 -1만큼 원점을 출발하여 움직인다. 주사위를 4번 던졌을 때, 점 A가 원점으로부터 오른쪽으로 2만큼 떨어진 점에 있을 확률을 구하시오.

068

자유투 성공률이 $\frac{5}{6}$인 어떤 농구 선수가 시합에서 3개의 자유투 중 2개 이상을 성공시킬 확률은?

① $\frac{7}{9}$ ② $\frac{22}{27}$ ③ $\frac{23}{27}$

④ $\frac{8}{9}$ ⑤ $\frac{25}{27}$

069

주사위 1개를 한 번 던져 나온 눈의 수가 3의 배수이면 1점, 그 외의 눈의 수가 나오면 2점을 얻는 게임을 하려고 한다. 주사위 1개를 4번 던져 얻은 점수의 합이 5점 이하가 될 확률은?

① $\frac{1}{9}$ ② $\frac{2}{9}$ ③ $\frac{1}{3}$

④ $\frac{4}{9}$ ⑤ $\frac{5}{9}$

070

서로 다른 2개의 주사위를 동시에 던져 나온 눈의 수의 합이 7이면 한 개의 동전을 4번 던지고, 나온 눈의 수의 합이 7이 아니면 한 개의 동전을 2번 던지기로 하였다. 이 시행에서 동전의 앞면이 나온 횟수와 뒷면이 나온 횟수가 같을 확률을 구하시오.

1등급 문제

071

한 번의 시행에서 사건 A가 일어날 확률과 사건 A^c이 일어날 확률의 차가 $\frac{1}{2}$일 때, 8회의 독립시행에서 사건 A가 5회 일어나지만 연속으로 5회는 일어나지 않을 확률은 $\dfrac{k \times 3^3}{2^{14}}$이다. 상수 k의 값을 구하시오. (단, $\mathrm{P}(A) < \mathrm{P}(A^c)$)

072

1, 2, 3, $\cdots$, $2n$의 숫자가 각각 하나씩 적혀 있는 $2n$개의 공이 들어 있는 주머니에서 임의로 1개의 공을 꺼낼 때, 짝수가 나오는 사건을 A, 소수의 제곱의 수가 나오는 사건을 B라 하자. 두 사건 A, B가 서로 독립일 때, 2 이상의 자연수 n의 최댓값을 구하시오.

06 확률변수와 확률분포

06 확률변수와 확률분포

1 확률변수

(1) 어떤 시행의 결과 일어나는 각 사건에 대하여 하나의 수를 대응시킬 때, 이 대응을 확률변수라고 한다.

(2) 확률변수는 표본공간을 정의역으로 하고, 실수의 집합을 공역으로 하는 함수이다.

(3) 확률변수 X가 어떤 값 x를 가질 확률 ➡ $\mathrm{P}(X=x)$

개념 플러스

◀ 확률변수는 보통 X, Y, Z 등으로 나타내고, 확률변수가 가질 수 있는 값은 x, y, z 등으로 나타낸다.

2 이산확률변수

확률변수 X가 유한개의 값을 갖거나 자연수와 같이 셀 수 있을 때, X를 이산확률변수라고 한다.

3 확률질량함수

(1) 이산확률변수 X가 가질 수 있는 모든 값 x_1, x_2, x_3, $\cdots$, x_n에 대하여 이 값을 가질 확률 p_1, p_2, p_3, $\cdots$, p_n을 대응시키는 함수

$$\mathrm{P}(X=x_i)=p_i \; (i=1, 2, 3, \cdots, n)$$

를 이산확률변수 X의 확률질량함수라고 한다.

(2) 확률질량함수의 성질

이산확률변수 X의 확률질량함수 $\mathrm{P}(X=x_i)=p_i \; (i=1, 2, 3, \cdots, n)$에 대하여

① $0 \le p_i \le 1$

② $p_1+p_2+p_3+\cdots+p_n=1$

③ $\mathrm{P}(x_i \le X \le x_j)=\sum\limits_{k=i}^{j} \mathrm{P}(X=x_k)$ (단, $i \le j$, $j=1, 2, 3, \cdots, n$)

◀ **확률분포**
확률변수 X가 갖는 값과 X가 이 값을 가질 확률의 대응 관계를 X의 확률분포라 하고, 확률분포를 다음과 같이 표로 나타낸 것을 확률분포표라고 한다.

X	x_1	x_2	x_3	$\cdots$	x_n	합계
$\mathrm{P}(X=x_i)$	p_1	p_2	p_3	$\cdots$	p_n	1

4 연속확률변수

확률변수 X가 어떤 범위에 속하는 모든 실수 값을 가질 때, X를 연속확률변수라고 한다.

5 확률밀도함수의 성질

연속확률변수 X가 $a \le X \le b$에서 모든 실수 값을 가질 수 있고 이 범위에서 함수 $y=f(x) \; (a \le x \le b)$가 다음과 같은 성질을 가질 때, 함수 $y=f(x)$를 연속확률변수 X의 확률밀도함수라고 한다.

(1) $f(x) \ge 0$

(2) 함수 $y=f(x)$의 그래프와 x축 및 두 직선 $x=a$, $x=b$로 둘러싸인 부분의 넓이는 1이다.

(3) $\mathrm{P}(\alpha \le X \le \beta)$는 함수 $y=f(x)$의 그래프와 x축 및 두 직선 $x=\alpha$, $x=\beta$로 둘러싸인 부분의 넓이와 같다.

(단, $a \le \alpha \le \beta \le b$)

◀ **정적분을 이용하는 확률밀도함수**
구간 $[a, b]$에 속하는 모든 실수 값을 가질 수 있는 연속확률변수 X의 확률밀도함수 $y=f(x)$에 대하여 다음이 성립한다.

(1) $f(x) \ge 0$

(2) $\int_a^b f(x)\,dx=1$

(3) $\mathrm{P}(\alpha \le X \le \beta)=\int_\alpha^\beta f(x)\,dx$

(단, $a \le \alpha \le \beta \le b$)

기본 문제

1 확률변수

001 다음은 한 개의 동전을 두 번 던져서 나오는 모든 경우를 집합 S라 하고, 이 시행에서 나오는 앞면의 개수를 확률변수 X라 할 때, X의 각 값에 대한 확률을 나타낸 것이다. ☐ 안에 알맞은 값을 구하시오.

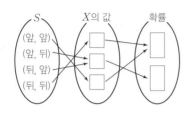

[002-004] 다음을 확률변수 X라 할 때, X가 가질 수 있는 값을 모두 구하시오.

002 한 개의 주사위를 다섯 번 던질 때, 1의 눈이 나오는 횟수

003 서로 같은 동전 3개를 던질 때, 앞면이 나오는 개수

004 흰 구슬 2개와 검은 구슬 3개가 들어 있는 주머니에서 2개의 구슬을 동시에 꺼낼 때 나오는 흰 구슬의 개수

2 확률분포와 확률질량함수

005 한 개의 동전을 두 번 던질 때 나오는 앞면의 개수를 확률변수 X라고 한다. 다음 확률분포표를 완성하시오.

X				합계
$P(X=x)$				1

006 한 개의 주사위를 두 번 던질 때 5의 배수의 눈이 나오는 횟수를 확률변수 X라고 한다. 다음 확률분포표를 완성하시오.

X				합계
$P(X=x)$				1

007 확률변수 X의 확률질량함수가

$$P(X=x) = \begin{cases} \dfrac{1}{4} & (x=1, 2) \\[2mm] \dfrac{1}{2} & (x=3) \end{cases}$$

일 때, 다음 확률분포표를 완성하시오.

X				합계
$P(X=x)$				

3 이산확률분포에서의 확률

[008-009] 확률변수 X의 확률분포를 그래프로 나타내면 그림과 같을 때, 다음 확률을 구하시오.

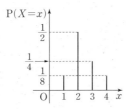

008 $P(X=1)$

009 $P(2 \leq X \leq 3)$

[010-014] 확률변수 X의 확률분포를 나타낸 표가 아래와 같을 때, 다음을 구하시오.

X	0	1	2	3	합계
$P(X=x)$	$\dfrac{1}{4}$	a	$\dfrac{1}{8}$	$\dfrac{1}{2}$	b

010 상수 a, b의 값

011 $P(X=0)$

012 $P(X=1$ 또는 $X=2)$

013 $P(X \geq 2)$

014 $P(X^2-X=0)$

[015-018] 주어진 확률질량함수에 대하여 다음을 구하시오.

$$P(X=x)=\begin{cases} \dfrac{1}{10} & (x=1, 5) \\[2mm] \dfrac{1}{5} & (x=2, 4) \\[2mm] \dfrac{2}{5} & (x=3) \end{cases}$$

015 $P(X=1)$

016 $P(X=2)+P(X=3)$

017 $P(3 \leq X \leq 5)$

018 $\displaystyle\sum_{x=1}^{5} P(X=x)$

4 확률밀도함수

[019-021] $-2 \le x \le 2$에서 정의된 연속확률변수 X의 확률밀도함수 $y = f(x)$의 그래프가 그림과 같을 때, 다음을 구하시오.

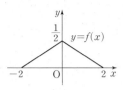

019 $P(-2 \le X \le 2)$

020 $P(X \ge 0)$

021 $P(X \ge 1)$

[022-023] $0 \le x \le 4$에서 정의된 연속확률변수 X의 확률밀도함수 $y = f(x)$의 그래프가 다음과 같을 때, 상수 k의 값을 구하시오.

022

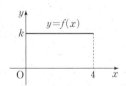

023

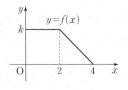

[024-026] $0 \le x \le 6$에서 정의된 연속확률변수 X의 확률밀도함수 $y = f(x)$의 그래프가 그림과 같을 때, 다음을 구하시오.

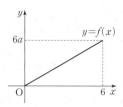

024 상수 a의 값

025 $P(0 \le X \le 3)$

026 $P(X \ge 4)$

[027-028] 확률변수 X의 확률밀도함수가
$$f(x) = \frac{1}{8}x \ (0 \le x \le 4)$$
일 때, 다음을 구하시오.

027 $P(2 \le X \le 4)$

028 $P(X \le 1)$

029 $0 \le x \le 2$에서 연속확률변수 X의 확률밀도함수인 것만을 〈보기〉에서 있는 대로 고르시오.

┤ 보 기 ├
ㄱ. $f(x) = 2$　　　　ㄴ. $f(x) = \frac{1}{2}x$

ㄷ. $f(x) = -x + 1$　　ㄹ. $f(x) = |x - 1|$

유형 01 확률변수

(1) 어떤 시행의 결과 일어나는 각 사건에 대하여 하나의 수를 대응시킬 때, 이 대응을 확률변수라고 한다.
(2) 확률변수는 표본공간을 정의역으로 하고, 실수의 집합을 공역으로 하는 함수이다.

030

0, 2, 4, 6, 8, 10의 숫자가 각각 하나씩 적혀 있는 6장의 카드 중에서 임의로 2장의 카드를 동시에 뽑을 때, 뽑힌 2장의 카드에 적혀 있는 두 수의 차를 확률변수 X라 하자. X가 가질 수 있는 값을 모두 구하시오.

031

50원짜리 동전 2개와 10원짜리 동전 1개를 동시에 던져서 숫자가 적힌 면이 나오는 동전을 상금으로 받기로 하였다. 이 상금을 확률변수 X라 할 때, X가 가질 수 있는 값을 모두 합하면?

(단, 상금의 단위는 원이다.)

① 310   ② 320   ③ 330
④ 340   ⑤ 350

032

한 개의 주사위를 연속해서 3번 던질 때, k번째에 홀수가 나오면 k점을 얻고 짝수가 나오면 0점을 얻는다. 주사위를 3번 던져서 얻어지는 점수의 합을 확률변수 X라 할 때, X가 가질 수 있는 값을 모두 구하시오.

유형 02 확률질량함수의 성질

확률변수 X의 확률질량함수
$P(X=x_i)=p_i$ $(i=1, 2, 3, \cdots, n)$에 대하여
(1) $0 \le p_i \le 1$
(2) $\sum_{i=1}^{n} p_i = p_1 + p_2 + \cdots + p_n = 1$
(3) $P(X=x_i$ 또는 $X=x_j) = P(X=x_i) + P(X=x_j)$
(단, $x_i \ne x_j$, $j=1, 2, 3, \cdots, n$)
(4) $P(x_i \le X \le x_j) = \sum_{k=i}^{j} P(X=x_k)$
(단, $i \le j$, $j=1, 2, 3, \cdots, n$)

033

확률변수 X의 확률분포를 나타낸 표가 다음과 같을 때, 상수 a의 값은?

X	1	2	3	4	합계
$P(X=x)$	$\frac{1}{8}$	$4a^2$	$\frac{1}{2}a$	$\frac{1}{8}$	1

① $\frac{1}{8}$ ② $\frac{1}{4}$ ③ $\frac{3}{8}$

④ $\frac{1}{2}$ ⑤ $\frac{5}{8}$

034

확률변수 X의 확률질량함수가
$$P(X=x)=k(x+1) \ (x=0, 1, 2)$$
일 때, 상수 k의 값을 구하시오.

035

확률변수 X의 확률질량함수가
$$P(X=x)=\begin{cases} \dfrac{x}{9}+k & (x=1, 2, 3) \\ k & (x=4, 5) \end{cases}$$
일 때, 상수 k의 값을 구하시오.

정답 및 해설 40쪽

유형 03 확률분포가 주어질 때 확률 구하기

(1) 모든 확률의 합이 1임을 이용하여 미지수를 구한다.

(2) 확률변수 X가 a 이상 b 이하의 값을 가질 확률은
$$\mathrm{P}(a \le X \le b) = \sum_{x=a}^{b} \mathrm{P}(X=x)$$

036

확률변수 X의 확률분포를 나타낸 표가 다음과 같을 때, $\mathrm{P}(X^2 + X = 0)$은?

X	-1	0	1	합계
$\mathrm{P}(X=x)$	a	$\dfrac{1}{4}$	a	1

① $\dfrac{1}{6}$　　　② $\dfrac{1}{3}$　　　③ $\dfrac{1}{2}$

④ $\dfrac{5}{8}$　　　⑤ $\dfrac{3}{4}$

037

확률변수 X의 확률분포를 나타낸 표가 다음과 같고 $\mathrm{P}(1 \le X \le 2) = \dfrac{1}{4}$일 때, $\mathrm{P}(X=3)$을 구하시오.

X	1	2	3	4	합계
$\mathrm{P}(X=x)$	$\dfrac{1}{12}$	a	b	$\dfrac{5}{12}$	1

038

확률변수 X가 -1, 0, 1의 값을 갖고
$$\mathrm{P}(X=-1) = \frac{1}{4},\ \mathrm{P}(X=0) = \frac{1}{6},\ \mathrm{P}(X=1) = k$$
일 때, $\mathrm{P}(X^2 - 2X - 3 < 0)$을 구하시오. (단, k는 상수이다.)

유형 04 확률질량함수가 주어질 때 확률 구하기

① 확률변수 X가 취할 수 있는 값을 모두 찾는다.

② 각각의 확률변수 X에 대응하는 확률을 구한다.

③ 모든 확률의 합이 1임을 이용하여 미지수를 구한다.

039

확률변수 X의 확률질량함수가
$$\mathrm{P}(X=x) = \frac{x}{k} \ (x=1, 2, 3, 4)$$
일 때, $\mathrm{P}(2 \le X \le 3)$은? (단, k는 상수이다.)

① $\dfrac{1}{3}$　　　② $\dfrac{2}{5}$　　　③ $\dfrac{1}{2}$

④ $\dfrac{7}{10}$　　　⑤ $\dfrac{4}{5}$

040

확률변수 X의 확률질량함수가
$$\mathrm{P}(X=x) = \begin{cases} \dfrac{1}{6} & (x=0, 2, 4) \\ a & (x=1, 3) \end{cases}$$
일 때, $\mathrm{P}(1 \le X \le 3)$을 구하시오. (단, a는 상수이다.)

041

확률변수 X의 확률질량함수가
$$\mathrm{P}(X=n) = k \log_4 \frac{n+1}{n} \ (n=1, 2, 3, \cdots, 15)$$
일 때, $\mathrm{P}(4 \le X \le 15)$를 구하시오. (단, k는 상수이다.)

유형 05 이산확률변수와 확률

확률변수 X가 가질 수 있는 값을 구하고 X의 각 값에 대한 확률을 구한다.

042

빨간 구슬 3개, 흰 구슬 4개가 들어 있는 주머니에서 3개의 구슬을 동시에 꺼낼 때, 나오는 빨간 구슬의 개수를 확률변수 X라 하자. $P(X=2)$는?

① $\dfrac{3}{35}$ ② $\dfrac{6}{35}$ ③ $\dfrac{2}{7}$

④ $\dfrac{12}{35}$ ⑤ $\dfrac{18}{35}$

043

10개의 제비 중에 4개의 당첨 제비가 있다. 10개 중에서 3개의 제비를 임의로 뽑아 나오는 당첨 제비의 개수를 확률변수 X라 할 때, $P(X\le1)$을 구하시오.

044

불량품이 5개 포함되어 있는 9개의 제품 중 4개의 제품을 뽑아 나오는 불량품의 개수를 확률변수 X라 할 때, $P(X^2-6X+8\le0)$을 구하시오.

045

한 개의 주사위를 2회 던져서 나오는 눈의 수의 합을 확률변수 X라 할 때, $P(3\le X\le4)$를 구하시오.

046

그림과 같이 8개의 지점 A, B, C, D, E, F, G, H를 잇는 도로망이 있다. 8개의 지점 중에서 한 지점을 임의로 선택할 때, 선택된 지점에 연결된 도로의 개수를 확률변수 X라 하자. $P(3X+1>10)$을 구하시오.

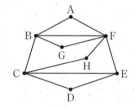

047

각 면에 1, 2, 3, 4의 숫자가 하나씩 적혀 있는 정사면체를 두 번 던져서 밑면에 나오는 수의 합을 확률변수 X라 할 때, $P(X\ge a)=\dfrac{3}{8}$을 만족시키는 정수 a의 값을 구하시오.

유형 06 확률밀도함수의 성질

연속확률변수 X의 확률밀도함수 $y=f(x)$ $(a \leq x \leq b)$의 미정계수를 구할 때

⇨ 함수 $y=f(x)$의 그래프와 x축 및 두 직선 $x=a$, $x=b$로 둘러싸인 부분의 넓이가 1임을 이용하여 미정계수의 값을 구한다.

048

연속확률변수 X의 확률밀도함수가 $f(x)=ax$ $(0 \leq x \leq 1)$일 때, 상수 a의 값을 구하시오.

049

$0 \leq x \leq 1$에서 정의된 확률변수 X의 확률밀도함수가 $f(x)=3ax+a$일 때, 상수 a의 값을 구하시오.

050 ★중요

연속확률변수 X의 확률밀도함수가

$$f(x)=\begin{cases} kx & (0 \leq x < 1) \\ -k(x-2) & (1 \leq x \leq 2) \end{cases}$$

일 때, 상수 k의 값은?

① $\dfrac{1}{3}$ ② $\dfrac{1}{2}$ ③ $\dfrac{2}{3}$

④ 1 ⑤ $\dfrac{4}{3}$

유형 07 확률밀도함수가 주어질 때 확률 구하기

연속확률변수 X의 확률밀도함수 $y=f(x)$ $(a \leq x \leq b)$에 대하여

① 함수 $y=f(x)$의 그래프를 그린다.

② $P(\alpha \leq X \leq \beta)$는 함수 $y=f(x)$의 그래프와 x축 및 두 직선 $x=\alpha$, $x=\beta$로 둘러싸인 부분의 넓이와 같음을 이용하여 확률을 구한다. (단, $a \leq \alpha \leq \beta \leq b$)

051

연속확률변수 X의 확률밀도함수가 $f(x)=\dfrac{1}{2}x$ $(0 \leq x \leq 2)$일 때, $P(0 \leq X \leq 1)$은?

① $\dfrac{1}{2}$ ② $\dfrac{1}{3}$ ③ $\dfrac{1}{4}$

④ $\dfrac{1}{5}$ ⑤ $\dfrac{1}{6}$

052

연속확률변수 X의 확률밀도함수가

$$f(x)=\begin{cases} x+1 & (-1 \leq x < 0) \\ 1-x & (0 \leq x \leq 1) \end{cases}$$

일 때, $P\left(-\dfrac{1}{2} \leq X \leq 1\right)$을 구하시오.

053 ★중요

$0 \leq x \leq b$에서 정의된 연속확률변수 X의 확률밀도함수 $y=f(x)$의 그래프가 그림과 같고, $P(0 \leq X \leq a)=\dfrac{1}{2}$일 때, $a+b$의 값을 구하시오.

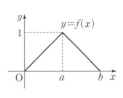

054

연속확률변수 X의 확률밀도함수가 $0 \le x \le 2$에서 $f(x) = 2ax + a$로 정의될 때, $P(0 \le X \le 1)$은?

(단, a는 상수이다.)

① $\dfrac{1}{2}$ ② $\dfrac{1}{3}$ ③ $\dfrac{1}{4}$

④ $\dfrac{1}{5}$ ⑤ $\dfrac{1}{6}$

중요
055

$0 \le x \le 3$에서 정의된 연속확률변수 X의 확률밀도함수 $y = f(x)$의 그래프가 그림과 같을 때, $P(1 \le X \le 2)$를 구하시오.

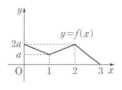

056

$-10 \le x \le 10$에서 정의된 연속확률변수 X의 확률밀도함수 $y = f(x)$의 그래프가 그림과 같고, $P(|X| \ge b) = 0.09$일 때, ab의 값을 구하시오. (단, $0 < b < 10$)

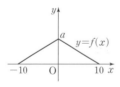

유형 8 확률밀도함수의 응용

연속확률변수 X의 확률밀도함수 $y = f(x)$가 모든 실수 x에 대하여 $f(k+x) = f(k-x)$를 만족시키면 확률밀도함수 $y = f(x)$는 $x = k$에 대하여 대칭이다.

057

연속확률변수 X의 확률밀도함수 $y = f(x)$가 모든 실수 x에 대하여 $f(2+x) = f(2-x)$를 만족시킨다. 두 양수 a, b $(a < b)$에 대하여

$$P(2-a \le X \le 2+b) = p_1, \quad P(2+a \le X \le 2+b) = p_2$$

일 때, $P(2-b \le X \le 2+b)$를 p_1과 p_2로 나타낸 것은?

① $p_1 + p_2$ ② $\dfrac{p_1 + p_2}{2}$ ③ $\dfrac{p_1 - p_2}{2}$

④ $p_1 - p_2$ ⑤ $p_2 - p_1$

중요
058

$0 \le x \le 6$에서 정의된 연속확률변수 X의 확률밀도함수 $y = f(x)$가 다음 조건을 만족시킬 때, $P(4 \le X \le 5)$를 구하시오.

(가) $f(3+x) = f(3-x)$

(나) $P(1 \le X \le 3) = 7P(0 \le X \le 1)$

(다) $P(2 \le X \le 3) = \dfrac{5}{16}$

059

연속확률변수 X가 갖는 값은 구간 $[0, 1]$의 모든 실수이다. 구간 $[0, 1]$에서 두 함수 $y = F(x)$, $y = G(x)$를

$$F(x) = P(X \ge x), \quad G(x) = P(X \le x)$$

로 정의할 때, 〈보기〉에서 옳은 것만을 있는 대로 고르시오.

보기

ㄱ. $F(0.3) \le F(0.2)$ ㄴ. $F(0.4) = G(0.6)$

ㄷ. $F(0.2) - F(0.7) = G(0.7) - G(0.2)$

060

2, 4, 6, 8의 숫자가 각 면에 하나씩 적혀 있는 정사면체를 한 번 던지는 시행에서 바닥에 닿는 면을 제외한 세 면의 숫자의 합을 확률변수 X라 할 때, X가 가질 수 있는 값을 모두 구하시오.

061

확률변수 X의 확률질량함수가

$$P(X=x)=\frac{k}{x(x+1)} \ (x=1, 2, 3, 4, 5, 6)$$

로 주어질 때, $12k$의 값은? (단, k는 상수이다.)

① 10   ② 12   ③ 14

④ 16   ⑤ 18

062

확률변수 X의 확률분포를 나타낸 표가 다음과 같다.

X	1	2	3	4	합계
$P(X=x)$	$\frac{1}{8}$	$\frac{1}{8}$	a	b	1

$\frac{1}{8}$, a, b가 이 순서대로 등비수열을 이룰 때, b의 값은?

① $\frac{1}{4}$ ② $\frac{1}{3}$ ③ $\frac{1}{2}$

④ $\frac{2}{9}$ ⑤ $\frac{3}{4}$

063

확률변수 X의 확률분포를 나타낸 표가 다음과 같고,

$P(X^2 < X+2)=\frac{1}{2}$일 때, $a-b$의 값을 구하시오.

(단, a, b는 상수이다.)

X	-2	-1	0	1	2	합계
$P(X=x)$	$\frac{1}{10}$	$\frac{1}{5}$	$\frac{1}{10}$	a	b	1

064

확률변수 X의 확률질량함수가

$$P(X=x)=\log_2 p_x \ (x=1, 2, 3, 4, 5)$$

이고, p_1, p_2, p_3, p_4, p_5가 이 순서대로 등비수열을 이룰 때, $P(X=3)$을 구하시오.

065

한 개의 주사위를 세 번 던져서 소수의 눈이 나오는 횟수를 확률변수 X라 할 때, 다음 중 X의 확률분포를 그래프로 바르게 나타낸 것은?

①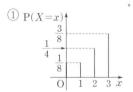

②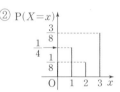

③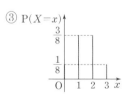

④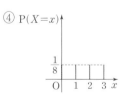

⑤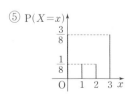

066

흰 공 4개와 검은 공 3개가 들어 있는 주머니에서 2개의 공을 동시에 꺼낼 때, 나오는 흰 공의 개수를 확률변수 X라 하자. $P(0 \leq X < 2)$는?

① $\dfrac{1}{7}$ ② $\dfrac{2}{7}$ ③ $\dfrac{3}{7}$

④ $\dfrac{4}{7}$ ⑤ $\dfrac{5}{7}$

067

두 주사위 A, B를 동시에 던질 때 나오는 두 눈의 수를 각각 a, b라 하자. $|a-b|$의 값을 확률변수 X라 할 때, $P(X \geq 4) = \dfrac{q}{p}$이다. $p+q$의 값을 구하시오. (단, p와 q는 서로소인 자연수이다.)

068

$0 \leq x \leq a$에서 정의된 연속확률변수 X의 확률밀도함수가

$$f(x) = \begin{cases} 3x+1 & \left(0 \leq x < \dfrac{1}{3}\right) \\ -3x+3 & \left(\dfrac{1}{3} \leq x \leq a\right) \end{cases}$$

일 때, a의 값은? $\left(단, \dfrac{1}{3} \leq a \leq 1\right)$

① $\dfrac{2}{3}$ ② $\dfrac{3}{4}$ ③ $\dfrac{5}{6}$

④ $\dfrac{7}{8}$ ⑤ 1

069

연속확률변수 X가 갖는 값의 범위가 $0 \leq x \leq 2$이고, 확률밀도함수의 그래프는 다음과 같다. $P(a \leq X \leq b) = \dfrac{1}{2}$일 때, $k = \dfrac{q}{p}$이다. $p^2 + q^2$의 값을 구하시오.

(단, p, q는 서로소인 자연수이다.)

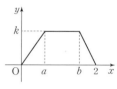

1등급 문제

070

그림과 같이 정사각형 ABCD가 있다. 이 정사각형을 4개의 작은 정사각형으로 사등분하여 각각 파란색, 빨간색, 노란색 중에서 한 가지를 택하여 칠하려고 한다. 파란색으로 칠해진 작은 정사각형의 개수를 확률변수 X라 할 때, $P(X=2)$를 구하시오.

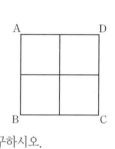

071

연속확률변수 X가 갖는 값의 범위가 $0 \leq x \leq 6$이고, 확률변수 X와 그 확률밀도함수 $y = f(x)$가 다음 조건을 만족시킨다.

> (가) $f(3+x) = f(3-x)$
>
> (나) $0 \leq x \leq 3$인 실수 x에 대하여 $P(x \leq X \leq 3) = a - \dfrac{x^2}{18}$

$P(1 \leq X \leq 4)$를 구하시오. (단, a는 상수이다.)

07 이산확률변수의 평균과 표준편차

1 이산확률변수의 평균, 분산, 표준편차

이산확률변수 X의 확률질량함수가 $\mathrm{P}(X=x_i)=p_i\,(i=1, 2, 3, \cdots, n)$일 때

(1) X의 평균 (기댓값): $\mathrm{E}(X)=x_1 p_1+x_2 p_2+x_3 p_3+\cdots+x_n p_n=\sum\limits_{i=1}^{n} x_i p_i$

(2) 분산: $\mathrm{V}(X)=\mathrm{E}((X-m)^2)=\sum\limits_{i=1}^{n}(x_i-m)^2 p_i$

$\qquad\quad=\sum\limits_{i=1}^{n} x_i^2 p_i-m^2=\mathrm{E}(X^2)-\{\mathrm{E}(X)\}^2$ (단, $m=\mathrm{E}(X)$)

(3) 표준편차: $\sigma(X)=\sqrt{\mathrm{V}(X)}$

참고 $\mathrm{V}(X)=\sum\limits_{i=1}^{n}(x_i-m)^2 p_i=\sum\limits_{i=1}^{n}(x_i^2-2mx_i+m^2)p_i$

$\qquad\quad=\sum\limits_{i=1}^{n} x_i^2 p_i-2m\sum\limits_{i=1}^{n} x_i p_i+m^2\sum\limits_{i=1}^{n} p_i$

$\qquad\quad=\sum\limits_{i=1}^{n} x_i^2 p_i-2m^2+m^2\ \left(\because \sum\limits_{i=1}^{n} x_i p_i=m,\ \sum\limits_{i=1}^{n} p_i=1\right)$

$\qquad\quad=\sum\limits_{i=1}^{n} x_i^2 p_i-m^2=\mathrm{E}(X^2)-\{\mathrm{E}(X)\}^2$

2 확률변수의 평균, 분산, 표준편차의 성질

확률변수 X와 두 상수 $a, b\,(a\neq0)$에 대하여
(1) $\mathrm{E}(aX+b)=a\mathrm{E}(X)+b$
(2) $\mathrm{V}(aX+b)=a^2\mathrm{V}(X)$
(3) $\sigma(aX+b)=|a|\sigma(X)$

참고 ① $\mathrm{E}(aX+b)=\sum\limits_{i=1}^{n}(ax_i+b)p_i=a\sum\limits_{i=1}^{n} x_i p_i+b\sum\limits_{i=1}^{n} p_i=a\mathrm{E}(X)+b$

$\qquad$② $\mathrm{V}(aX+b)=\sum\limits_{i=1}^{n}\{(ax_i+b)-\mathrm{E}(aX+b)\}^2 p_i$

$\qquad\qquad\qquad=\sum\limits_{i=1}^{n}\{(ax_i+b)-(a\mathrm{E}(X)+b)\}^2 p_i$

$\qquad\qquad\qquad=a^2\sum\limits_{i=1}^{n}(x_i-\mathrm{E}(X))^2 p_i$

$\qquad\qquad\qquad=a^2\mathrm{V}(X)$

$\qquad$③ $\sigma(aX+b)=\sqrt{\mathrm{V}(aX+b)}=\sqrt{a^2\mathrm{V}(X)}$

$\qquad\qquad\qquad=|a|\sigma(X)$

기본 문제

1 이산확률변수의 평균, 분산, 표준편차

[001-004] 확률변수 X의 확률분포를 나타낸 표가 다음과 같을 때, 다음 □에 알맞은 것을 구하시오.

X	x_1	x_2	x_3	$\cdots$	x_{10}	합계
$P(X=x_i)$	p_1	p_2	p_3	$\cdots$	p_{10}	1

001 $m=E(X)=\sum_{i=1}^{10} \boxed{}$

002 $V(X)=\sum_{i=1}^{10} (\boxed{})^2 p_i$

003 $V(X)=E(X^2)-\boxed{}$

004 $\sigma(X)=\sqrt{\boxed{}}$

[005-009] 확률변수 X의 확률분포를 나타낸 표가 다음과 같을 때, 다음을 구하시오.

X	1	2	3	합계
$P(X=x)$	a	$\dfrac{1}{4}$	$\dfrac{5}{8}$	1

005 상수 a의 값

006 $P(1 \leq X \leq 2)$

007 $E(X)$

008 $V(X)$

009 $\sigma(X)$

[010-014] 한 개의 주사위를 두 번 던질 때, 소수의 눈이 나오는 횟수를 확률변수 X라 하자. 확률분포표를 완성하고 다음을 구하시오.

010

X				합계
$P(X=x)$				1

011 $P(X(X-1) \leq 0)$

012 $E(X)$

013 $V(X)$

014 $\sigma(X)$

[015-017] 확률변수 X의 확률질량함수가

$$P(X=x) = \begin{cases} \dfrac{1}{6} & (x=1, 3) \\ \dfrac{2}{3} & (x=2) \end{cases}$$

일 때, 다음을 구하시오.

015 $P(1 \leq X \leq 2)$

016 $E(X)$

017 $V(X)$

[018-020] 확률변수 X에 대하여 다음을 구하시오.

018 $E(X)=10$, $\sigma(X)=4$일 때, $E(X^2)$

019 $E(X)=5$, $E(X^2)=40$일 때, $V(X)$

020 $V(X)=4$, $E(X^2)=29$일 때, $\{E(X)\}^2$

2 이산확률변수 $aX+b$의 평균, 분산, 표준편차

[021-023] 확률변수 X에 대하여 다음이 성립할 때, □에 알맞은 값을 구하시오.

021 $E(4X+5) = \square E(X) + \square$

022 $V(4X+5) = \square V(X)$

023 $\sigma(4X+5) = \square \sigma(X)$

[024-028] 확률변수 X에 대하여 $E(X)=5$, $V(X)=4$일 때, 다음을 구하시오.

024 $E(2X-1)$

025 $V(-X+3)$

026 $\sigma(3X+2)$

027 $Y=-X+1$일 때, $E(Y)$, $\sigma(Y)$

028 $Z=\dfrac{1}{5}X+3$일 때, $E(Z)$, $\sigma(Z)$

유형 01 이산확률변수의 평균

확률변수 X의 확률질량함수가

$\mathrm{P}(X=x_i)=p_i$ $(i=1, 2, 3, \cdots, n)$일 때, X의 평균은

$$\mathrm{E}(X)=x_1p_1+x_2p_2+\cdots+x_np_n=\sum_{i=1}^{n}x_ip_i$$

029

확률변수 X의 확률분포를 나타낸 표가 다음과 같을 때, X의 평균은?

X	-2	0	2	합계
$\mathrm{P}(X=x)$	a	$\dfrac{1}{4}$	$\dfrac{7}{12}$	1

① $\dfrac{1}{6}$　　② $\dfrac{1}{3}$　　③ $\dfrac{1}{2}$

④ $\dfrac{2}{3}$　　⑤ $\dfrac{5}{6}$

030

확률변수 X의 확률분포가 그림의 대응과 같다. $\mathrm{E}(X)=\dfrac{13}{6}$일 때, 두 상수 a, b에 대하여 ab의 값을 구하시오.

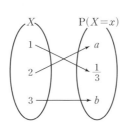

031

확률변수 X의 확률분포를 나타낸 표가 다음과 같다.

X	1	2	k	합계
$\mathrm{P}(X=x)$	$\dfrac{1}{6}$	a	b	1

$\dfrac{1}{6}$, a, b가 이 순서대로 등차수열을 이루고 $\mathrm{E}(X)=\dfrac{17}{6}$일 때, 상수 k의 값을 구하시오.

032

확률변수 X의 확률질량함수가

$$\mathrm{P}(X=x)=\frac{k}{x(x+1)} \ (x=1, 2, 3, 4)$$

일 때, $\mathrm{E}(X)$를 구하시오. (단, k는 상수이다.)

033

4 이하의 자연수 중에서 서로 다른 두 수를 뽑아 두 수의 차를 확률변수 X라 할 때, X의 평균을 구하시오.

034

검은 구슬 5개와 파란 구슬 2개가 들어 있는 주머니가 있다. 이 주머니에서 2개의 구슬을 꺼내는 시행에서 나오는 검은 구슬의 개수를 확률변수 X라 할 때, X의 평균을 구하시오.

유형 **02** 이산확률변수의 기댓값

확률변수 X의 확률질량함수가
$\mathrm{P}(X=x_i)=p_i\ (i=1,\ 2,\ 3,\ \cdots,\ n)$일 때, X의 기댓값은
$$\mathrm{E}(X)=\sum_{i=1}^{n} x_i p_i$$

035

제비 100개 중에 포함된 당첨 제비의 수와 그 제비에 대한 상금이 표와 같다. 이 중에서 한 개의 제비를 뽑을 때의 상금에 대한 기댓값은?

등급	상금	개수
1등	10만 원	5
2등	5만 원	10
3등	3만 원	25
등외	0원	60

① 16000원   ② 16500원   ③ 17000원
④ 17500원   ⑤ 18000원

036

어느 복권회사에서 1부터 10까지의 자연수 중에서 3개를 적어 내는 복권을 판매한다. 이 회사에서는 3개의 수를 발표하여 이 세 수를 모두 맞힌 사람에게는 15만 원, 2개의 수를 맞힌 사람에게는 2만 원, 1개의 수를 맞힌 사람에게는 1만 원의 당첨금을 지급한다고 한다. 이 회사가 손해를 보지 않기 위해서 받아야 하는 복권 한 장의 최소 금액은? (단, 수의 순서는 생각하지 않는다.)

① 5000원   ② 7000원   ③ 10000원
④ 12000원   ⑤ 15000원

037

다음 표와 같은 상금이 걸려 있는 제비가 있다. 한 개의 제비를 뽑아 받을 수 있는 상금의 기대 금액이 1000원이 되도록 할 때, 전체 제비의 개수를 구하시오.

등급	상금	개수
1등	100000원	1
2등	10000원	10
등외	0원	?

중요
038

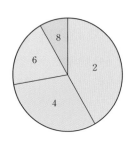

그림과 같이 표적 원판이 네 개의 부채꼴로 나누어져 있고 각 부채꼴의 넓이는 등차수열을 이루며 가장 큰 부채꼴의 넓이는 가장 작은 부채꼴의 넓이의 5배이다. 또 중심각의 크기가 큰 부채꼴부터 각각 2점, 4점, 6점, 8점이 부여되어 있다. 이 표적 원판을 돌린 후, 화살 한 개를 쏘아 원판에 맞추었을 때, 얻는 점수의 기댓값을 구하시오.

(단, 화살은 경계선에 맞지 않는다.)

유형 **03** 이산확률변수의 분산, 표준편차
– 확률분포가 주어질 때

확률변수 X의 확률질량함수가
$\mathrm{P}(X=x_i)=p_i \ (i=1, 2, 3, \cdots, n)$일 때
(1) 분산: $\mathrm{V}(X)=\mathrm{E}(X^2)-\{\mathrm{E}(X)\}^2$
(2) 표준편차: $\sigma(X)=\sqrt{\mathrm{V}(X)}$

039

확률변수 X의 확률분포를 나타낸 표가 다음과 같을 때, X의 분산은?

X	0	1	2	합계
$\mathrm{P}(X=x)$	$\dfrac{2}{3}$	$\dfrac{1}{6}$	$\dfrac{1}{6}$	1

① $\dfrac{5}{12}$ ② $\dfrac{1}{2}$ ③ $\dfrac{7}{12}$

④ $\dfrac{3}{4}$ ⑤ $\dfrac{5}{6}$

040

확률변수 X의 확률분포를 나타낸 표가 다음과 같을 때, $a+\mathrm{E}(X)+\mathrm{V}(X)$의 값을 구하시오. (단, a는 상수이다.)

X	1	2	3	4	합계
$\mathrm{P}(X=x)$	$\dfrac{1}{6}$	$\dfrac{1}{3}$	a	$\dfrac{1}{6}$	1

041

확률변수 X의 확률분포를 나타낸 표가 다음과 같을 때, $\sigma(X)$를 구하시오.

X	-1	0	1	합계
$\mathrm{P}(X=x)$	a	$\dfrac{a}{2}$	a^2	1

042

확률변수 X의 확률질량함수가

$$\mathrm{P}(X=k)=\frac{k}{a} \ (k=1, 2, 3, 4)$$

일 때, X의 표준편차는? (단, a는 상수이다.)

① 1   ② 2   ③ 3

④ 4   ⑤ 5

043

확률변수 X의 확률분포를 나타낸 표가 다음과 같다.

X	1	2	4	8	합계
$\mathrm{P}(X=x)$	$\dfrac{1}{4}$	a	$\dfrac{1}{8}$	b	1

확률변수 X의 평균이 5일 때, X의 분산을 구하시오.

044

확률변수 X의 확률질량함수가
$$\mathrm{P}(X=x)=ax \ (x=1, 2, 3, \cdots, n)$$
이고 $\mathrm{V}(X)=1$일 때, $\mathrm{P}(2 \leq X \leq 3)$의 값을 구하시오.
(단, a는 상수이다.)

유형 04 이산확률변수의 분산, 표준편차
– 확률분포가 주어지지 않을 때

① 확률변수 X가 가질 수 있는 값을 먼저 구하고, 그 각각에 대한 확률을 구한다.
② 확률변수 X의 확률분포를 표로 나타낸다.
③ 확률변수 X의 평균, 분산, 표준편차를 구한다.

045

1이 적힌 카드가 1장, 2가 적힌 카드가 2장, 3이 적힌 카드가 3장 있다. 이 중에서 한 장의 카드를 뽑을 때, 뽑힌 카드에 적힌 수를 확률변수 X라고 한다. $\mathrm{V}(X)$는?

① $\dfrac{1}{9}$

② $\dfrac{2}{9}$

③ $\dfrac{1}{3}$

④ $\dfrac{4}{9}$

⑤ $\dfrac{5}{9}$

046

흰 공 2개, 검은 공 4개가 들어 있는 주머니에서 3개의 공을 꺼낼 때, 나오는 검은 공의 개수를 확률변수 X라고 한다. X의 표준편차를 구하시오.

047
한 개의 주사위를 던져서 나온 눈의 수의 양의 약수의 개수를 확률변수 X라 할 때, X의 분산을 구하시오.

048

현아는 오늘 세 통의 스팸 메일을 포함하여 모두 다섯 통의 제목 없는 메일을 받았다. 이 중에서 임의로 택한 두 통의 메일을 삭제할 때, 남아 있는 스팸 메일의 수를 확률변수 X라고 한다. X의 분산은?

① $\dfrac{9}{25}$

② $\dfrac{2}{5}$

③ $\dfrac{11}{25}$

④ $\dfrac{12}{25}$

⑤ $\dfrac{13}{25}$

049
네 개의 수 2, 3, 4, 5 중에서 임의로 서로 다른 두 수를 동시에 뽑을 때, 두 수의 차를 확률변수 X라 하자. $\sigma(X)$의 값을 구하시오.

050
A, B, C, D, E, F의 6명을 임의로 일렬로 세울 때, C, D 사이에 서는 사람의 수를 확률변수 X라 하자. X의 분산을 구하시오.

유형 **05** 이산확률변수 $aX+b$의 평균

확률변수 X와 두 상수 a, b $(a \neq 0)$에 대하여
$$E(aX+b)=aE(X)+b$$

051

확률변수 X의 확률분포를 나타낸 표가 다음과 같을 때, 확률변수 $Y=5X+3$의 평균을 구하시오.

X	1	2	3	4	합계
$P(X=x)$	$\dfrac{3}{10}$	$\dfrac{4}{10}$	$\dfrac{1}{10}$	$\dfrac{2}{10}$	1

052

확률변수 X의 확률분포를 나타낸 표가 다음과 같을 때, 확률변수 $Y=X-1$의 평균은?

X	0	1	2	합계
$P(X=x)$	$\dfrac{1}{4}$	a	a^2	1

① -1 ② 0   ③ 1
④ 2   ⑤ 3

053 중요

이산확률변수 X의 확률질량함수가
$$P(X=x)=a(x^2-x+3) \ (x=-1, 0, 1, 2)$$
일 때, $E\left(\dfrac{1}{a}X-2\right)$의 값을 구하시오. (단, a는 상수이다.)

054

한 개의 주사위를 던지는 시행에서 나오는 눈의 수를 확률변수 X라 하자. 확률변수 $Y=2X+3$에 대하여 $E(Y)$는?

① 10   ② 11   ③ 12
④ 13   ⑤ 14

055 중요

1부터 7까지의 숫자가 각각 하나씩 적힌 7장의 카드에서 2장의 카드를 뽑을 때, 나오는 홀수가 적힌 카드의 개수를 확률변수 X라 하자. $E(-7X+10)$을 구하시오.

056

10원짜리 동전 2개와 100원짜리 동전 3개가 있다. 이들 5개의 동전 중 2개의 동전을 택하는 시행에서 택한 두 동전의 금액의 합을 확률변수 X라 하자. 확률변수 $Y=100X+50$의 기댓값을 구하시오.

유형 6 이산확률변수 $aX+b$의 분산과 표준편차

확률변수 X와 두 상수 a, b ($a \neq 0$)에 대하여
(1) $\mathrm{V}(aX+b) = a^2 \mathrm{V}(X)$
(2) $\sigma(aX+b) = |a|\sigma(X)$

057

확률변수 X는 x_1, x_2, x_3, $\cdots$, x_{10}의 값을 취하고, X의 평균이 100, 표준편차가 10이라고 한다. x_i ($i=1$, 2, 3, $\cdots$, 10)의 3배에 7을 더한 값, 즉 $3x_1+7$, $3x_2+7$, $3x_3+7$, $\cdots$, $3x_{10}+7$의 값을 취하는 확률변수의 평균과 표준편차를 차례로 구한 것은?

① 100, 10   ② 107, 30   ③ 307, 30
④ 307, 37   ⑤ 307, 90

058

확률변수 X에 대하여 $\mathrm{E}(X)=a$, $\mathrm{V}(X)=b$일 때, 확률변수 $Y=2X+5$에 대하여 $\mathrm{E}(Y)=25$, $\mathrm{V}(Y)=12$이다. $a+b$의 값을 구하시오.

059

확률변수 X의 확률분포를 나타낸 표가 다음과 같을 때, 확률변수 $7X$의 분산을 구하시오.

X	0	1	2	합계
$\mathrm{P}(X=x)$	$\dfrac{2}{7}$	$\dfrac{3}{7}$	$\dfrac{2}{7}$	1

060

확률변수 X의 확률분포를 나타낸 표가 다음과 같을 때, 확률변수 $Y=3X-2$에 대하여 $\mathrm{E}(Y)$, $\mathrm{V}(Y)$를 구하시오.

X	0	1	2	합계
$\mathrm{P}(X=x)$	$\dfrac{1}{6}$	$\dfrac{1}{3}$	a	1

061

확률변수 X의 확률분포를 나타낸 표가 다음과 같다.

X	-2	0	2	합계
$\mathrm{P}(X=x)$	a^2	$\dfrac{a}{2}$	a	1

확률변수 aX의 평균과 확률변수 $aX+3$의 분산의 합을 구하시오.
(단, a는 상수이다.)

062

파란 구슬 2개, 빨간 구슬 4개가 들어 있는 상자에서 3개의 구슬을 동시에 꺼낼 때, 나오는 빨간 구슬의 개수를 확률변수 X라 하자. $\mathrm{V}(10X+1)$은?

① 32   ② 36   ③ 38
④ 40   ⑤ 42

유형 07 $V(X)=E(X^2)-\{E(X)\}^2$

이산확률변수 X의 평균을 $E(X)=m$이라 할 때,

$$V(X)=E(X^2)-\{E(X)\}^2$$
$$=\sum_{i=1}^{n} x_i^2 p_i - m^2$$

참고 $E(X^2)=V(X)+\{E(X)\}^2$

063

확률변수 X에 대하여 $E(X)=8$, $V(X)=13$일 때, $E(X^2)$은?

① 74   ② 75   ③ 76
④ 77   ⑤ 78

064

확률변수 X에 대하여 $E(X)=3$, $V(X)=4$일 때, 확률변수 $Y=(X+1)^2$의 평균을 구하시오.

065

확률변수 X에 대하여 $E(X)=2$, $V(X)=5$일 때, $E(3X^2-5)$를 구하시오.

066

확률변수 X에 대하여 $E(X^2)=5E(X)$, $V(X)=4$일 때, $E(X)$는? (단, $E(X) \geq 2$)

① 2   ② 3   ③ 4
④ 5   ⑤ 6

067

확률변수 X에 대하여 확률변수 $Y=\dfrac{1}{5}X-10$일 때, $E(Y)=-2$, $E(Y^2)=5$이다. $E(X)+V(X)$의 값은?

① 45   ② 50   ③ 55
④ 60   ⑤ 65

068

확률변수 X에 대하여 $E(X)=60$, $V(X)=12$라고 한다. 확률변수 $Y=\dfrac{X-50}{2}$에 대하여 $E(Y)=a$, $E(Y^2)=b$일 때, $a+b$의 값을 구하시오.

069

확률변수 X의 확률분포를 나타낸 표가 다음과 같다.

$E(X) = -\dfrac{1}{2}$일 때, $a+b$의 값은? (단, a, b는 상수이다.)

X	-2	0	2	합계
$P(X=x)$	a	b	a^2	1

① $\dfrac{3}{8}$ ② $\dfrac{1}{2}$ ③ $\dfrac{5}{8}$

④ $\dfrac{3}{4}$ ⑤ $\dfrac{7}{8}$

070

100원짜리 동전 2개와 10원짜리 동전 1개를 동시에 던지는 시행에서 앞면이 나오는 동전들의 합계 금액을 확률변수 X라 하자. $E(X)$의 값을 구하시오.

071

빨간 구슬이 8개, 흰 구슬이 x개 들어 있는 주머니에서 한 개의 구슬을 꺼낼 때, 빨간 구슬이 나오면 1000원의 상금을 받고 흰 구슬이 나오면 500원을 지불하는 게임이 있다. 이 게임에서 얻을 수 있는 이익의 기댓값이 300원일 때, 주머니 속에 들어 있는 흰 구슬의 개수를 구하시오.

072

확률변수 X의 확률분포를 나타낸 표가 다음과 같다.

X	1	2	3	합계
$P(X=x)$	a	b	c	1

$E(X)=2$, $V(X)=\dfrac{1}{2}$일 때, 세 상수 a, b, c에 대하여 abc의 값은?

① $\dfrac{1}{28}$ ② $\dfrac{1}{30}$ ③ $\dfrac{1}{32}$

④ $\dfrac{1}{34}$ ⑤ $\dfrac{1}{36}$

073

그림과 같이 1, 2, 3, 4, 5의 숫자가 각각 하나씩 적힌 5장의 카드가 있다.

| 1 | 2 | 3 | 4 | 5 |

이 중에서 임의로 3장을 뽑아 크기순으로 배열할 때, 가운데 카드에 적혀 있는 수를 확률변수 X라 하자. $\dfrac{V(X)}{E(X)}$의 값을 구하시오.

074

그림과 같이 A주머니에는 흰 공 1개, 빨간 공 4개, B주머니에는 흰 공 1개, 빨간 공 3개, C주머니에는 흰 공 2개, 빨간 공 2개가 들어 있다. A, B, C주머니에서 공을 한 개씩 꺼낼 때, 꺼낸 공 중에서 빨간 공의 개수를 확률변수 X라 하자. $E(20X+3)$을 구하시오.

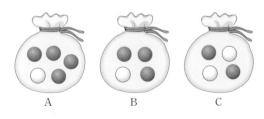

A   B   C

075

그림과 같은 한 모서리의 길이가 1인 정육면체에서 서로 다른 두 꼭짓점 사이의 거리를 확률변수 X라 할 때, $\mathrm{E}(7X-3-\sqrt{3})$의 값을 구하시오.

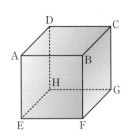

076

확률변수 X의 확률분포를 나타낸 표가 다음과 같을 때, $\sigma(9X-8)$은?

X	-1	0	1	합계
$\mathrm{P}(X=x)$	$\dfrac{a}{2}$	a^2	$\dfrac{a^2}{2}$	1

① $2\sqrt{10}$　　② $2\sqrt{11}$　　③ $2\sqrt{13}$
④ $3\sqrt{10}$　　⑤ $3\sqrt{11}$

077

큰 주사위 한 개와 작은 주사위 한 개를 던져 나온 두 눈의 수를 각각 a, b라 할 때, 이차방정식 $x^2+2ax+b^2=0$의 실근의 개수를 확률변수 X라 하자. $\mathrm{E}(2X+3)+\mathrm{V}(2X+3)$의 값을 구하시오.

078

확률변수 X에 대하여 $\mathrm{E}(X)=25$, $\mathrm{E}(X^2)=725$이다. 확률변수 $Y=aX+b$의 평균과 분산이 각각 $\mathrm{E}(Y)=51$, $\mathrm{V}(Y)=20$일 때, 상수 b의 값을 구하시오. (단, $a>0$인 상수이다.)

1등급 문제

079

확률변수 X의 확률분포를 나타낸 표가 다음과 같고, $\mathrm{P}(X^2-8X+12\geq0)=\dfrac{3}{4}$이다.

X	2	4	6	합계
$\mathrm{P}(X=x)$	a	b	c	1

X의 분산이 최대일 때의 a의 값을 α, 그때의 분산을 β라 할 때, $8\alpha+\beta$의 값을 구하시오.

080

두 주머니 A, B에는 다음과 같이 일정한 규칙에 따라 수가 하나씩 적힌 공이 각각 n개씩 들어 있다. 각 주머니에서 구슬을 하나씩 꺼내어 구슬에 적힌 수를 각각 확률변수 X, Y라 하자. $\mathrm{E}(X)=9$일 때, $\mathrm{V}(Y)$의 값을 구하시오.

주머니 A: 1 2 3 4 5 …

주머니 B: 10 13 16 19 22 …

베스킨라빈스 31 게임을 이기는 방법은?

흔히, 베스킨라빈스 31 게임으로 알려진 이 게임의 규칙은 다음과 같다.

> • 1부터 시작해서 한 사람씩 순서대로 숫자를 말한다.
> • 한 번에 부를 수 있는 숫자는 1개에서 3개까지이다.
> • 마지막에 숫자 31을 부르는 사람이 진다.

만일 두 명이서 이 게임을 한다면 반드시 이길 수 밖에 없는 절대 공식이 있는데 일단 순서대로 이기는 방법을 차근차근 생각해 보면 다음과 같다.

❶ 내가 30을 말하면 이긴다.
　– 상대방이 31을 말해야 하므로
❷ 내가 26을 말하면 이긴다.
　– 상대방이 27을 말하면 내가 28, 29, 30을 말하면 되므로
　– 상대방이 27, 28을 말하면 내가 29, 30을 말하면 되므로
　– 상대방이 27, 28, 29를 말하면 내가 30을 말하면 되므로
❸ 내가 22를 말하면 이긴다.
　– 상대방이 23을 말하면 내가 24, 25, 26을 말하면 되므로
$$\vdots$$
❹ 내가 6을 말하면 이긴다.
❺ 내가 2를 말하면 이긴다.

즉, 2부터 시작하면 4씩 더해지는 수인 2, 6, 10, 14, 18, 22, 26을 말하면 이 게임에서 반드시 이기게 된다. 이 게임의 승자가 되는 방법을 잘 이해했다면 다음번에 꼭 시도해 보도록 하자.

08 이항분포

08 이항분포

1 이항분포

어떤 사건 A가 일어날 확률이 p인 독립시행을 n번 시행하였을 때, 사건 A가 일어날 횟수를 확률변수 X라 하면 X의 확률질량함수는

$$\mathrm{P}(X=x)={}_n\mathrm{C}_x p^x q^{n-x} \ (x=0, 1, 2, \cdots, n, q=1-p)$$

이고 X의 확률분포를 표로 나타내면 다음과 같다.

X	0	1	2	$\cdots$	n	합계
$\mathrm{P}(X=x)$	${}_n\mathrm{C}_0 p^0 q^n$	${}_n\mathrm{C}_1 p^1 q^{n-1}$	${}_n\mathrm{C}_2 p^2 q^{n-2}$	$\cdots$	${}_n\mathrm{C}_n p^n q^0$	1

이와 같은 확률분포를 이항분포라 하고, $\mathrm{B}(n, p)$로 나타낸다.

2 이항분포의 평균, 분산, 표준편차

확률변수 X가 이항분포 $\mathrm{B}(n, p)$를 따를 때,

(1) $\mathrm{E}(X)=np$

(2) $\mathrm{V}(X)=npq$ (단, $q=1-p$)

(3) $\sigma(X)=\sqrt{npq}$

3 큰수의 법칙

n번의 독립시행에서 사건 A가 일어나는 횟수를 확률변수 X라 할 때, 매회 시행에서 사건 A가 일어날 확률이 p이면 임의의 양수 h에 대하여

$$\lim_{n \to \infty} \mathrm{P}\left(\left| \frac{X}{n}-p \right| < h \right)=1$$

개념 플러스

◀ 어떤 사건의 시행이 독립시행일 때의 확률분포는 이항분포를 따른다.

◀ 확률변수 X가 이항분포 $\mathrm{B}(n, p)$를 따를 때,
$$\mathrm{P}(X=r)={}_n\mathrm{C}_r p^r q^{n-r}$$
$$(r=0, 1, 2, \cdots, n, q=1-p)$$
(1) 이항분포에서 각 확률의 모든 합은 1이다.
$$\sum_{r=0}^{n} \mathrm{P}(X=r)$$
$$= \sum_{r=0}^{n} {}_n\mathrm{C}_r p^r q^{n-r}$$
$$=(p+q)^n=1 \ (\because \text{이항정리})$$
(2) $\mathrm{P}(a \le X \le b)= \sum_{r=a}^{b} {}_n\mathrm{C}_r p^r q^{n-r}$
　　　　　　　　(단, a, b는 정수)

◀ 확률변수 X와 두 상수 a, b $(a \ne 0)$에 대하여
(1) $\mathrm{E}(aX+b)=a\mathrm{E}(X)+b$
(2) $\mathrm{V}(aX+b)=a^2\mathrm{V}(X)$
(3) $\sigma(aX+b)=|a|\sigma(X)$

◀ 큰수의 법칙에 의하여 시행 횟수가 충분히 클 때 상대도수, 즉 통계적 확률은 수학적 확률에 가까워지므로 수학적 확률을 모를 때는 시행 횟수를 충분히 크게 하여 사건 A의 상대도수를 사건 A가 일어날 확률 $\mathrm{P}(A)$의 근삿값으로 사용할 수 있다. 자연 현상이나 사회 현상과 같이 수학적 확률을 구할 수 없는 경우에는 큰수의 법칙에 의하여 통계적 확률을 이용할 수 있다.

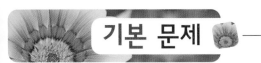

1 이항분포

[001-006] 다음 확률변수 X의 확률분포를 이항분포 $B(n, p)$ 꼴로 나타내시오.

001 한 개의 동전을 50번 던질 때, 뒷면이 나오는 횟수 X

002 한 개의 주사위를 30번 던질 때, 6의 눈이 나오는 횟수 X

003 한 개의 주사위를 10번 던질 때, 3의 배수의 눈이 나오는 횟수 X

004 두 개의 동전을 동시에 던지는 시행을 100번 할 때, 모두 앞면이 나오는 횟수 X

005 자유투 성공률이 0.6인 어느 농구 선수가 25개의 자유투를 던질 때 성공한 횟수 X

006 흰 공 2개와 검은 공 4개가 들어 있는 주머니에서 하나의 공을 꺼내어 색을 확인하는 시행을 30회 할 때, 나온 흰 공의 개수 X (단, 꺼낸 공은 다시 넣는다.)

[007-009] 확률변수 X의 확률질량함수가 다음과 같을 때, 확률변수 X가 따르는 분포를 이항분포 $B(n, p)$ 꼴로 나타내시오.

007 $P(X=x)={}_5C_x\left(\dfrac{1}{3}\right)^x\left(\dfrac{2}{3}\right)^{5-x}$ $(x=0, 1, 2, 3, 4, 5)$

008 $P(X=x)={}_4C_x\left(\dfrac{1}{6}\right)^x\left(\dfrac{5}{6}\right)^{4-x}$ $(x=0, 1, 2, 3, 4)$

009 $P(X=x)={}_3C_x\left(\dfrac{3}{10}\right)^x\left(\dfrac{7}{10}\right)^{3-x}$ $(x=0, 1, 2, 3)$

[010-013] 다음은 확률변수 X의 확률질량함수를 이항분포 $B(n, p)$ 꼴로 나타낸 것이다. ☐ 안에 알맞은 값을 구하시오.

010 ${}_{10}C_x\dfrac{2^x\times 3^{10-x}}{5^{10}}={}_{10}C_x\left(\boxed{}\right)^x\left(\dfrac{3}{5}\right)^{10-x}$
$(x=0, 1, 2, \cdots, 10)$
➡ $B\left(10, \boxed{}\right)$

011 ${}_8C_{8-x}\left(\dfrac{1}{4}\right)^x\left(\dfrac{3}{4}\right)^{8-x}$ $(x=0, 1, 2, \cdots, 8)$
➡ $B\left(8, \boxed{}\right)$

012 ${}_{20}C_x\dfrac{2^{20-x}}{3^{20}}={}_{20}C_x\left(\dfrac{1}{3}\right)^x\left(\boxed{}\right)^{20-x}$ $(x=0, 1, 2, \cdots, 20)$
➡ $B\left(\boxed{}, \dfrac{1}{3}\right)$

013 ${}_{10}C_x\dfrac{4^x}{5^{10}}={}_{10}C_x\left(\boxed{}\right)^x\left(\dfrac{1}{5}\right)^{10-x}$ $(x=0, 1, 2, \cdots, 10)$
➡ $B\left(10, \boxed{}\right)$

[014-016] 다음은 확률변수 X가 이항분포 $\mathrm{B}(n, p)$를 따를 때, 확률변수 X의 확률질량함수를 나타낸 것이다. ☐ 안에 알맞은 값을 써넣으시오.

014 $\mathrm{B}\left(10, \dfrac{1}{3}\right) \Rightarrow \square\mathrm{C}_x\left(\boxed{}\right)^x\left(\dfrac{2}{3}\right)^{10-x}$

$$(x=0, 1, 2, \cdots, 10)$$

015 $\mathrm{B}\left(5, \dfrac{2}{5}\right) \Rightarrow {}_5\mathrm{C}_x\left(\dfrac{2}{5}\right)^x\left(\boxed{}\right)^{\boxed{}}$ $(x=0, 1, 2, 3, 4, 5)$

016 $\mathrm{B}\left(20, \dfrac{1}{4}\right) \Rightarrow \square\mathrm{C}_x\dfrac{\boxed{}^{20-x}}{4^{20}}$ $(x=0, 1, 2, \cdots, 20)$

[017-019] 이항분포 $\mathrm{B}\left(12, \dfrac{1}{4}\right)$을 따르는 확률변수 X에 대하여 다음을 구하시오.

017 확률질량함수 $\mathrm{P}(X=x)$

018 $\mathrm{P}(X=0)$

019 $\mathrm{P}(1 \le X \le 12)$

---

2 이항분포의 평균, 분산, 표준편차

[020-022] 확률변수 X가 이항분포 $\mathrm{B}\left(10, \dfrac{1}{5}\right)$을 따를 때, 다음을 구하시오.

020 $\mathrm{E}(X)$

021 $\mathrm{V}(X)$

022 $\sigma(X)$

[023-025] 확률변수 X가 이항분포 $\mathrm{B}\left(72, \dfrac{5}{6}\right)$를 따를 때, 다음을 구하시오.

023 $\mathrm{E}(3X+5)$

024 $\mathrm{V}(2X-3)$

025 $\sigma(5X)$

[026-028] 이항분포 $B(18, p)$를 따르는 확률변수 X의 평균이 6일 때, 다음을 구하시오.

026 p의 값

027 X의 분산

028 X의 표준편차

[029-031] 이항분포 $B\left(n, \dfrac{2}{3}\right)$를 따르는 확률변수 X의 평균이 24일 때, 다음을 구하시오.

029 n의 값

030 $V(X)$

031 $\sigma(3X+5)$

[032-037] 한 개의 주사위를 3번 던져서 홀수의 눈이 나오는 횟수를 확률변수 X라 할 때, 다음 물음에 답하시오.

032 확률변수 X의 확률분포를 이항분포 $B(n, p)$ 꼴로 나타내시오.

033 $E(X)$를 구하시오.

034 $V(3X+1)$을 구하시오.

035 $\sigma(X)$를 구하시오.

036 확률변수 X의 확률질량함수를 구하시오.

037 $P(X=2)$를 구하시오.

어떤 사건 A가 일어날 확률이 p인 독립시행을 n번 반복할 때, 사건 A가 일어날 횟수를 확률변수 X라 하면 X의 확률질량함수는

$$P(X=x)={}_nC_x p^x q^{n-x} \ (q=1-p, \ x=0, 1, 2, \cdots, n)$$

이다. 이때 이 확률분포를 이항분포라 하고, $B(n, p)$로 나타낸다.

038

확률변수 X의 확률질량함수가

$$P(X=r)={}_{60}C_r\left(\frac{1}{3}\right)^r\left(\frac{2}{3}\right)^{60-r} \ (r=0, 1, 2, \cdots, 60)$$

일 때, X는 이항분포 $B(n, p)$를 따른다고 한다. np의 값을 구하시오.

039

확률변수 X의 확률질량함수가

$$P(X=x)={}_4C_x \frac{2^x}{3^4} \ (x=0, 1, 2, 3, 4)$$

일 때, X는 이항분포 $B(n, p)$를 따른다고 한다. np의 값은?

① $\frac{8}{3}$ ② $\frac{10}{3}$ ③ 4

④ $\frac{13}{3}$ ⑤ $\frac{15}{3}$

040

확률변수 X의 확률질량함수가

$$P(X=x)={}_nC_x p^x (1-p)^{n-x} \ (x=0, 1, 2, \cdots, n)$$

일 때, X는 이항분포 $B\left(25, \frac{4}{5}\right)$를 따른다고 한다. $n+5p$의 값을 구하시오.

어떤 사건의 시행이 독립시행일 때의 확률분포는 이항분포를 따른다. 즉, 시행 횟수 n과 한 번의 시행에서 어떤 사건이 일어날 확률 p를 구하여 $B(n, p)$로 나타낸다.

041

명중률이 $\frac{3}{4}$인 양궁 선수가 화살을 6발 쏠 때, 과녁에 명중하는 화살의 개수를 확률변수 X라 하면 X는 이항분포 $B(n, p)$를 따른다. $n+p$의 값을 구하시오.

042

두 개의 주사위를 동시에 120번 던지는 시행에서 두 주사위의 눈의 수의 곱이 짝수가 되는 횟수를 확률변수 X라 하면 X는 이항분포 $B(n, p)$를 따른다. np의 값을 구하시오.

043

한 개의 주사위를 4번 던지는 시행에서 3의 눈이 나오는 횟수를 확률변수 X라 할 때, X의 확률질량함수는

$$P(X=r)={}_4C_r a^r b^{4-r} \ (r=0, 1, 2, 3, 4)$$

이다. 두 상수 a, b의 값을 순서대로 적은 것은?

① $\frac{1}{6}, \frac{5}{6}$ ② $\frac{1}{3}, \frac{2}{3}$ ③ $\frac{1}{2}, \frac{1}{2}$

④ $\frac{2}{3}, \frac{1}{3}$ ⑤ $\frac{5}{6}, \frac{1}{6}$

유형 03 이항분포에서의 확률

확률변수 X가 이항분포 $\mathrm{B}(n, p)$를 따를 때, X의 확률질량함수를 이용하여 X가 취할 수 있는 값에 대하여 그 각각의 확률을 구할 수 있다.

044

확률변수 X의 확률질량함수가

$$\mathrm{P}(X=r)={}_3\mathrm{C}_r\left(\frac{2}{5}\right)^r\left(\frac{3}{5}\right)^{3-r} \ (r=0, 1, 2, 3)$$

일 때, $\mathrm{P}(X=2)$는?

① $\dfrac{4}{125}$
② $\dfrac{9}{125}$
③ $\dfrac{16}{125}$

④ $\dfrac{36}{125}$
⑤ $\dfrac{49}{125}$

045

이항분포 $\mathrm{B}\left(10, \dfrac{1}{3}\right)$을 따르는 확률변수 X에 대하여

$\dfrac{\mathrm{P}(X=4)}{\mathrm{P}(X=8)}$의 값은?

① $\dfrac{220}{3}$
② 74
③ $\dfrac{224}{3}$

④ $\dfrac{226}{3}$
⑤ 76

046

이항분포 $\mathrm{B}\left(6, \dfrac{1}{3}\right)$을 따르는 확률변수 X의 확률분포를 나타낸 표가 다음과 같다.

X	0	1	2	3	4	5	6	합계
$\mathrm{P}(X=x)$	p_0	p_1	p_2	p_3	p_4	p_5	p_6	1

$p_2+p_4=\dfrac{k}{3^5}$를 만족시키는 자연수 k의 값을 구하시오.

047

확률변수 X는 이항분포 $\mathrm{B}(3, p)$를 따르고, 확률변수 Y는 이항분포 $\mathrm{B}(4, 2p)$를 따른다고 할 때, $10\mathrm{P}(X=3)=\mathrm{P}(Y\geq3)$을 만족시키는 양수 p의 값은 $\dfrac{n}{m}$이다. $m+n$의 값은?

(단, m, n은 서로소인 자연수이다.)

① 25
② 30
③ 35
④ 40
⑤ 45

048

어느 농구 선수의 자유투 성공률은 80 %라고 한다. 매번 던지는 시행이 독립이고, 한 게임에서 5번 던진다고 할 때, 적어도 2번 이상 성공할 확률을 구하시오.

049

어떤 전염병에 걸리면 사망할 확률이 1 %라고 한다. 10명의 환자가 발생했을 때 사망자의 수가 1명 이하일 확률은 $k\left(\dfrac{99}{100}\right)^{10}$이다. 상수 k의 값을 구하시오.

유형 04 이항분포의 평균과 표준편차

확률변수 X가 이항분포 $B(n, p)$를 따를 때,
(1) $E(X)=np$
(2) $V(X)=npq$ (단, $q=1-p$)
(3) $\sigma(X)=\sqrt{npq}$

050

확률변수 X가 이항분포 $B\left(5, \dfrac{2}{3}\right)$를 따를 때, $6X-5$의 평균은?

① 5   ② 10   ③ 15
④ 20   ⑤ 25

051

확률변수 X가 이항분포 $B(100, p)$를 따르고 X의 평균이 20일 때, X의 분산은?

① 16   ② 17   ③ 18
④ 19   ⑤ 20

052

이항분포 $B(n, p)$를 따르는 확률변수 X의 평균과 표준편차가 모두 $\dfrac{7}{8}$일 때, p의 값은?

① $\dfrac{1}{8}$ ② $\dfrac{1}{4}$ ③ $\dfrac{3}{8}$
④ $\dfrac{3}{4}$ ⑤ $\dfrac{7}{8}$

053

이항분포 $B(n, p)$를 따르는 확률변수 X에 대하여 X의 평균이 2, 분산이 1일 때, $P(X=2)$는?

① $\dfrac{1}{8}$ ② $\dfrac{1}{4}$ ③ $\dfrac{3}{8}$
④ $\dfrac{1}{2}$ ⑤ $\dfrac{5}{8}$

054

이항분포 $B\left(90, \dfrac{1}{3}\right)$을 따르는 확률변수 X의 확률질량함수가
$$P(X=i)=p_i \ (i=0, 1, 2, \cdots, 90)$$
일 때, $\sum\limits_{i=0}^{90} i \times p_i$의 값은?

① 10   ② 20   ③ 30
④ 40   ⑤ 50

055

이항분포 $B\left(100, \dfrac{1}{5}\right)$을 따르는 확률변수 X의 확률질량함수가
$$P(X=i)=p_i \ (i=0, 1, 2, \cdots, 100)$$
일 때, $\sum\limits_{i=0}^{100} (i-20)^2 \times p_i$의 값은?

① 8   ② 10   ③ 12
④ 14   ⑤ 16

유형 **05** 독립시행에서의 평균과 표준편차

확률변수 X의 확률분포가 독립시행의 확률을 따르면 X는 이항분포를 따른다. 이때 시행 횟수 n과 1회의 시행에서 사건이 일어날 확률 p를 구하여 이항분포 $\mathrm{B}(n,\ p)$로 나타내면 이항분포의 평균, 분산, 표준편차를 구할 수 있다.

056

한 개의 주사위를 30번 던져서 5의 눈이 나오는 횟수를 확률변수 X라 할 때, X의 평균은?

① 4   ② 5   ③ 6

④ 7   ⑤ 8

057

어떤 학생이 컴퓨터를 이용하여 문서를 작성할 때, 10자 중에 1자 꼴로 오타가 발생한다고 한다. 이 학생이 400자 문서를 작성할 때, 오타의 수를 확률변수 X라 하자. X의 평균과 표준편차의 합은?

① 40   ② 42   ③ 44

④ 46   ⑤ 48

058

1회의 시행에서 사건 A가 일어날 확률이 p인 독립시행을 12번 반복할 때, A가 일어나는 횟수를 확률변수 X라 하자. $\mathrm{V}(X)=3$일 때, $\mathrm{E}(X)$는?

① 3   ② 4   ③ 5

④ 6   ⑤ 9

059

흰 공과 검은 공을 합하여 8개의 공이 들어 있는 주머니에서 1개의 공을 꺼내어 색을 확인하고 다시 주머니에 넣는 시행을 64번 반복할 때, 흰 공이 나오는 횟수를 확률변수 X라 하자. X의 평균이 24일 때, 주머니 속에 들어 있는 흰 공의 개수는?

① 1   ② 2   ③ 3

④ 4   ⑤ 5

060

동전 한 개를 던져서 앞면이 나오면 100원, 뒷면이 나오면 50원의 상금을 받는다. 아샘이가 동전을 10번 던질 때, 상금의 기댓값은?

① 700원   ② 750원   ③ 800원

④ 850원   ⑤ 900원

061

한 번의 시행에서 일어날 확률이 $\dfrac{1}{4}$인 사건 A가 있다. 160번의 독립시행에서 사건 A가 일어나는 횟수를 확률변수 X라 할 때, X^2의 평균 $\mathrm{E}(X^2)$을 구하시오.

유형 06 확률질량함수를 이용한 평균과 분산

확률변수 X가 이항분포 $B(n, p)$를 따를 때

(1) $E(X) = \sum\limits_{r=0}^{n} r \cdot {}_n C_r p^r q^{n-r} = np$ (단, $q = 1-p$)

(2) $V(X) = \sum\limits_{r=0}^{n} r^2 {}_n C_r p^r q^{n-r} - \left(\sum\limits_{r=0}^{n} r \cdot {}_n C_r p^r q^{n-r} \right)^2 = npq$

(3) $E(X^2) = \sum\limits_{r=0}^{n} r^2 {}_n C_r p^r q^{n-r} = npq + (np)^2$

062

확률변수 X의 확률질량함수가

$$P(X=x) = {}_{45} C_x \left(\frac{2}{3} \right)^x \left(\frac{1}{3} \right)^{45-x} \quad (x=0, 1, 2, \cdots, 45)$$

일 때, X의 평균과 표준편차의 곱을 구하시오.

063

확률변수 X의 확률분포를 나타낸 표가 다음과 같다.

X	0	1	2
$P(X=r)$	${}_{20} C_0 \left(\frac{1}{2} \right)^{20}$	${}_{20} C_1 \left(\frac{1}{2} \right)^{20}$	${}_{20} C_2 \left(\frac{1}{2} \right)^{20}$

3	$\cdots$	20	합계
${}_{20} C_3 \left(\frac{1}{2} \right)^{20}$	$\cdots$	${}_{20} C_{20} \left(\frac{1}{2} \right)^{20}$	1

확률변수 $Y = aX + b$의 평균이 0, 분산이 1일 때, 두 상수 a, b의 곱 ab의 값은?

① -2 ② -1 ③ 0

④ 1 ⑤ 2

064

확률변수 X의 확률질량함수가

$$P(X=x) = {}_{72} C_x \left(\frac{1}{3} \right)^x \left(\frac{2}{3} \right)^{72-x} \quad (x=0, 1, 2, \cdots, 72)$$

일 때, 확률변수 $2X-10$의 평균과 분산을 구하시오.

065

확률변수 X의 확률질량함수가

$$P(X=x) = {}_n C_x p^x (1-p)^{n-x}$$
$$(x=0, 1, 2, \cdots, n \text{이고 } 0 < p < 1)$$

이다. $E(X) = 1$, $V(X) = \dfrac{9}{10}$일 때, $P(X < 2)$는?

① $\dfrac{19}{10} \left(\dfrac{9}{10} \right)^9$ ② $\dfrac{17}{9} \left(\dfrac{8}{9} \right)^8$ ③ $\dfrac{15}{8} \left(\dfrac{7}{8} \right)^7$

④ $\dfrac{13}{7} \left(\dfrac{6}{7} \right)^6$ ⑤ $\dfrac{11}{6} \left(\dfrac{5}{6} \right)^5$

066

확률변수 X가 이항분포 $B\left(25, \dfrac{2}{5} \right)$를 따를 때,

$$\sum_{x=1}^{25} x^2 \times {}_{25} C_x \left(\frac{2}{5} \right)^x \left(\frac{3}{5} \right)^{25-x} - 10^2 \text{의 값은?}$$

① 2 ② 3 ③ 4

④ 5 ⑤ 6

067

확률변수 X의 확률질량함수가

$$\mathrm{P}(X=x)={}_{50}\mathrm{C}_x\frac{2^x\times 3^{50-x}}{5^{50}}\ (x=0,\,1,\,2,\,\cdots,\,50)$$

일 때, X는 이항분포 $\mathrm{B}(n,\,p)$를 따른다고 한다. $n+25p$의 값은?

① 50   ② 55   ③ 60

④ 65   ⑤ 70

068

발아율이 60 %인 어떤 씨앗 200개를 뿌릴 때, 싹이 나오는 씨앗의 개수를 X라 하면 확률변수 X는 이항분포 $\mathrm{B}(n,\,p)$를 따른다. np의 값을 구하시오.

069

확률변수 X가 이항분포 $\mathrm{B}\!\left(4,\,\dfrac{2}{3}\right)$를 따를 때,

$\mathrm{P}(X^2-4X+3\geq 0)=\dfrac{q}{p}$이다. $p+q$의 값은?

(단, p, q는 서로소인 자연수이다.)

① 40   ② 42   ③ 44

④ 46   ⑤ 48

070

확률변수 X의 확률질량함수가

$$\mathrm{P}(X=x)=\frac{3^x}{2^{20}}\times {}_n\mathrm{C}_x\ (x=0,\,1,\,2,\,\cdots,\,n)$$

일 때, X는 이항분포 $\mathrm{B}(10,\,p)$를 따른다고 한다.

$\mathrm{P}(X=2)=\dfrac{a}{2^{20}}$일 때, 상수 a의 값을 구하시오.

071

확률변수 X가 이항분포 $\mathrm{B}\!\left(16,\,\dfrac{3}{4}\right)$을 따를 때, 〈보기〉에서 옳은 것만을 있는 대로 고른 것은?

┤ 보기 ├

ㄱ. 확률변수 X의 평균은 12이다.

ㄴ. 확률변수 X의 표준편차는 3이다.

ㄷ. $\mathrm{P}(X=1)=\dfrac{3}{2^{28}}$

① ㄱ   ② ㄴ   ③ ㄷ

④ ㄱ, ㄷ   ⑤ ㄴ, ㄷ

072

확률변수 X가 이항분포 $\mathrm{B}(10,\,p)$를 따르고,

$\mathrm{P}(X=4)=\dfrac{1}{3}\mathrm{P}(X=5)$일 때, $\mathrm{E}(7X)$를 구하시오.

073

동전 한 개를 6번 던져서 앞면이 나오는 횟수를 확률변수 X라 할 때, 확률변수 $aX+b$의 평균이 2, 분산이 24이다. 두 상수 a, b에 대하여 ab의 값은? (단, $a>0$)

① -40 ② -32 ③ -24

④ -16 ⑤ -8

074

두 주사위 A, B를 동시에 던질 때, 나오는 각각의 눈의 수 m, n에 대하여 $m^2+n^2 \le 25$가 되는 사건을 E라 하자. 두 주사위 A, B를 동시에 던지는 12회의 독립시행에서 사건 E가 일어나는 횟수를 확률변수 X라 할 때, X의 분산 $\mathrm{V}(X)$는 $\dfrac{q}{p}$이다. $p+q$의 값을 구하시오. (단, p, q는 서로소인 자연수이다.)

075

한 개의 주사위를 n번 던져서 3의 배수의 눈이 나오는 횟수를 확률변수 X라 하자. X의 평균이 6일 때, X^2의 평균은?

① 30   ② 35   ③ 40

④ 45   ⑤ 50

076

확률변수 X의 확률질량함수가

$$\mathrm{P}(X=r)={}_{80}\mathrm{C}_r\left(\frac{1}{4}\right)^r\left(\frac{3}{4}\right)^{80-r} (r=0, 1, 2, \cdots, 80)$$

일 때, $\displaystyle\sum_{r=0}^{80} r^2 \times \mathrm{P}(X=r)$의 값을 구하시오.

1등급 문제

077

이항분포 $\mathrm{B}\left(n, \dfrac{1}{2}\right)$을 따르는 확률변수 X의 확률질량함수가

$$\mathrm{P}(X=i)=p_i (i=0, 1, 2, 3, \cdots, n)$$

일 때, $\displaystyle\sum_{i=0}^{n} (2i+4)p_i=10$이다.

$1^2 p_1 + 2^2 p_2 + 3^2 p_3 + \cdots + n^2 p_n$의 값을 구하시오.

078

집합 $A=\{0, 1, 2, 3, \cdots, 45\}$를 정의역으로 하는 두 함수 $y=f(x)$, $y=g(x)$가

$$f(x)={}_{45}\mathrm{P}_x\left(\frac{2}{3}\right)^{45-x}, g(x)=\frac{1}{x!}\left(\frac{1}{3}\right)^x$$

일 때, $\displaystyle\sum_{x=0}^{45} (x+1)^2 f(x)g(x)$의 값을 구하시오.

09 정규분포

09 정규분포

1 정규분포

연속확률변수 X의 확률밀도함수 $y=f(x)$가

$$f(x)=\frac{1}{\sqrt{2\pi}\,\sigma}\,e^{-\frac{(x-m)^2}{2\sigma^2}}\ (e=2.718281\cdots)$$

일 때, X는 평균이 m이고 분산이 σ^2인 정규분포를 따른다고
하며, 기호

$$N(m,\ \sigma^2)$$

으로 나타낸다.

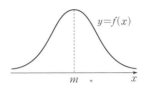

개념 플러스

◀ 정규분포곡선의 성질
  (1) 직선 $x=m$에 대하여 대칭인 종
      모양의 곡선이고, x축을 점근선
      으로 한다.
  (2) $x=m$일 때, 최댓값 $\dfrac{1}{\sqrt{2\pi}\,\sigma}$을
      가진다.
  (3) 곡선과 x축 사이의 넓이는 1이다.
  (4) m의 값이 일정할 때, σ의 값이
      커지면 곡선의 가운데 부분이 낮
      아지며 옆으로 퍼지고, σ의 값이
      작아지면 곡선의 가운데 부분이
      높아지고 옆으로 좁아진다.
  (5) σ의 값이 일정할 때, m의 값이
      변하면 대칭축의 위치는 바뀌지
      만 곡선의 모양과 크기는 같다.

2 표준정규분포

(1) 평균이 0, 표준편차가 1인 정규분포 $N(0,\ 1)$을 표준정규분
    포라고 한다.
(2) 정규분포의 표준화
    확률변수 X가 정규분포 $N(m,\ \sigma^2)$을 따를 때

    ① 확률변수 $Z=\dfrac{X-m}{\sigma}$은 표준정규분포 $N(0,\ 1)$을 따른다.

    ② $P(a\le X\le b)=P\left(\dfrac{a-m}{\sigma}\le Z\le\dfrac{b-m}{\sigma}\right)$

참고 $0<a<b$에 대하여 확률변수 Z가 표준정규분포를 따를 때
    ① $P(Z\ge a)=0.5-P(0\le Z\le a)$
    ② $P(-a\le Z\le 0)=P(0\le Z\le a)$
    ③ $P(a\le Z\le b)-P(0\le Z\le b)\quad P(0\le Z\le a)$
    임을 이용하여 확률을 구한다.

◀ 표준정규분포는 평균이 0이므로 확률
  밀도함수 $y=f(z)$의 그래프는 직선
  $z=0$에 대하여 대칭이다.

3 이항분포와 정규분포 사이의 관계

확률변수 X가 이항분포 $B(n,\ p)$를 따르고 n이 충분히 크면 X는 근사적으로 정규분포
$N(np,\ npq)$를 따른다. (단, $q=1-p$)

$$B(n,\ p)\Rightarrow N(np,\ npq)$$

◀ n이 $np\ge 5$, $nq\ge 5$를 만족시킬 때,
  n을 충분히 큰 값으로 생각한다.

참고 | 이항분포 | $\xrightarrow{\ n\text{이 충분히 크면}\ }$ | 정규분포 | $\xrightarrow{\ 표준화\ }$ | 표준정규분포 | $\xrightarrow{\ 표준정규분포표\ }$ | 확률 계산

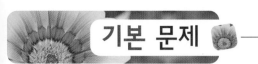

1 정규분포

[001-002] 확률변수 X의 평균과 분산이 다음과 같을 때, X가 따르는 정규분포를 기호 $N(m, \sigma^2)$ 꼴로 나타내시오.

001 $E(X)=2, V(X)=25$

002 $E(X)=10, V(X)=9$

[003-004] 정규분포 $N(m_A, \sigma_A{}^2)$을 따르는 확률변수 X_A의 확률밀도함수 $y=f(x)$와 정규분포 $N(m_B, \sigma_B{}^2)$을 따르는 확률변수 X_B의 확률밀도함수 $y=g(x)$에 대하여 다음 그래프를 보고 ☐ 안에 알맞은 부등호를 써넣으시오.

003

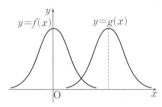

(X_A의 평균) ☐ (X_B의 평균)

004

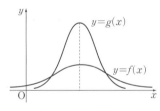

(X_A의 표준편차) ☐ (X_B의 표준편차)

[005-007] 정규분포 $N(m, \sigma^2)$을 따르는 확률변수 X에 대하여 $P(m \leq X \leq m+\sigma)=a$, $P(m \leq X \leq m+2\sigma)=b$일 때, 다음을 a, b를 사용하여 나타내시오.

005 $P(m-\sigma \leq X \leq m)$

006 $P(m-\sigma \leq X \leq m+2\sigma)$

007 $P(m+\sigma \leq X \leq m+2\sigma)$

2 표준정규분포

[008-009] 다음 두 정규분포 곡선에서 색칠한 부분의 넓이가 같을 때, a, b의 값을 구하시오.

008

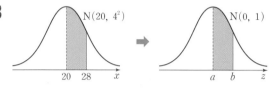

009

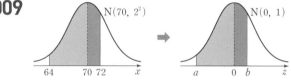

[010-012] 확률변수 X가 정규분포 $N(50, 10^2)$을 따를 때, 다음 확률을 확률변수 Z를 사용하여 나타내시오.
(단, Z는 표준정규분포 $N(0, 1)$을 따른다.)

010 $P(X \geq 50)$

011 $P(55 \leq X \leq 70)$

012 $P(40 \leq X \leq 65)$

기본 문제

[013-018] 확률변수 Z가 표준정규분포 $N(0, 1)$을 따를 때, 오른쪽 표준정규분포표를 이용하여 다음을 구하시오.

z	$P(0 \leq Z \leq z)$
0.5	0.1915
1.0	0.3413
1.5	0.4332
2.0	0.4772

013 $P(0 \leq Z \leq 2)$

014 $P(1 \leq Z \leq 2)$

015 $P(-1 \leq Z \leq 1.5)$

016 $P(Z \geq 1.5)$

017 확률변수 X가 정규분포 $N(50, 3^2)$을 따를 때, $P(47 \leq X \leq 56)$

018 확률변수 X가 정규분포 $N(20, 2^2)$을 따를 때, $P(X \leq 22)$

3 이항분포와 정규분포 사이의 관계

[019-020] 확률변수 X가 다음과 같은 이항분포를 따를 때 X는 근사적으로 정규분포를 따른다. X가 따르는 정규분포를 기호로 나타내시오.

019 $B\left(72, \dfrac{1}{3}\right)$

020 $B\left(150, \dfrac{2}{5}\right)$

[021-025] 한 개의 동전을 100번 던질 때, 앞면이 나오는 횟수를 확률변수 X라 하자. 다음 물음에 답하시오.

021 확률변수 X의 확률분포를 이항분포 $B(n, p)$ 꼴로 나타내시오.

022 확률변수 X의 평균과 표준편차를 구하시오.

023 확률변수 X의 확률분포를 정규분포 $N(m, \sigma^2)$ 꼴로 나타내시오.

024 오른쪽 표준정규분포표를 이용하여 $P(X \geq 60)$을 구하시오.

z	$P(0 \leq Z \leq z)$
1.0	0.3413
2.0	0.4772
3.0	0.4987

025 동전의 앞면이 35번 이상 55번 이하로 나올 확률을 위의 표준정규분포표를 이용하여 구하시오.

유형 문제

(1) m의 값이 일정할 때, σ의 값이 작아지면 곡선의 가운데 부분이 높아지고 폭은 좁아진다.

(2) σ의 값이 일정할 때, m의 값이 달라지면 대칭축의 위치는 바뀌지만 곡선의 모양과 크기는 같다.

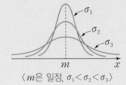 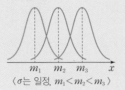

⟨m은 일정, $\sigma_1 < \sigma_2 < \sigma_3$⟩　　⟨$\sigma$는 일정, $m_1 < m_2 < m_3$⟩

026

확률변수 X가 정규분포 $\mathrm{N}(m, \sigma^2)$을 따를 때, 정규분포곡선에 대한 설명으로 옳지 <u>않은</u> 것은?

① 직선 $x=m$에 대하여 대칭이다.

② x축을 점근선으로 한다.

③ 곡선과 x축 사이의 넓이는 1이다.

④ 표준편차가 일정할 때, 평균이 커질수록 곡선은 오른쪽으로 평행이동한다.

⑤ 평균이 일정할 때, 표준편차가 커질수록 높이는 높아지고 폭은 좁아진다.

027

아샘 고등학교 2학년 1반과 2학년 2반 학생들의 키가 각각 정규분포 $\mathrm{N}(m_1, \sigma_1{}^2)$, $\mathrm{N}(m_2, \sigma_2{}^2)$을 따른다. 두 반의 정규분포곡선이 그림과 같을 때, 다음 중 m_1과 m_2, σ_1과 σ_2의 대소 관계로 옳은 것은?

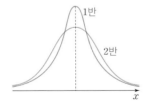

① $m_1 = m_2$, $\sigma_1 < \sigma_2$
② $m_1 < m_2$, $\sigma_1 < \sigma_2$
③ $m_1 = m_2$, $\sigma_1 > \sigma_2$
④ $m_1 < m_2$, $\sigma_1 > \sigma_2$
⑤ $m_1 > m_2$, $\sigma_1 = \sigma_2$

028

정규분포 $\mathrm{N}(m, \sigma^2)$을 따르는 확률변수 X의 확률밀도함수 $y=f(x)$가 k의 값에 관계없이 $f(30-k)=f(30+k)$를 만족시킬 때, m의 값을 구하시오.

029

정규분포를 따르는 확률변수 X가 다음 조건을 만족시킬 때, 확률변수 X가 따르는 정규분포를 기호로 나타낸 것은?

> ㈎ $\mathrm{P}(X \le -3) = \mathrm{P}(X \ge 13)$
>
> ㈏ $\mathrm{V}\left(\dfrac{1}{3}X\right) = 1$

① $\mathrm{N}(5, 2)$
② $\mathrm{N}(5, 4)$
③ $\mathrm{N}(5, 9)$
④ $\mathrm{N}(12, 5)$
⑤ $\mathrm{N}(16, 5)$

030

확률변수 X가 정규분포 $\mathrm{N}(8, 2^2)$을 따를 때, $\mathrm{P}(k \le X \le k+4)$가 최대가 되도록 하는 상수 k의 값은?

① 0
② 2
③ 4
④ 6
⑤ 8

유형 02 정규분포에서의 확률 구하기

확률변수 X가 정규분포 $N(m, \sigma^2)$을 따를 때, 정규분포곡선은 직선 $x=m$에 대하여 대칭이므로
(1) $P(X \leq m) = P(X \geq m) = 0.5$
(2) $P(m-\sigma \leq X \leq m) = P(m \leq X \leq m+\sigma)$

031

정규분포 $N(80, 5^2)$을 따르는 확률변수 X에 대하여
$$P(75 \leq X \leq 90) = P(m-a\sigma \leq X \leq m+b\sigma)$$
일 때, 두 상수 a, b에 대하여 $a+b$의 값을 구하시오.

(단, m은 평균, σ는 표준편차이다.)

032

정규분포 $N(m, \sigma^2)$을 따르는 확률변수 X에 대하여
$P(m \leq X \leq m+2\sigma) = 0.4772$이다. 확률변수 X가 정규분포
$N(50, 10^2)$을 따를 때, $P(X \leq 30)$을 구하시오.

033

확률변수 X가 정규분포 $N(m, \sigma^2)$을 따르고
$$P(m-\sigma \leq X \leq m+\sigma) = a,$$
$$P(m-2\sigma \leq X \leq m+\sigma) = b$$
일 때, $P(m-2\sigma \leq X \leq m+2\sigma)$를 a, b로 나타내면?

① $b-a$ ② $2b-a$ ③ $a+b$
④ $a+2b$ ⑤ $2a-b$

034

확률변수 X가 정규분포 $N(m, \sigma^2)$을 따를 때, 오른쪽 표를 이용하여 $P(|X-m| \leq 2\sigma)$를 구하시오.

x	$P(m \leq X \leq x)$
$m+\sigma$	0.3413
$m+2\sigma$	0.4772
$m+3\sigma$	0.4987

035

확률변수 X가 정규분포 $N(48, 3^2)$을 따를 때, 오른쪽 표를 이용하여 $P(X \leq a) = 0.0228$을 만족시키는 상수 a의 값을 구하면? (단, m은 평균, σ는 표준편차이다.)

x	$P(m \leq X \leq x)$
$m+\sigma$	0.3413
$m+2\sigma$	0.4772
$m+3\sigma$	0.4987

① 42   ② 44   ③ 46
④ 48   ⑤ 50

036

어느 대학교의 학생 400명을 대상으로 하루의 컴퓨터 사용 시간을 조사하였더니 평균이 120분, 표준편차가 20분이었다. 컴퓨터 사용 시간이 정규분포를 따른다고 할 때, 하루 사용 시간이 160분 이상인 대학생의 수는? (단, m은 평균, σ는 표준편차일 때, $P(m-2\sigma \leq X \leq m+2\sigma) = 0.95$이다.)

① 10   ② 11   ③ 12
④ 13   ⑤ 14

유형 03 정규분포의 표준화

확률변수 X가 정규분포 $N(m, \sigma^2)$을 따를 때

(1) 확률변수 $Z = \dfrac{X-m}{\sigma}$은 표준정규분포 $N(0, 1)$을 따른다.

(2) $P(a \le X \le b) = P\left(\dfrac{a-m}{\sigma} \le Z \le \dfrac{b-m}{\sigma}\right)$

037

확률변수 X가 정규분포 $N(m, 4^2)$을 따를 때, $Z = \dfrac{X-12}{\sigma}$라 하면 확률변수 Z는 표준정규분포 $N(0, 1)$을 따른다. $m+\sigma$의 값은?

① 16　　　　② 17　　　　③ 18

④ 19　　　　⑤ 20

038

확률변수 X는 정규분포 $N(52, 16^2)$을 따르고, 확률변수 Y는 정규분포 $N(50, 10^2)$을 따른다고 한다. $X=60$을 표준화한 값을 z_1, $Y=60$을 표준화한 값을 z_2라 할 때, $z_2 - z_1$의 값을 구하시오.

039

두 확률변수 X, Y가 각각 정규분포 $N(2, 3^2)$, $N(0, 5^2)$을 따를 때, $P(2 \le X \le 8) = P(0 \le Y \le k)$를 만족시키는 실수 k의 값을 구하시오.

040

다음 표는 하현이의 지난 기말고사 성적표의 일부이다. 각 과목의 성적이 정규분포를 따를 때, 다른 학생과 비교하여 상대적으로 하현이의 성적이 좋은 과목부터 순서대로 적은 것은?

성적＼과목	국어	영어	수학
점수(점)	84	92	80
반 평균(점)	72	85	60
표준편차(점)	12	14	15

① 국어, 수학, 영어　　　② 영어, 국어, 수학

③ 영어, 수학, 국어　　　④ 수학, 국어, 영어

⑤ 수학, 영어, 국어

041

어느 고등학교 2학년 학생을 대상으로 실시한 학업성취도평가 점수는 정규분포를 따르고, 어느 한 학생의 원점수와 각 영역의 2학년 전체의 평균, 표준편차는 다음 표와 같다. 확률변수 Z가 표준정규분포 $N(0, 1)$을 따를 때, 표준점수를 $T = 20Z + 100$이라 하자. 원점수에 대한 표준점수가 가장 큰 영역과 가장 작은 영역의 표준점수의 차는?

성적＼영역	A	B	C
원점수(점)	70	65	57
학년 평균(점)	60	55	45
표준편차(점)	20	10	16

① 8　　　　② 10　　　　③ 12

④ 14　　　　⑤ 16

유형 **04** 표준정규분포에서의 확률 구하기

정규분포 $N(m, \sigma^2)$을 따르는 확률변수 X에 대하여 확률을 구하거나 주어진 확률을 만족시키는 미지수의 값을 구할 때

⇨ 확률변수 X를 $Z=\dfrac{X-m}{\sigma}$으로 표준화한 후 표준정규분 포표를 이용한다.

042

확률변수 X가 정규분포 $N(30, 2^2)$을 따를 때, 오른쪽 표준정규분포표를 이용하여 $P(28 \le X \le 36)$을 구하시오.

z	$P(0 \le Z \le z)$
1.0	0.3413
2.0	0.4772
3.0	0.4987

043

확률변수 X가 정규분포 $N(56, 8^2)$을 따를 때, $P(X \le 48)$은?

(단, $P(0 \le Z \le 1)=0.3413$으로 계산한다.)

① 0.1587   ② 0.6826   ③ 0.8626

④ 0.8664   ⑤ 0.9544

중요
044

정규분포 $N(45, 10^2)$을 따르는 확률변수 X에 대하여 확률변수 Y가 $Y=2X-1$일 때, 오른쪽 표준정규분포표를 이용하여 $P(Y \le 79)$를 구하면?

z	$P(0 \le Z \le z)$
0.5	0.1915
1.0	0.3413
1.5	0.4332
2.0	0.4772

① 0.1915   ② 0.3085   ③ 0.3830

④ 0.6085   ⑤ 0.8830

045

확률변수 X가 평균이 $\dfrac{3}{2}$, 표준편차가 2인 정규분포를 따를 때, 실수 전체의 집합에서 정의된 함수 $y=H(t)$는

$$H(t)=P(t \le X \le t+1)$$

이다. $H(0)+H(2)$의 값을 위의 표준정규분포표를 이용하여 구하시오.

z	$P(0 \le Z \le z)$
0.25	0.0987
0.50	0.1915
0.75	0.2734
1.00	0.3413

중요
046

확률변수 X가 정규분포 $N(10, 2^2)$을 따를 때, 오른쪽 표준정규분포표를 이용하여 $P(10-2k \le X \le 10+2k)$ $=0.8664$를 만족시키는 양수 k 의 값을 구하면?

z	$P(0 \le Z \le z)$
0.5	0.1915
1.0	0.3413
1.5	0.4332
2.0	0.4772
2.5	0.4938

① 0.5   ② 1   ③ 1.5

④ 2   ⑤ 2.5

047

확률변수 X가 정규분포 $N(15, 6^2)$을 따를 때, 오른쪽 표준정규분포표를 이용하여 $P(21 \le X \le a)=0.09$를 만족 시키는 실수 a의 값을 구하시오.

z	$P(0 \le Z \le z)$
0.5	0.19
1.0	0.34
1.5	0.43
2.0	0.48

유형 05 정규분포의 활용 - 확률 구하기

① 확률변수 X가 따르는 정규분포 $N(m, \sigma^2)$을 구한다.

② 확률변수 X를 $Z=\dfrac{X-m}{\sigma}$으로 표준화한 후 표준정규분포표를 이용하여 확률을 구한다.

048

어느 연구소에서 토마토 모종을 심은 지 3주가 지났을 때 토마토 줄기의 길이를 조사한 결과 토마토 줄기의 길이는 평균이 30 cm, 표준편차가 2 cm인 정규분포를 따른다고 한다. 이 연

z	$P(0 \leq Z \leq z)$
0.5	0.1915
1.0	0.3413
1.5	0.4332
2.0	0.4772
2.5	0.4938

구소에서 토마토 모종을 심은 지 3주가 지났을 때, 토마토 줄기 중에서 임의로 선택한 줄기의 길이가 27 cm 이상 32 cm 이하일 확률을 위의 표준정규분포표를 이용하여 구하면?

① 0.6826   ② 0.7745   ③ 0.8185

④ 0.9104   ⑤ 0.9270

049

어떤 사람이 집에서 직장까지 자가용으로 출근하는 데 걸리는 시간은 평균 50분, 표준편차가 5분인 정규분포를 따른다고 한다. 직장 출근 시각은 9시이고 이 사람이 집에서 출발한 시각

z	$P(0 \leq Z \leq z)$
1.0	0.3413
1.5	0.4332
2.0	0.4772
2.5	0.4938
3.0	0.4987

이 8시일 때, 지각할 확률을 위의 표준정규분포표를 이용하여 구하면?

① 0.0013   ② 0.0062   ③ 0.0228

④ 0.0668   ⑤ 0.1587

050

어떤 동물의 특정 자극에 대한 반응 시간은 평균이 m, 표준편차가 1인 정규분포를 따른다고 한다. 반응 시간이 2.93 미만일 확률이 0.1003일 때, m의 값을 위의 표준정규분포표를 이용하여 구하시오.

z	$P(0 \leq Z \leq z)$
0.91	0.3186
1.28	0.3997
1.65	0.4505
2.02	0.4783

051

어느 제과 회사에서 만든 과자 한 개의 무게는 평균이 16g, 표준편차가 0.3g인 정규분포를 따른다고 한다. 이 제과 회사에서 만든 과자 중 임의로 한 개를

z	$P(0 \leq Z \leq z)$
1.0	0.34
1.5	0.43
2.0	0.48
2.5	0.49

선택할 때, 이 과자의 무게가 15.25g 이하일 확률을 위의 표준정규분포표를 이용하여 구하면?

① 0.01   ② 0.02   ③ 0.03

④ 0.04   ⑤ 0.05

052

어떤 기계에 필요한 소모품의 수명을 확률변수 X라 하면 X는 정규분포 $N(250, 20^2)$을 따른다고 한다. 이 소모품 중에서 수명이 240시간 이상 280시간 이하인 것은 전체의 몇 %인지 048의 표준정규분포표를 이용하여 구하면?

① 15.87 %   ② 30.85 %   ③ 62.47 %

④ 74.13 %   ⑤ 80.75 %

유형 06 정규분포의 활용 – 도수, 미지수의 값 구하기

(1) 특정 범위에 포함되는 도수 구하기
  ① 주어진 조건에서 정규분포를 따르는 확률변수 X를 먼저 정한다.
  ② 확률변수 X를 표준화한 후 표준정규분포표를 이용하여 X가 특정한 범위에 포함될 확률 p를 구한다.
  ⇨ 도수: (전체 도수)$\times p$
(2) 확률변수 X가 정규분포 $N(m, \sigma^2)$을 따를 때, 상위 $a\%$ 이내에 속하는 X의 최솟값을 k라 하면

$$P(X \geq k) = \frac{a}{100}, \ \text{즉} \ P\left(Z \geq \frac{k-m}{\sigma}\right) = \frac{a}{100}$$

를 만족시킨다.

053

어느 고등학교 학생 2000명의 하루 평균 인터넷 사용 시간은 평균이 67분, 표준편차가 5분인 정규분포를 따른다고 한다. 하루 평균 인터넷 사용 시간이 1시간 이하인 학생 수를 구하시오.
(단, $P(0 \leq Z \leq 1.4) = 0.419$로 계산한다.)

054

어느 공장에서 생산되는 제품 한 개의 무게는 평균이 150 g, 표준편차가 4 g인 정규분포를 따르고, 무게가 144 g 이상 160 g 이하인 제품만 출고 합격을 받는다고 한다. 생산한 제품이 모두 1000개일 때, 출고 불합격을 받은 제품의 개수를 구하시오.
(단, $P(0 \leq Z \leq 1.5) = 0.433$, $P(0 \leq Z \leq 2.5) = 0.494$로 계산한다.)

055

어느 공장에서 생산되는 전구의 수명은 평균이 1000시간, 표준편차가 100시간인 정규분포를 따른다고 한다. 전구의 수명을 확률변수 X라 하면 $P(X \geq a) = 0.98$을 만족시키는 상수 a의 값을 위의 표준정규분포표를 이용하여 구하시오.

z	$P(0 \leq Z \leq z)$
1.28	0.40
1.75	0.46
2.05	0.48

056

아샘 고등학교 2학년 학생들의 1학기 수학 성적은 평균이 55점, 표준편차가 20점인 정규분포를 따른다고 한다. 상위 4% 이내에 속하는 학생들에게 1등급을 준다고 할 때, 1등급을 받으려면 최소한 몇 점 이상이어야 하는지 위의 표준정규분포표를 이용하여 구하시오.

z	$P(0 \leq Z \leq z)$
1.65	0.45
1.75	0.46
1.88	0.47

057

어느 농장에서 생산되는 달걀 한 개의 무게는 정규분포 $N(54, 9^2)$을 따른다고 한다. 이 농장에서 생산되는 달걀 중 무게가 상위 10% 이내인 것을 특란으로 포장하여 판매한다면 특란의 무게는 약 몇 g 이상인가? (단, $P(0 \leq Z \leq 1.28) = 0.4$로 계산한다.)

① 56.6 g
② 58.4 g
③ 60.8 g
④ 63.2 g
⑤ 65.5 g

058

어느 고등학교 학생 400명의 기말고사 성적에 따라 상위 2% 이내에 속하는 학생에게 장학금을 지급하려고 한다. 학생 전체의 성적은 평균이 75점, 표준편차가 4점인 정규분포를 따른다고 할 때, 장학금을 받는 학생 수를 a, 장학금을 받기 위한 최소 점수를 b점이라 하자. $a+b$의 값을 위의 표준정규분포표를 이용하여 구하시오.

z	$P(0 \leq Z \leq z)$
0.5	0.19
1.0	0.34
1.5	0.43
2.0	0.48

유형 07 이항분포와 정규분포

확률변수 X가 이항분포 $\mathrm{B}(n,\ p)$를 따를 때, n이 충분히 크면 X는 근사적으로 정규분포 $\mathrm{N}(np,\ npq)$를 따른다.

(단, $q=1-p$)

059

확률변수 X가 이항분포 $\mathrm{B}\left(100,\ \dfrac{1}{5}\right)$을 따를 때, X는 정규분포 $\mathrm{N}(m,\ \sigma^2)$을 따른다. $m+3\sigma^2$의 값은?

① 66   ② 68   ③ 70

④ 72   ⑤ 74

060

주사위를 180번 던져서 3의 배수의 눈이 나오는 횟수를 확률변수 X라 하면 X가 근사적으로 정규분포 $\mathrm{N}(m,\ \sigma^2)$을 따른다고 할 때, $m+\sigma^2$의 값을 구하시오.

061

어느 독감 백신을 접종한 n명을 대상으로 면역력 조사를 실시했다. 면역력이 생긴 사람의 수를 확률변수 X라 하면 X는 정규분포 $\mathrm{N}(48,\ 36)$을 따른다고 할 때, n의 값은?

(단, 각각의 사람에게 면역력이 생길 확률은 같다.)

① 144   ② 169   ③ 192

④ 225   ⑤ 289

062 (중요)

확률변수 X가 이항분포 $\mathrm{B}\left(180,\ \dfrac{5}{6}\right)$를 따를 때, 오른쪽 표준정규분포표를 이용하여 $\mathrm{P}(X\leq 155)$를 구하시오.

z	$\mathrm{P}(0\leq Z\leq z)$
1.0	0.3413
1.5	0.4332
2.0	0.4772
2.5	0.4938

063

확률변수 X에 대하여

$$\mathrm{P}(X=r)={}_{180}\mathrm{C}_r\left(\frac{1}{6}\right)^r\left(\frac{5}{6}\right)^{180-r}\ (r=0,\ 1,\ 2,\ \cdots,\ 180)$$

일 때, $\mathrm{P}(20\leq X\leq 40)$은? (단, $\mathrm{P}(0\leq Z\leq 2)=0.48$로 계산한다.)

① 0.02   ② 0.24   ③ 0.48

④ 0.96   ⑤ 0.98

064 (중요)

$\displaystyle\sum_{k=351}^{369}{}_{400}\mathrm{C}_k\left(\frac{9}{10}\right)^k\left(\frac{1}{10}\right)^{400-k}$의 값을 오른쪽 표준정규분포표를 이용하여 구한 것은?

z	$\mathrm{P}(0\leq Z\leq z)$
0.5	0.1915
1.0	0.3413
1.5	0.4332
2.0	0.4772

① 0.1587   ② 0.3085

③ 0.6826   ④ 0.8664

⑤ 0.9544

유형 **08** 이항분포와 정규분포의 관계의 활용

확률변수 X가 이항분포 $B(n, p)$를 따를 때
① X가 근사적으로 정규분포 $N(np, np(1-p))$를 따름을
이용하여 X를 표준화한다.
② 표준정규분포표와 비교하여 미지수의 값을 구한다.

065

한 개의 주사위를 720회 던질 때, 2의 눈이 110회 이상 나올 확률을 오른쪽 표준정규분포표를 이용하여 구하시오.

z	$P(0 \leq Z \leq z)$
1.0	0.3413
1.5	0.4332
2.0	0.4772
2.5	0.4938

066

어느 해운회사의 통계자료에 의하면 예약 고객 10명 중 8명의 비율로 승선한다고 한다. 정원이 340명인 여객선의 예약 고객이 400명일 때, 승선한 고객이 예약 고객만으로 정원을 초과하지 않을 확률을 **065**의 표준정규분포표를 이용하여 구하면?

① 0.9938   ② 0.9918   ③ 0.9893

④ 0.9861   ⑤ 0.9821

067

한 개의 주사위를 n번 던져서 2의 눈이 나온 횟수를 확률변수 X라 할 때, X의 표준편차는 10이다. 2의 눈이 100회 이상 130회 이하로 나올 확률을 구하시오.
(단, $P(0 \leq Z \leq 1)=0.3413$, $P(0 \leq Z \leq 2)=0.4772$로 계산한다.)

068

어느 회사의 제품이 불량품일 확률이 2%라 할 때, 이 회사에서 생산된 10000개의 제품 중 불량품의 개수를 확률변수 X라 하자. $P(a \leq X \leq 214)=0.6826$일 때, 상수 a의 값을 **065**의 표준정규분포표를 이용하여 구하시오.

069

숫자가 하나씩 적혀 있는 서로 다른 10장의 카드가 있다. 이 10장의 카드 중에서 적혀 있는 숫자가 2, 3, 5인 카드는 각각 두 장, 세 장, 다섯 장이다. 10장의 카드 중에서 임의로 3장의 카드를 뽑아 숫자를 확인한 후 다시 섞는 시행을 448번 하였을 때, 세 카드에 쓰여 있는 숫자의 합이 9 이하인 횟수를 확률변수 X라 하자. X가 49 이상 70 이하가 될 확률을 **065**의 표준정규분포표를 이용하여 구하시오.

070

무게의 평균이 $40\,g$, 표준편차가 $4\,g$인 정규분포를 따르는 제품에 대하여 무게가 $44\,g$ 이상일 경우 불량품으로 판정한다고 한다. 이 제품 중에서 2100개를

z	$P(0 \leq Z \leq z)$
0.5	0.19
1.0	0.34
1.5	0.43
2.0	0.48

임의로 추출하여 불량품의 개수를 Y라 할 때, Y가 나타내는 분포는 근사적으로 정규분포 $N(m, \sigma^2)$을 따른다고 한다. m의 값을 구하시오.

쌤이 시험에 꼭 내는 문제

071

그림은 아샘 고등학교 1학년, 2학년, 3학년 학생들 500명씩의 몸무게를 조사하여 그 분포를 나타낸 곡선이다.

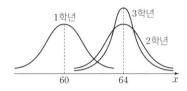

각 학년의 몸무게가 정규분포를 이룰 때, 〈보기〉에서 옳은 것만을 있는 대로 고른 것은?

┤ 보기 ├

ㄱ. 가장 고른 분포를 보이는 것은 3학년이다.

ㄴ. 평균적으로 1학년 학생들은 2학년 학생들보다 가볍다.

ㄷ. 몸무게가 아주 많이 나가는 학생들은 2학년이 3학년보다 많다.

① ㄱ   ② ㄴ   ③ ㄱ, ㄴ

④ ㄴ, ㄷ   ⑤ ㄱ, ㄴ, ㄷ

072

정규분포 $N(m, \sigma^2)$을 따르는 확률변수 X의 정규분포곡선이 각 구간에서 x축과 이루는 부분의 넓이가 그림과 같다.

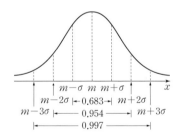

수학 교사를 뽑는 임용고사에서 수험생들의 점수 X가 정규분포 $N(60, 4^2)$을 따른다고 한다. 수험생 중에서 한 명을 택하였을 때, 그 수험생의 점수가 68점 이상일 확률을 위의 그림을 이용하여 구하시오.

073

확률변수 X가 정규분포 $N(30, 4^2)$을 따를 때, 다음 표를 이용하여 $P(30 \leq X \leq 38) + P(26 \leq X \leq 34)$의 값을 구하시오.

(단, m은 평균, σ는 표준편차이다.)

k	$P(m-k\sigma \leq X \leq m+k\sigma)$
1	0.6826
2	0.9544
3	0.9974

074

A과수원에서 생산하는 귤의 무게는 평균이 86, 표준편차가 15인 정규분포를 따르고, B과수원에서 생산하는 귤의 무게는 평균이 88, 표준편차가 10인 정규분포를 따른다고 한다. A과수원에서 임의로 선택한 귤의 무게가 98 이하일 확률과 B과수원에서 임의로 선택한 귤의 무게가 a 이하일 확률이 같을 때, a의 값을 구하시오. (단, 귤의 무게의 단위는 g이다.)

075

정규분포 $N(m, \sigma^2)$을 따르는 확률변수 X에 대하여 확률밀도함수 $y=f(x)$가 모든 실수 x에 대하여

z	$P(0 \leq Z \leq z)$
1.5	0.4332
2.0	0.4772
2.5	0.4938
3.0	0.4987

$f(100-x)=f(100+x)$를 만족시킨다. $P(m \leq X \leq m+12)=0.4987$일 때, 위의 표준정규분포표를 이용하여 $P(94 \leq X \leq 110)$을 구하면?

① 0.9104   ② 0.9270   ③ 0.9710

④ 0.9725   ⑤ 0.9759

076

이차방정식 $x^2+Ax+4=0$에서 A는 확률변수이고 정규분포 $N(2,\ 4)$를 따른다고 한다. 이 이차방정식이 실근을 가질 확률은 몇 %인지 위의 표준정규분포표를 이용하여 구하면?

z	$P(0 \leq Z \leq z)$
1.0	0.3413
2.0	0.4772
3.0	0.4987

① 16 %   ② 31 %   ③ 38 %

④ 60 %   ⑤ 88 %

077

140명의 신입사원을 뽑는 어느 회사의 입사 시험에 2000명이 응시하였다. 응시자들의 성적은 평균이 70점, 표준편차가 12점인 정규분포를 따른다고 할 때,

z	$P(0 \leq Z \leq z)$
0.5	0.19
1.0	0.34
1.5	0.43
2.0	0.48

몇 점 이상이어야 합격할 수 있는지 위의 표준정규분포표를 이용하여 구하시오. (단, 동점자는 없다.)

078

20 %의 불량률로 제품을 생산하는 기계가 100개의 제품을 생산할 때, 불량품이 28개 이하일 확률을 **076**의 표준정규분포표를 이용하여 구하시오.

079

어떤 농구 선수의 자유투 성공률은 $\frac{2}{3}$라고 한다. 이 농구 선수가 450번의 자유투를 시도하여 성공한 횟수를 확률변수 X라 할 때, $P(300 \leq X \leq a)=0.38$이 되도록 하는 상수 a의 값을 구하시오. (단, $P(0 \leq Z \leq 0.5)=0.19$, $P(0 \leq Z \leq 1.2)=0.38$로 계산한다.)

1등급 문제

080

이산확률변수 X의 확률질량함수가
$$P(X=x)={}_nC_x\frac{4^{n-x}}{5^n}\ (x=0,\ 1,\ 2,\ \cdots,\ n)$$
이고, $E(X^2)=416$일 때, $P(X \leq a)=0.9772$를 만족시키는 a의 값을 **076**의 표준정규분포표를 이용하여 구하시오.

081

어느 회사에서 만든 신제품의 무게는 정규분포 $N(180,\ 8^2)$을 따른다. 이 회사에서는 신제품의 무게가 164보다 작을 경우 불량품으로 판정한다. 하루에 2500개의 신제품을 생산할 때, 불량품의 개수가 64 이하일 확률을 **077**의 표준정규분포표를 이용하여 구하시오. (단, 신제품의 무게의 단위는 g이다.)

10 표본평균의 분포

10 표본평균의 분포

1 모집단과 표본

(1) 전수조사: 조사 대상 전체를 조사하는 것

(2) 표본조사: 조사 대상의 일부를 조사하여 조사 대상 전체의 성질을 추측하는 것

(3) 모집단: 통계 조사에서 조사의 대상이 되는 집단 전체

(4) 표본: 모집단에서 조사를 위하여 뽑은 대상들의 집합

(5) 임의추출: 모집단의 각 대상이 표본에 포함될 확률이 모두 같도록 추출하는 방법

개념 플러스

◀ 표본의 크기: 표본조사에서 뽑은 표본의 개수

◀ 임의추출로 자료를 추출할 때, 한 번 추출한 원소를 다시 되돌려 놓고 다음 원소를 추출하는 방법을 복원추출, 되돌려 놓지 않고 계속해서 추출하는 방법을 비복원추출이라고 한다.

2 표본평균의 평균, 분산, 표준편차

모평균이 m이고, 모표준편차가 σ인 모집단에서 임의추출한 크기가 n인 표본의 표본평균 $\overline{X}$에 대하여

(1) 표본평균의 평균 ➡ $\mathrm{E}(\overline{X})=m$

(2) 표본평균의 분산 ➡ $\mathrm{V}(\overline{X})=\dfrac{\sigma^2}{n}$

(3) 표본평균의 표준편차 ➡ $\sigma(\overline{X})=\dfrac{\sigma}{\sqrt{n}}$

◀ 모집단에서 임의추출한 크기가 n인 표본을 X_1, X_2, $\cdots$, X_n이라 할 때 이들의 평균
$$\overline{X}=\frac{1}{n}(X_1+X_2+\cdots+X_n)$$
을 표본평균이라고 한다.

◀ 모평균 m은 고정된 상수이지만 표본평균 $\overline{X}$는 추출된 표본에 따라 여러 가지 값을 가질 수 있는 확률변수이다.

3 표본평균의 분포

정규분포 $\mathrm{N}(m,\ \sigma^2)$을 따르는 모집단에서 크기가 n인 표본을 복원추출할 때, 표본평균을 $\overline{X}$라 하면

(1) $\mathrm{E}(\overline{X})=m$, $\mathrm{V}(\overline{X})=\dfrac{\sigma^2}{n}$, $\sigma(\overline{X})=\dfrac{\sigma}{\sqrt{n}}$

(2) $\overline{X}$의 분포는 정규분포 $\mathrm{N}\left(m,\ \dfrac{\sigma^2}{n}\right)$을 따른다.

◀ 모집단의 분포가 정규분포가 아닐 때도 표본의 크기 n이 충분히 크면, $\overline{X}$의 분포는 근사적으로 정규분포 $\mathrm{N}\left(m,\ \dfrac{\sigma^2}{n}\right)$을 따른다.

이때 n이 충분히 크다는 것은 $n\geq30$을 만족시킬 때이다.

4 표본평균 $\overline{X}$의 확률 구하기

크기가 n인 표본의 표본평균 $\overline{X}$가 정규분포 $\mathrm{N}\left(m,\ \dfrac{\sigma^2}{n}\right)$을 따를 때,

$Z=\dfrac{\overline{X}-m}{\dfrac{\sigma}{\sqrt{n}}}$ 을 이용하여 표준화하고, 표준정규분포표를 이용하여 확률을 구한다.

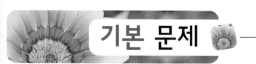

기본 문제

1 표본평균의 분포

[001-005] 1, 3, 5의 숫자가 각각 적힌 3개의 구슬이 들어 있는 주머니를 모집단으로 하고, 이 주머니에서 크기가 2인 표본을 복원추출할 때, 나온 표본의 평균을 $\overline{X}$라 하자. 다음 물음에 답하시오.

001 표본이 (1, 3)일 때, $\overline{X}$의 값을 구하시오.

002 확률변수 $\overline{X}$가 가질 수 있는 값을 구하시오.

003 $\overline{X}=3$이 되는 표본의 개수를 구하시오.

004 $P(\overline{X}=3)$을 구하시오.

005 $\overline{X}$를 확률변수로 하는 확률분포표를 완성하시오.

$\overline{X}$	1	2	3			합계
$P(\overline{X}=\overline{x})$	$\dfrac{1}{9}$	$\dfrac{2}{9}$				1

2 표본평균의 평균, 분산, 표준편차

[006-009] 모집단 $\{0, 2, 4\}$에서 크기가 2인 표본을 임의로 복원추출할 때, 표본평균 $\overline{X}$에 대하여 다음 물음에 답하시오.

006 표본평균 $\overline{X}$의 확률분포표를 완성하시오.

$\overline{X}$						합계
$P(\overline{X}=\overline{x})$						1

007 $P(1\leq\overline{X}\leq3)$을 구하시오.

008 표본평균 $\overline{X}$의 평균 $E(\overline{X})$를 구하시오.

009 표본평균 $\overline{X}$의 분산 $V(\overline{X})$를 구하시오.

[010-012] 모평균이 m, 모표준편차가 σ인 모집단에서 임의추출한 크기가 100인 표본의 표본평균 $\overline{X}$에 대하여 다음을 구하시오.

010 $E(\overline{X})$

011 $V(\overline{X})$

012 $\sigma(\overline{X})$

[013-015] 모평균이 60, 모표준편차가 6인 모집단에서 크기가 4인 표본을 임의추출할 때, 표본평균 $\overline{X}$에 대하여 다음을 구하시오.

013 $\mathrm{E}(\overline{X})$

014 $\mathrm{V}(\overline{X})$

015 $\sigma(\overline{X})$

[016-020] 어떤 모집단의 확률변수 X의 확률분포를 표로 나타내면 다음과 같다.

X	1	2	3	합계
$\mathrm{P}(X=x)$	a	$\dfrac{1}{2}$	$\dfrac{1}{4}$	1

이 모집단에서 크기가 5인 표본을 임의추출할 때, 표본평균 $\overline{X}$에 대하여 다음을 구하시오.

016 상수 a의 값

017 $\mathrm{E}(X)$

018 $\sigma(X)$

019 $\mathrm{E}(\overline{X})$

020 $\sigma(\overline{X})$

[021-024] 1부터 5까지 자연수가 각각 하나씩 적힌 카드가 있다. 카드에 적힌 수를 확률변수 X라 하고, 이 카드에서 2장의 카드를 복원추출할 때, 카드에 적힌 수의 평균을 $\overline{X}$라 하자. 다음을 구하시오.

021 $\mathrm{E}(X)$

022 $\mathrm{V}(X)$

023 $\mathrm{E}(\overline{X})$

024 $\sigma(\overline{X})$

3 표본평균의 분포 – 모집단이 정규분포

[025-027] 정규분포 $\mathrm{N}(m,\ \sigma^2)$을 따르는 모집단에서 크기가 n인 표본을 복원추출할 때, 표본평균을 $\overline{X}$라 하자. 다음을 구하시오.

025 $\mathrm{E}(\overline{X})$

026 $\mathrm{V}(\overline{X})$

027 $\sigma(\overline{X})$

[028-031] 정규분포 $N(50, 10^2)$을 따르는 모집단에서 크기가 25인 표본을 임의추출하여 표본평균을 $\overline{X}$라 할 때, 다음 물음에 답하시오.

028 표본평균 $\overline{X}$의 평균을 구하시오.

029 표본평균 $\overline{X}$의 분산을 구하시오.

030 표본평균 $\overline{X}$의 표준편차를 구하시오.

031 다음 □ 안에 알맞은 수를 써넣으시오.

> 정규분포 $N(50, 10^2)$을 따르는 모집단에서 크기가 25인 표본을 임의추출할 때, 표본평균 $\overline{X}$의 분포는 정규분포 $N(\square, \square)$을 따른다.

032 평균이 500, 표준편차가 20인 정규분포를 따르는 모집단에서 크기가 100인 표본을 임의추출할 때, 표본평균 $\overline{X}$의 분포는 정규분포 $N(a, b)$를 따른다. a, b의 값을 구하시오.

[033-037] 모평균이 150, 모표준편차가 5인 정규분포를 따르는 모집단에서 크기가 100인 표본을 임의추출하여 표본평균을 $\overline{X}$라 할 때, 다음 물음에 답하시오.

033 표본평균 $\overline{X}$의 평균을 구하시오.

034 표본평균 $\overline{X}$의 표준편차를 구하시오.

035 $P(150 \leq \overline{X} \leq 150.5)$를 오른쪽 표준정규분포표를 이용하여 구하시오.

z	$P(0 \leq Z \leq z)$
0.5	0.1915
1.0	0.3413
1.5	0.4332
2.0	0.4772

036 $P(\overline{X} \geq 151)$을 **035**의 표준정규분포표를 이용하여 구하시오.

037 $P(\overline{X} \geq 149)$를 **035**의 표준정규분포표를 이용하여 구하시오.

유형 01 모집단과 표본

(1) 통계 조사
  ① 전수조사: 조사의 대상이 되는 자료 전체를 빠짐없이 조사하는 것
  ② 표본조사: 조사의 대상이 되는 자료의 일부만을 택하여 조사함으로써 자료 전체의 성질을 추측하는 것
(2) 임의추출
  모집단에 속하는 각 대상을 같은 확률로 추출하는 방법
  ① 복원추출: 한 번 추출된 자료를 되돌려 놓고 다음 자료를 추출하는 방법
  ② 비복원추출: 한 번 추출된 자료를 되돌려 놓지 않고 다음 자료를 추출하는 방법

038

〈보기〉에서 표본조사를 하는 것이 적당한 것만을 있는 대로 고른 것은?

┤ 보기 ├
ㄱ. 학교에서 실시하는 학생들의 키 조사
ㄴ. 방송사에서 하는 여론조사
ㄷ. 어느 전자 회사의 특정 제품의 수명 조사
ㄹ. 인구조사

① ㄱ, ㄴ   ② ㄱ, ㄷ   ③ ㄴ, ㄷ
④ ㄴ, ㄹ   ⑤ ㄷ, ㄹ

039

서로 다른 숫자가 각각 하나씩 적힌 6개의 공 중에서 크기가 3인 표본을 추출할 때, 다음 각 경우의 표본의 수를 구하시오.

(1) 1개씩 3번 꺼내는 경우 (복원추출)
(2) 1개씩 3번 꺼내는 경우 (비복원추출)
(3) 동시에 3개를 꺼내는 경우

유형 02 표본평균의 평균, 표준편차
– 모평균과 모표준편차가 주어질 때

(표본평균의 평균)=(모평균), (표본평균의 분산)=$\dfrac{(모분산)}{(표본의 크기)}$,

(표본평균의 표준편차)=$\dfrac{(모표준편차)}{\sqrt{(표본의 크기)}}$ 이다.

$\Rightarrow \mathrm{E}(\overline{X})=\mathrm{E}(X),\ \mathrm{V}(\overline{X})=\dfrac{\mathrm{V}(X)}{n},\ \sigma(\overline{X})=\dfrac{\sigma(X)}{\sqrt{n}}$

040

모평균이 200, 모분산이 5^2인 모집단에서 크기가 100인 표본을 임의추출할 때, 표본평균 $\overline{X}$의 평균 a, 표준편차 b에 대하여 ab의 값을 구하시오.

041

정규분포 $\mathrm{N}(75,\ 10^2)$을 따르는 어떤 모집단에서 크기가 25인 표본을 임의추출할 때, 표본평균 $\overline{X}$의 평균 $\mathrm{E}(\overline{X})$와 표준편차 $\sigma(\overline{X})$를 각각 구하면?

① $\mathrm{E}(\overline{X})=25,\ \sigma(\overline{X})=2$
② $\mathrm{E}(\overline{X})=25,\ \sigma(\overline{X})=4$
③ $\mathrm{E}(\overline{X})=75,\ \sigma(\overline{X})=2$
④ $\mathrm{E}(\overline{X})=75,\ \sigma(\overline{X})=4$
⑤ $\mathrm{E}(\overline{X})=75,\ \sigma(X)=25$

042

정규분포 $\mathrm{N}(10,\ 6)$을 따르는 모집단에서 크기가 3인 표본을 임의추출할 때, 표본평균 $\overline{X}$에 대하여 $\mathrm{E}(\overline{X}^2)$을 구하시오.

중요
043

모평균이 10, 모표준편차가 2인 모집단에서 크기가 4인 표본을 임의추출하여 구한 표본평균을 $\overline{X}$라 할 때, $E(3\overline{X}+1)+V(2\overline{X}-3)$의 값은?

① 31　　　　② 32　　　　③ 33

④ 34　　　　⑤ 35

044

모평균이 50, 모표준편차가 5인 모집단에서 크기가 25인 표본을 임의추출할 때, 그 표본평균을 $\overline{X}$, 표본표준편차를 S라 하자. 〈보기〉에서 옳은 것만을 있는 대로 고른 것은?

┤ 보기 ├
ㄱ. $\overline{X}=50$
ㄴ. S는 확률변수이다.
ㄷ. $\overline{X}$의 표준편차는 1이다.

① ㄱ　　　　② ㄴ　　　　③ ㄷ

④ ㄱ, ㄷ　　　　⑤ ㄴ, ㄷ

045

모표준편차가 12인 모집단에서 크기가 n인 표본을 임의추출할 때, 표본평균 $\overline{X}$의 표준편차가 1 이하가 되도록 하는 n의 최솟값을 구하시오.

유형 13 표본평균의 평균, 표준편차
– 확률분포가 주어질 때

모집단의 확률분포가 주어질 때 표본평균의 평균, 분산, 표준편차는 다음과 같이 구한다.
① 모평균 m, 모분산 σ^2을 구한다.
$$\Rightarrow m=E(X)=\sum_{i=1}^{n} x_i p_i$$
$$\sigma^2=V(X)=E(X^2)-\{E(X)\}^2$$
② 크기가 n인 표본을 임의추출할 때, 표본평균 $\overline{X}$의 평균, 분산, 표준편차를 구한다.
$$\Rightarrow E(\overline{X})=m,\ V(\overline{X})=\frac{\sigma^2}{n},\ \sigma(\overline{X})=\frac{\sigma}{\sqrt{n}}$$

046

모집단의 확률변수 X의 확률분포를 나타낸 표가 다음과 같다. 이 모집단에서 크기가 8인 표본을 임의추출할 때, 표본평균 $\overline{X}$의 표준편차를 구하시오.

X	0	1	2	합계
$P(X=x)$	$\frac{1}{4}$	$\frac{1}{2}$	$\frac{1}{4}$	1

중요
047

모집단의 확률변수 X의 확률분포를 나타낸 표가 다음과 같다. 이 모집단에서 크기가 2인 표본을 임의추출할 때, 표본평균 $\overline{X}$에 대하여 $E(\overline{X})+V(\overline{X})$의 값은?

X	1	2	3	4	합계
$P(X=x)$	$\frac{1}{4}$	$\frac{1}{4}$	a	a	1

① $\frac{5}{4}$　　　　② $\frac{15}{8}$　　　　③ $\frac{5}{2}$

④ $\frac{25}{8}$　　　　⑤ $\frac{15}{4}$

048

모집단의 확률변수 X의 확률분포를 나타낸 표가 다음과 같다. 이 모집단에서 크기가 n인 표본을 임의추출할 때, 표본평균 $\overline{X}$의 분산은 $\frac{1}{8}$이라고 한다. n의 값을 구하시오.

X	0	1	2	3	합계
$P(X=x)$	$\frac{1}{8}$	a	a	$\frac{1}{8}$	1

049

모집단의 확률변수 X의 확률분포를 나타낸 표가 다음과 같다. 이 모집단에서 크기가 6인 표본을 임의추출할 때, 표본평균 $\overline{X}$에 대하여 $E(\overline{X}^2)$은?

X	-2	0	2	합계
$P(X=x)$	$\frac{1}{2}$	$\frac{1}{4}$	a	1

① $\frac{7}{12}$ ② $\frac{5}{8}$ ③ $\frac{2}{3}$

④ $\frac{17}{24}$ ⑤ $\frac{3}{4}$

050

어느 모집단의 확률변수 X의 확률질량함수가

$$P(X=r) = {}_{90}C_r \left(\frac{1}{3}\right)^r \left(\frac{2}{3}\right)^{90-r} \ (r=0, 1, 2, \cdots, 90)$$

이고, 이 모집단에서 크기가 5인 표본을 임의추출하여 구한 표본평균을 $\overline{X}$라 할 때, $E(\overline{X}) \times V(\overline{X})$의 값을 구하시오.

유형 **04** 표본평균의 평균, 표준편차
– 모집단이 주어질 때

모집단이 주어질 때, 표본평균의 평균, 분산, 표준편차는 다음과 같이 구한다.
① 확률변수 X의 확률분포를 표로 나타낸다.
② 모평균 m, 모분산 σ^2을 구한다.
③ 크기가 n인 표본을 임의추출할 때, 표본평균 $\overline{X}$의 평균, 분산, 표준편차를 구한다.

$\Rightarrow E(\overline{X})=m$, $V(\overline{X})=\dfrac{\sigma^2}{n}$, $\sigma(\overline{X})=\dfrac{\sigma}{\sqrt{n}}$

051

2, 4, 6, 8의 숫자가 각각 하나씩 적힌 4장의 카드가 있다. 이 카드에서 2장의 카드를 복원추출할 때, 카드에 적힌 숫자의 표본평균 $\overline{X}$의 평균과 분산을 순서대로 적은 것은?

① 5, 2 ② 5, $\frac{5}{2}$ ③ 5, 3

④ 5, $\frac{7}{2}$ ⑤ 5, 4

052

주머니 속에 1부터 4까지의 자연수가 하나씩 적힌 구슬이 각각 3개씩 들어 있다. 이 주머니에서 3개의 구슬을 복원추출하여 구슬에 적힌 숫자의 평균을 X라 할 때, $E(4\overline{X}-5)$를 구하시오.

053

1부터 9까지의 자연수가 각각 하나씩 적힌 9개의 공이 들어 있는 주머니에서 4개의 공을 복원추출하여 그 공에 적힌 숫자의 평균을 $\overline{X}$라 할 때, $V(3\overline{X}+1)$을 구하시오.

054

주머니 안에 6, 8, 10, 12, 14의 숫자가 각각 하나씩 적힌 다섯 개의 공이 있다. 이를 모집단으로 하여 n개의 공을 복원추출할 때, 공에 적힌 숫자의 표본평균 $\overline{X}$에 대하여 $\mathrm{E}(\overline{X}) \times \mathrm{V}(\overline{X}) = 40$을 만족시키는 n의 값을 구하시오.

055

주머니 속에 1, 1, 2, 2, 2, 3, 3이 각각 하나씩 적힌 7개의 공이 들어 있다. 이 주머니에서 3개의 공을 복원추출하여 공에 적힌 숫자의 평균을 $\overline{X}$라 할 때, $\mathrm{E}(\overline{X}) \times \mathrm{V}(\overline{X})$의 값은?

① $\dfrac{4}{21}$　　　② $\dfrac{2}{7}$　　　③ $\dfrac{8}{21}$

④ $\dfrac{10}{21}$　　　⑤ $\dfrac{4}{7}$

056

주머니 속에 1, 3, 5, 7, 9의 숫자가 하나씩 적힌 카드가 각각 3장, 4장, 6장, 4장, n장 들어 있다. 이것을 모집단으로 하여 크기가 5인 표본을 복원추출할 때, 카드에 적힌 숫자의 표본평균 $\overline{X}$의 평균이 5이다. n의 값은?

① 1　　　② 2　　　③ 3
④ 4　　　⑤ 5

유형 05 표본평균의 분포

모평균이 m, 모표준편차가 σ인 모집단에서 크기가 n인 표본을 임의추출할 때,

(1) 모집단이 정규분포 $\mathrm{N}(m, \sigma^2)$을 따르면 표본평균 $\overline{X}$는 정규분포 $\mathrm{N}\!\left(m, \dfrac{\sigma^2}{n}\right)$을 따른다.

(2) 모집단이 정규분포를 따르지 않더라도 표본의 크기 n이 충분히 크면 표본평균 $\overline{X}$는 근사적으로 정규분포 $\mathrm{N}\!\left(m, \dfrac{\sigma^2}{n}\right)$을 따른다.

057

정규분포 $\mathrm{N}(10, 16)$을 따르는 모집단에서 크기가 16인 표본을 임의추출할 때, 표본평균 $\overline{X}$는 정규분포 $\mathrm{N}(m, a)$를 따른다. $m + a$의 값을 구하시오.

058

모평균이 300, 모표준편차가 σ인 모집단에서 크기가 50인 표본을 임의추출할 때, 표본평균 $\overline{X}$는 정규분포 $\mathrm{N}\!\left(k, \dfrac{1}{2}\right)$을 따른다. $k + \sigma$의 값을 구하시오.

059

정규분포 $\mathrm{N}(m, \sigma^2)$을 따르는 모집단에서 표본의 크기를 각각 n_1, n_2로 하는 두 표본평균을 각각 $\overline{X_1}$, $\overline{X_2}$라 할 때, 다음 설명 중 옳은 것은? (단, $n_1 > 1$, $n_2 > 1$)

① 표본평균 $\overline{X_1}$는 정규분포 $\mathrm{N}(m, \sigma^2)$을 따른다.

② 표본평균 $\overline{X_2}$는 정규분포 $\mathrm{N}\!\left(m, \dfrac{\sigma^2}{\sqrt{n_2}}\right)$을 따른다.

③ $n_1 < n_2$이면 $\mathrm{E}(\overline{X_1}) < \mathrm{E}(\overline{X_2})$이다.

④ $n_1 < n_2$이면 $\mathrm{V}(\overline{X_1}) < \mathrm{V}(\overline{X_2})$이다.

⑤ $n_1 < n_2$이면 $\sigma(\overline{X_1}) > \sigma(\overline{X_2})$이다.

유형 06 표본평균의 확률

표본평균의 확률은 다음과 같이 구한다.

① 표본평균 $\overline{X}$가 따르는 정규분포 $N\left(m, \dfrac{\sigma^2}{n}\right)$을 구한다.

② 표본평균 $\overline{X}$를 $Z = \dfrac{\overline{X} - m}{\dfrac{\sigma}{\sqrt{n}}}$ 으로 표준화한다.

③ 표준정규분포표를 이용하여 확률을 구한다.

060

모평균이 30, 모표준편차가 6인 정규분포를 따르는 모집단에서 크기가 9인 표본을 임의추출할 때, 표본평균이 26.08 이상 33.3 이하일 확률을 위의 표준정규분포표를 이용하여 구하면?

z	$P(0 \leq Z \leq z)$
1.65	0.450
1.96	0.475
2.58	0.495

① 0.450   ② 0.475   ③ 0.495

④ 0.925   ⑤ 0.945

061

모평균이 40, 모표준편차가 4인 정규분포를 따르는 모집단에서 크기가 16인 표본을 임의추출하여 그 평균을 $\overline{X}$라 할 때, $P(\overline{X} \geq 42)$를 오른쪽 표준정규분포표를 이용하여 구하시오.

z	$P(0 \leq Z \leq z)$
0.5	0.1915
1.0	0.3413
1.5	0.4332
2.0	0.4772

062

수샘 고등학교 학생 전체의 키는 평균이 160 cm, 표준편차가 8 cm인 정규분포를 따른다. 이 고등학교 학생 전체를 모집단으로 16명을 임의추출할 때, 키의 평균이 156 cm 이상 162 cm 이하일 확률을 위의 표준정규분포표를 이용하여 구하시오.

z	$P(0 \leq Z \leq z)$
0.5	0.1915
1.0	0.3413
1.5	0.4332
2.0	0.4772

063

어느 전구 회사에서 생산하는 전구의 수명은 평균이 2000시간, 표준편차가 200시간인 정규분포를 따른다고 한다. 이 회사에서 생산된 제품 중에서 400개를 임의추출하여 수명을 조사할 때, 표본평균이 1990시간 이하일 확률을 구하시오.

(단, $P(0 \leq Z \leq 1) = 0.3413$으로 계산한다.)

064

H 고등학교 학생의 몸무게는 평균이 60 kg, 표준편차가 6 kg인 정규분포를 이룬다고 한다. 적재중량이 549 kg 이상이 되면 경고음을 내도록 설계되어 있는 엘리베이터에 H 고등학교 학생 중 임의추출한 9명이 탑승하였을 때, 경고음이 울릴 확률을 위의 표준정규분포표를 이용하여 구하면?

z	$P(0 \leq Z \leq z)$
0.5	0.1915
1.0	0.3413
1.5	0.4332
2.0	0.4772

① 0.1587   ② 0.1915   ③ 0.3085

④ 0.3413   ⑤ 0.4332

065

어느 공장에서 생산되는 제품의 무게가 정규분포 $N(11, 2^2)$을 따른다고 하자. A와 B 두 사람이 크기가 4인 표본을 각각 독립적으로 임의추출하였다. A와 B가 추출한 표본의 평균이 모두 10g 이상 14g 이하가 될 확률을 위의 표준정규분포표를 이용하여 구하시오.

z	$P(0 \leq Z \leq z)$
1	0.3413
2	0.4772
3	0.4987

066

어떤 공장에서 생산되는 호스의 길이 X는 정규분포 $N(2000, 100^2)$을 따른다고 한다. 이 제품 중 임의추출한 100개의 호스의 길이의 평균을 $\overline{X}$라 할 때, $P(a \leq \overline{X} \leq 2015) = 0.241$을 만족시키는 상수 a의 값을 위의 표준정규분포표를 이용하여 구하시오. (단, 단위는 m이다.)

z	$P(0 \leq Z \leq z)$
0.5	0.192
1.0	0.341
1.5	0.433
2.0	0.477

067

모집단의 확률변수 X가 정규분포 $N(10, 2^2)$을 따른다. 이 모집단에서 크기가 4인 표본을 복원추출하여 그 표본평균을 $\overline{X}$라 할 때, $P(X \geq a) = P(\overline{X} \geq b)$를 만족시키는 두 실수 a, b의 관계로 옳은 것은?

① $a+b=0$ ② $a-b=0$ ③ $|a|+|b|=2$
④ $a^2+b^2=1$ ⑤ $a-2b+10=0$

068

어느 세제 공장에서 생산되는 세제 A의 무게는 평균이 800g, 표준편차가 14g인 정규분포를 따른다고 한다. 이 공장에서는 생산 시스템의 이상 여부를 점검하기 위하여 하루에 생산된 세제 A 중에서 크기가 49인 표본을 임의추출하여 얻은 세제의 무게에 대한 표본평균을 $\overline{X}$라 하자. $\overline{X}$가 상수 c보다 작으면 생산 시스템에 이상이 있는 것으로 판단하고 생산 시스템을 점검한다. 이 공장에서 생산 시스템에 이상이 있다고 판단될 확률이 0.02라 할 때, c의 값을 위의 표준정규분포표를 이용하여 구하면?

z	$P(0 \leq Z \leq z)$
1.88	0.47
2.05	0.48
2.33	0.49

① 771.3   ② 784.7   ③ 787.1
④ 791.5   ⑤ 795.9

069

어느 농장에서 재배한 포도 1송이의 무게는 평균이 500g, 표준편차가 30g인 정규분포를 따른다고 한다. 이 농장에서 포도 9송이씩 한 상자에 담아 판매한다고 할 때, 이 상자들 중에서 임의로 뽑은 한 상자에 담긴 9송이의 포도의 무게의 합을 확률변수 G라 하자. 〈보기〉에서 옳은 것만을 있는 대로 고른 것은?
(단, $P(|Z| \leq 1) = 0.68$, $P(|Z| \leq 2) = 0.96$으로 계산한다.)

┤ 보기 ├
ㄱ. 확률변수 G의 평균은 4500g이다.
ㄴ. 확률변수 G의 표준편차는 10g이다.
ㄷ. $P(G \leq 4320) = 0.02$

① ㄱ   ② ㄱ, ㄴ   ③ ㄱ, ㄷ
④ ㄴ, ㄷ   ⑤ ㄱ, ㄴ, ㄷ

유형 07 표본의 크기 구하기

표본평균 $\overline{X}$가 정규분포 $\mathrm{N}\left(m, \dfrac{\sigma^2}{n}\right)$을 따를 때,

$$\mathrm{P}(m \leq \overline{X} \leq a) = k \text{이면 } \mathrm{P}\left(0 \leq Z \leq \dfrac{a-m}{\dfrac{\sigma}{\sqrt{n}}}\right) = k$$

⇨ 표준정규분포표에서 이를 만족시키는 a의 값을 찾는다.

참고

① $\mathrm{P}(Z \leq k) < 0.5$이면 $k < 0$
⇨ $\mathrm{P}(Z \leq k) = 0.5 - \mathrm{P}(k \leq Z \leq 0)$
$= 0.5 - \mathrm{P}(0 \leq Z \leq -k)$

② $\mathrm{P}(Z \leq k) > 0.5$이면 $k > 0$
⇨ $\mathrm{P}(Z \leq k) = 0.5 + \mathrm{P}(0 \leq Z \leq k)$

③ $\mathrm{P}(Z \geq k) < 0.5$이면 $k > 0$
⇨ $\mathrm{P}(Z \geq k) = 0.5 - \mathrm{P}(0 \leq Z \leq k)$

④ $\mathrm{P}(Z \geq k) > 0.5$이면 $k < 0$
⇨ $\mathrm{P}(Z \geq k) = 0.5 + \mathrm{P}(k \leq Z \leq 0)$
$= 0.5 + \mathrm{P}(0 \leq Z \leq -k)$

070

정규분포 $\mathrm{N}(8, 4)$를 따르는 모집단에서 크기가 n인 표본을 임의추출할 때, 표본평균 $\overline{X}$에 대하여 $\mathrm{P}(\overline{X} \geq 9) = 0.1587$이 성립한다. n의 값을 오른쪽 표준정규분포표를 이용하여 구하시오.

z	$\mathrm{P}(0 \leq Z \leq z)$
0.5	0.1915
1.0	0.3413
1.5	0.4332
2.0	0.4772

071

어느 공장에서 생산되는 농구공의 무게는 평균이 $600\,\mathrm{g}$, 표준편차가 $20\,\mathrm{g}$인 정규분포를 따른다고 한다. 이 공장에서 생산된 농구공 n개를 임의추출하여 무게를 달아 보았을 때, 평균이 $595\,\mathrm{g}$ 이상 $610\,\mathrm{g}$ 이하일 확률이 0.8185이다. n의 값을 위의 표준정규분포표를 이용하여 구하시오.

z	$\mathrm{P}(0 \leq Z \leq z)$
1.0	0.3413
1.5	0.4332
2.0	0.4772

072

정규분포 $\mathrm{N}(100, 64)$를 따르는 모집단에서 크기가 n인 표본을 임의추출하여 그 표본평균을 $\overline{X}$라 할 때, $\mathrm{P}(98 \leq \overline{X} \leq 102) \geq 0.98$을 만족시키는 n의 최솟값을 위의 표준정규분포표를 이용하여 구하면?

z	$\mathrm{P}(0 \leq Z \leq z)$
1.50	0.433
1.96	0.475
2.33	0.490
2.50	0.494

① 57 　　② 67 　　③ 77
④ 87 　　⑤ 97

073

어느 과일 가게에서 파는 사과의 무게는 평균이 $300\,\mathrm{g}$, 표준편차가 $50\,\mathrm{g}$인 정규분포를 따른다고 한다. 이 가게에서 파는 사과 중 임의추출된 n개의 사과의 무게의 평균을 $\overline{X}$라 할 때, $\mathrm{P}(|\overline{X} - 300| \leq 10) \geq 0.76$이 되도록 하는 n의 최솟값을 위의 표준정규분포표를 이용하여 구하시오.

z	$\mathrm{P}(0 \leq Z \leq z)$
1.0	0.34
1.2	0.38
1.4	0.42
1.6	0.45

074

정규분포 $\mathrm{N}(84, 64)$를 따르는 모집단에서 크기가 n인 표본을 임의추출할 때, 표본평균 $\overline{X}$에 대하여

$$\mathrm{P}\left(\overline{X} \leq 76 + \frac{8}{\sqrt{n}}\right) \geq 0.025$$라고 한다. 자연수 n의 최댓값을 구하시오. (단, $\mathrm{P}(0 \leq Z \leq 1.96) = 0.475$로 계산한다.)

075

크기가 N인 모집단에서 크기가 n인 표본을 복원추출하는 방법의 수가 125, 1개씩 연속적으로 n개를 비복원추출하는 방법의 수가 60, 한꺼번에 n개를 비복원추출하는 방법의 수가 10일 때 자연수 N과 n의 합을 구하시오. (단, $N > n$)

076

모평균이 m, 모표준편차가 σ인 모집단에서 크기가 16인 표본을 임의추출하여 구한 표본평균을 $\overline{X}$라 하자. $\mathrm{E}(4\overline{X}-1)=15$, $\mathrm{V}(3\overline{X}+2)=36$일 때, $m+\sigma$의 값을 구하시오.

077

어떤 모집단의 확률변수 X의 확률분포를 표로 나타내면 다음과 같다.

X	0	3	6	합계
$\mathrm{P}(X=x)$	$\dfrac{1}{3}$	a	$\dfrac{2}{3}-a$	1

이 모집단에서 크기가 3인 표본을 임의추출하여 구한 표본평균을 $\overline{X}$라 하자. $\overline{X}$의 분산이 $\dfrac{17}{12}$일 때, 상수 a의 값은?

① $\dfrac{1}{6}$ ② $\dfrac{1}{5}$ ③ $\dfrac{1}{4}$

④ $\dfrac{1}{3}$ ⑤ $\dfrac{1}{2}$

078

다음은 어떤 모집단의 확률변수 X의 확률분포를 표로 나타낸 것이다.

X	1	2	3	합계
$\mathrm{P}(X=x)$	0.5	0.3	0.2	1

이 모집단에서 크기가 2인 표본을 임의추출할 때, 표본평균 $\overline{X}$의 확률분포를 표로 나타내면 다음과 같다.

$\overline{X}$	1	1.5	2	2.5	3	합계
$\mathrm{P}(\overline{X}=\bar{x})$	0.25	a	b	0.12	0.04	1

$a+\mathrm{V}(\overline{X})$의 값을 구하시오.

079

주머니 속에 1, 2, 3의 숫자가 적힌 카드가 각각 1장, 2장, 3장 들어 있다. 이 주머니에서 5장의 카드를 복원추출할 때, 카드에 적힌 숫자의 표본평균 $\overline{X}$에 대하여 $\dfrac{\mathrm{E}(\overline{X})}{\mathrm{V}(\overline{X})}$의 값은?

① 18   ② 19   ③ 20

④ 21   ⑤ 22

080

1부터 n까지의 자연수가 각각 하나씩 적힌 공 n개가 상자 안에 들어 있다. 이 상자에서 2개의 공을 복원추출할 때, 공에 적힌 숫자의 표본평균 $\overline{X}$의 평균이 3이다. $\overline{X}$의 분산을 구하시오.

081

정규분포 $N(m, \sigma^2)$을 따르는 모집난에서 크기가 10, 20인 표본을 임의추출할 때, 그 표본평균을 각각 $\overline{X_1}$, $\overline{X_2}$라고 한다. 〈보기〉에서 옳은 것만을 있는 대로 고른 것은?

┤ 보 기 ├
ㄱ. $\overline{X_1} = \overline{X_2}$
ㄴ. $E(\overline{X_1}) = E(\overline{X_2})$
ㄷ. $\sigma(\overline{X_1}) > \sigma(\overline{X_2})$

① ㄱ   ② ㄴ   ③ ㄱ, ㄴ
④ ㄴ, ㄷ   ⑤ ㄱ, ㄴ, ㄷ

082

어떤 모집단의 확률변수 X가 정규분포 $N(m, \sigma^2)$을 따르고 이 모집단의 확률밀도함수 $y = f(x)$가

z	$P(0 \leq Z \leq z)$
0.5	0.1915
1.0	0.3413
1.5	0.4332
2.0	0.4772

$$f(x+30) = f(50-x)$$

를 만족시킨다. 이 모집단에서 크기가 16인 표본을 임의추출할 때, 표본평균을 $\overline{X}$라 하자. $V(\overline{X}) = 4$일 때, $P(32 \leq \overline{X} \leq 44)$를 오른쪽 표준정규분포표를 이용하여 구하시오.

083

어느 공장에서 생산되는 건전지의 수명은 평균 m시간, 표준편차 3시간인 정규분포를 따른다고 한다. 이 공장에서 생산된 건전지 중에서 크기가 n인 표본을

z	$P(0 \leq Z \leq z)$
1.0	0.3413
1.5	0.4332
2.0	0.4772
2.5	0.4938

임의추출하여 건전지의 수명에 대한 표본평균을 $\overline{X}$라 하자. $P(m-0.5 \leq \overline{X} \leq m+0.5) = 0.9876$을 만족시키는 표본의 크기 n의 값을 위의 표준정규분포표를 이용하여 구하시오.

084

어느 통조림 공장에서 생산하는 통조림 1개의 무게를 확률변수 X라 하면 X는 정규분포 $N(m, \sigma^2)$을 따르고, $P(|X-m| \leq 6) = 0.9544$, $P(X \leq 153) = 0.8413$을 만족

z	$P(0 \leq Z \leq z)$
1.0	0.3413
1.5	0.4332
2.0	0.4772
2.5	0.4938
3.0	0.4987

시킨다. 이 공장에서 생산하는 통조림 중에서 임의추출한 9개의 무게의 평균을 $\overline{X}$라 할 때, $P(\overline{X} \geq 151)$을 오른쪽 표준정규분포표를 이용하여 구하시오. (단, 무게의 단위는 g이다.)

085

모평균 75, 모표준편차 5인 정규분포를 따르는 모집단에서 임의추출한 크기 25인 표본의 표본평균을 $\overline{X}$라 하자. 표준정규분포를 따르는 확률변수 Z에 대하여 양의 상수 c가 $P(|Z| > c) = 0.06$을 만족시킬 때, 〈보기〉에서 옳은 것만을 있는 대로 고르시오.

┤ 보 기 ├
ㄱ. $P(Z > a) = 0.05$인 상수 a에 대하여 $c > a$이다.
ㄴ. $P(\overline{X} \leq c+75) = 0.97$
ㄷ. $P(\overline{X} > b) = 0.01$인 상수 b에 대하여 $c < b-75$이다.

11 모평균의 추정

1 모평균의 신뢰구간 (1)

정규분포 $N(m, \sigma^2)$을 따르는 모집단에서 크기가 n인 표본의 표본평균 $\overline{X}$의 값이 $\overline{x}$일 때, 모평균 m의 신뢰구간은

(1) 신뢰도 95 % : $\overline{x}-1.96\dfrac{\sigma}{\sqrt{n}} \leq m \leq \overline{x}+1.96\dfrac{\sigma}{\sqrt{n}}$

(2) 신뢰도 99 % : $\overline{x}-2.58\dfrac{\sigma}{\sqrt{n}} \leq m \leq \overline{x}+2.58\dfrac{\sigma}{\sqrt{n}}$

개념 플러스

◀ 신뢰도 95 %의 신뢰구간의 의미
모평균 m의 신뢰도 95 %의 신뢰구간이라는 말은 크기가 n인 표본을 임의추출하는 일을 반복하여 각각의 모평균 m에 대한 신뢰구간을 만들 때, 이들 중에서 모평균 m을 포함할 확률이 약 95 %라는 뜻이다.

◀ 모평균을 추정할 때, 모표준편차 σ의 값이 주어지지 않은 경우 표본의 크기 n이 충분히 크면($n \geq 30$) 모표준편차 σ와 표본표준편차 S의 실제 값인 s가 거의 같으므로 σ 대신 s를 사용한다.

---

2 모평균의 신뢰구간 (2)

정규분포 $N(m, \sigma^2)$을 따르는 모집단에서 크기가 n인 표본의 표본평균 $\overline{X}$의 값이 $\overline{x}$이고,

$P(-k \leq Z \leq k) = \dfrac{a}{100}$ 일 때, 신뢰도 a %인 모평균 m의 신뢰구간은

$\overline{x}-k\dfrac{\sigma}{\sqrt{n}} \leq m \leq \overline{x}+k\dfrac{\sigma}{\sqrt{n}}$ (단, $k>0$)

---

3 신뢰구간의 길이

정규분포 $N(m, \sigma^2)$을 따르는 모집단에서 크기가 n인 표본을 임의추출하여 모평균을 추정할 때, 신뢰구간의 길이는

(1) 신뢰도 95 % : $2 \times 1.96\dfrac{\sigma}{\sqrt{n}}$

(2) 신뢰도 99 % : $2 \times 2.58\dfrac{\sigma}{\sqrt{n}}$

참고 모평균 m을 추정한 신뢰구간이 $a \leq m \leq b$일 때, 신뢰구간의 길이는 $b-a$이다.

◀ 신뢰구간의 성질
(1) 표본의 크기가 일정할 때 ⇨ 신뢰도가 높아지면 신뢰구간의 길이는 길어지고, 신뢰도가 낮아지면 신뢰구간의 길이는 짧아진다.
(2) 신뢰도가 일정할 때 ⇨ 표본의 크기가 커지면 신뢰구간의 길이는 짧아지고, 표본의 크기가 작아지면 신뢰구간의 길이는 길어진다.

1 모평균의 신뢰구간

001 다음은 정규분포 $N(m, \sigma^2)$을 따르는 모집단에서 크기가 n인 표본을 임의추출하였을 때, 모평균 m에 대한 신뢰도 95 %의 신뢰구간을 구하는 과정이다. (가), (나)에 알맞은 수나 식을 써넣으시오.

> 표준정규분포표에서
> $P(-1.96 \leq Z \leq 1.96) = 0.95$이므로
> $P\left(-1.96 \leq \dfrac{\overline{X} - m}{\boxed{(가)}} \leq \boxed{(나)}\right) = 0.95$
> 따라서 모평균 m에 대한 신뢰도 95 %의 신뢰구간은
> $-1.96 \times \boxed{(가)} \leq \overline{X} - m \leq \boxed{(나)} \times \boxed{(가)}$
> $\therefore \overline{X} - 1.96 \times \boxed{(가)} \leq m \leq \overline{X} + \boxed{(나)} \times \boxed{(가)}$

[002-003] 정규분포 $N(m, \sigma^2)$을 따르는 모집단에서 크기가 4인 표본의 표본평균 $\overline{X}$의 값이 30일 때, 모평균 m에 대한 신뢰도 95 %의 신뢰구간은

$$30 - 1.96\frac{6}{\sqrt{n}} \leq m \leq 30 + 1.96\frac{6}{\sqrt{n}}$$

이다. 다음 값을 구하시오.

(단, $P(|Z| \leq 1.96) = 0.95$로 계산한다.)

002 σ의 값

003 n의 값

[004-005] 정규분포 $N(m, 10^2)$을 따르는 모집단에서 크기가 25인 표본을 임의추출할 때, 표본평균이 20이다. 다음을 구하시오.

(단, $P(|Z| \leq 1.96) = 0.95$, $P(|Z| \leq 2.58) = 0.99$로 계산한다.)

004 모평균 m에 대한 신뢰도 95 %의 신뢰구간

005 모평균 m에 대한 신뢰도 99 %의 신뢰구간

[006-007] 모평균이 m, 모표준편차가 5인 정규분포를 따르는 모집단에서 임의추출한 표본의 표본평균이 100일 때, 다음을 구하시오. (단, $P(|Z| \leq 1.96) = 0.95$로 계산한다.)

006 표본의 크기가 4일 때, 모평균 m에 대한 신뢰도 95 %의 신뢰구간

007 표본의 크기가 100일 때, 모평균 m에 대한 신뢰도 95 %의 신뢰구간

2 신뢰구간의 길이

[008-009] 정규분포 $N(m, 5^2)$을 따르는 모집단에서 n개의 표본을 임의추출하여 모평균을 신뢰도 95 %로 추정할 때, 신뢰구간의 길이는 $2 \times 1.96\dfrac{\sigma}{4}$이다. 다음 값을 구하시오.

(단, $P(|Z| \leq 1.96) = 0.95$로 계산한다.)

008 σ의 값

009 n의 값

[010-011] 모표준편차가 12인 모집단에서 크기가 9인 표본을 임의추출할 때, 다음을 구하시오.
(단, $P(|Z| \leq 1.96) = 0.95$, $P(|Z| \leq 2.58) = 0.99$로 계산한다.)

010 모평균 m에 대한 신뢰도 95 %의 신뢰구간의 길이

011 모평균 m에 대한 신뢰도 99 %의 신뢰구간의 길이

유형 01 모평균의 추정 – 모표준편차가 주어진 경우

정규분포 $N(m, \sigma^2)$을 따르는 모집단에서 크기가 n인 표본의 표본평균 $\overline{X}$의 값이 $\overline{x}$이면 모평균 m에 대한 신뢰도 $\alpha\%$의 신뢰구간은

$$\overline{x}-k\frac{\sigma}{\sqrt{n}} \leq m \leq \overline{x}+k\frac{\sigma}{\sqrt{n}} \left(\text{단, } P(|Z| \leq k) = \frac{\alpha}{100} \right)$$

012

A고등학교 3학년 학생들의 수학 점수는 표준편차가 5점인 정규분포를 따른다고 한다. 이 중에서 100명을 임의추출하여 조

z	$P(0 \leq Z \leq z)$
1.96	0.475
2.17	0.485
2.58	0.495

사한 결과 평균이 42점이고, A고등학교 3학년 학생 전체의 수학 점수의 평균 m에 대한 신뢰도 99 %의 신뢰구간이 $a \leq m \leq b$일 때, a의 값을 구하시오.

013

표준편차가 10인 정규분포를 따르는 모집단에서 크기가 400인 표본을 임의추출하여 구한 표본평균이 70이었다. 모평균 m에 대한 신뢰도 99 %의 신뢰구간이 $70-a \leq m \leq 70+a$일 때, a의 값은? (단, $P(0 \leq Z \leq 2.58) = 0.495$로 계산한다.)

① 0.98 ② 1.29 ③ 1.96
④ 2.58 ⑤ 2.94

014

표준편차가 3인 정규분포를 따르는 모집단에서 9개의 표본을 임의추출하여 그 값을 조사하였더니 다음과 같았다. 모평균 m에 대한 신뢰도 95 %의 신뢰구간은?

(단, $P(|Z| \leq 1.96) = 0.95$로 계산한다.)

> 10, 11, 12, 8, 9, 9, 11, 10, 10

① $9.02 \leq m \leq 10.98$ ② $8.71 \leq m \leq 11.29$
③ $8.04 \leq m \leq 11.96$ ④ $7.42 \leq m \leq 12.58$
⑤ $7.06 \leq m \leq 12.94$

중요 015

어느 회사 직원들의 한 해 출장 횟수는 표준편차가 4회인 정규분포를 따르는데 이 회사 직원 중에서 n명을 임의추출하여 한 해 동안 출장을 다녀온 횟수를 조사하였더니 평균이 12회였다. 이 회사 직원들의 한 해 출장 횟수의 평균 m을 신뢰도 95 %로 추정한 신뢰구간이 $10 \leq m \leq 14$일 때, n의 값을 구하시오.

(단, $P(|Z| \leq 2) = 0.95$로 계산한다.)

016

어느 회사에서 생산하는 음료수 1병에 들어 있는 칼슘 함유량은 모평균이 m, 모표준편차가 σ인 정규분포를 따른다고 한다. 이 회사에서 생산한 음료수 16병을 임의추출하여 칼슘 함유량을 측정한 결과 표본평균이 12.34였다. 이 회사에서 생산한 음료수 1병에 들어 있는 칼슘 함유량의 모평균 m에 대한 신뢰도 95 %의 신뢰구간이 $11.36 \leq m \leq a$일 때, $a+\sigma$의 값을 구하시오. (단, $P(0 \leq Z \leq 1.96) = 0.475$로 계산하고, 칼슘 함유량의 단위는 mg이다.)

유형 **2** 모평균의 추정 – 표본표준편차가 주어진 경우

(1) 표본의 크기가 충분히 크면 모표준편차 대신 표본표준편차를 사용할 수 있다.

(2) 정규분포를 따르는 모집단에서 크기가 n인 표본의 표본평균 $\overline{X}$의 값이 $\overline{x}$, 표본표준편차 S의 값이 s이면 모평균 m에 대한 신뢰도 $\alpha\,\%$의 신뢰구간은

$$\overline{x}-k\frac{s}{\sqrt{n}}\leq m\leq \overline{x}+k\frac{s}{\sqrt{n}}\ \left(\text{단},\ \mathrm{P}(|Z|\leq k)=\frac{\alpha}{100}\right)$$

017

전구를 대량 생산하고 있는 공장이 있다. 어느 날 생산된 전구 중에서 100개의 전구를 임의추출하여 수명을 조사한 결과 평균이 1000시간, 표준편차가 50시간이었다. 이 공장에서 생산한 전구의 수명은 정규분포를 따른다고 할 때, 전구 전체의 평균 수명 m에 대한 신뢰도 95 %의 신뢰구간을 구하시오.

(단, $\mathrm{P}(|Z|\leq 1.96)=0.95$로 계산한다.)

018

전국 고등학교 야구 대회에 참가한 선수들의 몸무게는 정규분포를 따른다고 한다. 이 선수들 중에서 100명을 임의추출하여 몸무게를 조사하였더니 평균이 70 kg, 표준편차가 10 kg이었다. 이 대회에 참가한 전체 선수들의 몸무게의 평균 m에 대한 신뢰도 99 %의 신뢰구간은?

(단, $\mathrm{P}(0\leq Z\leq 2.58)=0.495$로 계산한다.)

① $68.04\leq m\leq 71.96$ ② $67.42\leq m\leq 72.58$

③ $67.06\leq m\leq 72.94$ ④ $66.08\leq m\leq 73.92$

⑤ $64.84\leq m\leq 75.16$

019

어떤 고등학교 남학생의 몸무게는 정규분포를 따른다고 한다. 이 학교 남학생 중에서 400명을 임의추출하여 몸무게를 조사하였더니 평균이 a kg, 표준편차가 10 kg이었다. 이 학교 전체 남학생 몸무게의 평균 m에 대한 신뢰도 95 %의 신뢰구간이 $63.52\leq m\leq b$일 때, $a+b$의 값을 구하시오.

(단, $\mathrm{P}(|Z|\leq 1.96)=0.95$로 계산한다.)

유형 **3** 신뢰도에 따른 신뢰구간의 길이

정규분포 $\mathrm{N}(m,\ \sigma^2)$을 따르는 모집단에서 크기가 n인 표본을 임의추출할 때, 모평균 m을 신뢰도 $\alpha\,\%$로 추정한 신뢰구간의 길이는 $2\times k\dfrac{\sigma}{\sqrt{n}}$이다. $\left(\text{단},\ \mathrm{P}(|Z|\leq k)=\dfrac{\alpha}{100}\right)$

(1) 신뢰도 95 %의 신뢰구간의 길이 $\Rightarrow 2\times 1.96\dfrac{\sigma}{\sqrt{n}}$

(2) 신뢰도 99 %의 신뢰구간의 길이 $\Rightarrow 2\times 2.58\dfrac{\sigma}{\sqrt{n}}$

020

어느 고등학교 2학년 학생들의 몸무게는 표준편차가 10인 정규분포를 따른다고 한다. 이 학생들 중에서 100명을 임의추출하여 전체 학생의 몸무게의 평균 m을 신뢰도 95 %로 추정할 때, 신뢰구간의 길이를 구하시오.

(단, $\mathrm{P}(|Z|\leq 1.96)=0.95$로 계산한다.)

021

어느 고등학교 3학년 학생의 800 m 달리기 기록은 정규분포를 따른다고 한다. 이 학교 학생 100명을 임의추출하여 800 m

z	$\mathrm{P}(0\leq Z\leq z)$
1.6	0.445
2	0.477
2.2	0.486

달리기 기록을 조사하였더니 표준편차가 50초이었다. 이 학교 3학년 학생 전체의 800 m 달리기 기록의 평균 m을 신뢰도 $\alpha\,\%$로 추정한 신뢰구간의 길이가 16일 때, α의 값을 위의 표준정규분포표를 이용하여 구하시오.

022

정규분포 $\mathrm{N}(m,\ \sigma^2)$을 따르는 모집단에서 크기가 n인 표본을 임의추출하여 구한 표본평균을 $\overline{X}$라 하자. 모평균 m에 대한 신뢰도 95 %의 신뢰구간의 길이가 11.76일 때, $\mathrm{P}(\overline{X}\geq m+5.88)$을 구하시오. (단, $\mathrm{P}(|Z|\leq 1.96)=0.95$로 계산한다.)

023

정규분포를 따르는 모집단의 평균을 크기가 n인 표본의 평균을 이용하여 추정하려고 한다. 신뢰도 99 %로 추정한 신뢰구간의 길이가 l일 때, 오른쪽 표준정규분포표를 이용하여 신뢰도 61 %로 추정한 신뢰구간의 길이를 구하면?

z	$P(0 \le Z \le z)$
0.28	0.110
0.86	0.305
1.28	0.400
2.58	0.495

① $\dfrac{1}{3}l$ ② $\dfrac{1}{2}l$ ③ l

④ $2l$ ⑤ $3l$

024

정규분포를 따르는 모집단의 평균을 크기가 n인 표본의 평균을 이용하여 추정하려고 한다. 신뢰도 98 %로 추정한 신뢰구간의 길이가 l일 때, 신뢰도 α %로 추정한 신뢰구간의 길이는 $\dfrac{l}{2}$이다. 위의 표준정규분포표를 이용하여 α의 값을 구하시오.

z	$P(0 \le Z \le z)$
1.42	0.42
1.68	0.45
2.08	0.48
2.84	0.49

025

정규분포를 따르는 모집단에서 임의추출한 n개의 표본으로 모평균을 신뢰도 98 %로 추정하면 신뢰구간의 길이가 l이고, 신뢰도 68 %로 추정하면 신뢰구간의 길이가 al이다. 오른쪽 표준정규분포표를 이용하여 a의 값을 구하시오.

(단, a는 상수이다.)

z	$P(0 \le Z \le z)$
0.5	0.19
1.0	0.34
1.5	0.43
2.0	0.47
2.5	0.49

정규분포 $N(m, \sigma^2)$을 따르는 모집단에서 크기가 n인 표본을 임의추출할 때, 모평균 m을 신뢰도 α %로 추정한 신뢰구간의 길이는 $2 \times k \dfrac{\sigma}{\sqrt{n}}$ $\left(\text{단}, P(|Z| \le k) = \dfrac{\alpha}{100}\right)$

⟹ 신뢰도가 같고 표본의 크기가 각각 n_1, n_2일 때, 두 신뢰구간의 길이의 비는 $\dfrac{1}{\sqrt{n_1}} : \dfrac{1}{\sqrt{n_2}}$

026

표준편차가 6인 정규분포를 따르는 모집단에서 크기가 n인 표본을 임의추출하여 모평균 m을 신뢰도 99 %로 추정할 때, 신뢰구간의 길이가 0.6이 되도록 하기 위한 n의 값을 구하시오.

(단, $P(|Z| \le 3) = 0.99$로 계산한다.)

027

분산이 2인 정규분포를 따르는 모집단에서 크기가 n인 표본을 임의추출하여 신뢰도 95 %로 모평균 m을 추정하려고 한다. 오른쪽 표준정규분포표를 이용하여 신뢰구간의 길이가 2 이하가 되도록 하는 n의 최솟값을 구하시오.

z	$P(0 \le Z \le z)$
1.65	0.450
1.96	0.475
2.33	0.490
2.58	0.495

028

모표준편차가 σ인 정규분포를 따르는 모집단에서 100개의 표본을 임의추출하여 95 %의 신뢰도로 모평균을 추정하였더니 신뢰구간의 길이가 l이었다. 같은 모집단에서 400개의 표본을 임의추출하여 95 %의 신뢰도로 모평균을 추정한다고 할 때, 신뢰구간의 길이는? (단, $P(0 \le Z \le 1.96) = 0.475$로 계산한다.)

① $\dfrac{1}{4}l$ ② $\dfrac{1}{2}l$ ③ l

④ $2l$ ⑤ $4l$

029

표준편차가 2인 정규분포를 따르는 모집단에서 16개의 표본을 임의추출하여 모평균을 추정하였더니 신뢰구간의 길이가 4이었다. 같은 신뢰도로 모평균을 추정할 때, 신뢰구간의 길이가 1이 되도록 하기 위한 표본의 크기는?

① 32   ② 64   ③ 128
④ 256   ⑤ 512

030

정규분포 $N(m, \sigma^2)$을 따르는 모집단에서 크기가 n인 표본을 임의추출하여 구한 표본평균을 $\overline{X}$라 하자. 모평균 m에 대한 신뢰도 95 %의 신뢰구간의 길이가 $\frac{1}{2}\sigma$ 이하일 때, 표본의 크기 n의 최솟값을 구하시오. (단, $P(|Z| \leq 2) = 0.95$로 계산한다.)

⭐중요 031

정규분포 $N(m, \sigma^2)$을 따르는 모집단에서 크기가 n인 표본을 임의추출하여 신뢰도 95 %로 모평균을 추정하였더니 신뢰구간의 길이가 $8l$이었다. 표본의 크기를 $9n$으로 하여 신뢰도 99 %로 모평균을 추정할 때, 신뢰구간의 길이는?

(단, $P(|Z| \leq 2) = 0.95$, $P(|Z| \leq 3) = 0.99$로 계산한다.)

① $\sqrt{3}\,l$ ② $2l$ ③ $2\sqrt{2}\,l$
④ $3l$ ⑤ $4l$

유형 **05** 모평균과 표본평균의 차

신뢰도에 따른 상수 k, 모표준편차 σ, 표본의 크기 n이 주어지면 모평균과 표본평균의 차는

$$|\overline{X} - m| \leq k\frac{\sigma}{\sqrt{n}}$$

032

표준편차가 0.25인 정규분포를 따르는 모집단의 평균을 신뢰도 95 %로 추정할 때, 모평균과 표본평균의 차가 $\frac{1}{10}$ 이하가 되도록 하는 표본의 크기의 최솟값은?

(단, $P(-2 \leq Z \leq 2) = 0.95$로 계산한다.)

① 20   ② 25   ③ 30
④ 35   ⑤ 40

⭐중요 033

표준편차가 10인 정규분포를 따르는 모집단의 평균을 99 %의 신뢰도로 추정할 때, 모평균 m과 표본평균 $\overline{X}$의 차가 1 이하가 되도록 하려면 적어도 몇 개의 표본을 조사해야 하는지 구하시오.

(단, $P(|Z| \leq 3) = 0.99$로 계산한다.)

034

어느 자동판매기에서 판매되는 음료수의 용량은 표준편차가 6 mL인 정규분포를 따른다고 한다. 이 자동판매기에서 판매되는 전체 음료수의 평균 용량을 신뢰도 95 %로 추정할 때, 모평균과 표본평균의 차가 3 mL 이하가 되도록 하는 표본의 크기의 최솟값을 구하시오. (단, $P(-2 \leq Z \leq 2) = 0.95$로 계산한다.)

유형 06 신뢰구간의 성질

모평균 m의 신뢰구간 $\overline{x}-k\dfrac{\sigma}{\sqrt{n}} \leq m \leq \overline{x}+k\dfrac{\sigma}{\sqrt{n}}$ 에서

(1) 신뢰도가 높아지면 k의 값이 커지므로 신뢰구간의 길이는 길어진다.

(2) n의 값이 커질수록 신뢰구간의 길이는 짧아진다.

035

정규분포 $\mathrm{N}(m,\ \sigma^2)$을 따르는 모집단에서 표본을 추출하여 모평균을 추정하려고 할 때, 모평균 m에 대한 신뢰구간의 설명으로 옳은 것만을 〈보기〉에서 있는 대로 고른 것은?

┤ 보 기 ├

ㄱ. 표본평균이 커지면 신뢰구간의 길이는 길어진다.

ㄴ. 표본의 크기가 일정할 때, 신뢰도를 높이면 신뢰구간의 길이는 길어진다.

ㄷ. 신뢰도가 일정할 때, 표본의 크기를 크게 하면 신뢰구간의 길이는 짧아진다.

① ㄱ   ② ㄴ   ③ ㄱ, ㄴ

④ ㄱ, ㄷ   ⑤ ㄴ, ㄷ

036

정규분포 $\mathrm{N}(m,\ \sigma^2)$을 따르는 모집단에서 임의추출한 표본평균 $\overline{X}$로부터 모평균 m을 추정할 때, 신뢰구간의 길이는 표본의 크기 n과 신뢰도 $\alpha\%$에 따라 변한다. 다음 중 신뢰구간의 길이가 가장 긴 것은?

(단, $\mathrm{P}(|Z| \leq 1.96)=0.95$, $\mathrm{P}(|Z| \leq 2.58)=0.99$로 계산한다.)

① $n=49$, $\alpha=99$ ② $n=64$, $\alpha=95$

③ $n=64$, $\alpha=99$ ④ $n=81$, $\alpha=95$

⑤ $n=81$, $\alpha=99$

037

평균이 m이고, 표준편차가 σ인 정규분포를 따르는 모집단에서 크기가 n인 표본을 임의추출하여 모평균을 추정할 때, 〈보기〉에서 옳은 것만을 있는 대로 고른 것은?

(단, $\mathrm{P}(|Z| \leq 1.96)=0.95$, $\mathrm{P}(|Z| \leq 2.58)=0.99$로 계산한다.)

┤ 보 기 ├

ㄱ. 표본평균 $\overline{X}$의 평균은 m이고, 표준편차는 $\dfrac{\sigma}{\sqrt{n}}$이다.

ㄴ. 신뢰도가 일정할 때, 표본의 크기가 작을수록 신뢰구간의 길이는 길어진다.

ㄷ. 동일한 표본을 사용할 때, 신뢰도 95%의 신뢰구간은 신뢰도 99%의 신뢰구간을 포함한다.

① ㄱ   ② ㄴ   ③ ㄷ

④ ㄱ, ㄴ   ⑤ ㄴ, ㄷ

038

어떤 두 직업에 종사하는 전체 근로자 중 한 직업에서 표본 A를 추출하고 또 다른 직업에서 표본 B를 추출하여 월급을 조사하였더니 다음과 같은 결과를 얻었다.

표본	표본의 크기	평균	표준편차	신뢰도(%)	모평균의 추정
A	n_1	240	12	α	$237 \leq m \leq 243$
B	n_2	230	10	α	$228 \leq m \leq 232$

(단위는 만 원이고, 표본 A, B의 월급 분포는 정규분포를 이룬다.)

위 자료에 대한 설명으로 옳은 것만을 〈보기〉에서 있는 대로 고른 것은?

┤ 보 기 ├

ㄱ. 표본 A보다 표본 B의 분포가 더 고르다.

ㄴ. 표본 A의 크기가 표본 B의 크기보다 작다.

ㄷ. 신뢰도를 α보다 크게 하면 신뢰구간의 길이도 길어진다.

① ㄱ   ② ㄱ, ㄴ   ③ ㄱ, ㄷ

④ ㄴ, ㄷ   ⑤ ㄱ, ㄴ, ㄷ

039

어느 고등학교 3학년 학생들의 영어 점수는 표준편차가 20점인 정규분포를 따른다고 한다. 이 중에서 100명을 임의추출하여 조사한 결과 평균이 60점일 때, 3학년 학생 전체의 영어 점수의 평균 m에 대한 신뢰도 95 %의 신뢰구간은?

(단, $P(|Z| \le 2) = 0.95$로 계산한다.)

① $54 \le m \le 66$ ② $56 \le m \le 62$

③ $56 \le m \le 64$ ④ $58 \le m \le 62$

⑤ $58 \le m \le 64$

040

정규분포를 이루는 모집단의 표준편차를 σ라 할 때, 이 모집단에서 추출한 크기가 n인 표본의 표본평균 $\overline{X}$의 값을 $\overline{x}$라고 한다. 신뢰도 99 %로 추정한 모평균 m의 신뢰구간이 $\overline{x} - 0.1\sigma \le m \le \overline{x} + 0.1\sigma$가 되도록 하는 n의 값을 구하시오.

(단, $P(0 \le Z \le 3) = 0.495$로 계산한다.)

041

모평균이 m, 모표준편차가 1인 정규분포를 따르는 모집단에서 크기가 16인 표본을 임의추출하여 구한 표본평균의 값이 $\overline{x}$이다. 모평균이 9일 때, 이 표본을 이용하여 얻은 모평균에 대한 신뢰도 95 %의 신뢰구간에 모평균이 포함되도록 하는 $\overline{x}$의 최댓값을 M이라 하자. $100M$의 값은?

(단, $P(|Z| \le 1.96) = 0.95$로 계산한다.)

① 946   ② 947   ③ 948

④ 949   ⑤ 950

042

어느 고등학교에서 실시한 수학 학력 진단 테스트의 점수는 정규분포를 따른다고 한다. 이 학교 학생 121명을 임의추출하여 수학 학력 진단 테스트 점수를 조사하였더니 평균이 60점, 표준편차가 a점이었다. 이 고등학교 학생 전체에 대한 수학 학력 진단 테스트 점수의 평균 m을 신뢰도 99 %로 추정한 신뢰구간이 $54 \le m \le 66$일 때, a의 값은?

(단, $P(|Z| \le 3) = 0.99$로 계산한다.)

① 22   ② 23   ③ 24

④ 25   ⑤ 26

043

A학교 학생들의 국어 성적은 정규분포를 따른다고 한다. 이 학교 전체 학생 중에서 n명을 임의추출하여 국어 성적을 조사한 결과 평균이 60점, 표준편차가 20점이었다. 전체 학생들의 국어 성적의 평균 m에 대한 신뢰도 99 %의 신뢰구간이 $57.42 \le m \le 62.58$일 때, n의 값을 구하시오.

(단, n은 충분히 큰 수이고, $P(|Z| \le 2.58) = 0.99$로 계산한다.)

044

표준편차가 4인 정규분포를 따르는 모집단에서 256개의 표본을 임의추출하여 신뢰도 a %로 모평균 m을 추정하였더니 신뢰구간의 길이가 0.3이었다. 같은

z	$P(0 \le Z \le z)$
0.6	0.23
1.2	0.38
1.8	0.46
2.4	0.49

표본을 이용하여 신뢰도 $2a$ %로 모평균 m을 추정할 때, 위의 표준정규분포표를 이용하여 신뢰구간의 길이를 구하시오.

045

분산이 σ^2인 정규분포를 따르는 모집단에서 크기가 n인 표본을 임의추출하여 모평균 m을 추정한 후 신뢰구간의 길이를 구하

z	$P(0 \leq Z \leq z)$
1.12	0.3686
1.69	0.4545
2.24	0.4875

고자 한다. 위의 표준정규분포표를 이용하여 구한 모평균 m에 대한 신뢰도 73.72 %의 신뢰구간의 길이가 l이고, 모평균 m에 대한 신뢰도 α %의 신뢰구간의 길이는 $2l$이다. α의 값을 구하시오.

046

정규분포를 따르는 모집단에서 크기가 n인 표본과 크기가 $16n$인 표본을 임의추출하여 신뢰도 99 %로 모평균을 추정하려고 한다. 표본의 크기가 n인 경우의 신뢰구간의 길이는 표본의 크기가 $16n$인 경우의 신뢰구간의 길이의 몇 배인가?

(단, $P(|Z| \leq 2.58) = 0.99$로 계산한다.)

① 2배   ② 3배   ③ 4배

④ 6배   ⑤ 8배

047

표준편차가 6인 정규분포를 따르는 모집단의 평균을 신뢰도 95 %로 추정할 때, 모평균과 표본평균의 차가 1 이하가 되도록 하는 표본의 크기의 최솟값을 구하시오.

(단, $P(-2 \leq Z \leq 2) = 0.95$로 계산한다.)

🥇 1등급 문제

048

어느 나라에서 작년에 운행된 택시의 연간 주행거리는 모평균이 m인 정규분포를 따른다고 한다. 이 나라에서 작년에 운행

z	$P(0 \leq Z \leq z)$
0.43	0.166
0.98	0.336
1.96	0.475
2.58	0.495

된 택시 중에서 36대를 임의추출하여 구한 연간 주행거리의 표본평균이 $\overline{x}$이고, 이 결과를 이용하여 신뢰도 99 %로 추정한 모평균 m에 대한 신뢰구간이 $[\overline{x} - c, \ \overline{x} + c]$이었다. 이 나라에서 작년에 운행된 택시 중에서 임의로 1대를 선택할 때, 이 택시의 연간 주행거리가 $m + c$ 이하일 확률을 위의 표준정규분포표를 이용하여 구하시오.

(단, 주행거리의 단위는 km이다.)

049

A, B, C, D 네 지역의 고등학교 3학년 학생의 키를 조사하기 위하여 각 지역에서 표본을 추출하여 조사한 자료가 다음과 같았다.

	A	B	C	D
표본평균	175	170	175	170
분산	36	16	16	25
표본의 크기	100	400	400	100

각 지역 학생의 키의 분포는 정규분포를 따른다고 할 때, 모평균의 신뢰구간에 대한 〈보기〉의 설명 중에서 옳은 것만을 있는 대로 고르시오.

(단, $P(0 \leq Z \leq 1.96) = 0.475$, $P(0 \leq Z \leq 2.58) = 0.495$로 계산한다.)

┤ 보기 ├

ㄱ. B와 C의 신뢰도 95 %의 신뢰구간의 길이는 같다.

ㄴ. A의 신뢰도 95 %의 신뢰구간의 길이가 C의 신뢰도 99 %의 신뢰구간의 길이보다 짧다.

ㄷ. B의 신뢰도 95 %의 신뢰구간의 길이가 D의 신뢰도 95 %의 신뢰구간의 길이보다 짧다.

01 여러 가지 순열

본문 007~018쪽

001 10, 10, 9　　**002** 6, 6, 5, 120　　**003** 720
004 6　　**005** 5040　　**006** 1440
007 3600　　**008** 6　　**009** 360
010 240　　**011** 20　　**012** 25
013 32　　**014** 4　　**015** $_6\Pi_2$
016 $_3\Pi_5$　　**017** 81　　**018** 32
019 64　　**020** 10000　　**021** 20
022 30　　**023** 5040　　**024** 6
025 28
026 ③　**027** ③　**028** 12　**029** ⑤
030 12　**031** ⑤　**032** 11　**033** ③
034 24　**035** 90　**036** 24　**037** ①
038 1024　**039** 243　**040** ②　**041** ③
042 ②　**043** 200　**044** 243　**045** ②
046 ③　**047** ④　**048** ③　**049** 540
050 232　**051** ④　**052** ①　**053** ①
054 ⑤　**055** ③　**056** ②　**057** 90
058 420　**059** 10　**060** 10　**061** ④
062 12　**063** 20　**064** 127　**065** 41
066 ①　**067** ⑤　**068** ①　**069** 49
070 ②　**071** ①　**072** ①　**073** 15
074 24　**075** ③　**076** ⑤　**077** ③
078 ②　**079** ④　**080** 10　**081** ③
082 ②　**083** 75
084 6720　**085** 40

02 중복조합과 이항정리

본문 021~032쪽

001 10　　**002** 10　　**003** 15
004 21　　**005** 8　　**006** 2
007 $_3H_5$　　**008** $_4H_{10}$　　**009** 6
010 9　　**011** 3　　**012** 6
013 5　　**014** 36　　**015** 84
016 7　　**017** 21　　**018** 7
019 21　　**020** 10　　**021** −10
022 80　　**023** 160　　**024** 6
025 $a=4$, $b=6$　　**026** 32　　**027** 62
028 ④　**029** 15　**030** 5　**031** ④
032 21　**033** 30　**034** ③　**035** 70
036 35　**037** ④　**038** 15　**039** 126
040 ③　**041** 60　**042** 6　**043** ①
044 13　**045** 45　**046** 55　**047** ②
048 336　**049** ④　**050** 220　**051** 225
052 (1) 64　(2) 24　(3) 4　(4) 20　**053** 70　**054** 60
055 ③　**056** −480　**057** 4　**058** ①
059 3　**060** 12　**061** ⑤　**062** 2

063 10　　**064** ⑤　　**065** 24　　**066** 60
067 ③　　**068** 15　　**069** 5
070 (1) $a^5+5a^4b+10a^3b^2+10a^2b^3+5ab^4+b^5$
　　　(2) $a^5+5a^4b+10a^3b^2+10a^2b^3+5ab^4+b^5$
071 풀이 참조　**072** 풀이 참조　**073** ③　**074** $\frac{1}{2}$
075 8
076 ③　　**077** 45　　**078** ④　　**079** 20
080 ⑤　　**081** 20　　**082** ⑤　　**083** ⑤
084 256　　**085** ④
086 96　　**087** 21

03 확률의 뜻과 성질

본문 035~046쪽

001 {1, 2, 3, 4, 5, 6}　　**002** {1}, {2}, {3}, {4}, {5}, {6}
003 {2, 4, 6}　　**004** {2, 4, 6, 8, 10, 12}
005 {3, 6, 9, 12}　　**006** {2, 3, 4, 6, 8, 9, 10, 12}
007 {6, 12}　　**008** {1, 3, 5, 7, 9, 11}
009 {5, 10}　　**010** {1, 2, 4, 8}　　**011** {1, 2, 4, 5, 8, 10}
012 ∅　　**013** {3, 5, 6, 7, 9, 10}　**014** {5, 10}
015 {3, 6, 7, 9}　　**016** $\frac{1}{36}$　　**017** $\frac{1}{6}$
018 $\frac{1}{12}$　　**019** $\frac{5}{36}$　　**020** $\frac{1}{9}$
021 $\frac{5}{6}$　　**022** $\frac{1}{4}$　　**023** 24
024 6　　**025** $\frac{1}{4}$　　**026** $\frac{3}{5}$
027 $\frac{1}{10}$　　**028** $\frac{3}{10}$　　**029** $\frac{3}{5}$
030 ④　**031** 5　**032** 39　**033** ①
034 6　**035** $\frac{3}{25}$　**036** $\frac{1}{12}$　**037** ③
038 $\frac{1}{4}$　**039** (1) $\frac{1}{4}$ (2) $\frac{1}{2}$ (3) $\frac{1}{2}$ (4) $\frac{1}{6}$　**040** ①
041 $\frac{1}{35}$　**042** ①　**043** $\frac{1}{4}$　**044** $\frac{3}{10}$
045 $\frac{1}{2}$　**046** ④　**047** $\frac{1}{35}$　**048** ⑤
049 $\frac{7}{16}$　**050** $\frac{9}{25}$　**051** ⑤　**052** $\frac{2}{3}$
053 35　**054** ③　**055** $\frac{1}{3}$　**056** $\frac{10}{21}$
057 ③　**058** $\frac{10}{21}$　**059** $\frac{3}{10}$　**060** $\frac{2}{7}$
061 3　**062** ①　**063** $\frac{4}{7}$　**064** $\frac{9}{56}$
065 ②　**066** $\frac{6}{11}$　**067** ④　**068** $\frac{7}{15}$
069 $\frac{3}{8}$　**070** $\frac{5}{54}$　**071** ④　**072** ④
073 ①　**074** $\frac{1}{4}$　**075** 0.45　**076** ④
077 8　**078** ③　**079** 8　**080** $\frac{5}{12}$

081 $\frac{1}{9}$ **082** ④ **083** 6 **084** ④

085 $\frac{2}{7}$ **086** 34

087 $\frac{4}{9}$ **088** ④

04 덧셈정리와 조건부확률
본문 049~060쪽

001 $\frac{2}{3}$ **002** $\frac{1}{20}$ **003** $\frac{11}{12}$

004 $\frac{1}{10}$ **005** $\frac{4}{5}$ **006** 0

007 1 **008** $\frac{5}{6}$ **009** $\frac{1}{4}$

010 $\frac{2}{3}$ **011** $\frac{2}{3}$ **012** $\frac{1}{12}$

013 $\frac{7}{8}$ **014** $\frac{9}{14}$ **015** $\frac{1}{4}$

016 $\frac{2}{3}$ **017** $\frac{1}{2}$ **018** $\frac{1}{2}$

019 $\frac{1}{2}$ **020** $\frac{2}{3}$ **021** $\frac{1}{10}$

022 $\frac{1}{3}$ **023** $\frac{1}{5}$ **024** 0.15

025 0.35 **026** 0.75

027 ② **028** $\frac{1}{6}$ **029** $\frac{1}{5}$ **030** $\frac{1}{2}$

031 ① **032** $\frac{4}{15}$ **033** $\frac{5}{6}$ **034** ⑤

035 $\frac{82}{105}$ **036** $\frac{1}{2}$ **037** 41 **038** $\frac{1}{3}$

039 ③ **040** $\frac{3}{7}$ **041** $\frac{13}{28}$ **042** ②

043 $\frac{1}{3}$ **044** $\frac{3}{4}$ **045** ④ **046** $\frac{17}{24}$

047 $\frac{7}{20}$ **048** ⑤ **049** $\frac{7}{18}$ **050** $\frac{29}{38}$

051 ⑤ **052** $\frac{3}{10}$ **053** $\frac{1}{5}$ **054** ③

055 $\frac{3}{8}$ **056** $\frac{5}{6}$ **057** $\frac{1}{4}$ **058** $\frac{9}{7}$

059 $\frac{3}{7}$ **060** ③ **061** $\frac{5}{8}$ **062** $\frac{1}{3}$

063 $\frac{4}{13}$ **064** ① **065** $\frac{3}{28}$ **066** $\frac{3}{25}$

067 ③ **068** ② **069** $\frac{4}{25}$ **070** $\frac{1}{15}$

071 ③ **072** $\frac{1}{3}$ **073** ④

074 $\frac{2}{5}$ **075** ④ **076** ③ **077** ①

078 5 **079** $\frac{1}{5}$ **080** ③ **081** $\frac{2}{3}$

082 0.34 **083** $\frac{2}{9}$

084 229 **085** $\frac{26}{45}$

05 독립과 독립시행의 확률
본문 063~072쪽

001 $\frac{1}{2}$ **002** $\frac{1}{3}$ **003** $\frac{1}{4}$

004 $\frac{3}{4}$ **005** $\frac{3}{4}$

006 $P(B)=\frac{2}{5}$, $P(B|A)=\frac{2}{5}$

007 $P(B)=\frac{2}{5}$, $P(B|A)=\frac{1}{4}$

008 $\frac{1}{3}$ **009** $\frac{1}{3}$ **010** 독립

011 $\frac{3}{50}$ **012** $\frac{1}{20}$ **013** 종속

014 독립 **015** 종속 **016** 독립

017 종속 **018** $\frac{8}{15}$ **019** $\frac{1}{4}$

020 3, $\frac{2}{3}$ **021** 4, 2 **022** $\frac{1}{3}$

023 $\frac{2}{9}$ **024** $\frac{1}{4}$ **025** $\frac{54}{125}$

026 $\frac{80}{243}$

027 ⑤ **028** $\frac{1}{3}$ **029** ② **030** ④

031 ① **032** ② **033** ② **034** ⑤

035 ④ **036** ㄱ, ㄴ, ㄷ **037** ㄴ **038** ㄱ, ㄴ, ㄷ

039 ㄷ **040** ① **041** 6 **042** $\frac{1}{2}$

043 ② **044** ⑤ **045** 120 **046** $\frac{256}{625}$

047 ④ **048** $\frac{8}{243}$ **049** ③ **050** ③

051 ② **052** ① **053** ⑤ **054** $\frac{27}{32}$

055 $\frac{23}{48}$ **056** $\frac{5}{8}$ **057** ② **058** ⑤

059 $\frac{21}{32}$ **060** ③

061 ① **062** $\frac{3}{10}$ **063** ④ **064** ③

065 ㄱ, ㄴ, ㄷ **066** $\frac{2}{5}$ **067** $\frac{32}{81}$ **068** ⑤

069 ① **070** $\frac{23}{48}$

071 13 **072** 12

06 확률변수와 확률분포
본문 075~084쪽

001 0, 1, 2, $\frac{1}{4}$, $\frac{1}{2}$ **002** 0, 1, 2, 3, 4, 5 **003** 0, 1, 2, 3

004 0, 1, 2 **005** 풀이 참조 **006** 풀이 참조

007 풀이 참조 **008** $\frac{1}{8}$ **009** $\frac{3}{4}$

010 $a=\frac{1}{8}$, $b=1$ **011** $\frac{1}{4}$ **012** $\frac{1}{4}$

013 $\frac{5}{8}$ **014** $\frac{3}{8}$ **015** $\frac{1}{10}$

016 $\frac{3}{5}$ **017** $\frac{7}{10}$ **018** 1

019 1　　　020 $\frac{1}{2}$　　　021 $\frac{1}{8}$

022 $\frac{1}{4}$　　　023 $\frac{1}{3}$　　　024 $\frac{1}{18}$

025 $\frac{1}{4}$　　　026 $\frac{5}{9}$　　　027 $\frac{3}{4}$

028 $\frac{1}{16}$　　　029 ㄴ, ㄹ

030 2, 4, 6, 8, 10　　　031 ③

032 0, 1, 2, 3, 4, 5, 6　　　033 ③　　　034 $\frac{1}{6}$

035 $\frac{1}{15}$　　036 ④　　037 $\frac{1}{3}$　　038 $\frac{3}{4}$

039 ③　　040 $\frac{2}{3}$　　041 $\frac{1}{2}$　　042 ④

043 $\frac{2}{3}$　　044 $\frac{5}{6}$　　045 $\frac{5}{36}$　　046 $\frac{3}{8}$

047 6　　048 2　　049 $\frac{2}{5}$　　050 ④

051 ③　　052 $\frac{7}{8}$　　053 3　　054 ②

055 $\frac{3}{8}$　　056 $\frac{7}{10}$　　057 ①　　058 $\frac{1}{8}$

059 ㄱ, ㄷ

060 12, 14, 16, 18　　　061 ③　　062 ③

063 $\frac{1}{5}$　　064 $\frac{1}{5}$　　065 ③　　066 ⑤

067 7　　068 ①　　069 25

070 $\frac{8}{27}$　　071 $\frac{13}{18}$

07 이산확률변수의 평균과 표준편차
본문 087~097쪽

001 $x_i p_i$　　　002 $x_i - m$　　　003 $\{E(X)\}^2$

004 $V(X)$　　　005 $\frac{1}{8}$　　　006 $\frac{3}{8}$

007 $\frac{5}{2}$　　　008 $\frac{1}{2}$　　　009 $\frac{\sqrt{2}}{2}$

010 풀이 참조　　　011 $\frac{3}{4}$　　　012 1

013 $\frac{1}{2}$　　　014 $\frac{\sqrt{2}}{2}$　　　015 $\frac{5}{6}$

016 2　　　017 $\frac{1}{3}$　　　018 116

019 15　　　020 25　　　021 4, 5

022 16　　　023 4　　　024 9

025 4　　　026 6

027 $E(Y) = -4$, $\sigma(Y) = 2$

028 $E(Z) = 4$, $\sigma(Z) = \frac{2}{5}$

029 ⑤　　030 $\frac{1}{12}$　　031 4　　032 $\frac{77}{48}$

033 $\frac{5}{3}$　　034 $\frac{10}{7}$　　035 ④　　036 ③

037 200　　038 $\frac{35}{9}$　　039 ③　　040 $\frac{15}{4}$

041 $\frac{\sqrt{11}}{4}$　　042 ①　　043 $\frac{39}{4}$　　044 $\frac{1}{2}$

045 ⑤　　046 $\frac{\sqrt{10}}{5}$　　047 $\frac{8}{9}$　　048 ①

049 $\frac{\sqrt{5}}{3}$　　050 $\frac{14}{9}$　　051 14　　052 ②

053 6　　054 ①　　055 2　　056 12850원

057 ③　　058 13　　059 28

060 $E(Y) = 2$, $V(Y) = 5$　　061 $\frac{15}{16}$　　062 ④

063 ④　　064 20　　065 22　　066 ③

067 ⑤　　068 33

069 ④　　070 105　　071 7　　072 ③

073 $\frac{1}{5}$　　074 44　　075 $3\sqrt{2}$　　076 ②

077 $\frac{25}{3}$　　078 $51 - 5\sqrt{5}$

079 6　　080 216

08 이항분포
본문 101~110쪽

001 $B\left(50, \frac{1}{2}\right)$　　002 $B\left(30, \frac{1}{6}\right)$　　003 $B\left(10, \frac{1}{3}\right)$

004 $B\left(100, \frac{1}{4}\right)$　　005 $B\left(25, \frac{3}{5}\right)$　　006 $B\left(30, \frac{1}{3}\right)$

007 $B\left(5, \frac{1}{3}\right)$　　008 $B\left(4, \frac{1}{6}\right)$　　009 $B\left(3, \frac{3}{10}\right)$

010 $\frac{2}{5}, \frac{2}{5}$　　011 $\frac{1}{4}$　　012 $\frac{2}{3}$, 20

013 $\frac{4}{5}, \frac{4}{5}$　　014 10, $\frac{1}{3}$　　015 $\frac{3}{5}$, $5-x$

016 20, 3

017 $P(X=x) = {}_{12}C_x \left(\frac{1}{4}\right)^x \left(\frac{3}{4}\right)^{12-x}$ $(x = 0, 1, 2, \cdots, 12)$

018 $\left(\frac{3}{4}\right)^{12}$　　019 $1 - \left(\frac{3}{4}\right)^{12}$　　020 2

021 $\frac{8}{5}$　　022 $\frac{2\sqrt{10}}{5}$　　023 185

024 40　　025 $5\sqrt{10}$　　026 $\frac{1}{3}$

027 4　　028 2　　029 36

030 8　　031 $6\sqrt{2}$　　032 $B\left(3, \frac{1}{2}\right)$

033 $\frac{3}{2}$　　034 $\frac{27}{4}$　　035 $\frac{\sqrt{3}}{2}$

036 $P(X=x) = {}_{3}C_x \left(\frac{1}{2}\right)^x \left(\frac{1}{2}\right)^{3-x}$ $(x = 0, 1, 2, 3)$

037 $\frac{3}{8}$

038 20　　039 ①　　040 29　　041 $\frac{27}{4}$

042 90　　043 ①　　044 ④　　045 ③

046 100　　047 ③　　048 0.99328　　049 $\frac{109}{99}$

050 ③　　051 ①　　052 ①　　053 ③

054 ③　　055 ⑤　　056 ②　　057 ④

058 ④　　059 ③　　060 ②　　061 1630

062 $30\sqrt{10}$　　063 ①

064 $E(2X-10) = 38$, $V(2X-10) = 64$　　065 ①

066 ⑤

067 ③　　068 120　　069 ④　　070 405

071 ④　　072 50　　073 ①　　074 47

075 ③ **076** 415

077 $\frac{21}{2}$ **078** 266

09 정규분포
본문 113~124쪽

001 $N(2, 5^2)$ **002** $N(10, 3^2)$ **003** $<$
004 $>$ **005** a **006** $a+b$
007 $b-a$ **008** $a=0, b=2$ **009** $a=-3, b=1$
010 $P(Z \geq 0)$ **011** $P(0.5 \leq Z \leq 2)$ **012** $P(-1 \leq Z \leq 1.5)$
013 0.4772 **014** 0.1359 **015** 0.7745
016 0.0668 **017** 0.8185 **018** 0.8413
019 $N(24, 4^2)$ **020** $N(60, 6^2)$ **021** $B\left(100, \frac{1}{2}\right)$
022 평균: 50, 표준편차: 5 **023** $N(50, 5^2)$
024 0.0228 **025** 0.84
026 ⑤ **027** ① **028** 30 **029** ③
030 ④ **031** 3 **032** 0.0228 **033** ②
034 0.9544 **035** ① **036** ① **037** ①
038 $\frac{1}{2}$ **039** 10 **040** ④ **041** ②
042 0.84 **043** ① **044** ② **045** 0.3494
046 ③ **047** 24 **048** ② **049** ③
050 4.21 **051** ① **052** ③ **053** 162
054 73 **055** 795 **056** 90점 **057** ⑤
058 91 **059** ② **060** 100 **061** ③
062 0.8413 **063** ④ **064** ④ **065** 0.8413
066 ① **067** 0.8185 **068** 186 **069** 0.8185
070 336
071 ⑤ **072** 0.023 **073** 1.1598 **074** 96
075 ② **076** ① **077** 88점 **078** 0.9772
079 312
080 28 **081** 0.98

10 표본평균의 분포
본문 127~138쪽

001 2 **002** 1, 2, 3, 4, 5 **003** 3
004 $\frac{1}{3}$ **005** 풀이 참조 **006** 풀이 참조
007 $\frac{7}{9}$ **008** 2 **009** $\frac{4}{3}$
010 m **011** $\frac{\sigma^2}{100}$ **012** $\frac{\sigma}{10}$
013 60 **014** 9 **015** 3
016 $\frac{1}{4}$ **017** 2 **018** $\frac{\sqrt{2}}{2}$
019 2 **020** $\frac{\sqrt{10}}{10}$ **021** 3
022 2 **023** 3 **024** 1
025 m **026** $\frac{\sigma^2}{n}$ **027** $\frac{\sigma}{\sqrt{n}}$
028 50 **029** 4 **030** 2
031 50, 2^2 **032** $a=500, b=4$ **033** 150

034 $\frac{1}{2}$ **035** 0.3413 **036** 0.0228
037 0.9772
038 ③ **039** (1) 216 (2) 120 (3) 20 **040** 100
041 ③ **042** 102 **043** ⑤ **044** ⑤
045 144 **046** $\frac{1}{4}$ **047** ④ **048** 6
049 ④ **050** 120 **051** ② **052** 5
053 15 **054** 2 **055** ③ **056** ③
057 11 **058** 305 **059** ⑤ **060** ④
061 0.0228 **062** 0.8185 **063** 0.1587 **064** ③
065 0.7056 **066** 2005 **067** ⑤ **068** ⑤
069 ③ **070** 4 **071** 16 **072** ④
073 36 **074** 8
075 8 **076** 12 **077** ⑤ **078** 0.605
079 ④ **080** 1 **081** ④ **082** 0.5328
083 225
084 0.1587 **085** ㄱ, ㄴ, ㄷ

11 모평균의 추정
본문 141~148쪽

001 (가): $\frac{\sigma}{\sqrt{n}}$, (나): 1.96 **002** 6
003 4 **004** $16.08 \leq m \leq 23.92$
005 $14.84 \leq m \leq 25.16$ **006** $95.1 \leq m \leq 104.9$
007 $99.02 \leq m \leq 100.98$ **008** 5
009 16 **010** 15.68 **011** 20.64
012 40.71 **013** ② **014** ③ **015** 16
016 15.32 **017** $990.2 \leq m \leq 1009.8$ **018** ②
019 129.98 **020** 3.92 **021** 89 **022** 0.025
023 ① **024** 84 **025** $\frac{2}{5}$ **026** 3600
027 8 **028** ② **029** ④ **030** 64
031 ⑤ **032** ② **033** 900 **034** 16
035 ⑤ **036** ① **037** ④ **038** ⑤
039 ③ **040** 900 **041** ④ **042** ①
043 400 **044** 0.9 **045** 97.5
047 144
048 0.666 **049** ㄱ, ㄷ

152 아샘 Hi Math 확률과 통계

표준정규분포표

$$f(z) = \frac{1}{\sqrt{2\pi}} e^{-\frac{z^2}{2}}$$

P$(0 \leq Z \leq z)$는 왼쪽 그림에서 색칠한 부분의 넓이이다.

z	0.00	0.01	0.02	0.03	0.04	0.05	0.06	0.07	0.08	0.09
0.0	.0000	.0040	.0080	.0120	.0160	.0199	.0239	.0279	.0319	.0359
0.1	.0398	.0438	.0478	.0517	.0557	.0596	.0636	.0675	.0714	.0753
0.2	.0793	.0832	.0871	.0910	.0948	.0987	.1026	.1064	.1103	.1141
0.3	.1179	.1217	.1255	.1293	.1331	.1368	.1406	.1443	.1480	.1517
0.4	.1554	.1591	.1628	.1664	.1700	.1736	.1772	.1808	.1844	.1879
0.5	.1915	.1950	.1985	.2019	.2054	.2088	.2123	.2157	.2190	.2224
0.6	.2257	.2291	.2324	.2357	.2389	.2422	.2454	.2486	.2517	.2549
0.7	.2580	.2611	.2642	.2673	.2704	.2734	.2764	.2794	.2823	.2852
0.8	.2881	.2910	.2939	.2967	.2995	.3023	.3051	.3078	.3106	.3133
0.9	.3159	.3186	.3212	.3238	.3264	.3289	.3315	.3340	.3365	.3389
1.0	.3413	.3438	.3461	.3485	.3508	.3531	.3554	.3577	.3599	.3621
1.1	.3643	.3665	.3686	.3708	.3729	.3749	.3770	.3790	.3810	.3830
1.2	.3849	.3869	.3888	.3907	.3925	.3944	.3962	.3980	.3997	.4015
1.3	.4032	.4049	.4066	.4082	.4099	.4115	.4131	.4147	.4162	.4177
1.4	.4192	.4207	.4222	.4236	.4251	.4265	.4279	.4292	.4306	.4319
1.5	.4332	.4345	.4357	.4370	.4382	.4394	.4406	.4418	.4429	.4441
1.6	.4452	.4463	.4474	.4484	.4495	.4505	.4515	.4525	.4535	.4545
1.7	.4554	.4564	.4573	.4582	.4591	.4599	.4608	.4616	.4625	.4633
1.8	.4641	.4649	.4656	.4664	.4671	.4678	.4686	.4693	.4699	.4706
1.9	.4713	.4719	.4726	.4732	.4738	.4744	.4750	.4756	.4761	.4767
2.0	.4772	.4778	.4783	.4788	.4793	.4798	.4803	.4808	.4812	.4817
2.1	.4821	.4826	.4830	.4834	.4838	.4842	.4846	.4850	.4854	.4857
2.2	.4861	.4864	.4868	.4871	.4875	.4878	.4881	.4884	.4887	.4890
2.3	.4893	.4896	.4898	.4901	.4904	.4906	.4909	.4911	.4913	.4916
2.4	.4918	.4920	.4922	.4925	.4927	.4929	.4931	.4932	.4934	.4936
2.5	.4938	.4940	.4941	.4943	.4945	.4946	.4948	.4949	.4951	.4952
2.6	.4953	.4955	.4956	.4957	.4959	.4960	.4961	.4962	.4963	.4964
2.7	.4965	.4966	.4967	.4968	.4969	.4970	.4971	.4972	.4973	.4974
2.8	.4974	.4975	.4976	.4977	.4977	.4978	.4979	.4979	.4980	.4981
2.9	.4981	.4982	.4982	.4983	.4984	.4984	.4985	.4985	.4986	.4986
3.0	.4987	.4987	.4987	.4988	.4988	.4989	.4989	.4989	.4990	.4990
3.1	.4990	.4991	.4991	.4991	.4992	.4992	.4992	.4992	.4993	.4993
3.2	.4993	.4993	.4994	.4994	.4994	.4994	.4994	.4995	.4995	.4995
3.3	.4995	.4995	.4995	.4996	.4996	.4996	.4996	.4996	.4996	.4997
3.4	.4997	.4997	.4997	.4997	.4997	.4997	.4997	.4997	.4997	.4998

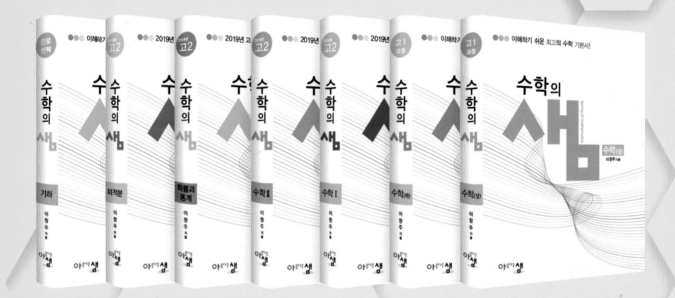

기본기를 다지는
문제기본서 하이 매쓰

Hi Math

확률과 통계

정답 및 해설

아름다운샘

아름다운 샘과 함께
수학의 자신감과 최고 실력을 완성!!!

Hi Math
확률과 통계

정답 및 해설

정답 및 해설

01 여러 가지 순열

본책 007~018쪽

001 $\dfrac{_{10}P_{10}}{\boxed{10}}=\dfrac{10!}{\boxed{10}}=\boxed{9}\,!$ 답 10, 10, 9

002 $\dfrac{_{6}P_{6}}{\boxed{6}}=\dfrac{6!}{\boxed{6}}=\boxed{5}\,!=\boxed{120}$ 답 6, 6, 5, 120

003 7명이 원탁에 둘러앉는 방법의 수와 같으므로
$\dfrac{_{7}P_{7}}{7}=\dfrac{7!}{7}=(7-1)!=6!=720$ 답 720

004 네 가지 색 A, B, C, D를 원형으로 배열하는 방법의 수와 같으므로
$\dfrac{_{4}P_{4}}{4}=\dfrac{4!}{4}=(4-1)!=3!=6$ 답 6

005 8명이 원탁에 둘러앉는 방법의 수는
$(8-1)!=7!=5040$ 답 5040

006 연석이와 준호를 묶어서 한 명으로 생각하여 7명이 원탁에 둘러앉는 방법의 수는
$(7-1)!=6!=720$
연석이와 준호가 서로 자리를 바꾸는 방법의 수는
$2!=2$
따라서 구하는 방법의 수는
$720\times 2=1440$ 답 1440

007 연석이와 준호를 제외한 6명이 원탁에 둘러앉는 방법의 수는
$(6-1)!=5!=120$
6명의 사이사이의 6개의 자리 중 2개의 자리를 택하여 앉으면 되므로 그 방법의 수는
$_{6}P_{2}=30$
따라서 구하는 방법의 수는
$120\times 30=3600$ 답 3600

008 정사각형 모양의 탁자에 4명이 둘러앉는 방법의 수는 원형의 탁자에 4명이 둘러앉는 방법의 수와 같으므로 구하는 방법의 수는
$(4-1)!=3!=6$ 답 6

009 6명이 원형으로 앉는 방법의 수는 $(6-1)!=5!$
직사각형 모양의 탁자에서는 원형으로 앉는 한 가지 방법에 대하여 그림과 같이 3가지의 서로 다른 경우가 있다.

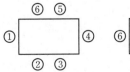

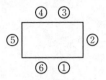

따라서 구하는 방법의 수는
$5!\times 3=120\times 3=360$ 답 360

다른 풀이
6명을 일렬로 배열하는 방법의 수는
$6!$
직사각형 모양의 탁자에서는 일렬로 배열하는 한 가지 방법에 대하여 그림과 같이 2가지의 서로 같은 경우가 있다.

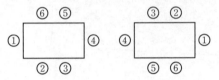

따라서 구하는 방법의 수는
$\dfrac{6!}{2}=\dfrac{720}{2}=360$

010 6명이 원형으로 앉는 방법의 수는
$(6-1)!=5!$
정삼각형 모양의 탁자에서는 원형으로 앉는 한 가지 방법에 대하여 그림과 같이 2가지의 서로 다른 경우가 있다.

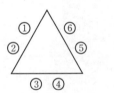

따라서 구하는 방법의 수는
$5!\times 2=120\times 2=240$ 답 240

다른 풀이
6명을 일렬로 배열하는 방법의 수는 $6!$
정삼각형 모양의 탁자에서는 일렬로 배열하는 한 가지 방법에 대하여 그림과 같이 3가지의 서로 같은 경우가 있다.

따라서 구하는 방법의 수는
$\dfrac{6!}{3}=\dfrac{720}{3}=240$

011 $_5P_2=5\times4=20$ 　　　　　　　　　　　答 20

012 $_5\Pi_2=5^2=25$ 　　　　　　　　　　　答 25

013 $_2\Pi_5=2^5=32$ 　　　　　　　　　　　答 32

014 $_3\Pi_r=3^r=81=3^4$ 　∴ $r=4$ 　　　　答 4

015 서로 다른 6개에서 2개를 택하는 중복순열의 수는
$_6\Pi_2$ 　　　　　　　　　　　　　　　答 $_6\Pi_2$

016 서로 다른 3개의 상자에 중복을 허용하여 서로 다른 5개의 공을 넣는 방법의 수는
$_3\Pi_5$ 　　　　　　　　　　　　　　　答 $_3\Pi_5$

017 3개의 문자 a,b,c 중에서 4개를 택하여 일렬로 배열하는 방법의 수는
$_3\Pi_4=3^4=81$ 　　　　　　　　　　答 81

018 ♠ 또는 ♣를 다섯 번 사용하여 일렬로 나열해서 만들 수 있는 무늬의 개수는
$_2\Pi_5=2^5=32$ 　　　　　　　　　　答 32

019 네 개의 숫자 1, 2, 3, 4에서 중복을 허용하여 만들 수 있는 세 자리 자연수의 개수는
$_4\Pi_3=4^3=64$ 　　　　　　　　　　答 64

020 10개의 숫자에서 중복을 허용하여 만들 수 있는 4자리의 비밀번호의 개수는
$_{10}\Pi_4=10^4=10000$ 　　　　　　答 10000

021 a가 3개 있으므로 일렬로 나열하는 방법의 수는
$$\frac{5!}{3!}=\frac{5\times4\times3\times2\times1}{3\times2\times1}=20$$
　　　　　　　　　　　　　　　　　答 20

022 다섯 개의 숫자 중 1이 2개, 3이 2개 있으므로 구하는 다섯 자리 자연수의 개수는
$$\frac{5!}{2!2!}=\frac{5\times4\times3\times2\times1}{2\times1\times2\times1}=30$$
　　　　　　　　　　　　　　　　　答 30

023 internet의 여덟 개의 문자를 모두 사용하여 일렬로 배열하는 방법의 수는
$$\frac{8!}{2!2!2!}=\frac{8\times7\times6\times5\times4\times3\times2\times1}{2\times1\times2\times1\times2\times1}$$
$$=7!=5040$$
　　　　　　　　　　　　　　　　　答 5040

[024-025] 오른쪽으로 한 칸 이동하는 것을 a, 위로 한 칸 이동하는 것을 b라 하면

024 A지점에서 B지점으로 가는 최단 경로는 a를 2번, b도 2번 거친다.
즉, a, a, b, b를 일렬로 배열하는 방법의 수와 같으므로
$$\frac{4!}{2!2!}=\frac{4\times3\times2\times1}{2\times1\times2\times1}=6$$
　　　　　　　　　　　　　　　　　答 6

025 A지점에서 B지점으로 가는 최단 경로는 a를 6번, b를 2번 거친다.
즉, a, a, a, a, a, a, b, b를 일렬로 배열하는 방법의 수와 같으므로
$$\frac{8!}{6!2!}=\frac{8\times7\times6\times5\times4\times3\times2\times1}{6\times5\times4\times3\times2\times1\times2\times1}$$
$$=28$$
　　　　　　　　　　　　　　　　　答 28

026 부모를 1명으로 묶어서 생각하면 5명이 원형 식탁에 둘러앉는 방법의 수는
$(5-1)!=4!$
부모끼리 자리를 바꾸는 방법의 수는 2!
따라서 구하는 방법의 수는
$4!\times2!=48$ 　　　　　　　　　　答 ③

027 유도부원 3명이 원형 식탁에 둘러앉는 방법의 수는
$(3-1)!=2!$
축구부원 2명은 유도부원 사이사이의 3개의 자리에서 2개의 자리를 택하여 앉으면 되므로 그 방법의 수는
$_3P_2$
따라서 구하는 방법의 수는
$2!\times_3P_2=12$ 　　　　　　　　　答 ③

028 A, B, C를 하나로 보고 원형으로 나열하는 방법의 수는
$(4-1)!=3!=6$
이 각각에 대하여 A의 양 옆에 B와 C가 있어야 하므로 그 방법의 수는 2
따라서 구하는 방법의 수는
$6\times2=12$ 　　　　　　　　　　　答 12

029 남자 5명이 원형 식탁에 둘러앉는 방법의 수는
$(5-1)!=4!$
여자 5명은 남자 사이사이의 5개의 자리에 앉으면 되므로 그 방법의 수는
$_5P_5=5!$
따라서 구하는 방법의 수는
$4!\times5!=2880$ 　　　　　　　　　答 ⑤

030 부모와 한 자녀를 1명으로 묶어서 생각하여 3명이 원형 식탁에 둘러앉는 방법의 수는
$(3-1)!=2!$
부모끼리 자리를 바꾸는 방법의 수는 2!
부모 사이에 앉을 수 있는 자녀는 3명이므로 그 방법의 수는 3
따라서 구하는 방법의 수는
$2!\times2!\times3=12$ 　　　　　　　　答 12

031 (ⅰ) 부모가 이웃하여 앉는 방법의 수
　부모를 1명으로 묶어서 생각하여 5명이 원형 식탁에 둘러앉는 방법의 수는
　$(5-1)!=4!$
　부모끼리 자리를 바꾸는 방법의 수는
　2!

즉, 구하는 방법의 수는
$$a=4! \times 2! = 48$$
(ii) 부모가 마주보고 앉는 방법의 수

부모 중에서 한 사람이 자리에 앉으면 다른 한 사람은 그 맞은편에 앉아야 한다.

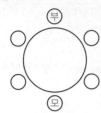

자녀 4명은 부모 사이 2자리씩 4개의 자리에 앉으면 되므로 그 방법의 수는
$$b=4!=24$$
(i), (ii)에서 $a+b=48+24=72$　　　　　　답 ⑤

다른 풀이

(ii) 부모 중에서 한 사람의 자리가 결정되면 다른 한 사람은 그 맞은 편으로 자리가 고정되므로 구하는 방법의 수는 5명이 원탁에 둘러앉는 방법의 수와 같다.
$$\therefore b=(5-1)!=4!=24$$

032 12명이 원형으로 앉는 방법의 수는
$$(12-1)!=11!$$
정육각형 모양의 식탁에서는 원형으로 앉는 한 가지 방법에 대하여 그림과 같이 2가지의 서로 다른 경우가 있다.

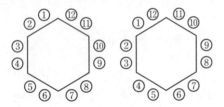

따라서 구하는 방법의 수는 $2 \times 11!$
$$\therefore a=11$$　　　　　　답 11

033 먼저 10명을 원형으로 앉히는 방법의 수는 $(10-1)!=9!$
그런데 직사각형 모양의 탁자에서는 원형으로 앉는 한 가지 방법에 대하여 그림과 같이 5가지의 서로 다른 경우가 있다.

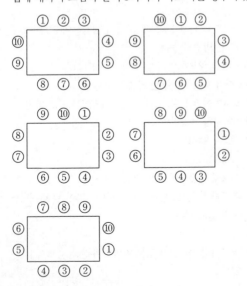

따라서 구하는 방법의 수는 9!×5　　　　　　답 ③

034 남학생 중에서 1명이 앉을 수 있는 자리는 4개이고, 다른 남학생 1명은 그 맞은편에 앉아야 한다.
나머지 3개의 자리에 여학생 3명을 앉히는 방법의 수는 3!
따라서 구하는 방법의 수는
$$4 \times 3! = 24$$　　　　　　답 24

035 서로 다른 6가지의 색 중에서 4가지를 선택하는 방법의 수는
$$_6C_4=15$$
4개의 영역에 색을 칠하는 방법의 수는
$$(4-1)!=3!$$
따라서 구하는 방법의 수는
$$15 \times 3! = 90$$　　　　　　답 90

036 빨강의 오른쪽 바로 옆에는 항상 보라를 칠하므로 두 색을 묶어서 하나의 색으로 생각하여 5가지의 색을 원형으로 배열하는 원순열의 수이므로 구하는 방법의 수는
$$(5-1)!=4!=24$$　　　　　　답 24

037 정사면체는 네 면의 모양이 모두 같으므로
4가지의 색 중에서 특정한 색을 밑면에 칠하는 방법의 수는 1
옆면을 칠하는 방법의 수는 밑면에 칠한 색을 제외한 3가지의 색을 원형으로 배열하는 원순열의 수이므로
$$(3-1)!=2!$$
따라서 구하는 방법의 수는
$$1 \times 2! = 2$$　　　　　　답 ①

038 각 문제마다 ○, ×의 2가지의 답이 나올 수 있으므로 서로 다른 2개에서 중복을 허락하여 10개를 택하는 중복순열이다.
$$\therefore {}_2\Pi_{10}=2^{10}=1024$$　　　　　　답 1024

039 각 유권자마다 3가지의 투표하는 방법이 있으므로 3명의 후보에서 5명을 택하는 중복순열이다.
$$\therefore {}_3\Pi_5=3^5=243$$　　　　　　답 243

040 a, b, c의 각 지점마다 서로 다른 4개의 깊이로 인식을 하므로 4개 중에서 중복을 허용하여 3개를 택하는 중복순열이다.
$$\therefore {}_4\Pi_3=4^3=64$$　　　　　　답 ②

041 각 사람마다 내릴 수 있는 층은 4가지이므로 4개의 층에서 5개를 택하는 중복순열이다.
$$\therefore {}_4\Pi_5=4^5=1024$$　　　　　　답 ③

042 특정한 두 명은 같은 도시에 내릴 수 없으므로 모든 경우의 수에서 특정한 두 명이 같은 도시에 내리는 경우의 수를 빼면 된다.
각 승객마다 내릴 수 있는 도시는 B, C, D, E의 4곳이므로 4곳에서 10곳을 택하는 중복순열이다.
$$\therefore {}_4\Pi_{10}=4^{10}$$
한편, 특정한 두 명이 같은 도시에 내리는 방법의 수는 9명의 승객이 네 도시에 내리는 방법의 수와 같으므로
$${}_4\Pi_9=4^9$$

따라서 구하는 방법의 수는
$$_4\Pi_{10}-_4\Pi_9=4^{10}-4^9=3\times4^9=3\times2^{18}$$ **답** ②

043 알파벳 B를 포함하지 않는 경우와 알파벳 B를 포함하는 경우
로 나누면 다음과 같다.
(i) 알파벳 B를 포함하지 않는 경우
　　서로 다른 알파벳 A, C, D, E, F 중에서 중복을 허락하여
　　3개를 택하여 일렬로 나열하면 된다. 그러므로 경우의 수는
　　서로 다른 5개에서 3개를 택하는 중복순열의 수이므로
　　$$_5\Pi_3=5^3=125$$
(ii) 알파벳 B를 포함하는 경우
　　우선 서로 다른 알파벳 A, C, D, E, F 중에서 중복을 허락
　　하여 2개를 택하여 일렬로 나열하는 경우의 수는 서로 다른
　　5개에서 2개를 택하는 중복순열의 수이므로
　　$$_5\Pi_2=5^2=25$$
　　이 각각에 대하여 그림과 같이 ∨로 표시된 세 곳 중에서 한
　　곳에 B를 넣으면 되므로 경우의 수는 3

　　그러므로 경우의 수는
　　$$25\times3=75$$
(i), (ii)에서 구하는 경우의 수는
$$125+75=200$$ **답** 200

044 서로 다른 3개에서 5개를 택하는 중복순열의 수와 같으므로
$$_3\Pi_5=243$$ **답** 243

045 (i) 1개를 사용하여 만들 수 있는 신호의 개수는
　　$$_2\Pi_1=2^1=2$$
(ii) 2개를 사용하여 만들 수 있는 신호의 개수는
　　$$_2\Pi_2=2^2=4$$
(iii) 3개를 사용하여 만들 수 있는 신호의 개수는
　　$$_2\Pi_3=2^3=8$$
(iv) 4개를 사용하여 만들 수 있는 신호의 개수는
　　$$_2\Pi_4=2^4=16$$
(v) 5개를 사용하여 만들 수 있는 신호의 개수는
　　$$_2\Pi_5=2^5=32$$
(i)~(v)에서 구하는 신호의 개수는
$$2+4+8+16+32=62$$ **답** ②

046 기호 •, ◇ 중에서 중복을 허용하여 n개를 나열하여 만들 수
있는 신호의 개수는
$$_2\Pi_n=2^n$$
100가지의 신호를 만들기 위해서는
$$_2\Pi_1+_2\Pi_2+_2\Pi_3+\cdots+_2\Pi_n$$
$$=2+2^2+2^3+\cdots+2^n$$
$$=\frac{2(2^n-1)}{2-1}$$
$$=2^{n+1}-2\geq100$$
$$\therefore\ 2^{n+1}\geq102$$
따라서 $2^6=64,\ 2^7=128$
이므로 부등식을 만족시키는 n의 최솟값은 6이다. **답** ③

047 백의 자리에는 0을 제외한 1, 2, 3이 올 수 있으므로 그 경우의
수는 3이다.
이들 각각에 대하여 십의 자리, 일의 자리에는 0, 1, 2, 3이 모
두 중복하여 올 수 있으므로 그 경우의 수는
$$_4\Pi_2=4^2=16$$
따라서 구하는 정수의 개수는
$$3\times16=48$$ **답** ④

048 일의 자리 수는 5이어야 하고, 나머지 세 자리에는 1, 2, 3, 4, 5
가 모두 중복하여 올 수 있으므로 구하는 경우의 수는
$$_5\Pi_3=5^3=125$$ **답** ③

049 천의 자리에는 0을 제외한 1, 2, 3, 4, 5가 올 수 있고, 일의 자
리에는 0, 2, 4가 올 수 있으므로 그 경우의 수는
$$5\times3=15$$
이들 각각에 대하여 백의 자리, 십의 자리에는 0, 1, 2, 3, 4, 5
가 모두 중복하여 올 수 있으므로 그 경우의 수는
$$_6\Pi_2=6^2=36$$
따라서 구하는 짝수의 개수는
$$15\times36=540$$ **답** 540

050 8의 양의 약수인 1, 2, 4, 8 중에서 중복을 허용하여 만들 수 있
는 네 자리 정수의 개수는
$$_4\Pi_4=4^4=256$$
1, 2, 4, 8을 각각 한 번씩만 사용하여 만들 수 있는 네 자리 정
수의 개수는
$$_4P_4=4!=24$$
따라서 구하는 정수의 개수는
$$256-24=232$$ **답** 232

051 1, 2, 3, 4 중에서 중복을 허용하여 만들 수 있는 네 자리 자연
수 중 2422보다 작은 수는
(i) 1□□□의 꼴
　　$$_4\Pi_3=4^3=64$$
(ii) 21□□, 22□□, 23□□의 꼴
　　$$3\times_4\Pi_2=3\times4^2=48$$
(iii) 241□의 꼴
　　$$_4\Pi_1=4$$
(iv) 2421의 1개
(i)~(iv)에서 $64+48+4+1=117$이므로
2422보다 작은 수의 개수는 117이다. **답** ④

052 (1과 3이 모두 포함되어 있는 네 자리 자연수의 개수)
　　=(1, 3, 5로 만든 네 자리 자연수의 개수)
　　　　　　　　　　-(1 또는 5로 만든 네 자리 자연수의 개수)
　　　　　　　　　　-(3 또는 5로 만든 네 자리 자연수의 개수)
　　　　　　　　　　+(5로 만든 네 자리 자연수의 개수)
(i) 1, 3, 5로 만든 네 자리 자연수의 개수
　　$$_3\Pi_4=3^4=81$$
(ii) 1 또는 5로 만든 네 자리 자연수의 개수
　　$$_2\Pi_4=2^4=16$$
(iii) 3 또는 5로 만든 네 자리 자연수의 개수

$_2\Pi_4=2^4=16$

(iv) 5로 만든 네 자리 자연수는 5555의 1개

(i)~(iv)에서 구하는 자연수의 개수는

$81-16-16+1=50$　　　　　　　　　　　　**답 ①**

053 먼저 양 끝에 흰색 깃발을 놓으면 흰색 깃발 3개, 파란색 깃발 5개가 남는다.

따라서 구하는 경우의 수는

$\dfrac{8!}{3!5!}=56$　　　　　　　　　　　　**답 ①**

054 0이 1개, 3이 2개, 6이 3개이므로 이를 일렬로 배열하는 방법의 수는

$\dfrac{6!}{2!3!}=60$

이 중에서 십만의 자리에 0이 오는 경우를 빼야 하므로 0을 제외한 3, 3, 6, 6, 6의 5개의 숫자를 일렬로 배열하는 방법의 수는

$\dfrac{5!}{2!3!}=10$

따라서 구하는 정수의 개수는

$60-10=50$　　　　　　　　　　　　**답 ⑤**

055 자음과 모음이 교대로 배열되는 경우는 자음이 C, C, L, 모음이 E, I, I, A이므로 (모, 자, 모, 자, 모, 자, 모)

모음 4개를 배열하는 경우의 수는

$\dfrac{4!}{2!}=12$

자음 3개를 배열하는 경우의 수는

$\dfrac{3!}{2!}=3$

따라서 구하는 경우의 수는

$12\times3=36$　　　　　　　　　　　　**답 ③**

056 (i) 1□□□□□1의 꼴

빈칸에 2, 2, 3, 3, 3의 5개의 숫자를 일렬로 배열하는 방법의 수는

$\dfrac{5!}{2!3!}=10$

(ii) 1□□□□□2의 꼴

빈칸에 1, 2, 3, 3, 3의 5개의 숫자를 일렬로 배열하는 방법의 수는

$\dfrac{5!}{3!}=20$

(i), (ii)에서 구하는 경우의 수는

$10+20=30$　　　　　　　　　　　　**답 ②**

057 (i) 십만의 자리에 5가 오는 경우

1, 3, 3, 6, 6의 5개의 숫자를 일렬로 배열하는 방법의 수는

$\dfrac{5!}{2!2!}=30$

(ii) 십만의 자리에 6이 오는 경우

1, 3, 3, 5, 6의 5개의 숫자를 일렬로 배열하는 방법의 수는

$\dfrac{5!}{2!}=60$

(i), (ii)에서 구하는 자연수의 개수는

$30+60=90$　　　　　　　　　　　　**답 90**

058 (i) 양쪽 끝에 1, 2가 오는 경우의 수는

$2!\times\dfrac{6!}{2!3!}=120$

(ii) 양쪽 끝에 1, 3이 오는 경우의 수는

$2!\times\dfrac{6!}{2!3!}=120$

(iii) 양쪽 끝에 2, 3이 오는 경우의 수는

$2!\times\dfrac{6!}{2!2!2!}=180$

(i), (ii), (iii)에서 구하는 경우의 수는

$120+120+180=420$　　　　　　　　**답 420**

다른 풀이

주어진 8개의 숫자를 일렬로 나열하는 모든 경우의 수는

$\dfrac{8!}{2!3!3!}=560$

양쪽 끝에 서로 같은 숫자가 오는 경우의 수는 다음과 같다.

(i) 양쪽 끝에 모두 1이 오는 경우의 수는

$\dfrac{6!}{3!3!}=20$

(ii) 양쪽 끝에 모두 2가 오는 경우의 수는

$\dfrac{6!}{2!3!}=60$

(iii) 양쪽 끝에 모두 3이 오는 경우의 수는

$\dfrac{6!}{2!3!}=60$

따라서 구하는 경우의 수는 모든 경우의 수에서 양쪽 끝에 서로 같은 숫자가 오는 경우의 수를 빼면 되므로

$560-(20+60+60)=420$

059 1, 2, 3의 순서가 정해져 있으므로 1, 2, 3을 모두 X로 생각하여 5개의 숫자 X, X, X, 4, 4를 일렬로 배열한 후 첫 번째 X는 1, 두 번째 X는 2, 세 번째 X는 3으로 바꾸면 된다.

따라서 구하는 방법의 수는

$\dfrac{5!}{3!2!}=10$　　　　　　　　　　　　**답 10**

060 a_1, a_2, a_3과 b_2, b_1의 순서가 정해져 있으므로 a_1, a_2, a_3과 b_2, b_1을 각각 X, Y로 생각하여 5개의 문자 X, X, X, Y, Y를 일렬로 배열한 후 첫 번째 X는 a_1, 두 번째 X는 a_2, 세 번째 X는 a_3, 첫 번째 Y는 b_2, 두 번째 Y는 b_1로 바꾸면 된다.

따라서 구하는 방법의 수는

$\dfrac{5!}{3!2!}=10$　　　　　　　　　　　　**답 10**

061 한국 선수 3명을 각각 a_1, a_2, a_3이라 하자.

중국, 일본, 미국의 순서가 정해져 있으므로 중국, 일본, 미국의 선수를 모두 X로 생각하여 6명의 선수 X, X, X, a_1, a_2, a_3을 일렬로 배열한 후 첫 번째 X는 중국, 두 번째 X는 일본, 세 번째 X는 미국으로 바꾸면 된다.

따라서 구하는 점프 순서는

$\dfrac{6!}{3!}=120$ (가지)　　　　　　　　　　**답 ④**

062 A지점에서 P지점으로 가는 최단 경로의 수는

$$\frac{4!}{2!\,2!}=6$$

P지점에서 B지점으로 가는 최단 경로의 수는

$$2!=2$$

따라서 구하는 최단 경로의 수는

$$6\times2=12$$

🔲 12

063

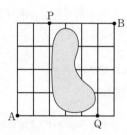

A마을에서 B마을로 가는 최단 경로는 다음과 같이 2가지의 경우로 나누어 생각할 수 있다.

(i) A → P → B의 경우

$$\frac{6!}{2!\,4!}\times1=15\,(가지)$$

(ii) A → Q → B의 경우

$$1\times\frac{5!}{4!}=5\,(가지)$$

(i), (ii)에서 구하는 최단 경로의 수는

$$15+5=20$$

🔲 20

064

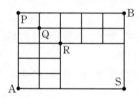

A지점에서 B지점으로 가는 최단 거리는 그림과 같이 4가지의 경우로 나누어 생각할 수 있다.

(i) A → P → B의 경우

  1가지

(ii) A → Q → B의 경우

$$\frac{5!}{4!}\times\frac{5!}{4!}=25\,(가지)$$

(iii) A → R → B의 경우

$$\frac{5!}{2!\,3!}\times\frac{5!}{3!\,2!}=100\,(가지)$$

(iv) A → S → B의 경우

  1가지

(i)~(iv)에서 구하는 방법의 수는

$$1+25+100+1=127$$

🔲 127

065 P지점에서 Q지점으로 가는 최단 경로는 그림과 같이 2가지의 경우로 나누어 생각할 수 있다.

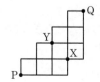

(i) P → X → Q의 경우

$$\frac{4!}{3!}\times\frac{4!}{3!}=16\,(가지)$$

(ii) P → Y → Q의 경우

$$\left(\frac{4!}{2!\,2!}-1\right)\times\left(\frac{4!}{2!\,2!}-1\right)=25\,(가지)$$

(i), (ii)에 의하여 구하는 최단 경로의 수는

$$16+25=41$$

🔲 41

066 지점 A에서 출발하여 각 지점까지 최단 거리로 가는 방법의 수를 구하면 그림과 같다.

따라서 최단 거리로 가는 방법의 수는 14이다.

🔲 ①

067 (i) 꼭짓점 A에서 꼭짓점 B로 이동하려면 가로, 세로, 높이의 방향으로 각각 2번, 1번, 1번 이동해야 하므로 최단 경로의 수는

$$\frac{4!}{2!}=12$$

(ii) 꼭짓점 B에서 꼭짓점 A로 이동하는 최단 경로의 수는 (i)과 마찬가지이므로

$$\frac{4!}{2!}=12$$

(i), (ii)에서 구하는 방법의 수는

$$12\times12=144$$

🔲 ⑤

068 집합 Y의 원소 1, 2, 3, 4에서 중복을 허용하여 6개(집합 X의 원소의 개수)를 택하는 중복순열의 수와 같으므로 구하는 함수의 개수는

$$_4\Pi_6$$

🔲 ①

069 $f(1)=3$, $f(5)=2$이므로 X의 원소 3, 7에 대응하는 Y의 원소의 개수를 구하면 된다.

즉, 집합 Y의 원소 1, 2, 3, ⋯, 7에서 중복을 허용하여 2개를 택하는 중복순열의 수와 같으므로 구하는 함수의 개수는

$$_7\Pi_2=7^2=49$$

🔲 49

070 X에서 Y로의 함수의 개수는 $_4\Pi_3$

X에서 Y로의 함수 중에서 $f(1)=1$인 함수의 개수는 $_4\Pi_2$

따라서 구하는 함수의 개수는

$$_4\Pi_3-{_4\Pi_2}=4^3-4^2$$
$$=48$$

🔲 ②

071 X에서 Y로의 함수의 개수는

$$_3\Pi_4=3^4=81$$

치역의 원소가 1개인 경우는

치역이 {1}, {2}, {3}의 3가지

치역의 원소가 2개인 경우는

치역이 {1, 2}, {1, 3}, {2, 3}의 3가지이고, 그 각각에 대하여 함수의 개수는 2개에서 4개를 택하는 중복순열의 수에서 치역의

원소가 1개인 함수의 개수를 빼면 되므로
$$3 \times ({}_2\Pi_4 - 2) = 3(2^4 - 2) = 42$$
따라서 치역과 공역이 일치하는 함수의 개수는
$$81 - (3 + 42) = 36 \hspace{2cm} \text{답} \ ①$$

072 함숫값의 곱이 4이므로 함숫값에 따라 다음 두 가지 경우로 나눌 수 있다.
(i) 함숫값이 1, 1, 1, 4인 경우
함수 f 의 개수는
$$\frac{4!}{3!1!} = 4$$
(ii) 함숫값이 1, 1, 2, 2인 경우
함수 f 의 개수는
$$\frac{4!}{2!2!} = 6$$
(i), (ii)에서 구하는 함수의 개수는
$$4 + 6 = 10 \hspace{2cm} \text{답} \ ①$$

073 $Y = \{1, 2, 3, 4, 5\}$이므로 $f(1) + f(2) + f(3) = 11$인 경우는 $f(1), f(2), f(3)$의 값이
(i) 1, 5, 5일 때
$$\frac{3!}{2!} = 3$$
(ii) 2, 4, 5일 때
$$3! = 6$$
(iii) 3, 3, 5일 때
$$\frac{3!}{2!} = 3$$
(iv) 3, 4, 4일 때
$$\frac{3!}{2!} = 3$$
(i)~(iv)에서 구하는 함수 f의 개수는
$$3 + 6 + 3 + 3 = 15 \hspace{2cm} \text{답} \ 15$$

074 남학생 2명을 묶어 한 명으로, 여학생 3명을 묶어 한 명으로 생각하여 3명이 원탁에 둘러앉는 방법의 수는
$$(3 - 1)! = 2! = 2$$
남학생 2명이 자리를 바꾸는 방법의 수는
$$2! = 2$$
여학생 3명이 자리를 바꾸는 방법의 수는
$$3! = 6$$
따라서 구하는 방법의 수는
$$2 \times 2 \times 6 = 24 \hspace{2cm} \text{답} \ 24$$

075 14명을 원형으로 앉히는 방법의 수는
$$(14 - 1)! = 13!$$
그런데 부채꼴 모양의 탁자는 원형으로 앉는 한 가지 방법에 대하여 서로 다른 경우가 7가지 존재한다.
따라서 구하는 방법의 수는
$$7 \times 13! \hspace{2cm} \text{답} \ ③$$

076 크기가 작은 원을 칠하는 방법의 수는 7
그 각각에 대하여 나머지 6개의 영역을 칠하는 방법의 수는 크

기가 작은 원에 칠한 색을 제외한 6가지의 색을 원형으로 배열하는 원순열의 수이므로
$$(6 - 1)! = 5!$$
따라서 구하는 방법의 수는
$$7 \times 5! = 840 \hspace{2cm} \text{답} \ ⑤$$

077 7가지 색 중에서 두 밑면에 선택하여 칠하는 방법의 수는 ${}_7C_2$
나머지 5가지 색을 밑면과 인접한 다섯 개의 옆면에 원형으로 나열하여 칠하는 방법의 수는
$$(5 - 1)! = 4!$$
따라서 구하는 방법의 수는
$${}_7C_2 \times 4! = 504 \hspace{2cm} \text{답} \ ③$$

078 서로 다른 5개의 과일 중에서 2개를 택하여 두 접시 A, B에 담는 경우의 수는 서로 다른 5개에서 2개를 택하는 순열의 수이므로
$${}_5P_2 = 5 \times 4 = 20$$
이 각각에 대하여 나머지 과일 3개를 두 접시 C, D에 담는 경우의 수는 서로 다른 2개에서 3개를 택하는 중복순열의 수이므로
$${}_2\Pi_3 = 2^3 = 8$$
따라서 구하는 경우의 수는
$$20 \times 8 = 160 \hspace{2cm} \text{답} \ ②$$

079 0, 1, 2, 3, 4, 5 중에서 중복을 허용하여 자연수를 만들 때,
한 자리 수의 개수는 5
두 자리 수의 개수는 십의 자리에 0이 올 수 없으므로
$$5 \times {}_6\Pi_1 = 30$$
세 자리 수의 개수는 백의 자리에 0이 올 수 없으므로
$$5 \times {}_6\Pi_2 = 180$$
네 자리 수 중 천의 자리의 숫자가 1인 수의 개수는
$${}_6\Pi_3 = 216$$
네 자리 수 중 천의 자리의 숫자가 2인 수의 개수는
$${}_6\Pi_3 = 216$$
따라서 3000보다 작은 수의 개수는
$$5 + 30 + 180 + 216 + 216 = 647 \hspace{2cm} \text{답} \ ④$$

080 각 자리의 수의 합이 6인 경우는 다음 두 가지 경우이다.
(i) 각 자리의 수가 1, 1, 1, 3인 경우
네 수 1, 1, 1, 3을 나열하는 경우의 수는
$$\frac{4!}{3!1!} = 4$$
(ii) 각 자리의 수가 1, 1, 2, 2인 경우
네 수 1, 1, 2, 2를 나열하는 경우의 수는
$$\frac{4!}{2!2!} = 6$$
(i), (ii)에서 구하는 경우의 수는
$$4 + 6 = 10 \hspace{2cm} \text{답} \ 10$$

081 (i) A□□□□□의 꼴
빈칸에 B, N, A, N, A의 5개의 문자를 일렬로 배열하는 방법의 수는
$$\frac{5!}{2!2!} = 30$$

(ii) B□□□□의 꼴

빈칸에 A, N, A, N, A의 5개의 문자를 일렬로 배열하는 방법의 수는

$$\frac{5!}{3!2!}=10$$

(i), (ii)에서 30+10=40이므로

NAAABN은 41번째에 나온다.　　　　　🔲 ③

082 문제에서 주어진 도로망을 다시 나타내면 그림과 같다.

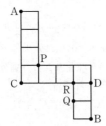

C지점을 지나지 않으면 반드시 P지점을 지나야 하므로 A지점에서 P지점까지 가는 경우의 수는

$$\frac{4!}{3!1!}=4$$

P지점을 지났을 때, D지점을 지나지 않아야 하므로 Q지점을 지나야 한다.

Q지점을 지나기 위해서는 R지점을 반드시 지나야 한다.

그러므로 P지점에서 R지점을 지나 Q지점까지 가는 경우의 수는

$$\frac{3!}{2!1!}\times1=3$$

또 Q지점에서 B지점까지 가는 경우의 수는 2

따라서 구하는 경우의 수는

$$4\times3\times2=24$$　　　　　🔲 ②

다른 풀이

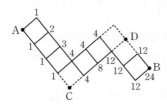

C지점과 D지점을 모두 지나지 않아야 하므로 그림과 같은 도로망을 따라 A지점에서 B지점으로 이동하는 경우의 수를 구하면 24이다.

083 (i) $f(1)=0$, $f(2)=2$인 경우

$${}_5\Pi_2=5^2=25$$

(ii) $f(1)=1$, $f(2)=1$인 경우

$${}_5\Pi_2=5^2=25$$

(iii) $f(1)=2$, $f(2)=0$인 경우

$${}_5\Pi_2=5^2=25$$

(i), (ii), (iii)에서 구하는 함수 f의 개수는

$$25+25+25=75$$　　　　　🔲 75

084 서로 다른 8개의 색을 사용하여 두 정삼각형에 칠할 때, 두 가지 색을 고르는 경우의 수는

$${}_8C_2=\frac{8\times7}{2}=28$$

우선, 3개의 색을 선택하여 회전을 고려하여 위쪽에 있는 3개의 등변사다리꼴에 색을 칠한 다음, 아래쪽에 있는 3개의 등변사다리꼴에 색을 칠하는 경우의 수는

$${}_6C_3\times(3-1)!\times3!=\frac{6\times5\times4}{3\times2\times1}\times2\times3\times2$$
$$=240$$

따라서 구하는 경우의 수는

$$28\times240=6720$$　　　　　🔲 6720

085 점 P가 원점을 출발하여 4번 '이동'을 시행했을 때, 점 A에 도달하려면 길이가 1인 ↑, →, ← 또는 길이가 $\sqrt{2}$인 ↗, ↘을 사용하여야 하고, 대각선(↗, ↘)을 사용하지 않는 경우, 두 번 사용하는 경우로 나누어 생각하면 구하는 방법은 다음과 같다.

(i) →, ↑, ↑, ↑를 사용하는 경우

$$\frac{4!}{3!}=4(가지)$$

(ii) ↗, ↗, ↑, ←를 사용하는 경우

$$\frac{4!}{2!}=12(가지)$$

(iii) ↗, ↘, →, ↑를 사용하는 경우

$$4!=24(가지)$$

(i), (ii), (iii)에 의하여 구하는 방법의 수는

$$4+12+24=40$$　　　　　🔲 40

001 $_5C_2=\dfrac{5\times4}{2\times1}=10$　　　　　답 10

002 $_5C_3=_5C_2=\dfrac{5\times4}{2\times1}=10$　　　　답 10

003 $_5H_2=_{5+2-1}C_2=_6C_2=15$　　　　답 15

004 $_3H_5=_{3+5-1}C_5=_7C_5=_7C_2=21$　　　답 21

005 $_7H_2=_{7+2-1}C_2=_8C_2$이므로
$n=8$　　　　　답 8

006 $_nH_8=_{n+8-1}C_8=_9C_8$이므로
$n+8-1=9$
$\therefore n=2$　　　　　답 2

007 서로 다른 3개에서 5개를 택하는 중복조합의 수는
$_3H_5$　　　　　답 $_3H_5$

008 서로 다른 4종류의 꽃에서 10송이를 택하여 꽃다발을 만드는 방법의 수는
$_4H_{10}$　　　　　답 $_4H_{10}$

009 3개의 숫자 중에서 서로 다른 두 개를 뽑아 일렬로 배열하는 경우의 수는 서로 다른 3개에서 2개를 택하여 일렬로 배열하는 순열의 수와 같으므로
$_3P_2=3\times2=6$　　　　답 6

010 3개의 숫자 중에서 중복을 허용하여 두 개를 뽑아 일렬로 배열하는 경우의 수는 서로 다른 3개에서 중복을 허용하여 2개를 택하여 일렬로 배열하는 중복순열의 수와 같으므로
$_3\Pi_2=3^2=9$　　　　답 9

011 3개의 숫자 중에서 서로 다른 두 개의 숫자를 뽑는 경우의 수는 서로 다른 3개에서 순서를 생각하지 않고 2개를 택하는 조합의 수와 같으므로
$_3C_2=_3C_1=3$　　　　답 3

012 3개의 숫자 중에서 중복을 허용하여 두 개를 뽑는 경우의 수는 서로 다른 3개에서 중복을 허용하여 2개를 택하는 중복조합의 수와 같으므로
$_3H_2=_{3+2-1}C_2=_4C_2=\dfrac{4\times3}{2\times1}=6$　　답 6

013 $_2H_4=_{2+4-1}C_4=_5C_4=_5C_1=5$　　　답 5

014 서로 다른 3개에서 중복을 허용하여 7개를 택하는 중복조합의 수와 같으므로
$_3H_7=_{3+7-1}C_7=_9C_7=_9C_2=36$　　답 36

015 서로 다른 4개에서 중복을 허용하여 6개를 택하는 중복조합의 수와 같으므로
$_4H_6=_{4+6-1}C_6=_9C_6=_9C_3=84$　　답 84

016 전개식의 각 항은 모두 x^py^q 꼴이고 $p+q=6$ ($p\geq0$, $q\geq0$)이므로 식을 전개할 때, 생기는 서로 다른 항의 개수는 2개의 문자 p, q에서 중복을 허락하여 6개를 뽑는 중복조합의 수와 같다.
$\therefore _2H_6=_{2+6-1}C_6=_7C_6=_7C_1=7$　　답 7

017 전개식의 각 항은 모두 $x^py^qz^r$ 꼴이고 $p+q+r=5$ ($p\geq0$, $q\geq0$, $r\geq0$)이므로 식을 전개할 때, 생기는 서로 다른 항의 개수는 3개의 문자 p, q, r에서 중복을 허락하여 5개를 뽑는 중복조합의 수와 같다.
$\therefore _3H_5=_{3+5-1}C_5=_7C_5=_7C_2=21$　　답 21

018 음이 아닌 정수해의 개수는 x, y에서 중복을 허락하여 6개를 택하는 중복조합의 수와 같으므로
$_2H_6=_{2+6-1}C_6=_7C_6=_7C_1=7$　　답 7

019 음이 아닌 정수해의 개수는 x, y, z에서 중복을 허락하여 5개를 택하는 중복조합의 수와 같으므로
$_3H_5=_{3+5-1}C_5=_7C_5=_7C_2=21$　　답 21

020 $(x+y)^5$의 전개식의 일반항은
$_5C_r\,x^{5-r}y^r$
x^2y^3의 계수는 $r=3$일 때이므로
$_5C_3=_5C_2=10$　　　　답 10

021 $(x-y)^5$의 전개식의 일반항은
$_5C_r\,x^{5-r}(-y)^r=_5C_r\,(-1)^r x^{5-r}y^r$
x^2y^3의 계수는 $r=3$일 때이므로
$_5C_3\times(-1)^3=_5C_2\times(-1)=-10$　　답 -10

022 $(x+2y)^5$의 전개식의 일반항은
$_5C_r\,x^{5-r}(2y)^r=_5C_r\,2^r x^{5-r}y^r$
x^2y^3의 계수는 $r=3$일 때이므로
$_5C_3\times2^3=_5C_2\times8=80$　　답 80

023 $(2x+1)^6$의 전개식의 일반항은
$_6C_r\,(2x)^{6-r}1^r=_6C_r\,2^{6-r}x^{6-r}$
x^3의 계수는 $6-r=3$, 즉 $r=3$일 때이므로
$_6C_3\times2^3=_6C_3\times8=160$　　답 160

024 $\left(x+\dfrac{1}{x}\right)^4$의 전개식의 일반항은
$_4C_r\,x^{4-r}\left(\dfrac{1}{x}\right)^r=_4C_r\,x^{4-2r}$
상수항은 $4-2r=0$, 즉 $r=2$일 때이므로
$_4C_2=6$　　　　답 6

025

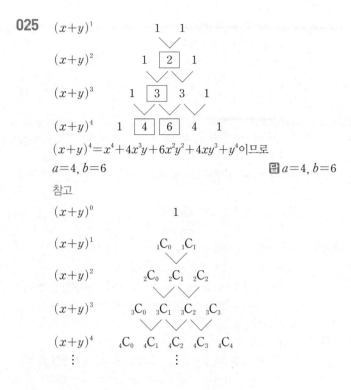

$(x+y)^4 = x^4 + 4x^3y + 6x^2y^2 + 4xy^3 + y^4$이므로
$a=4,\ b=6$ 📄 $a=4,\ b=6$

참고

$(x+y)^0$ 1

$(x+y)^1$ $_1C_0 \quad _1C_1$

$(x+y)^2$ $_2C_0 \quad _2C_1 \quad _2C_2$

$(x+y)^3$ $_3C_0 \quad _3C_1 \quad _3C_2 \quad _3C_3$

$(x+y)^4$ $_4C_0 \quad _4C_1 \quad _4C_2 \quad _4C_3 \quad _4C_4$
$\vdots$ $\vdots$

026 $(1+x)^5 = {_5C_0} + {_5C_1}x + {_5C_2}x^2 + {_5C_3}x^3 + {_5C_4}x^4 + {_5C_5}x^5$에서
$x=1$을 대입하면
${_5C_0} + {_5C_1} + {_5C_2} + {_5C_3} + {_5C_4} + {_5C_5} = 2^5 = 32$ 📄 32

027 $(1+x)^6 = {_6C_0} + {_6C_1}x + {_6C_2}x^2 + {_6C_3}x^3 + {_6C_4}x^4 + {_6C_5}x^5 + {_6C_6}x^6$
에서 $x=1$을 대입하면
${_6C_0} + {_6C_1} + {_6C_2} + {_6C_3} + {_6C_4} + {_6C_5} + {_6C_6} = 2^6 = 64$
$\therefore {_6C_1} + {_6C_2} + {_6C_3} + {_6C_4} + {_6C_5} = 64 - ({_6C_0} + {_6C_6})$
           $= 64 - 2$
           $= 62$ 📄 62

028 ${_3C_2} = {_3C_1} = 3$
${_3H_5} = {_{3+5-1}C_5} = {_7C_5} = {_7C_2} = 21$
$\therefore {_3C_2} + {_3H_5} = 3 + 21 = 24$ 📄 ④

029 ${_2H_r} = {_{2+r-1}C_r} = {_{1+r}C_r} = {_{1+r}C_1} = {_5C_1}$이므로
$r=4$
$\therefore {_3H_4} = {_{3+4-1}C_4} = {_6C_4} = {_6C_2} = 15$ 📄 15

030 서로 다른 2개에서 중복을 허용하여 4개를 택하는 방법의 수와
같으므로
${_2H_4} = {_{2+4-1}C_4} = {_5C_4} = {_5C_1} = 5$ 📄 5

031 서로 다른 3개의 우체통 A, B, C에서 중복을 허용하여 7개를
택하는 중복조합의 수이므로
${_3H_7} = {_{3+7-1}C_7} = {_9C_7} = {_9C_2} = 36$ 📄 ④

032 각 색깔의 공의 개수가 중복을 허락하기에 충분하므로 구하는
방법의 수는
${_3H_5} = {_{3+5-1}C_5} = {_7C_5} = {_7C_2} = 21$ 📄 21

033 붉은 구슬 4개를 서로 다른 2개의 상자에 넣는 방법의 수는
${_2H_4} = {_{2+4-1}C_4} = {_5C_4} = {_5C_1} = 5$
흰 구슬 5개를 서로 다른 2개의 상자에 넣는 방법의 수는
${_2H_5} = {_{2+5-1}C_5} = {_6C_5} = {_6C_1} = 6$
따라서 구하는 방법의 수는
$5 \times 6 = 30$ 📄 30

034 먼저 사과 주스, 포도 주스, 감귤 주스를 각각 1개씩 선택하고
중복을 허락하여 나머지 4병을 선택하면 된다.
따라서 구하는 방법의 수는 3종류의 주스 중에서 중복을 허용
하여 4개를 택하는 중복조합의 수이므로
${_3H_4} = {_{3+4-1}C_4} = {_6C_4} = {_6C_2} = 15$ 📄 ③

035 다섯 명의 학생 A, B, C, D, E에게 2자루씩 먼저 나누어 주고
나머지 4자루를 중복을 허락하여 다섯 명의 학생에게 나누어 주
면 된다.
따라서 구하는 방법의 수는 서로 다른 5개 중에서 중복을 허락하
여 4개를 택하는 중복조합의 수이므로
${_5H_4} = {_{5+4-1}C_4} = {_8C_4} = 70$ 📄 70

036 먼저 빨간색 공 2개를 선택했다고 하면 4종류의 공 중에서 중복
을 허용하여 4개를 택하는 중복조합의 수이므로
${_4H_4} = {_{4+4-1}C_4} = {_7C_4} = {_7C_3} = 35$ 📄 35

037 4가지 색 중에서 2가지 색을 선택하는 방법의 수는 서로 다른 4개
에서 2개를 선택하는 조합의 수이므로
${_4C_2} = 6$
이 각각에 대하여 2가지 색의 볼펜은 적어도 하나씩 있어야 하므
로 우선 하나씩 선택한 후 나머지 3개만을 선택하면 된다.
즉, 서로 다른 2개에서 3개를 택하는 중복조합의 수이므로
${_2H_3} = {_{2+3-1}C_3} = {_4C_3} = {_4C_1} = 4$
따라서 구하는 방법의 수는
$6 \times 4 = 24$ 📄 ④

038 서로 다른 3개에서 m개를 택하는 중복조합의 수가 36이므로
$${_3H_m} = {_{m+2}C_m} = {_{m+2}C_2} = \frac{(m+2)(m+1)}{2} = 36$$
$(m+2)(m+1) = 72$
$m^2 + 3m - 70 = 0$
$(m+10)(m-7) = 0$
$\therefore m = 7 \ (\because m > 0)$
따라서 3종류의 치킨을 적어도 하나씩 포함하여 7개를 주문하는
방법의 수는 먼저 3종류의 치킨을 1개씩 주문하고 4개의 치킨을
더 주문해야 하므로 서로 다른 3개에서 4개를 택하는 중복조합의
수와 같다.
$\therefore {_3H_4} = {_{3+4-1}C_4} = {_6C_4} = {_6C_2} = 15$ 📄 15

039 딸기 맛 사탕 5개를 3명에게 나누어 주는 방법의 수는 서로 다른
3개에서 중복을 허락하여 5개를 택하는 중복조합의 수이므로
${_3H_5} = {_{3+5-1}C_5} = {_7C_5} = {_7C_2} = 21$
이 각각에 대하여 포도 맛 사탕 5개를 각 사람이 적어도 1개씩 받
도록 나누어 주어야 한다. 우선 각 사람에게 모두 1개씩 나누어

주면 나머지 2개의 포도 맛 사탕을 3명에게 나누어 주는 방법의 수는 서로 다른 3개에서 중복을 허락하여 2개를 택하는 중복조합의 수이므로

$_3H_2=_{3+2-1}C_2=_4C_2=6$

따라서 구하는 방법의 수는

$21\times6=126$

답 126

040 $(a+b+c)^9$의 전개식에서 각 항은 $a^xb^yc^z$ 꼴이고 $x+y+z=9$ $(x\geq0, y\geq0, z\geq0)$이므로 구하는 항의 개수는 세 문자 중에서 중복을 허용하여 9개를 택하는 중복조합의 수와 같다.

$\therefore {}_3H_9=_{3+9-1}C_9=_{11}C_9=_{11}C_2=55$

답 ③

041 $(a+b+c)^4$의 전개식에서 각 항은 $a^xb^yc^z$ 꼴이고 $x+y+z=4$ $(x\geq0, y\geq0, z\geq0)$이므로 서로 다른 항의 개수는 세 문자 중에서 중복을 허용하여 4개를 택하는 중복조합의 수와 같다.

$\therefore {}_3H_4=_{3+4-1}C_4=_6C_4=_6C_2=15$

이 각각에 대하여 $(d+e)^3$의 전개식에서 각 항은 d^se^t 꼴이고 $s+t=3$ $(s\geq0, t\geq0)$이므로 서로 다른 항의 개수는 두 문자 중에서 중복을 허용하여 3개를 택하는 중복조합의 수와 같다.

$\therefore {}_2H_3=_{2+3-1}C_3=_4C_3=_4C_1=4$

따라서 구하는 서로 다른 항의 개수는

$15\times4=60$

답 60

042 $(a+b+c)^n$의 전개식에서 각 항은 $a^xb^yc^z$ 꼴이고 $x+y+z=n$ $(x\geq0, y\geq0, z\geq0)$이므로 서로 다른 항의 개수는 세 문자 중에서 중복을 허용하여 n개를 택하는 중복조합의 수와 같으므로

$_3H_n=_{3+n-1}C_n=_{n+2}C_n=_{n+2}C_2=\dfrac{(n+2)(n+1)}{2}=28$

$(n+2)(n+1)=56$

$n^2+3n-54=0$

$(n+9)(n-6)=0$

$\therefore n=6\ (\because n$은 자연수$)$

답 6

043 x, y, z는 자연수이므로 $x\geq1, y\geq1, z\geq1$

$x=x'+1, y=y'+1, z=z'+1\ (x'\geq0, y'\geq0, z'\geq0)$로 놓으면 주어진 방정식은

$(x'+1)+(y'+1)+(z'+1)=7$에서

$x'+y'+z'=4$

따라서 구하는 순서쌍의 개수는 방정식 $x'+y'+z'=4$에서 음이 아닌 정수해의 순서쌍 (x', y', z')의 개수와 같으므로

$_3H_4=_{3+4-1}C_4=_6C_4=_6C_2=15$

답 ①

044 주어진 방정식의 해의 개수는 x, y, z에서 중복을 허용하여 k개를 택하는 중복조합의 수이므로

$_3H_k=_{k+2}C_k$

$=_{k+2}C_2$

$=\dfrac{(k+2)(k+1)}{2}=105$

$(k+2)(k+1)=210$

$k^2+3k-208=0$

$(k+16)(k-13)=0$

$\therefore k=13\ (\because k$는 자연수$)$

답 13

045 $x>1, y>2, z\geq3$에서

x', y', z'을 음이 아닌 정수라 하면

$x=x'+1$

$y=y'+2$

$z=z'+3$

$\therefore x'+y'+z'=8$

즉, 구하는 해의 개수는 $x'+y'+z'=8$을 만족시키는 음이 아닌 정수해의 개수와 같다.

따라서 x', y', z'에서 중복을 허용하여 8개를 택하는 중복조합의 수이므로

$_3H_8=_{3+8-1}C_8=_{10}C_8=_{10}C_2=45$

답 45

046 w의 값에 따라 각각의 경우로 나누면 다음과 같다.

(i) $w=0$일 때,

주어진 방정식은 $x+y+z=8$이고 구하는 순서쌍의 개수는 서로 다른 3개에서 8개를 택하는 중복조합의 수이므로

$_3H_8=_{3+8-1}C_8=_{10}C_8=_{10}C_2=45$

(ii) $w=1$일 때,

주어진 방정식은 $x+y+z=3$이고 구하는 순서쌍의 개수는 서로 다른 3개에서 3개를 택하는 중복조합의 수이므로

$_3H_3=_{3+3-1}C_3=_5C_3=_5C_2=10$

(i), (ii)에 의하여 구하는 순서쌍의 개수는

$45+10=55$

답 55

047 음이 아닌 정수 x', y', z'에 대하여 $x=2x'+1, y=2y'+1, z=2z'+1$로 놓으면 주어진 방정식은

$(2x'+1)+(2y'+1)+(2z'+1)=51$

$2(x'+y'+z')=48$

$\therefore x'+y'+z'=24$

즉, 주어진 방정식의 양의 홀수의 해의 개수는 $x'+y'+z'=24$를 만족시키는 음이 아닌 정수해의 개수와 같으므로

$_3H_{24}=_{3+24-1}C_{24}=_{26}C_{24}=_{26}C_2=325$

답 ②

048 조건 (나)에서 네 자연수 x, y, z, w 중에서 3으로 나눈 나머지가 1인 수 2개를 선택하고, 3으로 나눈 나머지가 2인 수 2개를 선택하는 경우의 수는

$_4C_2\times_2C_2=6$ ……㉠

x, y는 3으로 나눈 나머지가 1인 수, z, w는 3으로 나눈 나머지가 2인 수라 하면

$x=3x'+1, y=3y'+1, z=3z'+2, w=3w'+2$

(단, x', y', z', w'은 음이 아닌 정수이다.)

조건 (가)에서 $x+y+z+w=21$이므로

$(3x'+1)+(3y'+1)+(3z'+2)+(3w'+2)=21$

$\therefore x'+y'+z'+w'=5$

즉, x', y', z', w'에서 5개를 선택하는 중복조합의 수이므로

$_4H_5=_{4+5-1}C_5=_8C_5=_8C_3=56$ ……㉡

㉠, ㉡에서 모든 순서쌍 (x, y, z, w)의 개수는

$6\times56=336$

답 336

049 구하는 순서쌍의 개수는 3부터 10까지의 8개의 자연수 중에서 중복을 허락하여 4개를 택하는 중복조합의 수와 같으므로

$_8H_4=_{8+4-1}C_4=_{11}C_4=330$

답 ④

050 구하는 순서쌍의 개수는 1부터 20까지 10개의 홀수 중에서 중복을 허락하여 3개를 택하는 중복조합의 수와 같으므로

$_{10}H_3 = {}_{10+3-1}C_3 = {}_{12}C_3 = 220$

答 220

051 부등식 $a \le b \le 4 < c < d \le 10$을 다음과 같이 2가지 경우로 나누어 생각하자.

(i) $a \le b \le 4$를 만족시키는 음이 아닌 정수 a, b의 순서쌍 (a, b)의 개수는 0, 1, 2, 3, 4의 5개의 수 중에서 중복을 허락하여 2개를 뽑는 중복조합의 수와 같으므로

$_5H_2 = {}_{5+2-1}C_2 = {}_6C_2 = 15$

(ii) $4 < c < d \le 10$을 만족시키는 음이 아닌 정수 c, d의 순서쌍 (c, d)의 개수는 5, 6, 7, 8, 9, 10의 6개의 수 중에서 2개를 뽑는 조합의 수와 같으므로

$_6C_2 = 15$

(i), (ii)에 의하여 구하는 모든 순서쌍 (a, b, c, d)의 개수는

$15 \times 15 = 225$

答 225

052 (1) 서로 다른 4개에서 3개를 택하는 중복순열의 수와 같으므로

$_4\Pi_3 = 4^3 = 64$

(2) 서로 다른 4개에서 3개를 택하는 순열의 수와 같으므로

$_4P_3 = 24$

(3) 서로 다른 4개에서 3개를 택하여 작은 것부터 차례대로 $f(a)$, $f(b)$, $f(c)$에 대응시키면 되므로 함수 f의 개수는

$_4C_3 = {}_4C_1 = 4$

(4) 서로 다른 4개에서 3개를 택하는 중복조합의 수와 같으므로

$_4H_3 = {}_6C_3 = 20$

答 (1) 64 (2) 24 (3) 4 (4) 20

053 $a \in A$, $b \in A$이고 $a < b$이면 $f(a) \ge f(b)$를 만족시키는 함수 $f: A \longrightarrow B$의 개수는 집합 B의 원소 중에서 중복을 허락하여 4개를 택하는 중복조합의 수와 같으므로

$_5H_4 = {}_{5+4-1}C_4 = {}_8C_4 = 70$

答 70

054 (i) $f(3) = 7$일 때

$f(1)$, $f(2)$가 대응하는 경우의 수는 6, 7 중에서 중복을 허락하여 2개를 뽑는 중복조합의 수와 같고, $f(4)$, $f(5)$가 대응하는 경우의 수는 7, 8, 9, 10 중에서 중복을 허락하여 2개를 뽑는 중복조합의 수와 같으므로

$_2H_2 \times {}_4H_2 = {}_{2+2-1}C_2 \times {}_{4+2-1}C_2 = {}_3C_2 \times {}_5C_2 = 3 \times 10 = 30$

(ii) $f(3) = 9$일 때

$f(1)$, $f(2)$가 대응하는 경우의 수는 6, 7, 8, 9 중에서 중복을 허락하여 2개를 뽑는 중복조합의 수와 같고, $f(4)$, $f(5)$가 대응하는 경우의 수는 9, 10 중에서 중복을 허락하여 2개를 뽑는 중복조합의 수와 같으므로

$_4H_2 \times {}_2H_2 = {}_{4+2-1}C_2 \times {}_{2+2-1}C_2 = {}_5C_2 \times {}_3C_2 = 10 \times 3 = 30$

(i), (ii)에 의하여 구하는 함수 f의 개수는

$30 + 30 = 60$

答 60

055 $(x+y)^{10}$의 전개식의 일반항은

$_{10}C_r x^{10-r}y^r$

따라서 x^3y^7의 계수는 $r = 7$일 때이므로

$_{10}C_7 = {}_{10}C_3 = 120$

答 ③

056 $\frac{1}{2}(x-2y)^{10}$의 전개식의 일반항은

$\frac{1}{2}\,{}_{10}C_r x^{10-r}(-2y)^r = \frac{1}{2}(-2)^r\,{}_{10}C_r x^{10-r}y^r$

따라서 x^7y^3의 계수는 $r = 3$일 때이므로

$\frac{1}{2}(-2)^3\,{}_{10}C_3 = -4 \times {}_{10}C_3 = -480$

答 -480

057 $(x^2+x)^4$의 전개식의 일반항은

$_4C_r(x^2)^{4-r}x^r = {}_4C_r x^{8-r}$

$x^{8-r} = x^5$에서

$8 - r = 5$

$\therefore r = 3$

따라서 x^5의 계수는

$_4C_3 = {}_4C_1 = 4$

答 4

058 $x(x^2+y)^5$의 전개식에서 x^3y^4의 계수는 $(x^2+y)^5$의 전개식에서 x^2y^4의 계수와 같다.

$(x^2+y)^5$의 전개식의 일반항은

$_5C_r(x^2)^{5-r}y^r = {}_5C_r x^{10-2r}y^r$

$x^{10-2r}y^r = x^2y^4$에서 $r = 4$

따라서 x^3y^4의 계수는

$_5C_4 = {}_5C_1 = 5$

答 ①

059 $(ax+2)^4$의 전개식의 일반항은

$_4C_r(ax)^{4-r}2^r = {}_4C_r a^{4-r}2^r x^{4-r}$

$x^{4-r} = x^2$에서 $r = 2$

즉, x^2의 계수는

$_4C_2 a^2 \times 2^2 = 216$

$a^2 = 9$

$\therefore a = 3 \ (\because a > 0)$

答 3

060 $(x-1)^n = (-1+x)^n$의 전개식의 일반항은

$_nC_r(-1)^{n-r}x^r$

x의 계수는 $r = 1$일 때이므로

$_nC_1(-1)^{n-1} = -12$, $n \times (-1)^{n-1} = -12$

$\therefore n = 12$

答 12

061 $\left(x^2+\dfrac{1}{x}\right)^6$의 전개식의 일반항은

$_6C_r(x^2)^{6-r}\left(\dfrac{1}{x}\right)^r = {}_6C_r x^{12-3r}$

$x^{12-3r} = x^3$에서 $r = 3$

따라서 x^3의 계수는 $_6C_3 = 20$

答 ⑤

062 $\left(x-\dfrac{a}{x^2}\right)^6$의 전개식의 일반항은

$_6C_r x^{6-r}\left(-\dfrac{a}{x^2}\right)^r = {}_6C_r(-a)^r x^{6-3r}$

상수항은 $6 - 3r = 0$일 때이므로 $r = 2$

즉, 상수항은 $_6C_2(-a)^2 = 60$

$a^2 = 4$

$\therefore a = 2 \ (\because a > 0)$

答 2

063 $\left(\dfrac{1}{x}+x^2\right)^n$의 전개식의 일반항은

$${}_n\mathrm{C}_r\left(\dfrac{1}{x}\right)^{n-r}(x^2)^r={}_n\mathrm{C}_r x^{-n+3r}$$

x^2의 계수는 $-n+3r=2$

즉, $r=\dfrac{n+2}{3}$, $n=3k+1\,(k=0, 1, 2, \cdots)$일 때이므로

$${}_n\mathrm{C}_{\frac{n+2}{3}} \quad \cdots\cdots \text{㉠}$$

x^8의 계수는 $-n+3r=8$

즉, $r=\dfrac{n+8}{3}$, $n=3k'+1\,(k'=1, 2, \cdots)$일 때이므로

$${}_n\mathrm{C}_{\frac{n+8}{3}} \quad \cdots\cdots \text{㉡}$$

㉠, ㉡이 서로 같으므로

$${}_n\mathrm{C}_{\frac{n+2}{3}}={}_n\mathrm{C}_{\frac{n+8}{3}}$$

자연수 n에 대하여 $\dfrac{n+2}{3}\neq\dfrac{n+8}{3}$이므로

$$\dfrac{n+2}{3}+\dfrac{n+8}{3}=n$$

$$2n+10=3n \qquad \therefore n=10 \qquad \text{탑}\,10$$

064 $(1+2x)^6(1-x)=(1+2x)^6-x(1+2x)^6$이므로

$(1+2x)^6(1-x)$의 전개식에서 x^4의 계수는

$(1+2x)^6$에서 x^4의 계수와 $-(1+2x)^6$에서 x^3의 계수의 합과 같다.

(i) $(1+2x)^6$의 전개식의 일반항은

$${}_6\mathrm{C}_r 1^{6-r}(2x)^r={}_6\mathrm{C}_r 2^r x^r$$

$x^r=x^4$에서 $r=4$

즉, x^4의 계수는

$${}_6\mathrm{C}_4 2^4={}_6\mathrm{C}_2\times16=240$$

(ii) $-(1+2x)^6$의 전개식의 일반항은

$$-{}_6\mathrm{C}_r 1^{6-r}(2x)^r=-{}_6\mathrm{C}_r 2^r x^r$$

$x^r=x^3$에서 $r=3$

즉, x^3의 계수는

$$-{}_6\mathrm{C}_3 2^3=-{}_6\mathrm{C}_3\times8=-160$$

(i), (ii)에 의하여 x^4의 계수는

$$240-160=80 \qquad \text{탑}\,⑤$$

065 $(x+1)^5(x+2)^2=(1+x)^5(2+x)^2$이므로

$(1+x)^5$의 전개식의 일반항은 ${}_5\mathrm{C}_r 1^{5-r}x^r$

$(2+x)^2$의 전개식의 일반항은 ${}_2\mathrm{C}_s 2^{2-s}x^s$

즉, $(1+x)^5(2+x)^2$의 전개식의 일반항은

$${}_5\mathrm{C}_r\times{}_2\mathrm{C}_s 2^{2-s}x^{r+s}$$

$x^{r+s}=x$에서 $r+s=1$

(i) $r=0$, $s=1$일 때, ${}_5\mathrm{C}_0\times{}_2\mathrm{C}_1\times2=4$

(ii) $r=1$, $s=0$일 때, ${}_5\mathrm{C}_1\times{}_2\mathrm{C}_0\times2^2=20$

(i), (ii)에 의하여 구하는 x의 계수는

$$4+20=24 \qquad \text{탑}\,24$$

066 $(a+b+c)^6=\{(a+b)+c\}^6$이므로 $(a+b)$를 한 문자로 생각하면

$\{(a+b)+c\}^6$의 전개식에서 c^3이 나오는 항은 ${}_6\mathrm{C}_3(a+b)^3c^3$

또 $(a+b)^3$의 전개식에서 b^2이 나오는 항은 ${}_3\mathrm{C}_2 ab^2$

따라서 ab^2c^3의 계수는 ${}_6\mathrm{C}_3\times{}_3\mathrm{C}_2=60$

$$\text{탑}\,60$$

다른 풀이

$(a+b+c)^6$의 전개식의 일반항은

$$\dfrac{6!}{p!q!r!}a^pb^qc^r \text{ (단, } p+q+r=6,\ p\geq0,\ q\geq0,\ r\geq0)$$

ab^2c^3의 계수는 $p=1$, $q=2$, $r=3$일 때이므로

$$\dfrac{6!}{1!2!3!}=60$$

067 ${}_{n-1}\mathrm{C}_{r-1}+{}_{n-1}\mathrm{C}_r={}_n\mathrm{C}_r$이므로

$${}_3\mathrm{C}_3+{}_4\mathrm{C}_3+{}_5\mathrm{C}_3+{}_6\mathrm{C}_3+\cdots+{}_{10}\mathrm{C}_3$$
$$=({}_4\mathrm{C}_4+{}_4\mathrm{C}_3)+{}_5\mathrm{C}_3+{}_6\mathrm{C}_3+\cdots+{}_{10}\mathrm{C}_3$$
$$=({}_5\mathrm{C}_4+{}_5\mathrm{C}_3)+{}_6\mathrm{C}_3+\cdots+{}_{10}\mathrm{C}_3$$
$$=({}_6\mathrm{C}_4+{}_6\mathrm{C}_3)+\cdots+{}_{10}\mathrm{C}_3$$
$$\vdots$$
$$={}_{10}\mathrm{C}_4+{}_{10}\mathrm{C}_3$$
$$={}_{11}\mathrm{C}_4={}_{11}\mathrm{C}_7 \qquad \text{탑}\,③$$

068 ${}_{n-1}\mathrm{C}_{r-1}+{}_{n-1}\mathrm{C}_r={}_n\mathrm{C}_r$이므로

$${}_2\mathrm{C}_0+{}_2\mathrm{C}_1+{}_3\mathrm{C}_2+{}_4\mathrm{C}_3+{}_5\mathrm{C}_4={}_3\mathrm{C}_1+{}_3\mathrm{C}_2+{}_4\mathrm{C}_3+{}_5\mathrm{C}_4$$
$$={}_4\mathrm{C}_2+{}_4\mathrm{C}_3+{}_5\mathrm{C}_4$$
$$={}_5\mathrm{C}_3+{}_5\mathrm{C}_4$$
$$={}_6\mathrm{C}_4={}_6\mathrm{C}_2$$
$$=15 \qquad \text{탑}\,15$$

069 ${}_5\mathrm{C}_1+{}_5\mathrm{C}_2=({}_4\mathrm{C}_0+{}_4\mathrm{C}_1)+({}_4\mathrm{C}_1+{}_4\mathrm{C}_2)$
$$={}_4\mathrm{C}_0+2{}_4\mathrm{C}_1+{}_4\mathrm{C}_2$$
$$={}_4\mathrm{C}_0+2({}_3\mathrm{C}_0+{}_3\mathrm{C}_1)+{}_3\mathrm{C}_1+{}_3\mathrm{C}_2$$
$$={}_4\mathrm{C}_0+2{}_3\mathrm{C}_0+3{}_3\mathrm{C}_1+{}_3\mathrm{C}_2$$
$$={}_4\mathrm{C}_0+2{}_3\mathrm{C}_0+3({}_2\mathrm{C}_0+{}_2\mathrm{C}_1)+{}_2\mathrm{C}_1+{}_2\mathrm{C}_2$$

따라서 $a=2$, $b=3$이므로 $a+b=5$ $\qquad \text{탑}\,5$

070 (1) 그림과 같이 파스칼의 삼각형을 이용하여 전개하면

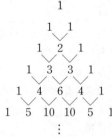

$$(a+b)^5=a^5+5a^4b+10a^3b^2+10a^2b^3+5ab^4+b^5$$

(2) 이항정리를 이용하여 $(a+b)^5$을 전개하면

$$(a+b)^5={}_5\mathrm{C}_0a^5+{}_5\mathrm{C}_1a^4b+{}_5\mathrm{C}_2a^3b^2+{}_5\mathrm{C}_3a^2b^3$$
$$+{}_5\mathrm{C}_4ab^4+{}_5\mathrm{C}_5b^5$$
$$=a^5+5a^4b+10a^3b^2+10a^2b^3+5ab^4+b^5$$

$$\text{탑}\,(1)\ a^5+5a^4b+10a^3b^2+10a^2b^3+5ab^4+b^5$$
$$(2)\ a^5+5a^4b+10a^3b^2+10a^2b^3+5ab^4+b^5$$

071 $(1+x)^n={}_n\mathrm{C}_0+{}_n\mathrm{C}_1x+{}_n\mathrm{C}_2x^2+\cdots+{}_n\mathrm{C}_nx^n$

의 양변에 $x=-1$을 대입하면

$${}_n\mathrm{C}_0-{}_n\mathrm{C}_1+{}_n\mathrm{C}_2-{}_n\mathrm{C}_3+\cdots+(-1)^n{}_n\mathrm{C}_n=0$$

$$\text{탑}\,풀이 참조$$

072 $(1+x)^{2n}={}_{2n}C_0+{}_{2n}C_1x+{}_{2n}C_2x^2+\cdots+{}_{2n}C_{2n}x^{2n}$ ......㉠

㉠의 양변에 $x=1$을 대입하면

${}_{2n}C_0+{}_{2n}C_1+{}_{2n}C_2+{}_{2n}C_3+\cdots+{}_{2n}C_{2n}=2^{2n}$ ......㉡

㉠의 양변에 $x=-1$을 대입하면

${}_{2n}C_0-{}_{2n}C_1+{}_{2n}C_2-{}_{2n}C_3+\cdots+{}_{2n}C_{2n}=0$ ......㉢

㉡+㉢을 하면

$2({}_{2n}C_0+{}_{2n}C_2+{}_{2n}C_4+\cdots+{}_{2n}C_{2n})=2^{2n}$

$\therefore {}_{2n}C_0+{}_{2n}C_2+{}_{2n}C_4+\cdots+{}_{2n}C_{2n}=2^{2n-1}$

㉡−㉢을 하면

$2({}_{2n}C_1+{}_{2n}C_3+{}_{2n}C_5+\cdots+{}_{2n}C_{2n-1})=2^{2n}$

$\therefore {}_{2n}C_1+{}_{2n}C_3+{}_{2n}C_5+\cdots+{}_{2n}C_{2n-1}=2^{2n-1}$

답 풀이 참조

073 ${}_{10}C_0+{}_{10}C_1+{}_{10}C_2+\cdots+{}_{10}C_9+{}_{10}C_{10}=2^{10}$이므로

${}_{10}C_2+{}_{10}C_3+{}_{10}C_4+\cdots+{}_{10}C_9=2^{10}-{}_{10}C_0-{}_{10}C_1-{}_{10}C_{10}$

$\qquad\qquad\qquad\qquad\qquad =1024-1-10-1$

$\qquad\qquad\qquad\qquad\qquad =1012$ 답 ③

074 ${}_{55}C_0+{}_{55}C_1+{}_{55}C_2+\cdots+{}_{55}C_{55}=2^{55}$

${}_{55}C_1+{}_{55}C_3+{}_{55}C_5+\cdots+{}_{55}C_{55}=2^{54}$

$\therefore$ (주어진 식)$=\dfrac{2^{54}}{2^{55}}=\dfrac{1}{2}$ 답 $\dfrac{1}{2}$

075 ${}_nC_0+{}_nC_2+{}_nC_4+\cdots+{}_nC_n=2^{n-1}$이므로

$2^{n-1}=128=2^7$

$\therefore n=8$ 답 8

076 ${}_nH_3={}_{n+2}C_3={}_{n+2}C_{n-1}={}_{n+2}C_4$

이므로

$n-1=4$ $\therefore n=5$ 답 ③

077 먼저 레몬 맛 사탕 2개, 포도 맛 사탕을 3개 사고 나면 레몬 맛, 자두 맛, 포도 맛 사탕 3개에서 중복을 허용하여 8개의 사탕을 사면 된다.

따라서 구하는 방법의 수는

${}_3H_8={}_{3+8-1}C_8={}_{10}C_8={}_{10}C_2=45$ 답 45

078 계수가 1인 5차 단항식을 만드는 방법의 수는 x, y, z에서 중복을 허용하여 5개를 택하는 중복조합의 수이므로

${}_3H_5={}_{3+5-1}C_5={}_7C_5={}_7C_2=21$ 답 ④

079 음이 아닌 정수 x'에 대하여

$x=x'+3$으로 놓으면

$x+y+z+w=x'+3+y+z+w=6$

$\therefore x'+y+z+w=3$

따라서 구하는 순서쌍의 개수는 $x'+y+z+w=3$을 만족시키는 음이 아닌 정수 x', y, z, w의 순서쌍 (x', y, z, w)의 개수와 같으므로

${}_4H_3={}_{4+3-1}C_3={}_6C_3=20$ 답 20

080 조건 ㈎를 만족시키도록 $f(1)$, $f(3)$, $f(5)$를 결정하는 경우의 수는 서로 다른 5개에서 3개를 택하는 조합의 수이므로

${}_5C_3={}_5C_2=10$

이 각각에 대하여 조건 ㈏를 만족시키도록 $f(7)$, $f(9)$를 결정하는 경우의 수는 서로 다른 5개에서 2개를 택하는 중복조합의 수이므로

${}_5H_2={}_{5+2-1}C_2={}_6C_2=15$

따라서 구하는 함수 f의 개수는

$10\times15=150$ 답 ⑤

081 $(x+a)^6$의 전개식의 일반항은

${}_6C_r a^{6-r}x^r$

x^4의 계수는 $r=4$일 때이므로 ${}_6C_4\times a^2=15a^2$

x^5의 계수는 $r=5$일 때이므로 ${}_6C_5\times a=6a$

x^4의 계수가 x^5의 계수의 50배이므로

$15a^2=50\times6a$, $a(a-20)=0$

$\therefore a=20\ (\because a>0)$ 답 20

082 $\left(x-\dfrac{a}{x}\right)^6=\left\{x+\left(-\dfrac{a}{x}\right)\right\}^6$의 전개식의 일반항은

${}_6C_r x^{6-r}\left(-\dfrac{a}{x}\right)^r={}_6C_r(-a)^r x^{6-2r}$

x^4의 계수는 $6-2r=4$에서 $r=1$일 때이므로

${}_6C_1(-a)=-6a=-12$ $\therefore a=2$

따라서 상수항은 $6-2r=0$에서 $r=3$일 때이므로

${}_6C_3(-2)^3=20\times(-8)=-160$ 답 ⑤

083 $(1+x)^n={}_nC_0+{}_nC_1x+{}_nC_2x^2+\cdots+{}_nC_nx^n$

ㄱ. $x=1$, $n=10$을 대입하면

$2^{10}={}_{10}C_0+{}_{10}C_1+{}_{10}C_2+\cdots+{}_{10}C_9+{}_{10}C_{10}$

${}_{10}C_{10}=1$이므로

$2^{10}={}_{10}C_0+{}_{10}C_1+{}_{10}C_2+\cdots+{}_{10}C_9+1$

$\therefore 2^{10}-1={}_{10}C_0+{}_{10}C_1+{}_{10}C_2+\cdots+{}_{10}C_9$ (참)

ㄴ. $x=-1$, $n=5$를 대입하면

$0={}_5C_0-{}_5C_1+{}_5C_2-{}_5C_3+{}_5C_4-{}_5C_5$ (참)

ㄷ. $x=-1$, $n=7$을 대입하면

$0={}_7C_0-{}_7C_1+{}_7C_2-\cdots+{}_7C_6-{}_7C_7$

${}_7C_0={}_7C_7$이므로

${}_7C_2+{}_7C_4+{}_7C_6={}_7C_1+{}_7C_3+{}_7C_5$ (참)

따라서 ㄱ, ㄴ, ㄷ 모두 옳다. 답 ⑤

084 5명 이상으로 구성된 대표 팀을 만드는 방법의 수는

${}_9C_5+{}_9C_6+\cdots+{}_9C_9$

${}_9C_0+{}_9C_1+\cdots+{}_9C_9=2^9$이고

${}_9C_0+{}_9C_1+\cdots+{}_9C_9=2({}_9C_5+{}_9C_6+\cdots+{}_9C_9)$이므로

${}_9C_5+{}_9C_6+\cdots+{}_9C_9=2^8=256$ 답 256

085 $\displaystyle\sum_{k=8}^{15}{}_{15}C_k={}_{15}C_8+{}_{15}C_9+\cdots+{}_{15}C_{15}$

${}_{15}C_k={}_{15}C_{15-k}\ (k=0, 1, 2, \cdots, 15)$이므로

${}_{15}C_8+{}_{15}C_9+\cdots+{}_{15}C_{15}={}_{15}C_0+{}_{15}C_1+\cdots+{}_{15}C_7$

한편, ${}_{15}C_0+{}_{15}C_1+\cdots+{}_{15}C_{15}=2^{15}$이므로

${}_{15}C_8+{}_{15}C_9+\cdots+{}_{15}C_{15}=2^{14}$

$\therefore \log_2\left(\displaystyle\sum_{k=8}^{15}{}_{15}C_k\right)=\log_2 2^{14}=14$ 답 ④

086 a, b, c, d, e가 자연수이므로

$a+b+c \geq 3$이고 $d+e \geq 2$

$35=5 \times 7$이므로 다음과 같은 경우로 나눌 수 있다.

(i) $a+b+c=5, d+e=7$인 경우

$a=a'+1, b=b'+1, c=c'+1 (a' \geq 0, b' \geq 0, c' \geq 0)$로

놓으면

$a'+b'+c'=2$

즉, 순서쌍 (a, b, c)의 개수는 서로 다른 3개에서 2개를 택하는 중복조합의 수이므로

$_3H_2=_{3+2-1}C_2=_4C_2=6$

이 각각에 대하여 $d=d'+1, e=e'+1 (d' \geq 0, e' \geq 0)$로

놓으면

$d'+e'=5$

즉, 순서쌍 (d, e)의 개수는 서로 다른 2개에서 5개를 택하는

중복조합의 수이므로

$_2H_5=_{2+5-1}C_5=_6C_5=_6C_1=6$

그러므로 구하는 순서쌍의 개수는

$6 \times 6 = 36$

(ii) $a+b+c=7, d+e=5$인 경우

순서쌍 (a, b, c)의 개수는 (i)과 같은 방법으로 하면 서로 다른 3개에서 4개를 택하는 중복조합의 수이므로

$_3H_4=_{3+4-1}C_4=_6C_4=_6C_2=15$

이 각각에 대하여 순서쌍 (d, e)의 개수는 (i)과 같은 방법으로 하면 서로 다른 2개에서 3개를 택하는 중복조합의 수이므로

$_2H_3=_{2+3-1}C_3=_4C_3=_4C_1=4$

그러므로 구하는 순서쌍의 개수는

$15 \times 4 = 60$

(i), (ii)에 의하여 구하는 순서쌍의 개수는

$36+60=96$ **目** 96

087 $21=1+20$이므로

$(1+x)^n=_nC_0+_nC_1x+_nC_2x^2+\cdots+_nC_nx^n$의 양변에

$x=20, n=21$을 대입하면

$21^{21}=(1+20)^{21}$

$=_{21}C_0+20_{21}C_1+20^2{}_{21}C_2+20^3{}_{21}C_3+\cdots+20^{21}{}_{21}C_{21}$

$=1+20 \times 21+20^2 (_{21}C_2+20_{21}C_3+\cdots+20^{19}{}_{21}C_{21})$

$=421+20^2 (_{21}C_2+20_{21}C_3+\cdots+20^{19}{}_{21}C_{21})$

$20^2 (_{21}C_2+20_{21}C_3+\cdots+20^{19}{}_{21}C_{21})$에서 $20^2=400$이므로 40의 배수이다.

즉, 21^{21}을 40으로 나눈 나머지는 421을 40으로 나눈 나머지와 같다.

따라서 구하는 나머지는 21이다.   **目** 21

---

001 한 개의 주사위를 던지는 시행에서 일어날 수 있는 모든 가능한 결과는 1, 2, 3, 4, 5, 6의 눈이 나오는 것이므로 표본공간은

$\{1, 2, 3, 4, 5, 6\}$ **目** $\{1, 2, 3, 4, 5, 6\}$

002 근원사건은 표본공간의 부분집합 중에서 한 개의 원소로 이루어진 집합이므로

$\{1\}, \{2\}, \{3\}, \{4\}, \{5\}, \{6\}$ **目** $\{1\}, \{2\}, \{3\}, \{4\}, \{5\}, \{6\}$

003 짝수의 눈이 나오는 사건은

$\{2, 4, 6\}$ **目** $\{2, 4, 6\}$

004 2의 배수가 나오는 사건은

$\{2, 4, 6, 8, 10, 12\}$ **目** $\{2, 4, 6, 8, 10, 12\}$

005 3의 배수가 나오는 사건은

$\{3, 6, 9, 12\}$ **目** $\{3, 6, 9, 12\}$

006 2의 배수 또는 3의 배수가 나오는 사건은

$\{2, 3, 4, 6, 8, 9, 10, 12\}$ **目** $\{2, 3, 4, 6, 8, 9, 10, 12\}$

007 2의 배수이고 3의 배수가 나오는 사건은

$\{6, 12\}$ **目** $\{6, 12\}$

008 2의 배수가 아닌 수가 나오는 사건은

$\{1, 3, 5, 7, 9, 11\}$ **目** $\{1, 3, 5, 7, 9, 11\}$

009 5의 배수가 적힌 카드를 뽑는 사건은 $\{5, 10\}$이므로

$A=\{5, 10\}$ **目** $\{5, 10\}$

010 8의 약수가 적힌 카드를 뽑는 사건은 $\{1, 2, 4, 8\}$이므로

$B=\{1, 2, 4, 8\}$ **目** $\{1, 2, 4, 8\}$

011 두 사건 A와 B의 합사건은

$A \cup B=\{1, 2, 4, 5, 8, 10\}$ **目** $\{1, 2, 4, 5, 8, 10\}$

012 두 사건 A와 B의 곱사건은

$A \cap B=\varnothing$ **目** $\varnothing$

013 사건 B의 여사건은 $\{3, 5, 6, 7, 9, 10\}$이므로

$B^C=\{3, 5, 6, 7, 9, 10\}$ **目** $\{3, 5, 6, 7, 9, 10\}$

014 $A \cap B^C=A-B$이므로 $A \cap B^C=\{5, 10\}$ **目** $\{5, 10\}$

015 $A^C \cap B^C=(A \cup B)^C$이므로 $A^C \cap B^C=\{3, 6, 7, 9\}$

    目 $\{3, 6, 7, 9\}$

[016-022] 서로 다른 두 개의 주사위를 동시에 던지는 시행에서 표본공간 S는

$S=\{(1, 1), (1, 2), (1, 3), \cdots, (6, 5), (6, 6)\}$

이므로 $n(S)=36$

016 나오는 두 눈의 수가 모두 3인 사건을 A라 하면
$$A=\{(3, 3)\}$$
이므로 $n(A)=1$
따라서 구하는 확률은
$$\text{P}(A)=\frac{n(A)}{n(S)}=\frac{1}{36}$$
답 $\dfrac{1}{36}$

017 나오는 두 눈의 수가 서로 같은 사건을 B라 하면
$$B=\{(1, 1), (2, 2), (3, 3), (4, 4), (5, 5), (6, 6)\}$$
이므로 $n(B)=6$
따라서 구하는 확률은
$$\text{P}(B)=\frac{n(B)}{n(S)}=\frac{6}{36}=\frac{1}{6}$$
답 $\dfrac{1}{6}$

018 나오는 두 눈의 수의 합이 10보다 큰 사건을 C라 하면
$$C=\{(5, 6), (6, 5), (6, 6)\}$$
이므로 $n(C)=3$
따라서 구하는 확률은
$$\text{P}(C)=\frac{n(C)}{n(S)}=\frac{3}{36}=\frac{1}{12}$$
답 $\dfrac{1}{12}$

019 나오는 두 눈의 수의 합이 8인 사건을 D라 하면
$$D=\{(2, 6), (3, 5), (4, 4), (5, 3), (6, 2)\}$$
이므로 $n(D)=5$
따라서 구하는 확률은
$$\text{P}(D)=\frac{n(D)}{n(S)}=\frac{5}{36}$$
답 $\dfrac{5}{36}$

020 나오는 두 눈의 수의 곱이 12인 사건을 E라 하면
$$E=\{(2, 6), (3, 4), (4, 3), (6, 2)\}$$
이므로 $n(E)=4$
따라서 구하는 확률은
$$\text{P}(E)=\frac{n(E)}{n(S)}=\frac{4}{36}=\frac{1}{9}$$
답 $\dfrac{1}{9}$

021 나오는 두 눈의 수가 서로 다른 사건을 F라 하면
$$F=\{(1, 2), (1, 3), (1, 4), (1, 5), (1, 6), \cdots, (6, 5)\}$$
이므로 $n(F)=30$
따라서 구하는 확률은
$$\text{P}(F)=\frac{n(F)}{n(S)}=\frac{30}{36}=\frac{5}{6}$$
답 $\dfrac{5}{6}$

022 나오는 두 눈의 수가 4 이상인 사건을 G라 하면
$$G=\{(4, 4), (4, 5), (4, 6), \cdots, (6, 6)\}$$
이므로 $n(G)=9$
따라서 구하는 확률은
$$\text{P}(G)=\frac{n(G)}{n(S)}=\frac{9}{36}=\frac{1}{4}$$
답 $\dfrac{1}{4}$

023 A, B, C, D 네 사람을 일렬로 세우는 모든 방법의 수는
$$4!=24$$
답 24

024 A를 맨 앞에 세우는 방법의 수는 A를 맨 앞에 고정시키고 나머지 세 사람을 일렬로 세우는 방법의 수와 같으므로
$$3!=6$$
답 6

025 A가 맨 앞에 서는 확률은
$$\frac{3!}{4!}=\frac{6}{24}=\frac{1}{4}$$
답 $\dfrac{1}{4}$

026 한 개의 구슬을 꺼낼 때, 노란 구슬이 나올 확률은 $\dfrac{3}{5}$ 답 $\dfrac{3}{5}$

027 노란 구슬 3개, 빨간 구슬 2개가 들어 있는 주머니에서 두 개의 구슬을 꺼내는 방법의 수는 $_5\text{C}_2$, 빨간 구슬 2개 중에서 2개를 꺼내는 방법의 수는 $_2\text{C}_2$이므로 구하는 확률은
$$\frac{_2\text{C}_2}{_5\text{C}_2}=\frac{1}{10}$$
답 $\dfrac{1}{10}$

028 노란 구슬 3개 중에서 2개를 꺼내는 방법의 수가 $_3\text{C}_2$이므로 구하는 확률은
$$\frac{_3\text{C}_2}{_5\text{C}_2}=\frac{3}{10}$$
답 $\dfrac{3}{10}$

029 노란 구슬 3개 중에서 1개, 빨간 구슬 2개 중에서 1개를 꺼내는 방법의 수가 $_3\text{C}_1\times_2\text{C}_1$이므로 구하는 확률은
$$\frac{_3\text{C}_1\times_2\text{C}_1}{_5\text{C}_2}=\frac{6}{10}=\frac{3}{5}$$
답 $\dfrac{3}{5}$

030 $A=\{(1, 1), (2, 2), (3, 3), (4, 4), (5, 5), (6, 6)\}$
$B=\{(1, 2), (2, 3), (3, 4), (4, 5), (5, 6), (6, 5), (5, 4),$
$\quad (4, 3), (3, 2), (2, 1)\}$
$C=\{(1, 5), (2, 4), (3, 3), (4, 2), (5, 1)\}$
ㄱ. $A\cap B=\varnothing$이므로 두 사건 A와 B는 서로 배반사건이다.
ㄴ. $A\cap C=\{(3, 3)\}$이므로 두 사건 A와 C는 서로 배반사건이 아니다.
ㄷ. $B\cap C=\varnothing$이므로 두 사건 B와 C는 서로 배반사건이다.
따라서 서로 배반사건인 것은 ㄱ, ㄷ이다.   답 ④

031 $(A\cap B^C)^C=\{1, 2, 4, 7, 8, 9, 10\}$이므로
$B=(A\cup B)\cap(A\cap B^C)^C$
$\quad=\{1, 2, 3, 4, 5, 6, 7, 8\}\cap\{1, 2, 4, 7, 8, 9, 10\}$
$\quad=\{1, 2, 4, 7, 8\}$
따라서 사건 B의 원소의 개수는 5이다.   답 5

032 표본공간의 원소의 개수가 128이므로
$$2^n=128=2^7$$
$\therefore n=7$
7개의 동전 중에서 표시한 2개의 동전이 앞면이 나왔다고 생각하고 나머지 5개로 만들어지는 경우의 수는 $2^5=32$이다.
$\therefore m=32$
$\therefore m+n=32+7=39$ 답 39

033 모든 경우의 수는 $6\times6=36$
두 개의 주사위를 던져서 나오는 두 눈의 수를 각각 a, b라 할

때, 두 눈의 수의 차가 4 이상인 경우를 순서쌍 (a, b)로 나타
내면
(i) 두 눈의 수의 차가 4인 경우
$(1, 5), (2, 6), (6, 2), (5, 1)$의 4가지
(ii) 두 눈의 수의 차가 5인 경우
$(1, 6), (6, 1)$의 2가지
(i), (ii)에 의하여 두 눈의 수의 차가 4 이상인 경우의 수는
$4+2=6$
따라서 구하는 확률은 $\dfrac{6}{36}=\dfrac{1}{6}$ **目 ①**

034 검은 공의 개수를 x라 하면 흰 공의 개수는 $(8-x)$이므로
$\dfrac{8-x}{8}=\dfrac{1}{4}$ $\therefore x=6$
따라서 검은 공의 개수는 6이다. **目 6**

035 모든 경우의 수는 $5\times5=25$
$3a+b>17$이 되는 경우를 순서쌍 (a, b)로 나타내면
$(5, 3), (5, 4), (5, 5)$의 3가지이다.
따라서 구하는 확률은 $\dfrac{3}{25}$ **目 $\dfrac{3}{25}$**

036 한 개의 주사위를 두 번 던질 때 나올 수 있는 모든 경우의 수는
$6\times6=36$
두 직선 $y=\dfrac{a}{4}x+1, y=\dfrac{b}{2}x+3$이 서로 평행하려면
$\dfrac{a}{4}=\dfrac{b}{2}$에서 $a=2b$
$a=2b$를 만족시키는 순서쌍 (a, b)는 $(2, 1), (4, 2), (6, 3)$
의 3가지이다.
따라서 구하는 확률은 $\dfrac{3}{36}=\dfrac{1}{12}$ **目 $\dfrac{1}{12}$**

037 $-2\leq m\leq4$를 만족시키는 정수 m은 $-2, -1, 0, 1, 2, 3, 4$
의 7개이다.
이차방정식 $x^2+mx+m=0$이 허근을 가져야 하므로 이 이차
방정식의 판별식을 D라 하면
$D=m^2-4m<0, m(m-4)<0$
$\therefore 0<m<4$
이를 만족시키는 정수 m은 $1, 2, 3$의 3개이다.
따라서 구하는 확률은 $\dfrac{3}{7}$ **目 ③**

038 모든 경우의 수는 $6\times6=36$
주사위를 두 번 던져서 나온 두 눈의 수의 합이 4의 배수, 즉 4,
8, 12일 때 바둑돌은 꼭짓점 A 위에 놓인다.
(i) 두 눈의 수의 합이 4인 경우
$(1, 3), (2, 2), (3, 1)$의 3가지
(ii) 두 눈의 수의 합이 8인 경우
$(2, 6), (3, 5), (4, 4), (5, 3), (6, 2)$의 5가지
(iii) 두 눈의 수의 합이 12인 경우
$(6, 6)$의 1가지
(i), (ii), (iii)에 의하여 두 눈의 수의 합이 4의 배수인 경우의 수는
$3+5+1=9$

따라서 구하는 확률은 $\dfrac{9}{36}=\dfrac{1}{4}$ **目 $\dfrac{1}{4}$**

039 4명을 일렬로 세우는 방법의 수는 $4!$
(1) C를 가장 앞에 세우고 나머지 3명을 일렬로 세우는 방법의
수는 $3!$
따라서 구하는 확률은
$\dfrac{3!}{4!}=\dfrac{1}{4}$
(2) C, D를 묶어서 한 사람으로 생각하여 3명을 일렬로 세우는
방법의 수는 $3!$
C, D가 서로 자리를 바꾸는 방법의 수는 $2!$
따라서 구하는 확률은
$\dfrac{3!\times2!}{4!}=\dfrac{1}{2}$
(3) A, B를 일렬로 세우는 방법의 수는 $2!$
A, B의 양 끝과 사이에 C, D를 세우는 방법의 수는 $_3P_2$
따라서 구하는 확률은
$\dfrac{2!\times_3P_2}{4!}=\dfrac{1}{2}$
(4) C, D를 제외한 나머지 두 명을 일렬로 세우는 방법의 수는
$2!$
C, D를 양 끝에 세우는 방법의 수는 $2!$
따라서 구하는 확률은
$\dfrac{2!\times2!}{4!}=\dfrac{1}{6}$

目 (1)$\dfrac{1}{4}$ (2)$\dfrac{1}{2}$ (3)$\dfrac{1}{2}$ (4)$\dfrac{1}{6}$

040 다섯 개의 문자 a, b, c, d, e를 일렬로 나열하는 경우의 수는 $5!$
또 c, d, e를 묶어서 한 문자로 생각하면 3개의 문자를 일렬로
나열하는 경우의 수는 $3!$
이 각각의 경우에 c, d, e가 서로 자리를 바꾸는 경우의 수는 $3!$
이므로 c, d, e가 서로 이웃하도록 나열하는 경우의 수는
$3!\times3!$
따라서 구하는 확률은
$\dfrac{3!\times3!}{5!}=\dfrac{3}{10}$ **目 ①**

041 8명의 학생이 일렬로 서는 방법의 수는 $8!$
여학생과 남학생이 번갈아 가며 서는 경우는
(여, 남, 여, 남, 여, 남, 여, 남)
또는 (남, 여, 남, 여, 남, 여, 남, 여)
여자는 여자끼리, 남자는 남자끼리 자리를 바꿀 수 있으므로 그
방법의 수는 $2\times4!\times4!$
따라서 구하는 확률은
$\dfrac{2\times4!\times4!}{8!}=\dfrac{1}{35}$ **目 $\dfrac{1}{35}$**

042 1, 2, 3, 4, 5에서 서로 다른 4개의 숫자를 사용하여 만든 네 자
리 정수의 개수는
$_5P_4$
5의 배수의 개수는 □□□5 꼴이므로 $_4P_3$
따라서 구하는 확률은 $\dfrac{_4P_3}{_5P_4}=\dfrac{1}{5}$ **目 ①**

043 1, 2, 3, 4, 5를 한 번씩 사용하여 만드는 다섯 자리 사연수의 개수는 5!

45000보다 큰 수는 45□□□ 또는 5□□□□ 꼴이므로 그 개수는

$3!+4!$

따라서 구하는 확률은

$$\frac{3!+4!}{5!}=\frac{1}{4}$$

답 $\frac{1}{4}$

044 5명이 극장표를 나누어 갖는 방법의 수는

$_5\mathrm{P}_5=5!$

A, B 두 사람의 극장표 좌석 번호를 (A, B)의 순서쌍으로 나타낼 때, 서로 옆좌석에 앉게 되는 경우는

(41, 42), (42, 41), (42, 43), (43, 42), (46, 47), (47, 46)

의 6가지이다.

C, D, E 세 사람이 나머지 좌석 3개에 앉게 되는 방법의 수는 3!

즉, A, B 두 사람이 서로 옆좌석에 앉게 되는 방법의 수는

$6\times3!$

따라서 구하는 확률은

$$\frac{6\times3!}{5!}=\frac{3}{10}$$

답 $\frac{3}{10}$

045 5명이 원탁에 둘러앉는 방법의 수는 4!

여학생 2명을 묶어서 1명으로 생각하면 4명이 원탁에 둘러앉는 방법의 수는 3!, 그 각각에 대하여 여학생끼리 서로 자리를 바꾸는 방법의 수는 2!이므로 여학생끼리 이웃하여 앉는 방법의 수는 3!×2!

따라서 구하는 확률은

$$\frac{3!\times2!}{4!}=\frac{1}{2}$$

답 $\frac{1}{2}$

046 6명의 가족이 원탁에 둘러앉는 방법의 수는 5!

부모가 서로 이웃하지 않는 방법의 수는 4명의 자녀를 원형으로 배열하고 그 사이사이에 부모를 앉히는 방법의 수와 같으므로

$3!\times_4\mathrm{P}_2$

따라서 구하는 확률은

$$\frac{3!\times_4\mathrm{P}_2}{5!}=\frac{3}{5}$$

답 ④

047 8명이 원탁에 둘러앉는 방법의 수는 7!

남녀가 교대로 앉는 방법의 수는 남자 4명을 원형으로 배열하고 그 사이사이에 여자를 앉히는 방법의 수와 같으므로

$3!\times4!$

따라서 구하는 확률은

$$\frac{3!\times4!}{7!}=\frac{1}{35}$$

답 $\frac{1}{35}$

048 A, B, C 세 학생이 10개 반에 배정되는 모든 방법의 수는

$_{10}\Pi_3=1000$

서로 다른 반에 배정되는 방법의 수는

$_{10}\mathrm{P}_3=720$

따라서 구하는 확률은

$$\frac{720}{1000}=\frac{18}{25}$$

답 ⑤

049 네 개의 숫자 1, 2, 3, 4에서 중복을 허용하여 만든 세 자리 자연수의 개수는

$_4\Pi_3=64$

320보다 큰 수는

(ⅰ) 32□, 33□, 34□ 꼴

$3\times4=12$

(ⅱ) 4□□ 꼴

$4\times4=16$

(ⅰ), (ⅱ)에 의하여 320보다 큰 세 자리 자연수의 개수는

$12+16=28$

따라서 구하는 확률은 $\frac{28}{64}=\frac{7}{16}$

답 $\frac{7}{16}$

050 상자에서 임의로 1개씩 세 개의 공을 꺼낼 때, 나오는 세 수 x, y, z의 순서쌍 (x, y, z)의 개수는

$_5\Pi_3=5^3=125$

$(x-y)(y-z)\neq0$이려면 $x\neq y$이고 $y\neq z$이어야 하므로 이를 만족시키는 순서쌍 (x, y, z)의 개수는

$5\times4\times4=80$

따라서 $(x-y)(y-z)=0$을 만족시키는 순서쌍 (x, y, z)의 개수는 $125-80=45$이므로

구하는 확률은 $\frac{45}{125}=\frac{9}{25}$

답 $\frac{9}{25}$

051 C, H, U, R, C, H를 일렬로 나열하는 경우의 수는

$$\frac{6!}{2!2!}=180$$

두 개의 H를 하나로 묶어서 일렬로 나열하는 경우의 수는

$$\frac{5!}{2!}=60$$

따라서 구하는 확률은 $\frac{60}{180}=\frac{1}{3}$

답 ⑤

052 영문자 A, B와 숫자 0, 0, 1, 2를 모두 사용하여 만들 수 있는 6자리 비밀번호의 수는

$$\frac{6!}{2!}=360$$

영문자끼리 이웃하지 않는 경우의 수는 숫자 0, 0, 1, 2를 배열하고 그 사이사이와 양 끝에 영문자 A, B를 배열하는 경우의 수와 같으므로

$$\frac{4!}{2!}\times_5\mathrm{P}_2=240$$

따라서 구하는 확률은 $\frac{240}{360}=\frac{2}{3}$

답 $\frac{2}{3}$

053 A, B, A, S, H, E, D를 일렬로 나열하는 경우의 수는

$$\frac{7!}{2!}=2520$$

자음과 자음 사이사이에 모음이 들어가는 경우의 수는 자음 B, S, H, D를 나열하고 그 사이사이의 3개의 자리에 모음을 나열하는 경우의 수와 같으므로 $4!\times\frac{3!}{2!}=72$

따라서 구하는 확률은 $\frac{72}{2520}=\frac{1}{35}$이므로

$ab=35\times1=35$

답 35

054 5개의 문자 a, b, c, d, e를 모두 한 번씩 사용하여 만들 수 있는 문자열의 개수는

$5! = 120$

b, c, d의 순서가 일정하므로 b, c, d를 모두 X로 생각하여 5개의 문자 X, X, X, a, e를 일렬로 배열하는 경우의 수는

$$\dfrac{5!}{3!} = 20$$

따라서 구하는 확률은 $\dfrac{20}{120} = \dfrac{1}{6}$ 　　**답** ③

055 모든 방법의 수는 $_3\Pi_3 = 27$

한 사람의 승자가 결정되는 경우는 다음과 같다.

(i) (가위, 보, 보)인 경우

$$\dfrac{3!}{2!} = 3(가지)$$

(ii) (바위, 가위, 가위)인 경우

$$\dfrac{3!}{2!} = 3(가지)$$

(iii) (보, 바위, 바위)인 경우

$$\dfrac{3!}{2!} = 3(가지)$$

(i), (ii), (iii)에 의하여 한 사람의 승자가 결정되는 방법의 수는

$3 + 3 + 3 = 9$

따라서 구하는 확률은

$$\dfrac{9}{27} = \dfrac{1}{3}$$ 　　**답** $\dfrac{1}{3}$

056 A지점에서 B지점까지 최단 거리로 가는 방법의 수는

$$\dfrac{9!}{5!4!} = 126$$

A지점에서 출발하여 P지점을 지나 B지점까지 최단 거리로 가는 방법의 수는

$$\dfrac{4!}{2!2!} \times \dfrac{5!}{3!2!} = 60$$

따라서 구하는 확률은

$$\dfrac{60}{126} = \dfrac{10}{21}$$ 　　**답** $\dfrac{10}{21}$

057 8명의 수학 동아리 회원 중에서 수학 체험전에 참가할 5명의 회원을 임의로 뽑는 모든 방법의 수는

$_8C_5 = 56$

A, B가 모두 수학 체험전에 참가해야 하므로 A, B를 제외한 6명의 수학 동아리 회원 중에서 3명을 임의로 뽑는 방법의 수는

$_6C_3 = 20$

따라서 구하는 확률은

$$\dfrac{20}{56} = \dfrac{5}{14}$$ 　　**답** ③

058 9개의 구슬 중에서 3개를 꺼내는 방법의 수는

$_9C_3 = 84$

흰 구슬 4개 중에서 1개, 검은 구슬 5개 중에서 2개를 꺼내는 방법의 수는

$_4C_1 \times _5C_2 = 40$

따라서 구하는 확률은

$$\dfrac{40}{84} = \dfrac{10}{21}$$ 　　**답** $\dfrac{10}{21}$

059 A, B, C, D, E, F의 6명 중에서 3명의 대표를 뽑는 방법의 수는

$_6C_3 = 20$

A는 포함되고 B는 포함되지 않는 방법의 수는 C, D, E, F의 4명 중에서 2명을 뽑는 방법의 수와 같으므로

$_4C_2 = 6$

따라서 구하는 확률은 $\dfrac{6}{20} = \dfrac{3}{10}$ 　　**답** $\dfrac{3}{10}$

060 9명 중에서 임의로 3명을 택하는 방법의 수는

$_9C_3 = 84$

서로 악수를 나누지 않은 사람들끼리 모으면 대표 2명, 부대표 3명, 나머지 4명의 세 그룹으로 나누어지므로 뽑힌 3명이 모두 서로 악수를 나눈 사람일 방법의 수는 이 세 그룹에서 한 명씩 택하는 방법의 수 $_2C_1 \times _3C_1 \times _4C_1 = 24$와 같다.

따라서 구하는 확률은 $\dfrac{24}{84} = \dfrac{2}{7}$ 　　**답** $\dfrac{2}{7}$

061 10개의 제비에서 2개를 뽑는 경우의 수는 $_{10}C_2$이고, n개의 당첨 제비에서 2개를 뽑는 경우의 수는 $_nC_2$이므로

$$\dfrac{_nC_2}{_{10}C_2} = \dfrac{1}{15}$$

즉, $_nC_2 = \dfrac{1}{15} \times 45$이므로

$$\dfrac{n(n-1)}{2} = 3$$

$n(n-1) = 3 \times 2$

$\therefore n = 3$ 　　**답** 3

062 모든 경우의 수는 $_6\Pi_3 = 216$

(i) $a < b < c$인 경우의 수는 6개의 수 중 3개를 뽑은 것과 같으므로 $_6C_3 = 20$

(ii) $a > b > c$인 경우의 수는 6개의 수 중 3개를 뽑은 것과 같으므로 $_6C_3 = 20$

(i), (ii)에 의하여 $a < b < c$ 또는 $a > b > c$인 경우의 수는

$20 + 20 = 40$

따라서 구하는 확률은 $\dfrac{40}{216} = \dfrac{5}{27}$ 　　**답** ③

063 8개의 꼭짓점에서 2개를 택하는 경우의 수는

$_8C_2 = 28$

두 꼭짓점 사이의 거리가 될 수 있는 것은 $1, \sqrt{2}, \sqrt{3}$이다.

거리가 $\sqrt{2}$인 경우는 12가지,

거리가 $\sqrt{3}$인 경우는 4가지

이므로 거리가 1.1 이상인 경우의 수는

$12 + 4 = 16$

따라서 구하는 확률은 $\dfrac{16}{28} = \dfrac{4}{7}$ 　　**답** $\dfrac{4}{7}$

064 서로 다른 8개의 점에서 3개를 택하는 경우의 수는 $_8C_3 = 56$

세 점을 뽑았을 때, 직각삼각형이 되는 경우는 다음과 같다.

(i) 지름의 양 끝점 A, B를 뽑고 점 O를 제외한 5개의 점 중에 1개의 점을 뽑는 경우의 수는 $_5C_1 = 5$

(ii) 점 O를 뽑고 그림과 같이 직각삼각형이 되도록 나머지 2개의 점을 택하는 경우의 수는 4

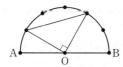

(i), (ii)에 의하여 직각삼각형이 되는 경우의 수는
$5+4=9$

따라서 구하는 확률은 $\dfrac{9}{56}$

답 $\dfrac{9}{56}$

065 6명을 2명씩 3팀으로 나누는 방법의 수는
$$_6C_2 \times {}_4C_2 \times {}_2C_2 \times \dfrac{1}{3!}=15$$

남학생만으로 구성된 팀이 생기는 방법의 수는 남학생 3명 중에서 2명을 택하여 한 팀을 구성하고, 남은 4명으로 2명씩 나누어 2팀을 구성한 방법의 수와 같으므로
$$_3C_2 \times {}_4C_2 \times {}_2C_2 \times \dfrac{1}{2!}=9$$

따라서 구하는 확률은 $\dfrac{9}{15}=\dfrac{3}{5}$

답 ②

066 3종류의 구슬에서 10개의 구슬을 고르는 방법의 수는
$$_3H_{10}={}_{12}C_2=66$$
빨간색, 파란색, 검은색 구슬이 적어도 1개씩 포함되려면 빨간색, 파란색, 검은색 구슬을 하나씩 고른 다음 나머지 7개를 고르면 되므로 그 방법의 수는
$$_3H_7={}_9C_2=36$$

따라서 구하는 확률은 $\dfrac{36}{66}=\dfrac{6}{11}$

답 $\dfrac{6}{11}$

067 10개의 탁구공을 3개의 바구니에 넣는 방법의 수는
$$_3H_{10}={}_{12}C_2=66$$
각 바구니에 적어도 2개의 탁구공이 들어가려면 모든 바구니에 탁구공을 2개씩 넣은 다음 나머지 4개의 탁구공을 넣으면 되므로 그 방법의 수는
$$_3H_4={}_6C_4=15$$

따라서 구하는 확률은 $\dfrac{15}{66}=\dfrac{5}{22}$

답 ④

068 방정식 $x+y+z=8$을 만족시키는 음이 아닌 정수해의 개수는 x, y, z에서 중복을 허용하여 8개를 택하는 중복조합의 수와 같으므로
$$_3H_8={}_{10}C_8=45$$
x, y, z가 모두 양의 정수이어야 하므로
$x \geq 1, y \geq 1, z \geq 1$
x', y', z'을 음이 아닌 정수라 하면
$x=x'+1, y=y'+1, z=z'+1$에서
$x'+y'+z'=5$
이므로 이 방정식을 만족시키는 음이 아닌 정수해의 개수는
$$_3H_5={}_7C_5=21$$

따라서 구하는 확률은 $\dfrac{21}{45}=\dfrac{7}{15}$

답 $\dfrac{7}{15}$

069 집합 A에서 집합 B로의 함수 f의 개수는
$$_4\Pi_3=64$$

일대일함수의 개수는 R의 원소 a, b, c, d의 4개에서 서로 다른 3개를 뽑아 일렬로 나열하는 경우의 수와 같으므로
$$_4P_3=24$$

따라서 구하는 확률은 $\dfrac{24}{64}=\dfrac{3}{8}$

답 $\dfrac{3}{8}$

070 집합 A에서 집합 B로의 함수의 개수는
$$_6\Pi_3=216$$
$i>j$이면 $f(i)>f(j)$를 만족시키는 함수는 집합 B의 원소 중에서 3개를 선택하여 작은 순서대로 집합 A의 원소 1, 2, 3에 대응시키면 되므로 함수의 개수는 $_6C_3=20$

따라서 구하는 확률은 $\dfrac{20}{216}=\dfrac{5}{54}$

답 $\dfrac{5}{54}$

071 $B=\{1, 2, 3, 6, 9, 18\}$이므로
집합 A에서 집합 B로의 함수 f의 개수는
$$_6\Pi_3=216$$
$x_1<x_2$이면 $f(x_1) \leq f(x_2)$를 만족시키는 함수는 집합 B의 원소 중에서 중복을 허용하여 3개를 선택한 후 순서대로 집합 A의 원소 1, 2, 3에 대응시키면 되므로 함수의 개수는
$$_6H_3={}_8C_3=56$$

따라서 구하는 확률은 $\dfrac{56}{216}=\dfrac{7}{27}$

답 ④

072 ㄱ. 확률의 기본 성질에 의하여
$0 \leq P(A) \leq 1$ (참)
ㄴ. $P(S)=1, P(\varnothing)=0$이므로
$P(S)+P(\varnothing)=1$ (참)
ㄷ. [반례] $S=\{1, 2, 3, 4, 5\}$, $A=\{1, 2, 3\}$, $B=\{2, 4\}$라 하면
$A \cup B=\{1, 2, 3, 4\}$이므로
$P(A \cup B)=\dfrac{4}{5}<1$ (거짓)
ㄹ. $0 \leq P(A) \leq 1$, $0 \leq P(B) \leq 1$이므로
$0 \leq P(A)+P(B) \leq 2$ (참)
따라서 옳은 것은 ㄱ, ㄴ, ㄹ이다.

답 ④

073 ㄱ. 두 사건 A, B에 대하여 $A \subset B$이면
$P(A) \leq P(B)$ (참)
ㄴ. [반례] 한 개의 주사위를 던지는 시행에서 소수의 눈이 나오는 사건을 A, 홀수의 눈이 나오는 사건을 B라 하면
$P(A)=\dfrac{1}{2}$, $P(B)=\dfrac{1}{2}$이므로
$P(A)+P(B)=1$
그런데 $A \cap B=\{3, 5\} \neq \varnothing$이므로 A와 B는 서로 배반사건이 아니다. (거짓)
ㄷ. [반례] $S=\{1, 2, 3, 4, 5, 6\}$,
$A=\{1, 2, 3, 6\}$, $B=\{4, 5, 6\}$이라 하면
$A \cup B=S$이지만
$P(A)+P(B)=\dfrac{4}{6}+\dfrac{3}{6}=\dfrac{7}{6} \neq 1$ (거짓)
따라서 옳은 것은 ㄱ뿐이다.

답 ①

074 총 320타수 중에서 안타 수는
$41+23+6+10=80$

따라서 이 선수의 올해 타율은

$$\frac{80}{320}=\frac{1}{4}$$

답 $\frac{1}{4}$

075 단추를 20번, 50번, 100번, 200번, 300번 던졌을 때, 앞면이 나올 비율은 차례로

$$\frac{10}{20}=0.5, \frac{23}{50}=0.46, \frac{44}{100}=0.44, \frac{91}{200}=0.455,$$

$$\frac{136}{300}=0.453\times\times\times$$

즉, 던진 횟수가 많을수록 비율은 0.45에 가까워진다고 할 수 있다.

따라서 앞면이 나올 확률의 근삿값은 0.45이다.

답 0.45

076 노란 공이 나올 확률은

$$\frac{120}{1500}=\frac{2}{25}$$

따라서 $\frac{2}{2+3+n}=\frac{2}{25}$이므로 $n=20$

답 ④

077 $A=\{1, 2, 5, 10\}$, $B=\{1, 3, 5, 7, 9\}$이고, 사건 C는 두 사건 A, B와 모두 배반인 사건이므로

$A\cap C=\varnothing$, $B\cap C=\varnothing$

$\therefore (A\cup B)\cap C=\varnothing$

즉, $C\subset(A\cup B)^C=\{4, 6, 8\}$

따라서 두 사건 A, B와 모두 배반인 사건 C의 개수는

$(A\cup B)^C$의 부분집합의 개수와 같으므로

$2^3=8$

답 8

078 한 개의 주사위를 두 번 던질 때 나오는 모든 경우의 수는

$6\times6=36$

이차함수 $f(x)=x^2-6x+5=(x-1)(x-5)$에서

$f(1)=0, f(5)=0$

$f(2)<0, f(3)<0, f(4)<0, f(6)>0$

이므로 $f(a)f(b)<0$을 만족시키는 순서쌍 (a, b)는

$(2, 6), (3, 6), (4, 6), (6, 2), (6, 3), (6, 4)$의 6개이다.

따라서 구하는 확률은 $\frac{6}{36}=\frac{1}{6}$

답 ③

079 8개의 문자를 일렬로 나열하는 경우의 수는 8!

c와 r 사이에 3개의 문자가 들어오는 경우의 수는

c□□□r를 묶어서 한 문자로 생각하여 4개의 문자를 일렬로 나열하는 경우의 수와 같으므로

$4!\times_6P_3\times2!$

따라서 구하는 확률은

$$\frac{4!\times_6P_3\times2!}{8!}=\frac{1}{7}$$

$\therefore m+n=7+1=8$

답 8

080 0, 1, 2, 3, 4에서 서로 다른 세 개의 숫자를 사용하여 만들 수 있는 세 자리 자연수는 1□□, 2□□, 3□□, 4□□ 꼴이므로 그 개수는

$4\times_4P_2=48$

3의 배수는 0, 1, 2, 3, 4의 수 중에서 세 수이 합이 3의 배수가 되는 경우이므로

(i) $(0, 1, 2)$일 때 ➡ $2\times_2P_2=4$

(ii) $(0, 2, 4)$일 때 ➡ $2\times_2P_2=4$

(iii) $(1, 2, 3)$일 때 ➡ $3!=6$

(iv) $(2, 3, 4)$일 때 ➡ $3!=6$

(i)~(iv)에서 3의 배수의 개수는

$4+4+6+6=20$

따라서 구하는 확률은

$$\frac{20}{48}=\frac{5}{12}$$

답 $\frac{5}{12}$

081 서로 다른 10가지 색을 원판의 각 영역에 모두 칠하는 방법의 수는 9!

빨간색을 칠한 맞은편에 파란색을 칠하고, 나머지 8가지 색을 8개의 영역에 칠하는 방법의 수는 8!

따라서 구하는 확률은

$$\frac{8!}{9!}=\frac{1}{9}$$

답 $\frac{1}{9}$

082 모든 경우의 수는 $_5\Pi_3=125$

세 장의 카드에 적힌 수의 최솟값이 3인 경우의 수는

$(3, 3, 3): 1$

$(3, 3, 4): \frac{3!}{2!}=3$

$(3, 3, 5): \frac{3!}{2!}=3$

$(3, 4, 4): \frac{3!}{2!}=3$

$(3, 4, 5): 3!=6$

$(3, 5, 5): \frac{3!}{2!}=3$

$\therefore 1+3+3+3+6+3=19$

따라서 구하는 확률은 $\frac{19}{125}$

답 ④

083 5명의 학생 A, B, C, D, E 중에서 임의로 3명을 뽑아 일렬로 세우는 방법의 수는

$_5C_3\times3!=60$

5명의 학생 A, B, C, D, E 중에서 임의로 3명을 뽑을 때, C, D가 이미 뽑혔다고 생각하면 A, B, E 중에서 1명을 뽑으면 되고, C, D끼리는 이웃해야 하므로 그 방법의 수는

$_3C_1\times2!\times2!=12$

따라서 구하는 확률은 $\frac{12}{60}=\frac{1}{5}$이므로

$p+q=5+1=6$

답 6

084 6명의 유권자가 3명의 후보에게 투표하는 방법의 수는

$_3\Pi_6=3^6=729$

B가 2표를 받는 방법의 수는

$_6C_2\times_2\Pi_4=15\times2^4=240$

따라서 구하는 확률은

$$\frac{240}{729}=\frac{80}{243}$$

답 ④

085 모든 방법의 수는

$_8C_3=56$

삼각형이 만들어지지 않는 경우는 평행한 세 직선 또는 평행한 두 직선과 다른 한 직선을 택할 때이므로 그 방법의 수는

$_3C_3+_3C_2\times_5C_1=16$

따라서 구하는 확률은 $\dfrac{16}{56}=\dfrac{2}{7}$ 답 $\dfrac{2}{7}$

086 한 개의 주사위를 3번 던질 때 나오는 모든 경우의 수는

$6^3=216$

부등식 $a\le b\le c$를 만족시키는 경우는 1부터 6까지의 6개의 자연수 중에서 중복을 허락하여 3개를 택하는 중복조합의 수와 같으므로

$_6H_3=_8C_3=56$

따라서 구하는 확률은 $\dfrac{56}{216}=\dfrac{7}{27}$이므로

$p+q=27+7=34$ 답 34

087 집합 X에서 X로의 함수의 개수는

$_3\Pi_3=3^3=27$

$f(1)f(2)f(3)$의 값이 6의 배수인 경우는 다음과 같다.

(ⅰ) $f(1)f(2)f(3)=6$인 경우

  $6=1\times2\times3$이므로 이 경우를 만족시키는 함수 f의 개수는 1, 2, 3을 일렬로 나열하는 경우의 수와 같으므로

  $3!=6$

(ⅱ) $f(1)f(2)f(3)=12$인 경우

  $12=2\times2\times3$이므로 이 경우를 만족시키는 함수 f의 개수는 2, 2, 3을 일렬로 나열하는 경우의 수와 같으므로

  $\dfrac{3!}{2!}=3$

(ⅲ) $f(1)f(2)f(3)=18$인 경우

  $18=2\times3\times3$이므로 이 경우를 만족시키는 함수 f의 개수는 2, 3, 3을 일렬로 나열하는 경우의 수와 같으므로

  $\dfrac{3!}{2!}=3$

(ⅰ), (ⅱ), (ⅲ)에 의하여 $f(1)f(2)f(3)$의 값이 6의 배수인 경우의 수는

$6+3+3=12$

따라서 구하는 확률은 $\dfrac{12}{27}=\dfrac{4}{9}$ 답 $\dfrac{4}{9}$

088 A의 부분집합의 개수는 $2^4=16$이고, 이 중에서 임의로 서로 다른 두 집합을 택하는 경우의 수는 $_{16}C_2=120$

선택한 두 집합을 X, Y라 하고 집합 Y의 원소의 개수에 따라 $X\subset Y$인 관계를 만족시키는 집합 X의 개수를 찾아보면

(ⅰ) $n(Y)=4$일 때,

  집합 A에서 원소의 개수가 4인 집합 Y를 만들 수 있는 경우의 수는

  $_4C_4=1$

  집합 X는 집합 Y의 부분집합 중에서 $X=Y$를 제외한 것이므로

  $2^4-1=15$

  $\therefore 1\times15=15$

(ⅱ) $n(Y)=3$일 때,

  집합 A에서 원소의 개수가 3인 집합 Y를 만들 수 있는 경우의 수는

  $_4C_3=4$

  집합 X는 집합 Y의 부분집합 중에서 $X=Y$를 제외한 것이므로

  $2^3-1=7$

  $\therefore 4\times7=28$

(ⅲ) $n(Y)=2$일 때,

  집합 A에서 원소의 개수가 2인 집합 Y를 만들 수 있는 경우의 수는

  $_4C_2=6$

  집합 X는 집합 Y의 부분집합 중에서 $X=Y$를 제외한 것이므로

  $2^2-1=3$

  $\therefore 6\times3=18$

(ⅳ) $n(Y)=1$일 때,

  집합 A에서 원소의 개수가 1인 집합 Y를 만들 수 있는 경우의 수는

  $_4C_1=4$

  집합 X는 집합 Y의 부분집합 중에서 $X=Y$를 제외한 것이므로

  $2-1=1$

  $\therefore 4\times1=4$

(ⅰ)~(ⅳ)에 의하여

$15+28+18+4=65$

따라서 구하는 확률은 $\dfrac{65}{120}=\dfrac{13}{24}$ 답 ④

001 $P(A \cup B) = P(A) + P(B) - P(A \cap B)$

$= \dfrac{1}{3} + \dfrac{2}{5} - \dfrac{1}{15} = \dfrac{2}{3}$ 답 $\dfrac{2}{3}$

002 $P(A \cup B) = P(A) + P(B) - P(A \cap B)$에서

$\dfrac{9}{20} = \dfrac{3}{10} + \dfrac{1}{5} - P(A \cap B)$

$\therefore P(A \cap B) = \dfrac{1}{20}$ 답 $\dfrac{1}{20}$

003 서로 배반사건인 두 사건 A, B에 대하여

$P(A \cap B) = 0$

$\therefore P(A \cup B) = P(A) + P(B)$

$= \dfrac{1}{4} + \dfrac{2}{3} = \dfrac{11}{12}$ 답 $\dfrac{11}{12}$

[004-007] $A = \{2, 4, 6, 8, 10\}$, $B = \{2, 3, 5, 7\}$, $C = \{1, 3, 5, 7, 9\}$
이므로

$P(A) = \dfrac{5}{10} = \dfrac{1}{2}$, $P(B) = \dfrac{4}{10} = \dfrac{2}{5}$, $P(C) = \dfrac{5}{10} = \dfrac{1}{2}$

004 $A \cap B = \{2\}$이므로 $P(A \cap B) = \dfrac{1}{10}$ 답 $\dfrac{1}{10}$

005 $P(A \cup B) = P(A) + P(B) - P(A \cap B)$

$= \dfrac{1}{2} + \dfrac{2}{5} - \dfrac{1}{10} = \dfrac{4}{5}$ 답 $\dfrac{4}{5}$

006 $A \cap C = \varnothing$이므로 $P(A \cap C) = 0$ 답 0

007 두 사건 A, C는 서로 배반사건이므로

$P(A \cup C) = P(A) + P(C)$

$= \dfrac{1}{2} + \dfrac{1}{2} = 1$ 답 1

008 $P(A^c) = 1 - P(A)$

$= 1 - \dfrac{1}{6} = \dfrac{5}{6}$ 답 $\dfrac{5}{6}$

009 $P(A^c \cap B^c) = P((A \cup B)^c)$

$= 1 - P(A \cup B)$

$= 1 - \dfrac{3}{4} = \dfrac{1}{4}$ 답 $\dfrac{1}{4}$

010 $P(A \cap B^c) = P(A) - P(A \cap B)$

$= \dfrac{5}{6} - \dfrac{1}{6}$

$= \dfrac{2}{3}$ 답 $\dfrac{2}{3}$

011 $P((A \cap B)^c) = 1 - P(A \cap B) = \dfrac{5}{6}$이므로

$P(A \cap B) = \dfrac{1}{6}$

$\therefore P(A \cup B) = P(A) + P(B) - P(A \cap B)$

$= \dfrac{1}{3} + \dfrac{1}{2} - \dfrac{1}{6} = \dfrac{2}{3}$ 답 $\dfrac{2}{3}$

012 $P(B^c) = 1 - P(B) = \dfrac{3}{4}$이므로

$P(B) = \dfrac{1}{4}$

$P(A \cup B) = P(A) + P(B) - P(A \cap B)$에서

$\dfrac{1}{2} = \dfrac{1}{3} + \dfrac{1}{4} - P(A \cap B)$

$\therefore P(A \cap B) = \dfrac{1}{12}$ 답 $\dfrac{1}{12}$

013 세 개의 동전이 모두 앞면이 나오는 확률은

$\dfrac{1}{2} \times \dfrac{1}{2} \times \dfrac{1}{2} = \dfrac{1}{8}$

따라서 적어도 한 개가 뒷면이 나올 확률은

$1 - \dfrac{1}{8} = \dfrac{7}{8}$ 답 $\dfrac{7}{8}$

014 2개의 인형을 동시에 꺼낼 때 2개 모두 불량품이 아닐 확률은

$\dfrac{_5C_2}{_8C_2} = \dfrac{5}{14}$

따라서 적어도 한 개가 불량품일 확률은

$1 - \dfrac{5}{14} = \dfrac{9}{14}$ 답 $\dfrac{9}{14}$

015 $P(A \cup B) = P(A) + P(B) - P(A \cap B)$에서

$\dfrac{5}{8} = \dfrac{3}{8} + \dfrac{1}{2} - P(A \cap B)$

$\therefore P(A \cap B) = \dfrac{1}{4}$ 답 $\dfrac{1}{4}$

016 $P(B|A) = \dfrac{P(A \cap B)}{P(A)} = \dfrac{\frac{1}{4}}{\frac{3}{8}} = \dfrac{2}{3}$ 답 $\dfrac{2}{3}$

017 $P(A|B) = \dfrac{P(A \cap B)}{P(B)} = \dfrac{\frac{1}{4}}{\frac{1}{2}} = \dfrac{1}{2}$ 답 $\dfrac{1}{2}$

018 홀수의 눈이 나오는 사건을 A라 하면 $A = \{1, 3, 5\}$이므로
구하는 확률은

$P(A) = \dfrac{3}{6} = \dfrac{1}{2}$ 답 $\dfrac{1}{2}$

019 소수의 눈이 나오는 사건을 B라 하면 $B = \{2, 3, 5\}$이므로
구하는 확률은

$P(B) = \dfrac{3}{6} = \dfrac{1}{2}$ 답 $\dfrac{1}{2}$

020 홀수의 눈이 나왔을 때, 그것이 소수일 확률은 사건 A가 일어
났을 때, 사건 B가 일어날 확률이다.
$A \cap B = \{3, 5\}$이므로

$$P(A \cap B) = \frac{2}{6} = \frac{1}{3}$$

$$\therefore P(B|A) = \frac{P(A \cap B)}{P(A)} = \frac{\frac{1}{3}}{\frac{1}{2}} = \frac{2}{3} \qquad \text{답 } \frac{2}{3}$$

[021-023] $A = \{3, 6, 9\}$, $B = \{2, 4, 6, 8, 10\}$이므로

$$P(A) = \frac{3}{10}, \ P(B) = \frac{5}{10} = \frac{1}{2}$$

021 $A \cap B = \{6\}$이므로

$$P(A \cap B) = \frac{1}{10} \qquad \text{답 } \frac{1}{10}$$

022 $P(B|A) = \frac{P(A \cap B)}{P(A)}$

$$= \frac{\frac{1}{10}}{\frac{3}{10}} = \frac{1}{3} \qquad \text{답 } \frac{1}{3}$$

023 $P(A|B) = \frac{P(A \cap B)}{P(B)}$

$$= \frac{\frac{1}{10}}{\frac{1}{2}} = \frac{1}{5} \qquad \text{답 } \frac{1}{5}$$

024 $P(A \cap B) = P(A)P(B|A)$
$$= 0.3 \times 0.5 = 0.15 \qquad \text{답 } 0.15$$

025 $P(A \cup B) = P(A) + P(B) - P(A \cap B)$
$$= 0.3 + 0.2 - 0.15 = 0.35 \qquad \text{답 } 0.35$$

026 $P(A|B) = \frac{P(A \cap B)}{P(B)}$

$$= \frac{0.15}{0.2} = 0.75 \qquad \text{답 } 0.75$$

027 $P(A \cup B) = P(A) + P(B) - P(A \cap B)$에서

$$\frac{7}{12} = \frac{1}{2} + P(B) - \frac{1}{4}$$

$$\therefore P(B) = \frac{1}{3} \qquad \text{답 } ②$$

028 $P(B^c) = 1 - P(B) = \frac{7}{12}$

이므로

$$P(B) = \frac{5}{12}$$

$$P(A \cup B) = P(A) + P(B) - P(A \cap B)$$에서

$$\frac{1}{2} = \frac{1}{4} + \frac{5}{12} - P(A \cap B)$$

$$\therefore P(A \cap B) = \frac{1}{6} \qquad \text{답 } \frac{1}{6}$$

029 두 사건 A와 B는 서로 배반사건이므로
$$P(A \cap B) = 0$$

$A \cup B = S$이므로 $P(A \cup B) = 1$
$P(A) = 4P(B)$이므로

$$\begin{aligned} P(A \cup B) &= P(A) + P(B) \\ &= 4P(B) + P(B) \\ &= 5P(B) = 1 \end{aligned}$$

$$\therefore P(B) = \frac{1}{5} \qquad \text{답 } \frac{1}{5}$$

030 두 사건 A, B가 서로 배반사건이므로 $P(A \cap B) = 0$
$$\therefore P(A \cup B) = P(A) + P(B)$$
$P(A) + P(B) = 3P(A^c \cap B^c)$에서
$$P(A) + P(B) = 3P((A \cup B)^c)$$이므로
$$P(A \cup B) = 3(1 - P(A \cup B))$$
$$4P(A \cup B) = 3$$
$$\therefore P(A \cup B) = \frac{3}{4}$$

$$P(A \cup B) = P(A) + P(B) = \frac{1}{4} + P(B) = \frac{3}{4}$$

$$\therefore P(B) = \frac{1}{2} \qquad \text{답 } \frac{1}{2}$$

031 두 사건 A, B가 서로 배반사건이므로
$$P(A \cap B) = 0$$
따라서 $A \cap B^c = A$, $A^c \cap B = B$이므로
$$P(A \cap B^c) = P(A) = \frac{1}{5},$$
$$P(A^c \cap B) = P(B) = \frac{1}{4}$$
$$\therefore P(A \cup B) = P(A) + P(B) = \frac{1}{5} + \frac{1}{4} = \frac{9}{20}$$

$$\text{답 } ①$$

032 $P(A \cup B) = P(A) + P(B) - P(A \cap B)$에서

$$P(A \cup B) = \frac{2}{3} + \frac{3}{5} - P(A \cap B)$$

$P(A \cup B) \leq 1$이므로

$$\frac{2}{3} + \frac{3}{5} - P(A \cap B) \leq 1$$

$$\therefore P(A \cap B) \geq \frac{4}{15}$$

따라서 $P(A \cap B)$의 최솟값은 $\frac{4}{15}$이다. $\qquad \text{답 } \frac{4}{15}$

033 6의 약수의 눈이 나오는 사건을 A, 소수의 눈이 나오는 사건을 B라 하면
$A = \{1, 2, 3, 6\}$, $B = \{2, 3, 5\}$, $A \cap B = \{2, 3\}$이므로
$$P(A) = \frac{4}{6}, \ P(B) = \frac{3}{6}, \ P(A \cap B) = \frac{2}{6}$$
$$\therefore P(A \cup B) = P(A) + P(B) - P(A \cap B)$$
$$= \frac{4}{6} + \frac{3}{6} - \frac{2}{6} = \frac{5}{6} \qquad \text{답 } \frac{5}{6}$$

034 꺼낸 카드에 적힌 숫자가 2의 배수인 사건을 A, 5의 배수인 사건을 B라 하면 $A \cap B$는 10의 배수인 사건이다.
즉, $n(A) = 15$, $n(B) = 6$, $n(A \cap B) = 3$이므로
$$P(A) = \frac{15}{30}, \ P(B) = \frac{6}{30}, \ P(A \cap B) = \frac{3}{30}$$

$$\therefore P(A \cup B) = P(A) + P(B) - P(A \cap B)$$
$$= \frac{15}{30} + \frac{6}{30} - \frac{3}{30} = \frac{3}{5}$$ 답 ⑤

035 어업에 종사하는 가구가 뽑히는 사건을 A, 농업에 종사하는 가구가 뽑히는 사건을 B라 하면
$$P(A) = \frac{5}{7}, P(B) = \frac{2}{5}, P(A \cap B) = \frac{1}{3}$$
$$\therefore P(A \cup B) = P(A) + P(B) - P(A \cap B)$$
$$= \frac{5}{7} + \frac{2}{5} - \frac{1}{3} = \frac{82}{105}$$ 답 $\frac{82}{105}$

036 이 반에서 임의로 한 학생을 택할 때, 방과후 수업에 참여하는 학생일 사건을 A, 야간 자율 학습에 참여하는 학생일 사건을 B라 하면
$$P(A) = \frac{20}{36}, P(B) = \frac{28}{36}, P(A \cup B) = 1 - \frac{6}{36} = \frac{30}{36}$$
$$\therefore P(A \cap B) = P(A) + P(B) - P(A \cup B)$$
$$= \frac{20}{36} + \frac{28}{36} - \frac{30}{36} = \frac{1}{2}$$ 답 $\frac{1}{2}$

037 두 개의 주사위를 던질 때 나올 수 있는 모든 경우의 수는
$6 \times 6 = 36$
주사위 A의 눈의 수가 주사위 B의 눈의 수보다 3만큼 큰 사건을 C, 주사위 A의 눈의 수가 주사위 B의 눈의 수의 2배인 사건을 D라 하면
$C = \{(4, 1), (5, 2), (6, 3)\}$,
$D = \{(2, 1), (4, 2), (6, 3)\}$, $C \cap D = \{(6, 3)\}$
이므로 $P(C) = \frac{3}{36}, P(D) = \frac{3}{36}, P(C \cap D) = \frac{1}{36}$
$$\therefore P(C \cup D) = P(C) + P(D) - P(C \cap D)$$
$$= \frac{3}{36} + \frac{3}{36} - \frac{1}{36} = \frac{5}{36}$$
$$\therefore m + n = 36 + 5 = 41$$ 답 41

038 점 B의 순서쌍의 개수는 $6 \times 6 = 36$
$\triangle OAB$가 직각삼각형인 경우 순서쌍 (a, b)는
$(3, 3), (6, 1), (6, 2), (6, 3), (6, 4), (6, 5), (6, 6)$
의 7가지
$\triangle OAB$가 이등변삼각형인 경우 순서쌍 (a, b)는
$(3, 1), (3, 2), (3, 3), (3, 4), (3, 5), (3, 6), (6, 6)$
의 7가지
$\triangle OAB$가 직각이등변삼각형인 경우 순서쌍 (a, b)는
$(3, 3), (6, 6)$
의 2가지
따라서 구하는 확률은
$$\frac{7}{36} + \frac{7}{36} - \frac{2}{36} = \frac{1}{3}$$ 답 $\frac{1}{3}$

039 두 개의 주사위를 던질 때 나올 수 있는 모든 경우의 수는
$6 \times 6 = 36$
두 눈의 수의 합이 5인 사건을 A, 두 눈의 수의 차가 2인 사건을 B라 하면
$A = \{(1, 4), (2, 3), (3, 2), (4, 1)\}$,

$B = \{(1, 3), (3, 1), (2, 4), (4, 2), (3, 5), (5, 3), (4, 6),$
$(6, 4)\}$
이므로
$$P(A) = \frac{4}{36} = \frac{1}{9}, P(B) = \frac{8}{36} = \frac{2}{9}$$
그런데 두 사건 A, B는 서로 배반사건이므로 구하는 확률은
$$P(A \cup B) = P(A) + P(B)$$
$$= \frac{1}{9} + \frac{2}{9} = \frac{1}{3}$$ 답 ③

040 7명의 학생 중에서 2명의 대표를 뽑는 방법의 수는 $_7C_2$
2명의 대표가 모두 남학생인 사건을 A, 2명의 대표가 모두 여학생인 사건을 B라 하면
$$P(A) = \frac{_4C_2}{_7C_2} = \frac{2}{7}$$
$$P(B) = \frac{_3C_2}{_7C_2} = \frac{1}{7}$$
그런데 두 사건 A, B는 서로 배반사건이므로 구하는 확률은
$$P(A \cup B) = P(A) + P(B)$$
$$= \frac{2}{7} + \frac{1}{7} = \frac{3}{7}$$ 답 $\frac{3}{7}$

041 8개의 공에서 2개를 꺼내는 모든 방법의 수는 $_8C_2$
2개 모두 흰 공이 나오는 사건을 A, 2개 모두 검은 공이 나오는 사건을 B라 하면
$$P(A) = \frac{_3C_2}{_8C_2} = \frac{3}{28}, P(B) = \frac{_5C_2}{_8C_2} = \frac{5}{14}$$
그런데 두 사건 A, B는 서로 배반사건이므로 구하는 확률은
$$P(A \cup B) = P(A) + P(B)$$
$$= \frac{3}{28} + \frac{5}{14} = \frac{13}{28}$$ 답 $\frac{13}{28}$

042 10개의 공에서 3개를 꺼내는 모든 방법의 수는 $_{10}C_3$
(i) 흰 공 2개, 파란 공 1개가 나올 확률은
$$\frac{_6C_2 \times _4C_1}{_{10}C_3} = \frac{1}{2}$$
(ii) 흰 공 1개, 파란 공 2개가 나올 확률은
$$\frac{_6C_1 \times _4C_2}{_{10}C_3} = \frac{3}{10}$$
(i), (ii)는 서로 배반사건이므로 구하는 확률은
$$\frac{1}{2} + \frac{3}{10} = \frac{4}{5}$$ 답 ②

043 합이 4가 되는 두 수를 순서쌍으로 나타내면
$(1, 3), (2, 2), (3, 1)$
(i) A에서 1, B에서 3이 나올 확률은 $\frac{2}{6} \times \frac{3}{6} = \frac{6}{36}$
(ii) A에서 2, B에서 2가 나올 확률은 $\frac{2}{6} \times \frac{2}{6} = \frac{4}{36}$
(iii) A에서 3, B에서 1이 나올 확률은 $\frac{2}{6} \times \frac{1}{6} = \frac{2}{36}$
(i), (ii), (iii)은 서로 배반사건이므로 구하는 확률은
$$\frac{6}{36} + \frac{4}{36} + \frac{2}{36} = \frac{1}{3}$$ 답 $\frac{1}{3}$

044 이차방정식 $2x^2+2ax+a=0$의 판별식을 D라 할 때, 주어진 이차방정식이 실근을 가지려면

$$\frac{D}{4}=a^2-2a\geq0,\ a(a-2)\geq0$$

$\therefore a\leq0$ 또는 $a\geq2$

$-2\leq a\leq6$이므로 주어진 방정식이 실근을 갖도록 하는 a의 값의 범위는

$-2\leq a\leq0$ 또는 $2\leq a\leq6$

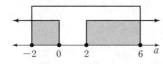

따라서 구하는 확률은 $\dfrac{2+4}{8}=\dfrac{3}{4}$ 🔳 $\dfrac{3}{4}$

045 적어도 한 개가 빨간 공일 사건을 A라 하면 A^C은 모두 빨간 공이 아닐 사건이므로

$$P(A^C)=\frac{{}_6C_2}{{}_{10}C_2}=\frac{1}{3}$$

따라서 구하는 확률은

$$P(A)=1-P(A^C)=1-\frac{1}{3}=\frac{2}{3}$$ 🔳 ④

046 적어도 하나가 불량품일 사건을 A라 하면 A^C은 3개가 모두 불량품이 아닐 사건이므로

$$P(A^C)=\frac{{}_7C_3}{{}_{10}C_3}=\frac{7}{24}$$

따라서 구하는 확률은

$$P(A)=1-P(A^C)=1-\frac{7}{24}=\frac{17}{24}$$ 🔳 $\dfrac{17}{24}$

047 적어도 1개가 당첨 제비일 사건을 A라 하면 A^C은 모두 당첨 제비가 아닐 사건이므로

$$P(A^C)=\frac{{}_{13}C_2}{{}_{16}C_2}=\frac{13}{20}$$

따라서 구하는 확률은

$$P(A)=1-P(A^C)=1-\frac{13}{20}=\frac{7}{20}$$ 🔳 $\dfrac{7}{20}$

048 두 눈의 수의 합이 5 이상인 사건을 A라 하면 A^C은 두 눈의 수의 합이 5 미만인 사건이므로

$$A^C=\{(1,1),(1,2),(1,3),(2,1),(2,2),(3,1)\}$$

$$\therefore P(A^C)=\frac{6}{36}=\frac{1}{6}$$

따라서 구하는 확률은

$$P(A)=1-P(A^C)=1-\frac{1}{6}=\frac{5}{6}$$ 🔳 ⑤

049 뽑은 두 장 중에서 1과 2가 모두 없는 사건을 A, 1과 2가 모두 뽑힐 사건을 B라 하면

$$P(A)=\frac{{}_7C_2}{{}_9C_2}=\frac{7}{12},\ P(B)=\frac{{}_2C_2}{{}_9C_2}=\frac{1}{36}$$

따라서 구하는 확률은

$$1-\{P(A)+P(B)\}=1-\left(\frac{7}{12}+\frac{1}{36}\right)=\frac{7}{18}$$ 🔳 $\dfrac{7}{18}$

050 여학생이 포함되거나 1학년 학생이 포함되는 사건을 A라 하면 A^C은 2학년 남학생 중에서 2명의 대표가 뽑히는 사건이므로

$$P(A^C)=\frac{{}_{10}C_2}{{}_{20}C_2}=\frac{9}{38}$$

따라서 구하는 확률은

$$P(A)=1-P(A^C)=1-\frac{9}{38}=\frac{29}{38}$$ 🔳 $\dfrac{29}{38}$

051 $P(A\cap B^C)=P(A)-P(A\cap B)$에서

$$P(A\cap B)=P(A)-P(A\cap B^C)$$

$$=\frac{2}{3}-\frac{1}{4}=\frac{5}{12}$$

$$\therefore P(B|A)=\frac{P(A\cap B)}{P(A)}=\frac{\dfrac{5}{12}}{\dfrac{2}{3}}=\frac{5}{8}$$ 🔳 ⑤

052 $P(A|B)=\dfrac{P(A\cap B)}{P(B)}$에서

$$P(A\cap B)=P(B)P(A|B)=\frac{1}{6}P(B)$$

$$P(A\cup B)=P(A)+P(B)-P(A\cap B)$$에서

$$\frac{3}{4}=\frac{1}{2}+P(B)-\frac{1}{6}P(B)$$

$$\therefore P(B)=\frac{3}{10}$$ 🔳 $\dfrac{3}{10}$

053 $P(A)=1-P(A^C)=1-\dfrac{1}{5}=\dfrac{4}{5}$

$$P(B|A)=\frac{P(A\cap B)}{P(A)}$$에서

$$P(A\cap B)=P(A)P(B|A)=\frac{4}{5}\times\frac{3}{4}=\frac{3}{5}$$

$$\therefore P(A\cap B^C)=P(A)-P(A\cap B)$$

$$=\frac{4}{5}-\frac{3}{5}=\frac{1}{5}$$ 🔳 $\dfrac{1}{5}$

054 $A\subset B$에서 $A\cap B=A$이므로

$$P(A\cap B)=P(A)=\frac{1}{4}$$

$$\therefore P(A|B)=\frac{P(A\cap B)}{P(B)}=\frac{\dfrac{1}{4}}{\dfrac{2}{3}}=\frac{3}{8}$$ 🔳 ③

055 $P(B|A)=\dfrac{P(A\cap B)}{P(A)}=\dfrac{3}{5}$이므로

$$P(A\cap B)=\frac{3}{5}P(A)$$

$$P(A\cup B)=P(A)+P(B)-P(A\cap B)=2P(A)$$

이므로 $P(A)+P(B)-\dfrac{3}{5}P(A)=2P(A)$

$$\therefore P(B)=\frac{8}{5}P(A)$$

$$\therefore P(A|B)=\frac{P(A\cap B)}{P(B)}=\frac{\dfrac{3}{5}P(A)}{\dfrac{8}{5}P(A)}=\frac{3}{8}$$ 🔳 $\dfrac{3}{8}$

056

$$P(A^C)=1-P(A)$$
$$=1-\frac{1}{5}=\frac{4}{5}$$

A, B가 서로 배반사건이므로 $P(A\cap B)=0$

즉, $P(A^C\cap B)=P(B)-P(A\cap B)=P(B)=\frac{2}{3}$

$$\therefore P(B|A^C)=\frac{P(A^C\cap B)}{P(A^C)}=\frac{\frac{2}{3}}{\frac{4}{5}}=\frac{5}{6}$$ 답 $\frac{5}{6}$

057 남학생을 뽑는 사건을 A, 동생이 있는 학생을 뽑는 사건을 B라 하면

$$P(A)=\frac{20}{35}, P(A\cap B)=\frac{5}{35}$$

따라서 구하는 확률은

$$P(B|A)=\frac{P(A\cap B)}{P(A)}=\frac{\frac{5}{35}}{\frac{20}{35}}=\frac{1}{4}$$ 답 $\frac{1}{4}$

다른 풀이

전사건을 S라 하면

$$\therefore P(B|A)=\frac{n(A\cap B)}{n(A)}=\frac{5}{20}=\frac{1}{4}$$

058 남학생을 뽑는 사건을 A, 자전거로 통학하는 학생을 뽑는 사건을 B라 하면

$$P(A)=\frac{40}{60}, P(B)=\frac{35}{60}, P(A\cap B)=\frac{24}{60}$$

이므로

$$a=P(B|A)=\frac{P(A\cap B)}{P(A)}=\frac{\frac{24}{60}}{\frac{40}{60}}=\frac{3}{5}$$

$$b=P(A|B)=\frac{P(A\cap B)}{P(B)}=\frac{\frac{24}{60}}{\frac{35}{60}}=\frac{24}{35}$$

$$\therefore a+b=\frac{3}{5}+\frac{24}{35}=\frac{9}{7}$$ 답 $\frac{9}{7}$

059 주어진 조건을 표로 나타내면 다음과 같다.

(단위: 명)

성별\과목	남학생	여학생	합계
중국어	12	9	21
일본어	6	7	13
합계	18	16	34

이 학급에서 임의로 뽑은 한 학생이 중국어 수업을 받을 사건을 A, 여학생일 사건을 B라 하면

$$P(A)=\frac{21}{34}, P(A\cap B)=\frac{9}{34}$$

따라서 구하는 확률은

$$P(B|A)=\frac{P(A\cap B)}{P(A)}=\frac{\frac{9}{34}}{\frac{21}{34}}=\frac{3}{7}$$ 답 $\frac{3}{7}$

060 1차 시험에 합격하는 사건을 A, 2차 시험에 합격하는 사건을 B라 하면

$$P(A)=\frac{5}{100}, P(A\cap B)=\frac{2}{100}$$

따라서 구하는 확률은

$$P(B|A)=\frac{P(A\cap B)}{P(A)}=\frac{\frac{2}{100}}{\frac{5}{100}}=\frac{2}{5}$$ 답 ③

061 남학생을 뽑는 사건을 A, 수시모집 응시를 희망한 학생을 뽑는 사건을 B라 하면

$$P(A)=\frac{48}{100}, P(A\cap B)=\frac{30}{100}$$

따라서 구하는 확률은

$$P(B|A)=\frac{P(A\cap B)}{P(A)}=\frac{\frac{30}{100}}{\frac{48}{100}}=\frac{5}{8}$$ 답 $\frac{5}{8}$

062 1월생을 2명 뽑는 사건을 A, 2월생을 2명 뽑는 사건을 B, 생일이 같은 달인 학생을 2명 뽑는 사건을 C라 하면

$$P(A)=\frac{{}_3C_2}{{}_7C_2}=\frac{1}{7}$$

$$P(B)=\frac{{}_4C_2}{{}_7C_2}=\frac{2}{7}$$

$$P(C)=P(A)+P(B)=\frac{3}{7}$$

따라서 구하는 확률은

$$P(A|C)=\frac{P(A\cap C)}{P(C)}=\frac{P(A)}{P(C)}$$

$$=\frac{\frac{1}{7}}{\frac{3}{7}}=\frac{1}{3}$$ 답 $\frac{1}{3}$

다른 풀이

1월생을 2명 뽑는 사건을 A, 2월생을 2명 뽑는 사건을 B, 생일이 같은 달인 학생을 2명 뽑는 사건을 C라 하면

$$n(A)={}_3C_2=3, n(B)={}_4C_2=6,$$
$$n(C)=n(A)+n(B)=9$$

$$\therefore P(A|C)=\frac{n(A\cap C)}{n(C)}$$

$$=\frac{n(A)}{n(C)}=\frac{1}{3}$$

063 두 주머니 A, B에서 꺼낸 카드에 적혀 있는 수가 짝수인 사건을 각각 A, B라 하고, 2장의 카드에 적혀 있는 두 수의 합이 홀수인 사건을 E라 하면

$$P(A\cap E)=P(A)P(E|A)=\frac{2}{5}\times\frac{{}_2C_1}{{}_5C_1}=\frac{4}{25}$$

$$P(B\cap E)=P(B)P(E|B)=\frac{3}{5}\times\frac{{}_3C_1}{{}_5C_1}=\frac{9}{25}$$

$$P(E)=P(A\cap E)+P(B\cap E)$$
$$=\frac{4}{25}+\frac{9}{25}=\frac{13}{25}$$

따라서 구하는 확률은

$$P(A\,|\,E)=\frac{P(A\cap E)}{P(E)}=\frac{\frac{4}{25}}{\frac{13}{25}}=\frac{4}{13}$$　　　　🔲 $\frac{4}{13}$

064 민호가 꺼낸 공이 흰 공, 검은 공일 사건을 각각 A, B 하고, 창민이가 꺼낸 공이 흰 공일 사건을 E라 하면

$$P(A\cap E)=P(A)P(E\,|\,A)=\frac{3}{5}\times\frac{2}{4}=\frac{3}{10}$$
$$P(B\cap E)=P(B)P(E\,|\,B)=\frac{2}{5}\times\frac{3}{4}=\frac{3}{10}$$
$$P(E)=P(A\cap E)+P(B\cap E)$$
$$=\frac{3}{10}+\frac{3}{10}=\frac{3}{5}$$

따라서 구하는 확률은

$$P(A\,|\,E)=\frac{P(A\cap E)}{P(E)}=\frac{\frac{3}{10}}{\frac{3}{5}}=\frac{1}{2}$$　　　　🔲 ①

065 갑이 당첨 제비를 뽑는 사건을 A, 을이 당첨 제비를 뽑는 사건을 B라 하면

$$P(A)=\frac{3}{8},\ P(B\,|\,A)=\frac{2}{7}$$

따라서 구하는 확률은
$$P(A\cap B)=P(A)P(B\,|\,A)$$
$$=\frac{3}{8}\times\frac{2}{7}=\frac{3}{28}$$　　　　🔲 $\frac{3}{28}$

066 첫 번째 뽑힌 사람이 여학생일 사건을 A, 두 번째 뽑힌 사람이 여학생일 사건을 B라 하면

$$P(A)=\frac{9}{25},\ P(B\,|\,A)=\frac{8}{24}=\frac{1}{3}$$

따라서 구하는 확률은

$$P(A\cap B)=P(A)P(B\,|\,A)=\frac{9}{25}\times\frac{1}{3}=\frac{3}{25}$$　　🔲 $\frac{3}{25}$

067 갑이 파란 공을 꺼내는 사건을 A, 을이 파란 공을 꺼내는 사건을 B라 하면

$$P(A)=\frac{5}{8},\ P(B\,|\,A)=\frac{4}{7}$$

따라서 구하는 확률은

$$P(A\cap B)=P(A)P(B\,|\,A)=\frac{5}{8}\times\frac{4}{7}=\frac{5}{14}$$　　🔲 ③

068 여자 사원이 호명되는 사건을 A, 남자 사원이 호명되는 사건을 B라 하면

$$P(A)=\frac{3}{7},\ P(B\,|\,A)=\frac{4}{6}=\frac{2}{3}$$

따라서 구하는 확률은

$$P(A\cap B)=P(A)P(B\,|\,A)=\frac{3}{7}\times\frac{2}{3}=\frac{2}{7}$$　　🔲 ②

069 행운상을 받는 학생이 2학년일 사건을 A, 어학생일 사건을 B라 하면

$$P(A)=\frac{40}{100}=\frac{2}{5},\ P(B\,|\,A)=\frac{2}{5}$$

따라서 구하는 확률은

$$P(A\cap B)=P(A)P(B\,|\,A)=\frac{2}{5}\times\frac{2}{5}=\frac{4}{25}$$　　🔲 $\frac{4}{25}$

070 네 번째에 확인 작업이 끝나려면 세 번째까지 맞는 열쇠를 1개 발견하고 네 번째에서 맞는 열쇠를 발견해야 한다.

세 번째까지 맞는 열쇠를 1개 발견하는 사건을 A, 네 번째에 맞는 열쇠를 발견하는 사건을 B라 하면

$$P(A)=\frac{{}_2C_1\times{}_8C_2}{{}_{10}C_3}=\frac{7}{15},\ P(B\,|\,A)=\frac{1}{7}$$

따라서 구하는 확률은

$$P(A\cap B)=P(A)P(B\,|\,A)=\frac{7}{15}\times\frac{1}{7}=\frac{1}{15}$$　　🔲 $\frac{1}{15}$

071 A가 쏜 화살이 명중할 사건을 A, B가 쏜 화살이 명중할 사건을 B라 하면 구하는 확률은
$$P(B)=P(A\cap B)+P(A^C\cap B)$$
$$=P(A)P(B\,|\,A)+P(A^C)P(B\,|\,A^C)$$
$$=0.4\times0.6+0.6\times0.7$$
$$=0.24+0.42=0.66$$　　🔲 ③

072 갑과 을이 당첨 복권을 뽑는 사건을 각각 A, B라 하면 갑이 당첨 복권을 뽑고 을도 당첨 복권을 뽑을 확률은 $P(A\cap B)$이고, 갑이 당첨 복권을 뽑지 않고 을은 당첨 복권을 뽑을 확률은 $P(A^C\cap B)$이다.

따라서 구하는 확률은
$$P(B)=P(A\cap B)+P(A^C\cap B)$$
$$=P(A)P(B\,|\,A)+P(A^C)P(B\,|\,A^C)$$
$$=\frac{3}{9}\times\frac{2}{8}+\frac{6}{9}\times\frac{3}{8}$$
$$=\frac{1}{12}+\frac{1}{4}=\frac{1}{3}$$　　🔲 $\frac{1}{3}$

073 자동차 운전자가 보험에 가입하는 사건을 A, 자동차 사고를 일으키는 사건을 B라 하면
$$P(A\cap B)=P(A)P(B\,|\,A)=0.8\times0.1=0.08$$
$$P(A^C\cap B)=P(A^C)P(B\,|\,A^C)=0.2\times0.2=0.04$$
$$\therefore P(B)=P(A\cap B)+P(A^C\cap B)$$
$$=0.08+0.04=0.12$$

따라서 구하는 확률은

$$P(A\,|\,B)=\frac{P(A\cap B)}{P(B)}=\frac{0.08}{0.12}=\frac{2}{3}$$　　🔲 ④

074 $P((A\cup B)^C)=\frac{1}{5}$이므로

$$P(A\cup B)=1-P((A\cup B)^C)=1-\frac{1}{5}=\frac{4}{5}$$

두 사건 A, B는 서로 배반사건이므로 $P(A\cap B)=0$
$P(A\cup B)=P(A)+P(B)-P(A\cap B)$에서

$$\frac{4}{5}=P(A)+P(B)$$

$P(A)=3P(B)$이므로

$$\frac{4}{5}=3P(B)+P(B)=4P(B)$$

$$\therefore P(B)=\frac{1}{5}$$

따라서 $P(A)=3\times\frac{1}{5}=\frac{3}{5}$이므로

$$P(A^C)=1-P(A)=1-\frac{3}{5}=\frac{2}{5}$$ 답 $\frac{2}{5}$

075 $P(A^C\cap B^C)=\frac{1}{6}$에서 $P((A\cup B)^C)=\frac{1}{6}$

$$1-P(A\cup B)=\frac{1}{6}$$

$$\therefore P(A\cup B)=\frac{5}{6}$$

또 $P(A\cap B^C)=\frac{1}{2}$이므로

$$P(B)=P(A\cup B)-P(A\cap B^C)=\frac{5}{6}-\frac{1}{2}=\frac{1}{3}$$

$$\therefore P(B^C)=1-P(B)=1-\frac{1}{3}=\frac{2}{3}$$ 답 ④

076 경제를 선택하는 사건을 A, 세계사를 선택하는 사건을 B라 하면

$P(A)=\frac{24}{35}$, $P(B)=\frac{15}{35}$, $P((A\cup B)^C)=\frac{4}{35}$이므로

$$P(A\cup B)=1-P((A\cup B)^C)$$

$$=1-\frac{4}{35}=\frac{31}{35}$$

$P(A\cup B)=P(A)+P(B)-P(A\cap B)$에서

$$\frac{31}{35}=\frac{24}{35}+\frac{15}{35}-P(A\cap B)$$

$$\therefore P(A\cap B)=\frac{8}{35}$$ 답 ③

077 15명에서 대표 2명을 뽑는 방법의 수는 $_{15}C_2$

대표로 뽑힌 두 학생이 모두 1학년인 사건을 A, 2학년인 사건을 B, 3학년인 사건을 C라 하면

$$P(A)=\frac{_3C_2}{_{15}C_2}=\frac{6}{210}$$

$$P(B)=\frac{_5C_2}{_{15}C_2}=\frac{20}{210}$$

$$P(C)=\frac{_7C_2}{_{15}C_2}=\frac{42}{210}$$

그런데 세 사건 A, B, C는 서로 배반사건이므로 구하는 확률은

$$\frac{6}{210}+\frac{20}{210}+\frac{42}{210}=\frac{34}{105}$$ 답 ①

078 여학생이 $n\ (0\le n\le 9)$명이므로 남학생은 $(9-n)$명이다.

적어도 한 명이 여학생인 사건을 A라 하면 A^C은 2명 모두 남학생인 사건이므로

$$P(A^C)=\frac{_{9-n}C_2}{_9C_2}$$

$$\therefore P(A)=1-P(A^C)=1-\frac{_{9-n}C_2}{_9C_2}$$

$$=1-\frac{(9-n)(8-n)}{9\times 8}$$

$$=\frac{5}{6}$$

$(9-n)(8-n)=12=4\times 3$

$$\therefore n=5\ (\because 0\le n\le 9)$$ 답 5

079 $P(B^C)=1-P(B)=1-\frac{2}{3}=\frac{1}{3}$

$P(B\,|\,A)=\frac{P(A\cap B)}{P(A)}$에서

$$P(A\cap B)=P(A)P(B\,|\,A)$$

$$=\frac{2}{5}\times\frac{5}{6}=\frac{1}{3}$$

$$P(A\cap B^C)=P(A)-P(A\cap B)$$

$$=\frac{2}{5}-\frac{1}{3}=\frac{1}{15}$$

$$\therefore P(A\,|\,B^C)=\frac{P(A\cap B^C)}{P(B^C)}=\frac{\frac{1}{15}}{\frac{1}{3}}=\frac{1}{5}$$ 답 $\frac{1}{5}$

080 어른을 뽑는 사건을 A, 여자를 뽑는 사건을 B라 하면

$$P(A\cap B)=P(B)P(A\,|\,B)$$

$$=0.45\times 0.8=0.36$$

따라서 구하는 확률은

$$P(B\,|\,A)=\frac{P(A\cap B)}{P(A)}=\frac{0.36}{0.8}=0.45$$ 답 ③

081 당첨 제비를 꺼내는 사건을 A, 당첨 제비를 꺼내지 않는 사건을 B라 하고, 친구가 당첨 제비라고 말하는 사건을 E라 하면

$$P(A\cap E)=P(A)P(E\,|\,A)$$

$$=\frac{2}{5}\times\frac{3}{4}=\frac{6}{20}$$

$$P(B\cap E)=P(B)P(E\,|\,B)$$

$$=\frac{3}{5}\times\frac{1}{4}=\frac{3}{20}$$

$$P(E)=P(A\cap E)+P(B\cap E)$$

$$=\frac{6}{20}+\frac{3}{20}=\frac{9}{20}$$

따라서 구하는 확률은

$$P(A\,|\,E)=\frac{P(A\cap E)}{P(E)}=\frac{\frac{6}{20}}{\frac{9}{20}}=\frac{2}{3}$$ 답 $\frac{2}{3}$

082 화요일에 비가 오는 사건을 A, 수요일에 비가 오는 사건을 B라 하면 구하는 확률은

$$P(B)=P(A\cap B)+P(A^C\cap B)$$

$$=P(A)P(B\,|\,A)+P(A^C)P(B\,|\,A^C)$$

$$=0.4\times 0.4+0.6\times 0.3$$

$$=0.16+0.18=0.34$$ 답 0.34

083 철수, 영희가 당첨 제비를 뽑는 사건을 각각 A, B라 하면

$$P(A \cap B) = P(A)P(B|A)$$
$$= \frac{3}{10} \times \frac{2}{9} = \frac{1}{15}$$
$$P(A^C \cap B) = P(A^C)P(B|A^C)$$
$$= \frac{7}{10} \times \frac{3}{9} = \frac{7}{30}$$
$$\therefore P(B) = P(A \cap B) + P(A^C \cap B)$$
$$= \frac{1}{15} + \frac{7}{30} = \frac{3}{10}$$

따라서 구하는 확률은

$$P(A|B) = \frac{P(A \cap B)}{P(B)} = \frac{\frac{1}{15}}{\frac{3}{10}} = \frac{2}{9}$$

답 $\dfrac{2}{9}$

084 집합 X에서 집합 Y로의 함수의 개수는

$$_4\Pi_4 = 4^4$$

$f(1)f(2)f(3) = 0$ 또는 $f(4) \geq 0$을 만족시키는 사건을 A라 하면 사건 A의 여사건 A^C은

$f(1)f(2)f(3) \neq 0$이고 $f(4) < 0$

(i) $f(1)f(2)f(3) \neq 0$인 경우

$f(1)$, $f(2)$, $f(3)$의 값은 0이 될 수 없으므로 집합 $\{-2, -1, 1\}$의 원소 중에서 결정되어야 한다.

따라서 $f(1)f(2)f(3) \neq 0$을 만족시키도록 $f(1)$, $f(2)$, $f(3)$의 값을 정하는 경우의 수는

$$_3\Pi_3 = 3^3$$

(ii) $f(4) < 0$인 경우

$f(4)$의 값은 집합 $\{-2, -1\}$의 원소 중에서 결정되어야 하므로 $f(4) < 0$을 만족시키도록 $f(4)$의 값을 정하는 경우의 수는 2

(i), (ii)에 의하여

$$P(A^C) = \frac{3^3 \times 2}{4^4} = \frac{27}{128}$$
$$\therefore P(A) = 1 - P(A^C)$$
$$= 1 - \frac{27}{128} = \frac{101}{128}$$

따라서 $p = 128$, $q = 101$이므로

$p + q = 229$

답 229

085 주사위를 던져서 2 이하의 눈이 나오는 사건을 A, 주머니에서 서로 다른 색의 공이 나오는 사건을 B라 하자.

(i) 주사위를 던져서 2 이하의 눈이 나오는 경우

$$P(A) = \frac{2}{6} = \frac{1}{3}$$

주사위를 던져서 2 이하의 눈이 나오면 주머니에 흰 공을 1개 넣는다.

따라서 흰 공 4개와 검은 공 2개가 들어 있는 주머니에서 흰 공 1개, 검은 공 1개를 꺼내야 하므로

$$P(B|A) = \frac{_4C_1 \times _2C_1}{_6C_2} = \frac{8}{15}$$
$$\therefore P(A \cap B) = P(A)P(B|A)$$
$$= \frac{1}{3} \times \frac{8}{15} = \frac{8}{45}$$

(ii) 주사위를 던져서 3 이상의 눈이 나오는 경우

$$P(A^C) = \frac{4}{6} = \frac{2}{3}$$

주사위를 던져서 3 이상의 눈이 나오면 주머니에 검은 공을 1개 넣는다.

따라서 흰 공 3개와 검은 공 3개가 들어 있는 주머니에서 흰 공 1개, 검은 공 1개를 꺼내야 하므로

$$P(B|A^C) = \frac{_3C_1 \times _3C_1}{_6C_2} = \frac{3}{5}$$
$$\therefore P(A^C \cap B) = P(A^C)P(B|A^C)$$
$$= \frac{2}{3} \times \frac{3}{5} = \frac{2}{5}$$

(i), (ii)에 의하여 구하는 확률은

$$P(B) = P(A \cap B) + P(A^C \cap B)$$
$$= \frac{8}{45} + \frac{2}{5} = \frac{26}{45}$$

답 $\dfrac{26}{45}$

001 두 사건 A, B가 서로 독립이므로

$$P(A \cap B) = P(A)P(B)$$
$$= \frac{3}{4} \times \frac{2}{3} = \frac{1}{2}$$

달 $\frac{1}{2}$

002 $P(B^c) = 1 - P(B)$

$$= 1 - \frac{2}{3} = \frac{1}{3}$$

달 $\frac{1}{3}$

003 두 사건 A, B가 서로 독립이므로 두 사건 A, B^c도 서로 독립이다.

$$\therefore P(A \cap B^c) = P(A)P(B^c)$$
$$= \frac{3}{4} \times \frac{1}{3} = \frac{1}{4}$$

달 $\frac{1}{4}$

004 두 사건 A, B가 서로 독립이므로

$$P(A|B) = \frac{P(A \cap B)}{P(B)} = \frac{P(A)P(B)}{P(B)}$$
$$= P(A) = \frac{3}{4}$$

달 $\frac{3}{4}$

005 두 사건 A, B가 서로 독립이므로 두 사건 A, B^c도 서로 독립이다.

$$\therefore P(A|B^c) = \frac{P(A \cap B^c)}{P(B^c)} = \frac{P(A)P(B^c)}{P(B^c)}$$
$$= P(A)$$
$$= \frac{3}{4}$$

달 $\frac{3}{4}$

006 꺼낸 공을 다시 넣으면

$$P(B) = \frac{2}{5}$$

$$P(B|A) = \frac{P(A \cap B)}{P(A)} = \frac{\frac{2}{5} \times \frac{2}{5}}{\frac{2}{5}} = \frac{2}{5}$$

달 $P(B) = \frac{2}{5}$, $P(B|A) = \frac{2}{5}$

007 꺼낸 공을 다시 넣지 않으면

$$P(B) = \frac{2}{5} \times \frac{1}{4} + \frac{3}{5} \times \frac{2}{4} = \frac{2}{5}$$

$$P(B|A) = \frac{P(A \cap B)}{P(A)} = \frac{\frac{2}{5} \times \frac{1}{4}}{\frac{2}{5}} = \frac{1}{4}$$

달 $P(B) = \frac{2}{5}$, $P(B|A) = \frac{1}{4}$

008 $A = \{2, 4, 6\}$, $B = \{3, 4, 5, 6\}$이므로

$$P(A) = \frac{3}{6} = \frac{1}{2}, \quad P(B) = \frac{4}{6} = \frac{2}{3}$$

$$\therefore P(A)P(B) = \frac{1}{2} \times \frac{2}{3} = \frac{1}{3}$$

달 $\frac{1}{3}$

009 $A \cap B = \{4, 6\}$이므로

$$P(A \cap B) = \frac{2}{6} = \frac{1}{3}$$

달 $\frac{1}{3}$

010 $P(A \cap B) = P(A)P(B)$이므로 두 사건 A, B는 서로 독립이다.

달 독립

011 $A = \{3, 6, 9, 12, 15, 18\}$, $B = \{5, 10, 15, 20\}$이므로

$$P(A) = \frac{6}{20} = \frac{3}{10}, \quad P(B) = \frac{4}{20} = \frac{1}{5}$$

$$\therefore P(A)P(B) = \frac{3}{10} \times \frac{1}{5} = \frac{3}{50}$$

달 $\frac{3}{50}$

012 $A \cap B = \{15\}$이므로

$$P(A \cap B) = \frac{1}{20}$$

달 $\frac{1}{20}$

013 $P(A \cap B) \neq P(A)P(B)$이므로 두 사건 A, B는 서로 종속이다.

달 종속

014 $P(A \cap B) = \frac{1}{3}$

$$P(A)P(B) = \frac{2}{3} \times \frac{1}{2} = \frac{1}{3}$$

$P(A \cap B) = P(A)P(B)$이므로 두 사건 A, B는 서로 독립이다.

달 독립

015 $P(A \cap B) = \frac{1}{5}$

$$P(A)P(B) = \frac{1}{3} \times \frac{3}{4} = \frac{1}{4}$$

$P(A \cap B) \neq P(A)P(B)$이므로 두 사건 A, B는 서로 종속이다.

달 종속

016 $A = \{2, 4, 6\}$, $B = \{3, 6\}$

$A \cap B = \{6\}$

$$P(A \cap B) = \frac{1}{6}$$

$$P(A)P(B) = \frac{1}{2} \times \frac{1}{3} = \frac{1}{6}$$

$P(A \cap B) = P(A)P(B)$이므로 두 사건 A, B는 서로 독립이다.

달 독립

017 $A = \{2, 4, 6\}$, $C = \{4\}$

$A \cap C = \{4\}$

$$P(A \cap C) = \frac{1}{6}$$

$$P(A)P(C) = \frac{1}{2} \times \frac{1}{6} = \frac{1}{12}$$

$P(A \cap C) \neq P(A)P(C)$이므로 두 사건 A, C는 서로 종속이다.

달 종속

018 윤주와 도현이가 수학문제를 맞히는 사건을 각각 A, B라 하면

$P(A) = \frac{4}{5}$, $P(B) = \frac{2}{3}$이고, 두 사건 A, B는 서로 독립이므로

$$P(A \cap B) = P(A)P(B) = \frac{4}{5} \times \frac{2}{3} = \frac{8}{15}$$

달 $\frac{8}{15}$

019 주사위의 소수의 눈이 나오는 사건을 A, 동전의 앞면이 나오는 사건을 B라 하면

$$P(A)=\frac{3}{6}=\frac{1}{2},\ P(B)=\frac{1}{2}$$

이고, 두 사건 A, B는 서로 독립이므로

$$P(A\cap B)=P(A)P(B)=\frac{1}{2}\times\frac{1}{2}=\frac{1}{4}$$

답 $\dfrac{1}{4}$

020 (사건 A가 3번 일어날 확률)$={}_{10}C_{\boxed{3}}\left(\dfrac{1}{3}\right)^{3}\left(\boxed{\dfrac{2}{3}}\right)^{7}$

답 $3,\ \dfrac{2}{3}$

021 (사건 A가 4번 일어날 확률)$={}_{10}C_{4}\left(\dfrac{1}{3}\right)^{4}\left(\dfrac{2}{3}\right)^{6}$

$$={}_{10}C_{4}\frac{1}{3^4}\times\frac{2^6}{3^6}$$

$$={}_{10}C_{\boxed{4}}\frac{\boxed{2}^{6}}{3^{10}}$$

답 $4,\ 2$

022 $A=\{1,\,5\}$이므로 $P(A)=\dfrac{2}{6}=\dfrac{1}{3}$

답 $\dfrac{1}{3}$

023 주사위를 1번 던질 때 사건 A가 일어날 확률이 $\dfrac{1}{3}$이므로 사건 A가 일어나지 않을 확률은 $\dfrac{2}{3}$이다.

따라서 주사위를 3번 던질 때, 사건 A가 2번 일어날 확률은

$${}_{3}C_{2}\left(\frac{1}{3}\right)^{2}\left(\frac{2}{3}\right)^{1}=3\times\frac{1}{9}\times\frac{2}{3}=\frac{2}{9}$$

답 $\dfrac{2}{9}$

024 동전 한 개를 던질 때 앞면이 나올 확률이 $\dfrac{1}{2}$이므로 뒷면이 나올 확률도 $\dfrac{1}{2}$이다.

따라서 한 개의 동전을 4번 던질 때, 앞면이 3번 나올 확률은

$${}_{4}C_{3}\left(\frac{1}{2}\right)^{3}\left(\frac{1}{2}\right)^{1}=4\times\frac{1}{8}\times\frac{1}{2}=\frac{1}{4}$$

답 $\dfrac{1}{4}$

025 A팀이 이길 확률은 $\dfrac{3}{5}$이므로 A팀이 질 확률은 $\dfrac{2}{5}$이다.

따라서 3번의 경기를 할 때, A팀이 2번 이길 확률은

$${}_{3}C_{2}\left(\frac{3}{5}\right)^{2}\left(\frac{2}{5}\right)^{1}=3\times\frac{9}{25}\times\frac{2}{5}=\frac{54}{125}$$

답 $\dfrac{54}{125}$

026 상자에서 한 개의 공을 꺼낼 때 파란 공이 나올 확률은 $\dfrac{3}{9}=\dfrac{1}{3}$이므로 파란 공이 나오지 않은 확률은 $\dfrac{2}{3}$이다.

따라서 공을 5번 반복해서 꺼낼 때, 파란 공이 2번 나올 확률은

$${}_{5}C_{2}\left(\frac{1}{3}\right)^{2}\left(\frac{2}{3}\right)^{3}=10\times\frac{1}{9}\times\frac{8}{27}=\frac{80}{243}$$

답 $\dfrac{80}{243}$

027 두 사건 A, B가 서로 독립이므로

$$P(A\cap B)=P(A)P(B)=\frac{1}{4}\times\frac{2}{3}=\frac{1}{6}$$

답 ⑤

028 두 사건 A, B가 서로 독립이므로

$$P(A\cap B)=P(A)P(B)$$

즉, $P(A\cup B)=P(A)+P(B)-P(A)P(B)$에서

$$\frac{2}{3}=\frac{1}{2}+P(B)-\frac{1}{2}P(B)$$

$$\therefore P(B)=\frac{1}{3}$$

답 $\dfrac{1}{3}$

029 두 사건 A, B가 서로 독립이므로 두 사건 A, B^{C}도 서로 독립이다.

$$\begin{aligned}\therefore P(A\cap B^{C})&=P(A)P(B^{C})\\&=P(A)\{1-P(B)\}\\&=\frac{1}{3}\left(1-\frac{1}{3}\right)=\frac{2}{9}\end{aligned}$$

답 ②

030 $P(A\cap B^{C})=P(A\cup B)-P(B)$에서

$$\frac{1}{4}=\frac{3}{4}-P(B)\qquad\therefore P(B)=\frac{1}{2}$$

두 사건 A, B가 서로 독립이므로

$$P(A\cap B)=P(A)P(B)$$

즉, $P(A\cup B)=P(A)+P(B)-P(A)P(B)$에서

$$\frac{3}{4}=P(A)+\frac{1}{2}-\frac{1}{2}P(A)$$

$$\therefore P(A)=\frac{1}{2}$$

답 ④

031 두 사건 A, B가 서로 독립이므로

$$P(A\cap B)=P(A)P(B)$$

$$\begin{aligned}\therefore P(A|B)&=\frac{P(A\cap B)}{P(B)}=\frac{P(A)P(B)}{P(B)}\\&=P(A)=\frac{3}{4}\end{aligned}$$

$$\begin{aligned}P(B|A)&=\frac{P(A\cap B)}{P(A)}=\frac{P(A)P(B)}{P(A)}\\&=P(B)=\frac{3}{4}\end{aligned}$$

따라서 $P(A\cap B)=P(A)P(B)=\dfrac{9}{16}$이므로

$$\begin{aligned}P(A\cup B)&=P(A)+P(B)-P(A\cap B)\\&=\frac{3}{4}+\frac{3}{4}-\frac{9}{16}=\frac{15}{16}\end{aligned}$$

답 ①

032 $P(A\cup B)=P(A)+P(B)-P(A\cap B)$에서

$$0.7=P(A)+P(B)-0.2$$

$$\therefore P(A)+P(B)=0.9\qquad\cdots\cdots\text{㉠}$$

두 사건 A, B는 서로 독립이므로

$$P(A\cap B)=P(A)P(B)=0.2\qquad\cdots\cdots\text{㉡}$$

㉠, ㉡에서 $P(A)$, $P(B)$는 t에 대한 이차방정식 $t^{2}-0.9t+0.2=0$의 두 근이다.

$$(t-0.4)(t-0.5)=0$$

$$\therefore t=0.4\ \text{또는}\ t=0.5$$

그런데 $P(A)<P(B)$이므로 $P(A)=0.4$

답 ②

033 ㄱ. $A=\{1,\,2,\,3,\,4\}$, $B=\{4,\,6\}$이라 하면

$A\cap B=\{4\}$이므로

$$P(A)=\frac{2}{3},\ P(B)=\frac{1}{3},\ P(A\cap B)=\frac{1}{6}$$

$$\therefore P(A\cap B)\neq P(A)P(B)$$

즉, 두 사건 A와 B는 서로 종속이다.

ㄴ. $A=\{1, 2, 3, 4\}$, $C=\{3, 4, 5\}$라 하면
$A\cap C=\{3, 4\}$이므로
$P(A)=\dfrac{2}{3}$, $P(C)=\dfrac{1}{2}$, $P(A\cap C)=\dfrac{1}{3}$
$\therefore P(A\cap C)=P(A)P(C)$
즉, 두 사건 A와 C는 서로 독립이다.
ㄷ. $A=\{1, 2, 3, 4\}$, $D=\{3, 4, 5, 6\}$이라 하면
$A\cap D=\{3, 4\}$이므로
$P(A)=\dfrac{2}{3}$, $P(D)=\dfrac{2}{3}$, $P(A\cap D)=\dfrac{1}{3}$
$\therefore P(A\cap D)\neq P(A)P(D)$
즉, 두 사건 A와 D는 서로 종속이다.
따라서 사건 $\{1, 2, 3, 4\}$와 독립인 것은 ㄴ뿐이다. **冒② **

034 $A=\{1, 3, 5\}$, $B=\{2, 3, 5\}$, $C=\{1, 2\}$이므로
$A\cap B=\{3, 5\}$, $B\cap C=\{2\}$, $A\cap C=\{1\}$
ㄱ. $P(A)=\dfrac{1}{2}$, $P(B)=\dfrac{1}{2}$, $P(A\cap B)=\dfrac{1}{3}$이므로
$P(A\cap B)\neq P(A)P(B)$
즉, 두 사건 A와 B는 서로 종속이다.
ㄴ. $P(B)=\dfrac{1}{2}$, $P(C)=\dfrac{1}{3}$, $P(B\cap C)=\dfrac{1}{6}$이므로
$P(B\cap C)=P(B)P(C)$
즉, 두 사건 B와 C는 서로 독립이다.
ㄷ. $P(A)=\dfrac{1}{2}$, $P(C)=\dfrac{1}{3}$, $P(A\cap C)=\dfrac{1}{6}$이므로
$P(A\cap C)=P(A)P(C)$
즉, 두 사건 A와 C는 서로 독립이다.
따라서 서로 독립인 것은 ㄴ, ㄷ이다. **冒⑤**

035 $A=\{2, 4, 6\}$, $B=\{3, 6\}$, $C=\{1, 3, 5\}$
ㄱ. $P(A)=\dfrac{1}{2}$, $P(B)=\dfrac{1}{3}$이고
$A\cap B=\{6\}$이므로 $P(A\cap B)=\dfrac{1}{6}$
$\therefore P(A\cap B)=P(A)P(B)$
즉, 두 사건 A와 B는 서로 독립이다. (거짓)
ㄴ. $A\cap C=\varnothing$이므로 두 사건 A와 C는 서로 배반사건이다.
(참)
ㄷ. $P(A)=\dfrac{1}{2}$, $P(C)=\dfrac{1}{2}$, $P(A\cap C)=0$이므로
$P(A\cap C)\neq P(A)P(C)$
즉, 두 사건 A와 C는 서로 종속이다. (참)
따라서 옳은 것은 ㄴ, ㄷ이다. **冒④**

036 서로 다른 3개의 동전을 동시에 던질 때 모든 경우의 수는 8이
고, 동전의 앞면을 H, 뒷면을 T라 하면
$A=\{HTT, THT, TTH, TTT\}$, $B=\{HHH, TTT\}$
ㄱ. $P(A)=\dfrac{4}{8}=\dfrac{1}{2}$ (참)
ㄴ. $A\cap B=\{TTT\}$이므로 $P(A\cap B)=\dfrac{1}{8}$ (참)
ㄷ. $P(A)P(B)=\dfrac{1}{2}\times\dfrac{1}{4}=\dfrac{1}{8}$이므로
$P(A\cap B)=P(A)P(B)$
즉, 두 사건 A와 B는 서로 독립이다. (참)
따라서 ㄱ, ㄴ, ㄷ 모두 옳다. **冒 ㄱ, ㄴ, ㄷ**

037 ㄱ. $P(B|A)=\dfrac{P(A\cap B)}{P(A)}=\dfrac{P(A)}{P(A)}=1$ (거짓)
ㄴ. $P(A\cap B)=0$이므로
$P(B|A)=\dfrac{P(A\cap B)}{P(A)}=\dfrac{0}{P(A)}=0$ (참)
ㄷ. 두 사건 A, B가 서로 독립이므로 두 사건 A^c과 B도 서로
독립이다.
$P(A^c|B)=\dfrac{P(A^c\cap B)}{P(B)}=\dfrac{P(A^c)P(B)}{P(B)}=P(A^c)$
$P(B|A^c)=\dfrac{P(A^c\cap B)}{P(A^c)}=\dfrac{P(A^c)P(B)}{P(A^c)}=P(B)$
$\therefore P(A^c|B)\neq P(B|A^c)$ (거짓)
따라서 옳은 것은 ㄴ뿐이다. **冒 ㄴ**

038 두 사건 A와 B가 서로 독립이므로 두 사건 A^c과 B, A와 B^c도
서로 독립이다.
ㄱ. $P(A^c|B)=\dfrac{P(A^c\cap B)}{P(B)}=\dfrac{P(A^c)P(B)}{P(B)}$
$=P(A^c)=1-P(A)$ (참)
ㄴ. $P(A|B^c)=P(A)$, $P(B|A^c)=P(B)$
$\therefore P(A\cap B)=P(A)P(B)$
$=P(A|B^c)P(B|A^c)$ (참)
ㄷ. $P(A)P(B)+P(A^c)P(B)$
$=P(B)\{P(A)+P(A^c)\}=P(B)$ (참)
따라서 ㄱ, ㄴ, ㄷ 모두 옳다. **冒 ㄱ, ㄴ, ㄷ**

039 ㄱ. [반례] 표본공간이 $S=\{1, 2, 3, 4\}$일 때,
$A=\{1, 2\}$, $B=\{3\}$, $C=\{1, 4\}$라 하면
두 사건 A와 B, B와 C가 서로 배반사건이지만 두 사건 A
와 C는 서로 배반사건이 아니다. (거짓)
ㄴ. [반례] 표본공간이 $S=\{1, 2, 3, 4\}$일 때,
$A=\{1, 2\}$, $B=\{2, 3\}$, $C=\{3, 4\}$라 하면
$P(A)=\dfrac{1}{2}$, $P(B)=\dfrac{1}{2}$, $P(C)=\dfrac{1}{2}$
$P(A\cap B)=\dfrac{1}{4}$, $P(B\cap C)=\dfrac{1}{4}$, $P(A\cap C)-0$
즉, 두 사건 A와 B, B와 C는 서로 독립이지만 두 사건 A
와 C는 서로 종속이다. (거짓)
ㄷ. $A\cap B=\varnothing$, $B^c\cap C=\varnothing$이므로
$C\subset B$이고 $A\cap C=\varnothing$
즉, 두 사건 A, C가 서로 배반사건이므로 두 사건 A, C는
서로 종속이다. (참)
따라서 옳은 것은 ㄷ뿐이다. **冒 ㄷ**

참고
(i) 두 사건 A, B가 서로 배반사건이면 A, B는 서로 종속이다.
(ii) 두 사건 A, B가 서로 독립이면 A, B는 서로 배반사건이
아니다.

040 첫 번째에 1의 눈이 나오는 사건을 A, 두 번째에 1의 눈이 나오
는 사건을 B라 하면 두 사건 A, B는 서로 독립이다.
따라서 구하는 확률은
$P(A\cap B)=P(A)P(B)$
$=\dfrac{1}{6}\times\dfrac{1}{6}=\dfrac{1}{36}$ **冒①**

041 A주머니에서 흰 구슬을 꺼내는 사건을 X, B주머니에서 흰 구슬을 꺼내는 사건을 Y라 하면 두 사건 X, Y는 서로 독립이다.

두 주머니 A, B에서 각각 임의로 1개의 구슬을 꺼낼 때, 모두 흰 구슬일 확률은

$$P(X \cap Y) = P(X)P(Y)$$
$$= \frac{1}{3} \times \frac{n}{9} = \frac{2}{9}$$

$\therefore n = 6$　　　　　　　　　　　　　　　　　**답** 6

042 1번 타자가 안타를 치는 사건을 A, 2번 타자가 안타를 치는 사건을 B라 하면 두 사건 A, B는 서로 독립이다.

따라서 구하는 확률은

$$1 - P(A^C \cap B^C) = 1 - P(A^C)P(B^C)$$
$$= 1 - \frac{2}{3} \times \frac{3}{4}$$
$$= 1 - \frac{1}{2} = \frac{1}{2}$$

답 $\frac{1}{2}$

043 축구 선수 A와 B가 승부차기에서 성공하는 사건을 각각 A, B라 하면 두 사건 A, B는 서로 독립이다.

(ⅰ) A가 성공하고 B가 실패할 확률은
$$P(A \cap B^C) = P(A)P(B^C)$$
$$= 0.8 \times 0.1$$
$$= 0.08$$

(ⅱ) A가 실패하고 B가 성공할 확률은
$$P(A^C \cap B) = P(A^C)P(B)$$
$$= 0.2 \times 0.9$$
$$= 0.18$$

(ⅰ), (ⅱ)에서 구하는 확률은
$$0.08 + 0.18 = 0.26$$

답 ②

044 부품 A, B, C가 고장이 나는 사건을 각각 A, B, C라 하면 세 사건 A, B, C는 서로 독립이므로 A^C, B^C, C^C도 서로 독립이다.

이 제품이 1년 이내에 고장이 나지 않을 확률은
$$P(A^C \cap B^C \cap C^C) = P(A^C)P(B^C)P(C^C)$$
$$= \frac{1}{2} \times \frac{2}{3} \times \frac{3}{4}$$
$$= \frac{1}{4}$$

따라서 구하는 확률은
$$P(A \cup B \cup C) = 1 - P(A^C \cap B^C \cap C^C)$$
$$= 1 - \frac{1}{4}$$
$$= \frac{3}{4}$$

답 ⑤

045

(단위: 명)

성별 \ 구분	기혼	미혼	합계
남성	6	20	26
여성	36	x	$36+x$
합계	42	$20+x$	$62+x$

두 사건 A, B가 서로 독립이므로
$$P(A \cap B) = P(A)P(B)$$

즉, $\dfrac{20}{62+x} = \dfrac{26}{62+x} \times \dfrac{20+x}{62+x}$에서

$$20(62+x) = 26(20+x)$$
$$720 = 6x$$
$$\therefore x = 120$$

답 120

046 답을 맞힐 확률은 $\dfrac{1}{5}$이므로 5문제의 답을 임의로 적었을 때, 한 문제만 맞힐 확률은

$$_5C_1 \left(\frac{1}{5}\right)^1 \left(\frac{4}{5}\right)^4 = \frac{256}{625}$$

답 $\frac{256}{625}$

047 검은 바둑돌을 꺼낼 확률은 $\dfrac{3}{5}$이므로 바둑돌을 3번 꺼낼 때, 검은 바둑돌을 2번 꺼낼 확률은

$$_3C_2 \left(\frac{3}{5}\right)^2 \left(\frac{2}{5}\right)^1 = \frac{54}{125}$$

답 ④

048 서로 다른 2개의 주사위를 동시에 한 번 던질 때, 두 주사위 모두 3의 배수의 눈이 나오는 사건을 A라 하면
$$A = \{(3, 3), (3, 6), (6, 3), (6, 6)\}$$이므로
$$P(A) = \frac{4}{36} = \frac{1}{9}$$

따라서 서로 다른 2개의 주사위를 동시에 3번 던질 때, 두 주사위 모두 3의 배수의 눈이 2번 나올 확률은

$$_3C_2 \left(\frac{1}{9}\right)^2 \left(\frac{8}{9}\right)^1 = \frac{8}{243}$$

답 $\frac{8}{243}$

049 5번째 시합까지 A팀이 3승 2패하고, 6번째 시합에서 A팀이 이기면 된다.

한 회의 시합에서 A팀이 이길 확률이 $\dfrac{1}{2}$이므로 구하는 확률은

$$_5C_3 \left(\frac{1}{2}\right)^3 \left(\frac{1}{2}\right)^2 \times \frac{1}{2} = {}_5C_3 \left(\frac{1}{2}\right)^6$$

답 ③

050 한 개의 주사위를 1회 던져 짝수의 눈이 나올 확률은 $\dfrac{1}{2}$

4회까지 짝수의 눈이 2번 나올 확률은 $_4C_2 \left(\dfrac{1}{2}\right)^2 \left(\dfrac{1}{2}\right)^2$

6회까지 짝수의 눈이 3번 나와야 하므로 5회와 6회 중에서 짝수의 눈이 한 번 나와야 한다.

5회와 6회 중에서 짝수의 눈이 한 번 나올 확률은
$$_2C_1 \left(\frac{1}{2}\right)^1 \left(\frac{1}{2}\right)^1$$

따라서 구하는 확률은
$$_4C_2 \left(\frac{1}{2}\right)^2 \left(\frac{1}{2}\right)^2 \times {}_2C_1 \left(\frac{1}{2}\right)^1 \left(\frac{1}{2}\right)^1 = \frac{3}{16}$$

답 ③

051 주사위를 4번 던져 3의 배수의 눈이 n번 나왔다면 그때까지 얻는 점수는
$$2n + (4-n) = n+4$$
$$n+4 = 5$$이므로 $n=1$

즉, 주사위를 4번 던져 3의 배수의 눈이 1번 나와야 한다.

3의 배수의 눈이 나올 확률은 $\dfrac{1}{3}$이므로 구하는 확률은

$$_4C_1 \left(\frac{1}{3}\right)^1 \left(\frac{2}{3}\right)^3 = \frac{2^5}{3^4}$$

답 ②

052 주사위 한 개를 던져서 짝수의 눈이 나올 확률은 $\frac{1}{2}$이다.

(i) 짝수의 눈이 9번 나올 확률은 $_{10}C_9\left(\frac{1}{2}\right)^9\left(\frac{1}{2}\right)^1=10\left(\frac{1}{2}\right)^{10}$

(ii) 짝수의 눈이 10번 나올 확률은 $_{10}C_{10}\left(\frac{1}{2}\right)^{10}=\left(\frac{1}{2}\right)^{10}$

(i), (ii)에서 구하는 확률은 $10\left(\frac{1}{2}\right)^{10}+\left(\frac{1}{2}\right)^{10}=\frac{11}{1024}$

답 ①

053 (i) 패널티킥을 2번 성공할 확률은 $_3C_2(0.8)^2(0.2)^1=0.384$

(ii) 패널티킥을 3번 성공할 확률은 $_3C_3(0.8)^3=0.512$

(i), (ii)에서 구하는 확률은 $0.384+0.512=0.896$

답 ⑤

054 (i) 세 심판 모두 A가 이겼다고 판정할 확률은

$_3C_3\left(\frac{3}{4}\right)^3=\frac{27}{64}$

(ii) 세 심판 중 두 심판이 A가 이겼다고 판정할 확률은

$_3C_2\left(\frac{3}{4}\right)^2\left(\frac{1}{4}\right)^1=\frac{27}{64}$

(i), (ii)에서 구하는 확률은 $\frac{27}{64}+\frac{27}{64}=\frac{54}{64}=\frac{27}{32}$

답 $\frac{27}{32}$

055 (i) 6의 눈이 나온 후에 하나의 동전을 3번 던져서 앞면이 한 번 나올 확률은

$\frac{1}{6}\times{}_3C_1\left(\frac{1}{2}\right)^1\left(\frac{1}{2}\right)^2=\frac{1}{16}$

(ii) 6이 아닌 눈이 나온 후에 하나의 동전을 2번 던져서 앞면이 한 번 나올 확률은

$\frac{5}{6}\times{}_2C_1\left(\frac{1}{2}\right)^1\left(\frac{1}{2}\right)^1=\frac{5}{12}$

(i), (ii)에서 구하는 확률은 $\frac{1}{16}+\frac{5}{12}=\frac{23}{48}$

답 $\frac{23}{48}$

056 바둑돌이 점 B에 도달하려면 앞면이 1회, 뒷면이 3회 나와야 하고, 점 C에 도달하려면 앞면이 2회, 뒷면이 2회 나와야 한다. 따라서 구하는 확률은

$_4C_1\left(\frac{1}{2}\right)^1\left(\frac{1}{2}\right)^3+{}_4C_2\left(\frac{1}{2}\right)^2\left(\frac{1}{2}\right)^2=\frac{1}{4}+\frac{3}{8}=\frac{5}{8}$

답 $\frac{5}{8}$

057 앞면이 나오는 횟수를 a라 하면 뒷면이 나오는 횟수는 $9-a$이므로 점 P의 좌표는

$a-(9-a)=2a-9$

$\overline{OP}=|2a-9|\leq2$에서

$-2\leq2a-9\leq2,\ \frac{7}{2}\leq a\leq\frac{11}{2}$

a는 음이 아닌 정수이므로

$a=4$ 또는 $a=5$

(i) 앞면이 4회 나올 확률은 $_9C_4\left(\frac{1}{2}\right)^4\left(\frac{1}{2}\right)^5=\frac{63}{256}$

(ii) 앞면이 5회 나올 확률은 $_9C_5\left(\frac{1}{2}\right)^5\left(\frac{1}{2}\right)^4=\frac{63}{256}$

(i), (ii)에서 구하는 확률은 $\frac{63}{256}+\frac{63}{256}=\frac{63}{128}$

답 ②

058 앞면이 적어도 1번 나올 확률은 전체 확률에서 4번 모두 뒷면이 나올 확률을 빼면 되므로

$1-{}_4C_4\left(\frac{1}{2}\right)^4=1-\frac{1}{16}=\frac{15}{16}$

답 ⑤

059 적어도 3문제를 맞힐 확률은 전체 확률에서 3문제 미만의 문제를 맞힐 확률을 빼면 되므로

$1-\left\{{}_6C_0\left(\frac{1}{2}\right)^6+{}_6C_1\left(\frac{1}{2}\right)^1\left(\frac{1}{2}\right)^5+{}_6C_2\left(\frac{1}{2}\right)^2\left(\frac{1}{2}\right)^4\right\}$

$=1-\frac{11}{32}=\frac{21}{32}$

답 $\frac{21}{32}$

060 (i) 짝수의 눈이 나온 후에 하나의 동전을 세 번 던져서 뒷면이 적어도 한 번 나올 확률은

$\frac{1}{2}\times\left\{1-{}_3C_3\left(\frac{1}{2}\right)^3\right\}=\frac{1}{2}\times\frac{7}{8}=\frac{7}{16}$

(ii) 홀수의 눈이 나온 후에 하나의 동전을 두 번 던져서 뒷면이 적어도 한 번 나올 확률은

$\frac{1}{2}\times\left\{1-{}_2C_2\left(\frac{1}{2}\right)^2\right\}=\frac{1}{2}\times\frac{3}{4}=\frac{3}{8}$

(i), (ii)에서 구하는 확률은 $\frac{7}{16}+\frac{3}{8}=\frac{13}{16}$

답 ③

061 두 사건 A, B가 서로 독립이므로

$P(A\cap B)=P(A)P(B)$

즉, $P(A\cup B)=P(A)+P(B)-P(A)P(B)$에서

$\frac{5}{8}=\frac{1}{4}+P(B)-\frac{1}{4}P(B)$

$\therefore P(B)=\frac{1}{2}$

두 사건 A, B^C도 서로 독립이므로

$P(A\cap B^C)=P(A)P(B^C)$

$=P(A)\{1-P(B)\}$

$=\frac{1}{4}\times\frac{1}{2}=\frac{1}{8}$

답 ①

062 두 사건 A, B가 서로 독립이므로

$P(A\cap B)=P(A)P(B)$

$\therefore P(A|B)=\frac{P(A\cap B)}{P(B)}=\frac{P(A)P(B)}{P(B)}$

$=P(A)=\frac{3}{8}$

$P(A\cup B)=P(A)+P(B)-P(A)P(B)$에서

$\frac{1}{2}=\frac{3}{8}+P(B)-\frac{3}{8}P(B)$

$\therefore P(B)=\frac{1}{5}$

두 사건 A, B^C도 서로 독립이므로

$P(A\cap B^C)=P(A)P(B^C)$

$=P(A)\{1-P(B)\}$

$=\frac{3}{8}\left(1-\frac{1}{5}\right)=\frac{3}{10}$

답 $\frac{3}{10}$

063 $P(A)=\frac{1}{2}$, $P(B)=\frac{1}{2}$, $P(C)=\frac{1}{4}$

$P(A\cap B)=\frac{3}{8}$, $P(B\cap C)=\frac{1}{8}$, $P(A\cap C)=\frac{1}{8}$

ㄱ. $P(A \cap B) \neq P(A)P(B)$이므로
두 사건 A와 B는 서로 종속이다.
ㄴ. $P(A \cap C) = P(A)P(C)$이므로
두 사건 A와 C는 서로 독립이다.
ㄷ. $P(B \cap C) = P(B)P(C)$이므로
두 사건 B와 C는 서로 독립이다.
ㄹ. ㄴ에서 두 사건 A와 C가 서로 독립이므로
두 사건 A^C과 C도 서로 독립이다.
따라서 서로 독립인 것은 ㄴ, ㄷ, ㄹ이다.   답 ④

064 ㄱ. $A_3 = \{3, 6, 9\}$, $A_4 = \{4, 8\}$이므로 $A_3 \cap A_4 = \varnothing$
따라서 A_3과 A_4는 서로 배반사건이다. (참)
ㄴ. $A_2 = \{2, 4, 6, 8, 10\}$, $A_4 = \{4, 8\}$이므로

$$P(A_4 \mid A_2) = \frac{P(A_4 \cap A_2)}{P(A_2)} = \frac{\dfrac{2}{10}}{\dfrac{5}{10}} = \frac{2}{5} \text{ (거짓)}$$

ㄷ. $A_5 = \{5, 10\}$이므로

$$P(A_2 \cap A_5) = P(A_2)P(A_5) = \frac{1}{10}$$

따라서 A_2와 A_5는 서로 독립이다. (참)
따라서 옳은 것은 ㄱ, ㄷ이다.   답 ③

065 ㄱ. $P(A \mid B) = P(A)$에서

$$\frac{P(A \cap B)}{P(B)} = P(A)$$

$$\therefore P(A \cap B) = P(A)P(B) \text{ (참)}$$

ㄴ. $P(A \mid B^C) + P(A^C \mid B^C)$

$$= \frac{P(A \cap B^C) + P(A^C \cap B^C)}{P(B^C)}$$

$$= \frac{P(B^C)}{P(B^C)} = 1 \text{ (참)}$$

ㄷ. ㄴ에서 $P(A \mid B^C) + P(A^C \mid B^C) = 1$이므로
$P(A \mid B^C) = 1 - P(A^C \mid B^C)$
즉, $P(A \mid B) + P(A^C \mid B^C) = 1$에서
$P(A \mid B) = 1 - P(A^C \mid B^C) = P(A \mid B^C)$
이므로 두 사건 A, B는 서로 독립이다. (참)
따라서 ㄱ, ㄴ, ㄷ 모두 옳다.   답 ㄱ, ㄴ, ㄷ

066 세 학생 A, B, C가 시험에 합격하는 사건을 각각 A, B, C라 하면 세 사건 A, B, C는 서로 독립이다.
(i) A와 B만 합격할 확률은
$P(A \cap B \cap C^C) = P(A)P(B)P(C^C)$

$$= \frac{2}{3} \times \frac{1}{2} \times \frac{3}{5}$$

$$= \frac{1}{5}$$

(ii) B와 C만 합격할 확률은
$P(A^C \cap B \cap C) = P(A^C)P(B)P(C)$

$$= \frac{1}{3} \times \frac{1}{2} \times \frac{2}{5} = \frac{1}{15}$$

(iii) C와 A만 합격할 확률은
$P(A \cap B^C \cap C) = P(A)P(B^C)P(C)$

$$= \frac{2}{3} \times \frac{1}{2} \times \frac{2}{5} = \frac{2}{15}$$

(i), (ii), (iii)에서 구하는 확률은

$$\frac{1}{5} + \frac{1}{15} + \frac{2}{15} = \frac{2}{5}$$ 답 $\dfrac{2}{5}$

067 주사위를 4번 던져 6의 약수의 눈이 n번 나왔다면
$n - (4 - n) = 2$ $\therefore n = 3$
즉, 주사위를 4번 던져 6의 약수의 눈이 3번 나와야 한다.
6의 약수의 눈이 나올 확률은 $\dfrac{2}{3}$이므로 구하는 확률은

$$_4C_3 \left(\frac{2}{3}\right)^3 \left(\frac{1}{3}\right)^1 = \frac{32}{81}$$ 답 $\dfrac{32}{81}$

068 (i) 3개의 자유투 중에서 2개를 성공시킬 확률은

$$_3C_2 \left(\frac{5}{6}\right)^2 \left(\frac{1}{6}\right)^1 = \frac{25}{72}$$

(ii) 3개의 자유투 중에서 3개 모두 성공시킬 확률은

$$_3C_3 \left(\frac{5}{6}\right)^3 = \frac{125}{216}$$

(i), (ii)에서 구하는 확률은

$$\frac{25}{72} + \frac{125}{216} = \frac{25}{27}$$ 답 ⑤

069 4번 중에서 3의 배수의 눈이 나오는 횟수를 x, 그 외의 눈이 나오는 횟수를 y라 하면
$x + y = 4$ …… ㉠
점수의 합이 5점 이하이므로
$x + 2y \leq 5$ …… ㉡
㉠, ㉡에서 $x + 2(4 - x) \leq 5$, $x \geq 3$
$\therefore x = 3$, $y = 1$ 또는 $x = 4$, $y = 0$
따라서 구하는 확률은

$$_4C_3 \left(\frac{1}{3}\right)^3 \left(\frac{2}{3}\right)^1 + _4C_4 \left(\frac{1}{3}\right)^4 \left(\frac{2}{3}\right)^0 = \frac{1}{9}$$ 답 ①

070 서로 다른 2개의 주사위를 동시에 던져 나온 눈의 수의 합이 7인 사건을 A라 하고 주어진 시행에서 동전의 앞면이 나온 횟수와 뒷면이 나온 횟수가 같은 사건을 B라 하자.
(i) 서로 다른 2개의 주사위를 던져 나온 눈의 수의 합이 7인 경우
$(1, 6), (2, 5), (3, 4), (4, 3), (5, 2), (6, 1)$이므로

$$P(A) = \frac{6}{36} = \frac{1}{6}$$

$P(B \mid A)$는 동전을 4번 던져서 앞면이 2번, 뒷면이 2번 나오는 확률이므로

$$P(B \mid A) = _4C_2 \left(\frac{1}{2}\right)^4 = \frac{3}{8}$$

$$\therefore P(A \cap B) = P(A)P(B \mid A)$$

$$= \frac{1}{6} \times \frac{3}{8}$$

$$= \frac{1}{16}$$

(ii) 서로 다른 2개의 주사위를 던져 나온 눈의 수의 합이 7이 아닌 경우

$$P(A^C) = 1 - P(A)$$

$$= 1 - \frac{1}{6} = \frac{5}{6}$$

$P(B \mid A^C)$은 동전을 2번 던져서 앞면이 1번, 뒷면이 1번 나오는 확률이므로

$$\mathrm{P}(B|A^C)={}_2\mathrm{C}_1\left(\frac{1}{2}\right)^2=\frac{1}{2}$$

$$\therefore \mathrm{P}(A^C \cap B)=\mathrm{P}(A^C)\mathrm{P}(B|A^C)$$
$$=\frac{5}{6}\times\frac{1}{2}$$
$$=\frac{5}{12}$$

(i), (ii)에서 구하는 확률은

$$\mathrm{P}(B)=\mathrm{P}(A \cap B)+\mathrm{P}(A^C \cap B)$$
$$=\frac{1}{16}+\frac{5}{12}$$
$$=\frac{23}{48}$$

답 $\frac{23}{48}$

071 $\mathrm{P}(A)<\mathrm{P}(A^C)$ 이므로

$\mathrm{P}(A^C)-\mathrm{P}(A)=\frac{1}{2}$ 이고,

$\mathrm{P}(A^C)=1-\mathrm{P}(A)$ 이므로

$$1-\mathrm{P}(A)-\mathrm{P}(A)=\frac{1}{2}$$

$$\therefore \mathrm{P}(A)=\frac{1}{4}$$

8회의 독립시행에서 사건 A가 5회 일어날 확률은

$${}_8\mathrm{C}_5\left(\frac{1}{4}\right)^5\left(\frac{3}{4}\right)^3=56\left(\frac{1}{4}\right)^5\left(\frac{3}{4}\right)^3$$

여기서 사건 A가 5회 연속해서 나오는 경우는 4가지이므로

8회의 독립시행에서 사건 A가 연속해서 5회 일어날 확률은

$$4\left(\frac{1}{4}\right)^5\left(\frac{3}{4}\right)^3$$

따라서 구하는 확률은

$$56\left(\frac{1}{4}\right)^5\left(\frac{3}{4}\right)^3-4\left(\frac{1}{4}\right)^5\left(\frac{3}{4}\right)^3=\frac{13\times3^3}{2^{14}}$$

$$\therefore k=13$$

답 13

참고

8회의 독립시행에서 사건 A가 연속으로 5회 일어나는 경우

	1회	2회	3회	4회	5회	6회	7회	8회
1	○	○	○	○	○	×	×	×
2	×	○	○	○	○	○	×	×
3	×	×	○	○	○	○	○	×
4	×	×	×	○	○	○	○	○

072 짝수가 나오는 사건이 A이므로 $A=\{2, 4, 6, \cdots, 2n\}$

$$\therefore \mathrm{P}(A)=\frac{n}{2n}=\frac{1}{2}$$

(i) $2 \le n \le 4$일 때, $B=\{4\}$

$\mathrm{P}(B)=\frac{1}{2n}$ 이므로

$$\mathrm{P}(A)\mathrm{P}(B)=\frac{1}{2}\times\frac{1}{2n}=\frac{1}{4n}$$

$A \cap B=\{4\}$ 이므로

$$\mathrm{P}(A \cap B)-\frac{1}{2n}$$

따라서 $\mathrm{P}(A)\mathrm{P}(B)\ne\mathrm{P}(A \cap B)$ 이므로 두 사건 A, B는 서로 독립이 아니다.

(ii) $5 \le n \le 12$일 때, $B=\{4, 9\}$

$\mathrm{P}(B)=\frac{2}{2n}=\frac{1}{n}$ 이므로

$$\mathrm{P}(A)\mathrm{P}(B)=\frac{1}{2}\times\frac{1}{n}=\frac{1}{2n}$$

$A \cap B=\{4\}$ 이므로

$$\mathrm{P}(A \cap B)=\frac{1}{2n}$$

따라서 $\mathrm{P}(A)\mathrm{P}(B)=\mathrm{P}(A \cap B)$ 이므로 두 사건 A, B는 서로 독립이다.

(iii) $n \ge 13$일 때, $\{4, 9, 25\} \subset B$

$\mathrm{P}(B) \ge \frac{3}{2n}$ 이므로

$$\mathrm{P}(A)\mathrm{P}(B) \ge \frac{1}{2}\times\frac{3}{2n}=\frac{3}{4n}$$

$A \cap B=\{4\}$ 이므로

$$\mathrm{P}(A \cap B)=\frac{1}{2n}$$

따라서 $\mathrm{P}(A)\mathrm{P}(B)\ne\mathrm{P}(A \cap B)$ 이므로 두 사건 A, B는 서로 독립이 아니다.

(i), (ii), (iii)에서 두 사건 A, B가 서로 독립이 되도록 하는 2 이상의 자연수 n은 5, 6, 7, $\cdots$, 12이므로 최댓값은 12이다.

답 12

06 확률변수와 확률분포

본책 075~084쪽

001

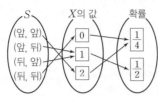

답 $0, 1, 2, \dfrac{1}{4}, \dfrac{1}{2}$

002 한 개의 주사위를 다섯 번 던질 때, 1의 눈이 나오는 횟수를 확률변수 X라 하면 X가 가질 수 있는 값은

$0, 1, 2, 3, 4, 5$

답 $0, 1, 2, 3, 4, 5$

003 서로 같은 동전 3개를 던질 때, 앞면이 나오는 개수를 확률변수 X라 하면 X가 가질 수 있는 값은

$0, 1, 2, 3$

답 $0, 1, 2, 3$

004 주머니에서 2개의 구슬을 동시에 꺼낼 때 나오는 흰 구슬의 개수를 확률변수 X라 하면 X가 가질 수 있는 값은

$0, 1, 2$

답 $0, 1, 2$

005 한 개의 동전을 두 번 던질 때 나오는 앞면의 개수 X가 가질 수 있는 값은 $0, 1, 2$이고 이 값을 가질 확률은 각각

$$P(X=0)=\frac{1}{4}, P(X=1)=\frac{1}{2}, P(X=2)=\frac{1}{4}$$

이므로 확률분포를 표로 나타내면 다음과 같다.

X	0	1	2	합계
$P(X=x)$	$\dfrac{1}{4}$	$\dfrac{1}{2}$	$\dfrac{1}{4}$	1

답 풀이 참조

006 한 개의 주사위를 두 번 던질 때 5의 배수의 눈이 나오는 횟수 X가 가질 수 있는 값은 $0, 1, 2$이고 이 값을 가질 확률은 각각

$$P(X=0)=\frac{25}{36}, P(X=1)=\frac{5}{18}, P(X=2)=\frac{1}{36}$$

이므로 확률분포를 표로 나타내면 다음과 같다.

X	0	1	2	합계
$P(X=x)$	$\dfrac{25}{36}$	$\dfrac{5}{18}$	$\dfrac{1}{36}$	1

답 풀이 참조

007 확률질량함수에 의하여 X가 가질 수 있는 값은 $1, 2, 3$이고 이 값을 가질 확률은 각각

$$P(X=1)=\frac{1}{4}, P(X=2)=\frac{1}{4}, P(X=3)=\frac{1}{2}$$

X	1	2	3	합계
$P(X=x)$	$\dfrac{1}{4}$	$\dfrac{1}{4}$	$\dfrac{1}{2}$	1

답 풀이 참조

008 $P(X=1)=\dfrac{1}{8}$

답 $\dfrac{1}{8}$

009 $P(2 \leq X \leq 3)=P(X=2)+P(X=3)$

$$=\frac{1}{2}+\frac{1}{4}=\frac{3}{4}$$

답 $\dfrac{3}{4}$

010 확률의 총합은 1이므로

$b=1$

$$\frac{1}{4}+a+\frac{1}{8}+\frac{1}{2}=1$$

$$\therefore a=\frac{1}{8}$$

답 $a=\dfrac{1}{8}, b=1$

011 $P(X=0)=\dfrac{1}{4}$

답 $\dfrac{1}{4}$

012 $P(X=1$ 또는 $X=2)=P(X=1)+P(X=2)$

$$=\frac{1}{8}+\frac{1}{8}=\frac{1}{4}$$

답 $\dfrac{1}{4}$

013 $P(X \geq 2)=P(X=2)+P(X=3)$

$$=\frac{1}{8}+\frac{1}{2}=\frac{5}{8}$$

답 $\dfrac{5}{8}$

014 $X^2-X=0$에서 $X(X-1)=0$

$\therefore X=0$ 또는 $X=1$

$\therefore P(X^2-X=0)=P(X=0$ 또는 $X=1)$

$\qquad\qquad\quad =P(X=0)+P(X=1)$

$$=\frac{1}{4}+\frac{1}{8}=\frac{3}{8}$$

답 $\dfrac{3}{8}$

015 $P(X=1)=\dfrac{1}{10}$

답 $\dfrac{1}{10}$

016 $P(X=2)+P(X=3)=\dfrac{1}{5}+\dfrac{2}{5}=\dfrac{3}{5}$

답 $\dfrac{3}{5}$

017 $P(3 \leq X \leq 5)=P(X=3)+P(X=4)+P(X=5)$

$$=\frac{2}{5}+\frac{1}{5}+\frac{1}{10}=\frac{7}{10}$$

답 $\dfrac{7}{10}$

018 $\displaystyle\sum_{x=1}^{5} P(X=x)$

$=P(X=1)+P(X=2)+P(X=3)+P(X=4)$

$\qquad\qquad\qquad\qquad\qquad\qquad +P(X=5)$

$$=\frac{1}{10}+\frac{1}{5}+\frac{2}{5}+\frac{1}{5}+\frac{1}{10}=1$$

답 1

[019-021] $f(x)=\begin{cases} \dfrac{1}{4}x+\dfrac{1}{2} & (-2 \leq x < 0) \\ -\dfrac{1}{4}x+\dfrac{1}{2} & (0 \leq x \leq 2) \end{cases}$

019 $P(-2 \leq X \leq 2)$는 그림에서 어두운 부분의 넓이와 같으므로

$$P(-2 \leq X \leq 2)=\frac{1}{2} \times 4 \times \frac{1}{2}=1$$

답 1

020 P($X \geq 0$)은 그림에서 어두운 부분의
넓이와 같으므로

P($X \geq 0$)=P($0 \leq X \leq 2$)

$$= \frac{1}{2} \times 2 \times \frac{1}{2} = \frac{1}{2}$$

$\quad$ 답 $\frac{1}{2}$

021 P($X \geq 1$)은 그림에서 어두운 부분의
넓이와 같으므로

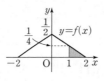

P($X \geq 1$)=P($1 \leq X \leq 2$)

$$= \frac{1}{2} \times 1 \times \frac{1}{4} = \frac{1}{8}$$

$\quad$ 답 $\frac{1}{8}$

022 $f(x)=k$이고, 함수 $y=f(x)$의 그래프와 x축 및 y축, 직선 $x=4$로 둘러싸인 부분의 넓이는 1이므로

$4k=1$

$$\therefore k=\frac{1}{4}$$

$\quad$ 답 $\frac{1}{4}$

023 확률밀도함수의 성질에 의하여 주어진 확률밀도함수의 그래프와 x축 및 y축으로 둘러싸인 부분의 넓이는 1이므로

$$2k+\frac{1}{2} \times k \times 2 = 2k+k=3k=1$$

$$\therefore k=\frac{1}{3}$$

$\quad$ 답 $\frac{1}{3}$

024 $f(x)=ax$이고, 함수 $y=f(x)$의
그래프와 x축 및 직선 $x=6$으로
둘러싸인 부분의 넓이가 1이므로

$$\frac{1}{2} \times 6 \times 6a = 1$$

$18a=1$

$$\therefore a=\frac{1}{18}$$

$\quad$ 답 $\frac{1}{18}$

025 P($0 \leq X \leq 3$)은 그림에서 어두운
부분의 넓이와 같으므로

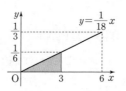

P($0 \leq X \leq 3$)$= \frac{1}{2} \times 3 \times \frac{1}{6}$

$$= \frac{1}{4}$$

$\quad$ 답 $\frac{1}{4}$

026 P($X \geq 4$)은 그림에서 어두운 부
분의 넓이와 같으므로

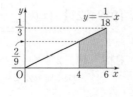

P($X \geq 4$)$= \frac{1}{2} \times \left(\frac{2}{9} + \frac{1}{3}\right) \times 2$

$$= \frac{5}{9}$$

$\quad$ 답 $\frac{5}{9}$

027 P($2 \leq X \leq 4$)$= \frac{1}{2} \times \left(\frac{1}{4} + \frac{1}{2}\right) \times 2$

$$= \frac{3}{4}$$

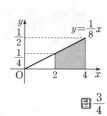

$\quad$ 답 $\frac{3}{4}$

028 P($X \leq 1$)=P($0 \leq X \leq 1$)

$$= \frac{1}{2} \times 1 \times \frac{1}{8} = \frac{1}{16}$$

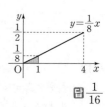

$\quad$ 답 $\frac{1}{16}$

029

ㄱ.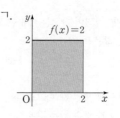

ㄴ.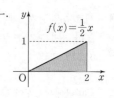

ㄷ.

ㄹ.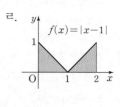

위의 그림에서 $0 \leq x \leq 2$에서 $f(x) \geq 0$이고 함수 $y=f(x)$의
그래프와 x축 사이의 넓이가 1인 것을 찾으면 ㄴ, ㄹ이므로 확
률밀도함수인 것은 ㄴ, ㄹ이다. $\quad$ 답 ㄴ, ㄹ

030 뽑힌 2장의 카드가
(i) (0, 2), (2, 4), (4, 6), (6, 8), (8, 10)인 경우: $X=2$
(ii) (0, 4), (2, 6), (4, 8), (6, 10)인 경우: $X=4$
(iii) (0, 6), (2, 8), (4, 10)인 경우: $X=6$
(iv) (0, 8), (2, 10)인 경우: $X=8$
(v) (0, 10)인 경우: $X=10$
(i)~(v)에 의하여 확률변수 X가 가질 수 있는 값은
2, 4, 6, 8, 10이다.

$\quad$ 답 2, 4, 6, 8, 10

031 50원짜리 동전의 숫자가 적힌 면을 H, 그림이 있는 면을 T라
하고, 10원짜리 동전의 숫자가 적힌 면을 h, 그림이 있는 면을
t라 할 때, 받을 수 있는 상금은
(H, H, h)일 때 $50+50+10=110$
(H, H, t)일 때 $50+50=100$
(H, T, h), (T, H, h)일 때 $50+10=60$
(H, T, t), (T, H, t)일 때 50
(T, T, h)일 때 10
(T, T, t)일 때 0
따라서 확률변수 X가 가질 수 있는 값은 0, 10, 50, 60, 100,
110이고 모두 합하면 $0+10+50+60+100+110=330$

$\quad$ 답 ③

032 주사위를 3번 던져서 얻어지는 점수의 합인 확률변수 X가 가지는 값은 다음과 같다.

첫 번째	두 번째	세 번째	득점 계산	X
짝	짝	짝	0+0+0	0
홀	짝	짝	1+0+0	1
짝	홀	짝	0+2+0	2
짝	짝	홀	0+0+3	3
홀	홀	짝	1+2+0	
홀	짝	홀	1+0+3	4
짝	홀	홀	0+2+3	5
홀	홀	홀	1+2+3	6

따라서 확률변수 X가 가질 수 있는 값은 0, 1, 2, 3, 4, 5, 6이다. 　　📋 0, 1, 2, 3, 4, 5, 6

033 확률의 총합은 1이므로
$$\frac{1}{8}+4a^2+\frac{1}{2}a+\frac{1}{8}=1$$
$$16a^2+2a-3=0$$
$$(8a-3)(2a+1)=0$$
$$\therefore a=\frac{3}{8}\ (\because a>0)\qquad 📋 ③$$

034 확률의 총합은 1이므로
$$\mathrm{P}(X=0)+\mathrm{P}(X=1)+\mathrm{P}(X=2)=1$$에서
$$k+2k+3k=1$$
$$6k=1\quad \therefore k=\frac{1}{6}\qquad 📋 \frac{1}{6}$$

035 확률의 총합은 1이므로
$$\sum_{x=1}^{5}\mathrm{P}(X=x)=1$$에서
$$\left(\frac{1}{9}+k\right)+\left(\frac{2}{9}+k\right)+\left(\frac{3}{9}+k\right)+k+k=1$$
$$5k+\frac{2}{3}=1\quad \therefore k=\frac{1}{15}\qquad 📋 \frac{1}{15}$$

036 확률의 총합은 1이므로
$$a+\frac{1}{4}+a=1\quad \therefore a=\frac{3}{8}$$
$$\therefore \mathrm{P}(X^2+X=0)=\mathrm{P}(X(X+1)=0)$$
$$=\mathrm{P}(X=-1\ \text{또는}\ X=0)$$
$$=\mathrm{P}(X=-1)+\mathrm{P}(X=0)$$
$$=\frac{3}{8}+\frac{1}{4}=\frac{5}{8}\qquad 📋 ④$$

037 $\mathrm{P}(1\leq X\leq 2)=\frac{1}{4}$이므로 $\frac{1}{12}+a=\frac{1}{4}\quad \therefore a=\frac{1}{6}$
확률의 총합은 1이므로
$$\frac{1}{12}+\frac{1}{6}+b+\frac{5}{12}=1\quad \therefore b=\frac{1}{3}$$
$$\therefore \mathrm{P}(X=3)=\frac{1}{3}\qquad 📋 \frac{1}{3}$$

038 확률의 총합은 1이므로
$$\frac{1}{4}+\frac{1}{6}+k=1\quad \therefore k=\frac{7}{12}$$

$$X^2-2X-3<0$$에서
$$(X+1)(X-3)<0$$
$$\therefore -1<X<3$$
$$\mathrm{P}(X^2-2X-3<0)=\mathrm{P}(-1<X<3)$$
$$=\mathrm{P}(X=0)+\mathrm{P}(X=1)$$
$$=\frac{1}{6}+\frac{7}{12}=\frac{3}{4}\qquad 📋 \frac{3}{4}$$

039 확률변수 X의 확률분포를 표로 나타내면 다음과 같다.

X	1	2	3	4	합계
$\mathrm{P}(X=x)$	$\frac{1}{k}$	$\frac{2}{k}$	$\frac{3}{k}$	$\frac{4}{k}$	1

확률의 총합은 1이므로
$$\frac{1}{k}+\frac{2}{k}+\frac{3}{k}+\frac{4}{k}=1$$
$$\frac{10}{k}=1\quad \therefore k=10$$
$$\therefore \mathrm{P}(2\leq X\leq 3)=\mathrm{P}(X=2)+\mathrm{P}(X=3)$$
$$=\frac{2}{10}+\frac{3}{10}=\frac{5}{10}=\frac{1}{2}\qquad 📋 ③$$

040 확률의 총합은 1이므로
$$\sum_{x=0}^{4}\mathrm{P}(X=x)=1$$에서
$$\frac{1}{6}+a+\frac{1}{6}+a+\frac{1}{6}=1\quad \therefore a=\frac{1}{4}$$
따라서 확률변수 X의 확률질량함수는
$$\mathrm{P}(X=x)=\begin{cases}\dfrac{1}{6}\ (x=0,2,4)\\[2mm]\dfrac{1}{4}\ (x=1,3)\end{cases}$$
$$\therefore \mathrm{P}(1\leq X\leq 3)=\mathrm{P}(X=1)+\mathrm{P}(X=2)+\mathrm{P}(X=3)$$
$$=\frac{1}{4}+\frac{1}{6}+\frac{1}{4}=\frac{2}{3}\qquad 📋 \frac{2}{3}$$

041 확률의 총합은 1이므로
$$\sum_{n=1}^{15}\mathrm{P}(X=n)=1$$에서
$$\sum_{n=1}^{15}k\log_4\frac{n+1}{n}=k\log_4 2+k\log_4\frac{3}{2}+\cdots+k\log_4\frac{16}{15}$$
$$=k\log_4\left(2\times\frac{3}{2}\times\cdots\times\frac{16}{15}\right)$$
$$=k\log_4 16=2k=1$$
$$\therefore k=\frac{1}{2}$$
$$\therefore \mathrm{P}(4\leq X\leq 15)=1-\mathrm{P}(1\leq X\leq 3)$$
$$=1-\frac{1}{2}\log_4\left(2\times\frac{3}{2}\times\frac{4}{3}\right)=\frac{1}{2}$$
$$📋 \frac{1}{2}$$

042 $\mathrm{P}(X=2)=\dfrac{_3C_2\times _4C_1}{_7C_3}=\dfrac{12}{35}\qquad 📋 ④$

043 확률변수 X가 가질 수 있는 값은 0, 1, 2, 3이고, 그 각각의 확률은

$$P(X=0)=\frac{_6C_3}{_{10}C_3}=\frac{1}{6}$$
$$P(X=1)=\frac{_6C_2\times_4C_1}{_{10}C_3}=\frac{1}{2}$$
$$P(X=2)=\frac{_6C_1\times_4C_2}{_{10}C_3}=\frac{3}{10}$$
$$P(X=3)=\frac{_4C_3}{_{10}C_3}=\frac{1}{30}$$
$$\therefore P(X\le1)=P(X=0)+P(X=1)$$
$$=\frac{1}{6}+\frac{1}{2}=\frac{2}{3}$$
답 $\frac{2}{3}$

044 확률변수 X가 가질 수 있는 값은 0, 1, 2, 3, 4이고, 그 각각의 확률은
$$P(X=0)=\frac{_4C_4}{_9C_4}=\frac{1}{126}$$
$$P(X=1)=\frac{_5C_1\times_4C_3}{_9C_4}=\frac{10}{63}$$
$$P(X=2)=\frac{_5C_2\times_4C_2}{_9C_4}=\frac{10}{21}$$
$$P(X=3)=\frac{_5C_3\times_4C_1}{_9C_4}=\frac{20}{63}$$
$$P(X=4)=\frac{_5C_4}{_9C_4}=\frac{5}{126}$$
$X^2-6X+8\le0$에서 $(X-2)(X-4)\le0$
$$\therefore 2\le X\le4$$
$$\therefore P(X^2-6X+8\le0)$$
$$=P(2\le X\le4)$$
$$=P(X=2)+P(X=3)+P(X=4)$$
$$=\frac{10}{21}+\frac{20}{63}+\frac{5}{126}=\frac{5}{6}$$
답 $\frac{5}{6}$

045 확률변수 X가 가질 수 있는 값은 2, 3, 4, $\cdots$, 12이다.
$P(3\le X\le4)=P(X=3)+P(X=4)$이므로
(i) $X=3$인 경우
(1, 2), (2, 1)의 2가지이므로
$$P(X=3)=\frac{2}{36}$$
(ii) $X=4$인 경우
(1, 3), (2, 2), (3, 1)의 3가지이므로
$$P(X=4)=\frac{3}{36}$$
$$\therefore P(3\le X\le4)=P(X=3)+P(X=4)$$
$$=\frac{2}{36}+\frac{3}{36}=\frac{5}{36}$$
답 $\frac{5}{36}$

046 각 꼭짓점에 연결된 변의 개수에 따라 꼭짓점을 분류하면 다음과 같다.

변의 개수	꼭짓점
2	A, D, G, H
3	E
4	B, C
5	F

따라서 확률변수 X의 확률분포를 표로 나타내면 다음과 같다.

X	2	3	4	5	합계
$P(X=x)$	$\frac{1}{2}$	$\frac{1}{8}$	$\frac{1}{4}$	$\frac{1}{8}$	1

$$\therefore P(3X+1>10)=P(X>3)$$
$$=P(X=4)+P(X=5)$$
$$=\frac{1}{4}+\frac{1}{8}=\frac{3}{8}$$
답 $\frac{3}{8}$

047 확률변수 X가 가질 수 있는 값은 2, 3, 4, 5, 6, 7, 8이다.
(i) $X=2$인 경우
(1, 1)의 1가지이므로
$$P(X=2)=\frac{1}{16}$$
(ii) $X=3$인 경우
(1, 2), (2, 1)의 2가지이므로
$$P(X=3)=\frac{2}{16}$$
(iii) $X=4$인 경우
(1, 3), (2, 2), (3, 1)의 3가지이므로
$$P(X=4)=\frac{3}{16}$$
(iv) $X=5$인 경우
(1, 4), (2, 3), (3, 2), (4, 1)의 4가지이므로
$$P(X=5)=\frac{4}{16}$$
(v) $X=6$인 경우
(2, 4), (3, 3), (4, 2)의 3가지이므로
$$P(X=6)=\frac{3}{16}$$
(vi) $X=7$인 경우
(3, 4), (4, 3)의 2가지이므로
$$P(X=7)=\frac{2}{16}$$
(vii) $X=8$인 경우
(4, 4)의 1가지이므로
$$P(X=8)=\frac{1}{16}$$
즉, 확률변수 X의 확률분포를 표로 나타내면 다음과 같다.

X	2	3	4	5	6	7	8	합계
$P(X=x)$	$\frac{1}{16}$	$\frac{2}{16}$	$\frac{3}{16}$	$\frac{4}{16}$	$\frac{3}{16}$	$\frac{2}{16}$	$\frac{1}{16}$	1

$P(X=6)+P(X=7)+P(X=8)=\frac{3}{8}$이므로
$$P(X\ge6)=\frac{3}{8}$$
$$\therefore a=6$$
답 6

048 함수 $y=f(x)$의 그래프와 x축 및 직선 $x=1$로 둘러싸인 부분의 넓이가 1이므로
$$\frac{1}{2}\times1\times a=1$$
$$\therefore a=2$$

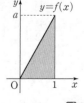

답 2

049 함수 $y=f(x)$의 그래프와 x축, y축 및 직선 $x=1$로 둘러싸인 부분의 넓이가 1 이므로

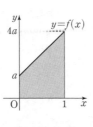

$$\frac{1}{2}\times(a+4a)\times1=1$$

$$\therefore a=\frac{2}{5}$$

답 $\dfrac{2}{5}$

050 함수 $y=f(x)$의 그래프와 x축으로 둘러싸인 부분의 넓이가 1이므로

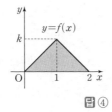

$$\frac{1}{2}\times2\times k=1$$

$$\therefore k=1$$

답 ④

051 $P(0\le X\le1)$은 그림에서 어두운 부분의 넓이와 같으므로

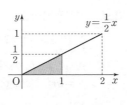

$$P(0\le X\le1)=\frac{1}{2}\times1\times\frac{1}{2}$$

$$=\frac{1}{4}$$

답 ③

052 $P\left(-\frac{1}{2}\le X\le1\right)$은 그림에서 어두운 부분의 넓이와 같으므로

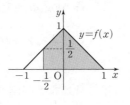

$$P\left(-\frac{1}{2}\le X\le1\right)$$

$$=\frac{1}{2}\times\left(\frac{1}{2}+1\right)\times\frac{1}{2}+\frac{1}{2}\times1\times1$$

$$=\frac{7}{8}$$

답 $\dfrac{7}{8}$

053 $P(0\le X\le a)=\frac{1}{2}$이므로

$$\frac{1}{2}\times a\times1=\frac{1}{2}\qquad\therefore a=1$$

함수 $y=f(x)$의 그래프와 x축으로 둘러싸인 부분의 넓이는 1이므로

$$\frac{1}{2}\times b\times1=1\qquad\therefore b=2$$

$$\therefore a+b=1+2=3$$

답 3

054 함수 $y=f(x)$의 그래프와 x축, y축 및 직선 $x=2$로 둘러싸인 부분의 넓이가 1이므로

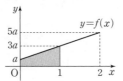

$$\frac{1}{2}\times(a+5a)\times2=1$$

$$\therefore a=\frac{1}{6}$$

따라서 $P(0\le X\le1)$은 그림에서 어두운 부분의 넓이와 같으므로

$$P(0\le X\le1)=\frac{1}{2}\times\left(\frac{1}{6}+\frac{1}{2}\right)\times1=\frac{1}{3}$$

답 ②

055 함수 $y=f(x)$의 그래프와 x축 및 y축으로 둘러싸인 부분의 넓이가 1이므로

$$\frac{1}{2}\times(2a+a)\times1+\frac{1}{2}\times(a+2a)\times1+\frac{1}{2}\times1\times2a=4a$$

$$=1$$

$$\therefore a=\frac{1}{4}$$

$$\therefore P(1\le X\le2)=\frac{1}{2}\times\left(\frac{1}{4}+\frac{1}{2}\right)\times1=\frac{3}{8}$$

답 $\dfrac{3}{8}$

056 함수 $y=f(x)$의 그래프와 x축으로 둘러싸인 부분의 넓이가 1 이므로

$$\frac{1}{2}\times20\times a=1\qquad\therefore a=\frac{1}{10}$$

즉, $f(x)=\begin{cases}\dfrac{1}{100}x+\dfrac{1}{10} & (-10\le x<0)\\[2mm]-\dfrac{1}{100}x+\dfrac{1}{10} & (0\le x\le10)\end{cases}$ 이므로

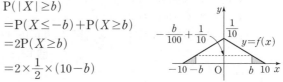

$$P(|X|\ge b)$$
$$=P(X\le-b)+P(X\ge b)$$
$$=2P(X\ge b)$$
$$=2\times\frac{1}{2}\times(10-b)$$
$$\times\left(-\frac{b}{100}+\frac{1}{10}\right)$$
$$=\frac{1}{100}\times(10-b)^2=\frac{9}{100}$$

에서 $(10-b)^2=9$

$$\therefore b=7\ (\because 0<b<10)$$

$$\therefore ab=\frac{1}{10}\times7=\frac{7}{10}$$

답 $\dfrac{7}{10}$

057 $y=f(x)$가 $f(2+x)=f(2-x)$를 만족시키므로 X의 확률밀도함수 $y=f(x)$는 $x=2$에 대하여 대칭이다.

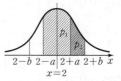

$$\therefore P(2-b\le X\le2+b)=P(2-b\le X\le2-a)$$
$$+P(2-a\le X\le2+b)$$
$$=P(2+a\le X\le2+b)$$
$$+P(2-a\le X\le2+b)$$
$$=p_1+p_2$$

답 ①

058 조건 ㈎에서 함수 $y=f(x)$의 그래프는 직선 $x=3$에 대하여 대칭이고, $P(0\le X\le6)=1$이므로

$$P(0\le X\le3)=P(3\le X\le6)=0.5$$

조건 ㈏에서

$$P(0\le X\le1)=\frac{1}{7}P(1\le X\le3)$$이므로

$$P(1\le X\le3)=0.5-P(0\le X\le1)$$

$$=0.5-\frac{1}{7}P(1\le X\le3)$$

$$\therefore P(1\le X\le3)=\frac{7}{16}$$

$$\therefore P(4 \le X \le 5) = P(1 \le X \le 2) \ (\because \text{조건 } (\text{개}))$$
$$= P(1 \le X \le 3) - P(2 \le X \le 3)$$
$$= \frac{7}{16} - \frac{5}{16} = \frac{1}{8}$$

답 $\dfrac{1}{8}$

059 ㄱ. $F(0.3) = P(X \ge 0.3) \le P(X \ge 0.2) = F(0.2)$ (참)

ㄴ. [반례] X의 확률밀도함수가 $f(x) = 2x$이면
$$F(0.4) = P(X \ge 0.4) > G(0.6) = P(X \le 0.6) \ (거짓)$$

ㄷ. $F(0.2) + G(0.2) = F(0.7) + G(0.7) = 1$
$$\therefore F(0.2) - F(0.7) = G(0.7) - G(0.2) \ (참)$$

따라서 옳은 것은 ㄱ, ㄷ이다.

답 ㄱ, ㄷ

060 바닥에 닿는 면을 제외한 세 면의 숫자를 각각 a, b, c라 하고 순서쌍 (a, b, c)로 나타내면

$(2, 4, 6)$인 경우: $X = 12$

$(2, 4, 8)$인 경우: $X = 14$

$(2, 6, 8)$인 경우: $X = 16$

$(4, 6, 8)$인 경우: $X = 18$

따라서 확률변수 X가 가질 수 있는 값은 $12, 14, 16, 18$이다.

답 $12, 14, 16, 18$

061 확률의 총합은 1이므로
$$\sum_{x=1}^{6} P(X = x) = 1 에서$$
$$\sum_{x=1}^{6} \frac{k}{x(x+1)} = k \sum_{x=1}^{6} \left(\frac{1}{x} - \frac{1}{x+1} \right)$$
$$= k \left\{ \left(1 - \frac{1}{2} \right) + \left(\frac{1}{2} - \frac{1}{3} \right) + \cdots + \left(\frac{1}{6} - \frac{1}{7} \right) \right\}$$
$$= k \left(1 - \frac{1}{7} \right)$$
$$= \frac{6}{7} k = 1$$

따라서 $k = \dfrac{7}{6}$이므로
$$12k = 12 \times \frac{7}{6} = 14$$

답 ③

062 확률의 총합은 1이므로
$$\frac{1}{8} + \frac{1}{8} + a + b = 1$$
$$\therefore b = \frac{3}{4} - a \quad \cdots\cdots \text{㉠}$$

$\dfrac{1}{8}$, a, b가 이 순서대로 등비수열을 이루므로
$$a^2 = \frac{1}{8} b \quad \cdots\cdots \text{㉡}$$

㉠을 ㉡에 대입하면
$$a^2 = \frac{1}{8} \left(\frac{3}{4} - a \right)$$
$$32a^2 + 4a - 3 = 0$$
$$(4a - 1)(8a + 3) = 0$$
$$\therefore a = \frac{1}{4} \ (\because a > 0)$$

$a = \dfrac{1}{4}$을 ㉠에 대입하면
$$b = \frac{1}{2}$$

답 ③

063 확률의 총합은 1이므로
$$\frac{1}{10} + \frac{1}{5} + \frac{1}{10} + a + b = 1$$
$$\therefore a + b = \frac{3}{5} \quad \cdots\cdots \text{㉠}$$

$X^2 < X + 2$에서 $(X + 1)(X - 2) < 0$
$$\therefore -1 < X < 2$$
$$P(X^2 < X + 2) = P(-1 < X < 2)$$
$$= P(X = 0) + P(X = 1)$$
$$= \frac{1}{10} + a = \frac{1}{2}$$
$$\therefore a = \frac{2}{5}$$

$a = \dfrac{2}{5}$를 ㉠에 대입하면 $b = \dfrac{1}{5}$
$$\therefore a - b = \frac{1}{5}$$

답 $\dfrac{1}{5}$

064 확률의 총합은 1이므로
$$\sum_{x=1}^{5} P(X = x) = 1 에서 \sum_{x=1}^{5} \log_2 p_x = 1$$

p_1, p_2, p_3, p_4, p_5가 이 순서대로 등비수열을 이루므로
$$p_x = ar^{x-1} 으로 놓으면$$
$$\sum_{x=1}^{5} \log_2 p_x = \log_2 p_1 p_2 p_3 p_4 p_5$$
$$= \log_2 a^5 r^{10}$$

즉, $5 \log_2 ar^2 = 1$에서 $\log_2 ar^2 = \dfrac{1}{5}$
$$\therefore P(X = 3) = \log_2 p_3 = \log_2 ar^2 = \frac{1}{5}$$

답 $\dfrac{1}{5}$

065 한 개의 주사위를 던져서 소수의 눈이 나올 확률은 $\dfrac{3}{6} = \dfrac{1}{2}$

확률변수 X가 가질 수 있는 값은 $0, 1, 2, 3$이고, 그 확률은 각각
$$P(X = 0) = P(X = 3) = \frac{1}{2} \times \frac{1}{2} \times \frac{1}{2} = \frac{1}{8}$$
$$P(X = 1) = P(X = 2)$$
$$= \frac{1}{2} \times \frac{1}{2} \times \frac{1}{2} + \frac{1}{2} \times \frac{1}{2} \times \frac{1}{2} + \frac{1}{2} \times \frac{1}{2} \times \frac{1}{2} = \frac{3}{8}$$

따라서 X의 확률분포를 그래프로 바르게 나타낸 것은 ③이다.

답 ③

066 확률변수 X가 가질 수 있는 값은 $0, 1, 2$이고, 그 각각의 확률은
$$P(X = 0) = \frac{{}_3C_2}{{}_7C_2} = \frac{1}{7}$$
$$P(X = 1) = \frac{{}_4C_1 \times {}_3C_1}{{}_7C_2} = \frac{4}{7}$$
$$P(X = 2) = \frac{{}_4C_2}{{}_7C_2} = \frac{2}{7}$$
$$\therefore P(0 \le X < 2) = P(X = 0) + P(X = 1)$$
$$= \frac{1}{7} + \frac{4}{7} = \frac{5}{7}$$

답 ⑤

067 두 주사위 A, B를 동시에 던질 때 나오는 모든 경우의 수는 $6 \times 6 = 36$

$|a - b|$의 값은 $0, 1, 2, 3, 4, 5$이므로 확률변수 X가 가질 수

있는 값은 0, 1, 2, 3, 4, 5이고, 이 중에서 $X \geq 4$인 경우를 순서쌍 (a, b)로 나타내면 다음과 같다.

$X = 4$인 경우: $(1, 5), (2, 6), (5, 1), (6, 2)$

$X = 5$인 경우: $(1, 6), (6, 1)$

$\therefore P(X \geq 4) = P(X = 4) + P(X = 5)$

$$= \frac{4}{36} + \frac{2}{36} = \frac{1}{6}$$

따라서 $p = 6$, $q = 1$이므로

$p + q = 6 + 1 = 7$ 답 7

068

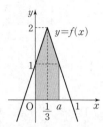

주어진 함수가 확률밀도함수가 되려면 그림에서 어두운 부분의 넓이가 1이어야 한다. 즉,

$$\frac{1}{2} \times (1 + 2) \times \frac{1}{3} + \frac{1}{2} \times \{2 + (-3a + 3)\} \times \left(a - \frac{1}{3}\right) = 1$$

$$\frac{1}{2} + \frac{1}{2} \times (5 - 3a)\left(a - \frac{1}{3}\right) = 1$$

$$(5 - 3a)\left(a - \frac{1}{3}\right) = 1$$

$$3a^2 - 6a + \frac{8}{3} = 0$$

$$9a^2 - 18a + 8 = 0$$

$$(3a - 2)(3a - 4) = 0$$

$a \leq 1$이므로 $a = \frac{2}{3}$ 답 ①

다른 풀이

함수 $y = f(x)$의 그래프가 $x = \frac{1}{3}$에 대하여 대칭이고

$P\left(0 \leq X \leq \frac{1}{3}\right) = \frac{1}{2}$이므로 $P\left(\frac{1}{3} \leq X \leq \frac{2}{3}\right) = \frac{1}{2}$이다.

$P\left(0 \leq X \leq \frac{2}{3}\right) = 1$이므로 $a = \frac{2}{3}$

069 $P(a \leq X \leq b) = (b - a)k = \frac{1}{2}$ ...... ㉠

$P(0 \leq X \leq 2) = \frac{1}{2}ak + (b - a)k + \frac{1}{2}(2 - b)k = 1$에서

$(b - a + 2)k = 2$ ...... ㉡

㉠, ㉡을 연립하여 풀면 $k = \frac{3}{4}$

따라서 $p = 4$, $q = 3$이므로

$p^2 + q^2 = 16 + 9 = 25$ 답 25

070 정사각형 ABCD를 4개의 작은 정사각형으로 사등분하여 각각 파란색, 빨간색, 노란색 중에서 한 가지를 택하여 칠하는 방법의 수는 $_3\Pi_4 = 3^4 = 81$

파란색으로 칠해진 작은 정사각형의 개수인 확률변수 X가 가질 수 있는 값은 0, 1, 2, 3, 4이다.

$X = 2$인 경우는 4개의 작은 정사각형 중에서 2개를 택하여 파란색을 칠하고, 나머지 2개의 작은 정사각형마다 빨간색, 노란

색을 칠하면 되므로

$$P(X = 2) = \frac{_4C_2 \times _2\Pi_2}{81} = \frac{6 \times 4}{81} = \frac{8}{27}$$ 답 $\frac{8}{27}$

071 $y = f(x)$가 확률밀도함수이므로 함수 $y = f(x)$의 그래프와 x축 및 두 직선 $x = 0$, $x = 6$으로 둘러싸인 부분의 넓이는 1이다.

조건 ㈎에서 확률밀도함수 $y = f(x)$의 그래프가 직선 $x = 3$에 대하여 대칭이므로

$$P(0 \leq X \leq 3) = P(3 \leq X \leq 6) = \frac{1}{2}$$

조건 ㈏에서

$P(x \leq X \leq 3) = a - \frac{x^2}{18}$에 $x = 0$을 대입하면

$P(0 \leq X \leq 3) = a$이므로

$$a = \frac{1}{2}$$

$\therefore P(1 \leq X \leq 4) = P(1 \leq X \leq 3) + P(3 \leq X \leq 4)$

$$= P(1 \leq X \leq 3) + P(2 \leq X \leq 3)$$

$$= \left(\frac{1}{2} - \frac{1}{18}\right) + \left(\frac{1}{2} - \frac{4}{18}\right) = \frac{13}{18}$$

답 $\frac{13}{18}$

001 이산확률변수 X의 확률질량함수
$\mathrm{P}(X=x_i)=p_i\,(i=1,\,2,\,3,\,\cdots,\,10)$에 대하여
$$m=\mathrm{E}(X)=x_1p_1+x_2p_2+x_3p_3+\cdots+x_{10}p_{10}=\sum_{i=1}^{10}\boxed{x_ip_i}$$
달 x_ip_i

002 $\mathrm{V}(X)=(x_1-m)^2p_1+(x_2-m)^2p_2+(x_3-m)^2p_3+\cdots$
$\qquad\qquad\qquad\qquad\qquad\qquad +(x_{10}-m)^2p_{10}$
$$=\sum_{i=1}^{10}(\boxed{x_i-m})^2p_i$$
달 x_i-m

003 $\mathrm{V}(X)=\sum_{i=1}^{10}(x_i-m)^2p_i=\sum_{i=1}^{10}x_i^2p_i-m^2$
$$=\mathrm{E}(X^2)-\boxed{\{\mathrm{E}(X)\}^2}$$
달 $\{\mathrm{E}(X)\}^2$

004 $\sigma(X)=\sqrt{\boxed{\mathrm{V}(X)}}$　　　　달 $\mathrm{V}(X)$

005 확률의 총합은 1이므로
$a+\dfrac{1}{4}+\dfrac{5}{8}=1$
$\therefore a=\dfrac{1}{8}$　　　　달 $\dfrac{1}{8}$

006 $\mathrm{P}(1\le X\le 2)=\mathrm{P}(X=1)+\mathrm{P}(X=2)$
$\qquad\qquad\quad=\dfrac{1}{8}+\dfrac{1}{4}$
$\qquad\qquad\quad=\dfrac{3}{8}$　　　　달 $\dfrac{3}{8}$

007 $\mathrm{E}(X)=1\times\dfrac{1}{8}+2\times\dfrac{1}{4}+3\times\dfrac{5}{8}$
$\qquad\quad=\dfrac{5}{2}$　　　　달 $\dfrac{5}{2}$

008 $\mathrm{E}(X^2)=1^2\times\dfrac{1}{8}+2^2\times\dfrac{1}{4}+3^2\times\dfrac{5}{8}=\dfrac{27}{4}$
$\therefore \mathrm{V}(X)=\mathrm{E}(X^2)-\{\mathrm{E}(X)\}^2$
$\qquad\qquad=\dfrac{27}{4}-\left(\dfrac{5}{2}\right)^2=\dfrac{1}{2}$　　　　달 $\dfrac{1}{2}$

009 $\sigma(X)=\sqrt{\mathrm{V}(X)}=\sqrt{\dfrac{1}{2}}=\dfrac{\sqrt{2}}{2}$　　달 $\dfrac{\sqrt{2}}{2}$

010 한 개의 주사위를 두 번 던질 때, 소수의 눈이 나오는 횟수 X가 가질 수 있는 값은 0, 1, 2이고 한 개의 주사위를 한 번 던질 때 소수의 눈이 나오는 확률은 $\dfrac{1}{2}$, 소수가 아닌 수의 눈이 나오는 확률은 $\dfrac{1}{2}$이므로

$\mathrm{P}(X=0)={}_2\mathrm{C}_0\left(\dfrac{1}{2}\right)^2=\dfrac{1}{4}$

$\mathrm{P}(X=1)={}_2\mathrm{C}_1\left(\dfrac{1}{2}\right)^1\left(\dfrac{1}{2}\right)^1=\dfrac{1}{2}$

$\mathrm{P}(X=2)={}_2\mathrm{C}_2\left(\dfrac{1}{2}\right)^2=\dfrac{1}{4}$

따라서 확률변수 X의 확률분포를 표로 나타내면 다음과 같다.

X	0	1	2	합계
$\mathrm{P}(X=x)$	$\dfrac{1}{4}$	$\dfrac{1}{2}$	$\dfrac{1}{4}$	1

달 풀이 참조

011 $\mathrm{P}(X(X-1)\le 0)=\mathrm{P}(0\le X\le 1)$
$\qquad\qquad\qquad=\mathrm{P}(X=0)+\mathrm{P}(X=1)$
$\qquad\qquad\qquad=\dfrac{1}{4}+\dfrac{1}{2}=\dfrac{3}{4}$　　달 $\dfrac{3}{4}$

012 $\mathrm{E}(X)=0\times\dfrac{1}{4}+1\times\dfrac{1}{2}+2\times\dfrac{1}{4}=1$　　달 1

013 $\mathrm{E}(X^2)=0^2\times\dfrac{1}{4}+1^2\times\dfrac{1}{2}+2^2\times\dfrac{1}{4}=\dfrac{3}{2}$
$\therefore \mathrm{V}(X)=\mathrm{E}(X^2)-\{\mathrm{E}(X)\}^2$
$\qquad\qquad=\dfrac{3}{2}-1^2=\dfrac{1}{2}$　　　　달 $\dfrac{1}{2}$

014 $\sigma(X)=\sqrt{\mathrm{V}(X)}=\sqrt{\dfrac{1}{2}}=\dfrac{\sqrt{2}}{2}$　　달 $\dfrac{\sqrt{2}}{2}$

015 $\mathrm{P}(1\le X\le 2)=\mathrm{P}(X=1)+\mathrm{P}(X=2)$
$\qquad\qquad\quad=\dfrac{1}{6}+\dfrac{2}{3}=\dfrac{5}{6}$　　달 $\dfrac{5}{6}$

016 $\mathrm{E}(X)=1\times\dfrac{1}{6}+2\times\dfrac{2}{3}+3\times\dfrac{1}{6}=2$　　달 2

017 $\mathrm{V}(X)=\left(1^2\times\dfrac{1}{6}+2^2\times\dfrac{2}{3}+3^2\times\dfrac{1}{6}\right)-2^2=\dfrac{1}{3}$　달 $\dfrac{1}{3}$

018 $\sigma(X)=4$이므로 $\mathrm{V}(X)=16$
$\therefore \mathrm{E}(X^2)=\mathrm{V}(X)+\{\mathrm{E}(X)\}^2=16+10^2=116$
달 116

019 $\mathrm{V}(X)=\mathrm{E}(X^2)-\{\mathrm{E}(X)\}^2=40-5^2=15$　　달 15

020 $\{\mathrm{E}(X)\}^2=\mathrm{E}(X^2)-\mathrm{V}(X)=29-4=25$　　달 25

021 $\mathrm{E}(4X+5)=\boxed{4}\mathrm{E}(X)+\boxed{5}$　　달 4, 5

022 $\mathrm{V}(4X+5)=4^2\mathrm{V}(X)=\boxed{16}\mathrm{V}(X)$　　달 16

023 $\sigma(4X+5)=|4|\sigma(X)=\boxed{4}\sigma(X)$　　달 4

024 $\mathrm{E}(2X-1)=2\mathrm{E}(X)-1=2\times5-1=9$　　달 9

025 $\mathrm{V}(-X+3)=(-1)^2\mathrm{V}(X)=1\times4=4$　　달 4

026 $\mathrm{V}(X)=4$이므로 $\sigma(X)=2$
$\sigma(3X+2)=|3|\sigma(X)=3\times2=6$　　달 6

027 $\text{E}(Y)=\text{E}(-X+1)=-\text{E}(X)+1$
$\qquad\qquad =-5+1=-4$
$\sigma(Y)=\sigma(-X+1)=|-1|\sigma(X)=2$
$\qquad\qquad\qquad\qquad$ 🖺 $\text{E}(Y)=-4,\ \sigma(Y)=2$

028 $\text{E}(Z)=\text{E}\left(\dfrac{1}{5}X+3\right)=\dfrac{1}{5}\text{E}(X)+3$
$\qquad\quad =\dfrac{1}{5}\times5+3=4$
$\sigma(Z)=\sigma\left(\dfrac{1}{5}X+3\right)=\left|\dfrac{1}{5}\right|\sigma(X)=\dfrac{2}{5}$
$\qquad\qquad\qquad\qquad$ 🖺 $\text{E}(Z)=4,\ \sigma(Z)=\dfrac{2}{5}$

029 확률의 총합은 1이므로
$a+\dfrac{1}{4}+\dfrac{7}{12}=1$
$\therefore a=\dfrac{1}{6}$
$\therefore \text{E}(X)=(-2)\times\dfrac{1}{6}+0\times\dfrac{1}{4}+2\times\dfrac{7}{12}=\dfrac{5}{6}$
$\qquad\qquad\qquad\qquad\qquad\qquad\qquad$ 🖺 ⑤

030 확률변수 X의 값은 1, 2, 3이고
$\text{P}(X=1)=\dfrac{1}{3},\ \text{P}(X=2)=a,\ \text{P}(X=3)=b$
확률의 총합은 1이므로
$\dfrac{1}{3}+a+b=1$
$\therefore 3a+3b=2$ $\quad\cdots\cdots\ \text{㉠}$
$\text{E}(X)=1\times\dfrac{1}{3}+2\times a+3\times b=\dfrac{13}{6}$
$\therefore 12a+18b=11$ $\quad\cdots\cdots\ \text{㉡}$
㉠, ㉡을 연립하여 풀면
$a=\dfrac{1}{6},\ b=\dfrac{1}{2}$
$\therefore ab=\dfrac{1}{12}$ $\qquad\qquad\qquad\qquad$ 🖺 $\dfrac{1}{12}$

031 확률의 총합은 1이므로
$\dfrac{1}{6}+a+b=1$
$\therefore a+b=\dfrac{5}{6}$ $\quad\cdots\cdots\ \text{㉠}$
$\dfrac{1}{6},\ a,\ b$가 이 순서대로 등차수열을 이루므로
$2a=\dfrac{1}{6}+b$
$\therefore 2a-b=\dfrac{1}{6}$ $\quad\cdots\cdots\ \text{㉡}$
㉠, ㉡을 연립하여 풀면
$a=\dfrac{1}{3},\ b=\dfrac{1}{2}$
$\therefore \text{E}(X)=1\times\dfrac{1}{6}+2\times\dfrac{1}{3}+k\times\dfrac{1}{2}=\dfrac{k}{2}+\dfrac{5}{6}$
즉, $\dfrac{k}{2}+\dfrac{5}{6}=\dfrac{17}{6}$이므로 $\dfrac{k}{2}=2$
$\therefore k=4$ $\qquad\qquad\qquad\qquad\qquad\qquad$ 🖺 4

032 확률의 총합은 1이므로
$\displaystyle\sum_{x=1}^{4}\text{P}(X=x)=1$에서
$\displaystyle\sum_{x=1}^{4}\dfrac{k}{x(x+1)}$
$=k\displaystyle\sum_{x=1}^{4}\left(\dfrac{1}{x}-\dfrac{1}{x+1}\right)$
$=k\left\{\left(1-\dfrac{1}{2}\right)+\left(\dfrac{1}{2}-\dfrac{1}{3}\right)+\left(\dfrac{1}{3}-\dfrac{1}{4}\right)+\left(\dfrac{1}{4}-\dfrac{1}{5}\right)\right\}$
$=k\left(1-\dfrac{1}{5}\right)$
$=\dfrac{4}{5}k=1$
$\therefore k=\dfrac{5}{4}$
즉, 확률변수 X의 확률분포를 표로 나타내면 다음과 같다.

X	1	2	3	4	합계
$\text{P}(X=x)$	$\dfrac{5}{8}$	$\dfrac{5}{24}$	$\dfrac{5}{48}$	$\dfrac{1}{16}$	1

$\therefore \text{E}(X)=1\times\dfrac{5}{8}+2\times\dfrac{5}{24}+3\times\dfrac{5}{48}+4\times\dfrac{1}{16}=\dfrac{77}{48}$
$\qquad\qquad\qquad\qquad\qquad\qquad\qquad$ 🖺 $\dfrac{77}{48}$

033 확률변수 X가 가질 수 있는 값은 1, 2, 3이다.
두 수의 차가 1인 경우는
$(1,2),\ (2,3),\ (3,4)$의 3가지
두 수의 차가 2인 경우는
$(1,3),\ (2,4)$의 2가지
두 수의 차가 3인 경우는
$(1,4)$의 1가지
$\therefore \text{P}(X=1)=\dfrac{3}{6},\ \text{P}(X=2)=\dfrac{2}{6},\ \text{P}(X=3)=\dfrac{1}{6}$
즉, 확률변수 X의 확률분포를 표로 나타내면 다음과 같다.

X	1	2	3	합계
$\text{P}(X=x)$	$\dfrac{3}{6}$	$\dfrac{2}{6}$	$\dfrac{1}{6}$	1

$\therefore \text{E}(X)=1\times\dfrac{3}{6}+2\times\dfrac{2}{6}+3\times\dfrac{1}{6}=\dfrac{5}{3}$ $\qquad$ 🖺 $\dfrac{5}{3}$

034 확률변수 X가 가질 수 있는 값은 0, 1, 2이므로
$\text{P}(X=0)=\dfrac{{}_2\text{C}_2}{{}_7\text{C}_2}=\dfrac{1}{21}$
$\text{P}(X=1)=\dfrac{{}_5\text{C}_1\times{}_2\text{C}_1}{{}_7\text{C}_2}=\dfrac{10}{21}$
$\text{P}(X=2)=\dfrac{{}_5\text{C}_2}{{}_7\text{C}_2}=\dfrac{10}{21}$
즉, 확률변수 X의 확률분포를 표로 나타내면 다음과 같다.

X	0	1	2	합계
$\text{P}(X=x)$	$\dfrac{1}{21}$	$\dfrac{10}{21}$	$\dfrac{10}{21}$	1

$\therefore \text{E}(X)=0\times\dfrac{1}{21}+1\times\dfrac{10}{21}+2\times\dfrac{10}{21}=\dfrac{10}{7}$ $\qquad$ 🖺 $\dfrac{10}{7}$

035 상금을 확률변수 X라 하고, X의 확률분포를 표로 나타내면 다음과 같다.

(단위: 만 원)

X	0	3	5	10	합계
$P(X=x)$	$\dfrac{60}{100}$	$\dfrac{25}{100}$	$\dfrac{10}{100}$	$\dfrac{5}{100}$	1

$$E(X)=0\times\frac{60}{100}+3\times\frac{25}{100}+5\times\frac{10}{100}+10\times\frac{5}{100}$$
$$=1.75\ (\text{만 원})$$

따라서 상금의 기댓값은 17500원이다. **답 ④**

036 회사가 손해를 보지 않기 위한 복권 한 장의 최소 금액은 당첨금의 기댓값과 같아야 한다.

당첨금을 확률변수 X라 하면

$$P(X=0)=\frac{{}_7C_3}{{}_{10}C_3}=\frac{35}{120}$$
$$P(X=10000)=\frac{{}_3C_1\times{}_7C_2}{{}_{10}C_3}=\frac{63}{120}$$
$$P(X=20000)=\frac{{}_3C_2\times{}_7C_1}{{}_{10}C_3}=\frac{21}{120}$$
$$P(X=150000)=\frac{{}_3C_3}{{}_{10}C_3}=\frac{1}{120}$$

즉, 당첨금의 기댓값은

$$E(X)=0\times\frac{35}{120}+10000\times\frac{63}{120}+20000\times\frac{21}{120}$$
$$+150000\times\frac{1}{120}$$
$$=10000\ (\text{원})$$

따라서 최소 금액은 10000원이다. **답 ③**

037 전체 제비의 개수를 x, 상금을 확률변수 X라 하면 기대금액이 1000원이므로

$$E(X)=100000\times\frac{1}{x}+10000\times\frac{10}{x}+0\times\frac{x-11}{x}=1000$$
$$200000=1000x$$
$$\therefore x=200$$

따라서 전체 제비의 개수는 200이다. **답 200**

038 부채꼴의 넓이는 중심각의 크기에 비례하므로 각 부채꼴의 중심각의 크기는 등차수열을 이루며 가장 큰 부채꼴의 중심각의 크기는 가장 작은 부채꼴의 중심각의 크기의 5배이다.

네 부채꼴의 중심각의 크기가 등차수열을 이루므로 작은 것부터 차례대로 a, $a+d$, $a+2d$, $a+3d$로 놓으면

$$a+(a+d)+(a+2d)+(a+3d)=360°$$
$$\therefore 4a+6d=360° \quad\cdots\cdots\ \text{㉠}$$

가장 큰 부채꼴의 중심각의 크기는 가장 작은 부채꼴의 중심각의 크기의 5배이므로

$$a+3d=5a \quad\therefore 3d=4a \quad\cdots\cdots\ \text{㉡}$$

㉠, ㉡을 연립하여 풀면

$$a=30°,\ d=40°$$

즉, 네 부채꼴의 중심각의 크기는 각각 30°, 70°, 110°, 150°

화살을 한 번 쏘아서 얻는 점수를 확률변수 X라 하면 X의 확률분포를 표로 나타내면 다음과 같다.

X	2	4	6	8	합계
$P(X=x)$	$\dfrac{150}{360}$	$\dfrac{110}{360}$	$\dfrac{70}{360}$	$\dfrac{30}{360}$	1

따라서 얻는 점수의 기댓값은

$$E(X)=2\times\frac{150}{360}+4\times\frac{110}{360}+6\times\frac{70}{360}+8\times\frac{30}{360}=\frac{35}{9}\ (\text{점})$$

답 $\dfrac{35}{9}$

039
$$E(X)=0\times\frac{2}{3}+1\times\frac{1}{6}+2\times\frac{1}{6}=\frac{1}{2}$$
$$\therefore V(X)=E(X^2)-\{E(X)\}^2$$
$$=0^2\times\frac{2}{3}+1^2\times\frac{1}{6}+2^2\times\frac{1}{6}-\left(\frac{1}{2}\right)^2=\frac{7}{12}$$

답 ③

040 확률의 총합은 1이므로

$$\frac{1}{6}+\frac{1}{3}+a+\frac{1}{6}=1 \quad\therefore a=\frac{1}{3}$$
$$E(X)=1\times\frac{1}{6}+2\times\frac{1}{3}+3\times\frac{1}{3}+4\times\frac{1}{6}=\frac{5}{2}$$
$$V(X)=E(X^2)-\{E(X)\}^2$$
$$=1^2\times\frac{1}{6}+2^2\times\frac{1}{3}+3^2\times\frac{1}{3}+4^2\times\frac{1}{6}-\left(\frac{5}{2}\right)^2=\frac{11}{12}$$
$$\therefore a+E(X)+V(X)=\frac{1}{3}+\frac{5}{2}+\frac{11}{12}=\frac{15}{4}$$

답 $\dfrac{15}{4}$

041 확률의 총합은 1이므로

$$a+\frac{a}{2}+a^2=1,\ 2a^2+3a-2=0$$
$$(a+2)(2a-1)=0$$
$$\therefore a=\frac{1}{2}\ (\because 0\le a\le 1)$$
$$E(X)=(-1)\times\frac{1}{2}+0\times\frac{1}{4}+1\times\frac{1}{4}=-\frac{1}{4}$$
$$V(X)=E(X^2)-\{E(X)\}^2$$
$$=(-1)^2\times\frac{1}{2}+0^2\times\frac{1}{4}+1^2\times\frac{1}{4}-\left(-\frac{1}{4}\right)^2=\frac{11}{16}$$
$$\therefore \sigma(X)=\sqrt{V(X)}=\frac{\sqrt{11}}{4}$$

답 $\dfrac{\sqrt{11}}{4}$

042 확률변수 X의 확률분포를 표로 나타내면 다음과 같다.

X	1	2	3	4	합계
$P(X=k)$	$\dfrac{1}{a}$	$\dfrac{2}{a}$	$\dfrac{3}{a}$	$\dfrac{4}{a}$	1

확률의 총합은 1이므로

$$\frac{1}{a}+\frac{2}{a}+\frac{3}{a}+\frac{4}{a}=\frac{10}{a}=1$$
$$\therefore a=10$$
$$E(X)=1\times\frac{1}{10}+2\times\frac{2}{10}+3\times\frac{3}{10}+4\times\frac{4}{10}=3$$
$$V(X)=1^2\times\frac{1}{10}+2^2\times\frac{2}{10}+3^2\times\frac{3}{10}+4^2\times\frac{4}{10}-3^2=1$$
$$\therefore \sigma(X)=\sqrt{V(X)}=1$$

답 ①

043 확률의 총합은 1이므로

$$\frac{1}{4}+a+\frac{1}{8}+b=1$$

$$\therefore a+b=\frac{5}{8} \quad \cdots\cdots \textcircled{\scriptsize ㄱ}$$

$$\mathrm{E}(X)=1\times\frac{1}{4}+2\times a+4\times\frac{1}{8}+8\times b=5$$

$$\therefore a+4b=\frac{17}{8} \quad \cdots\cdots \textcircled{\scriptsize ㄴ}$$

$\textcircled{\scriptsize ㄱ}$, $\textcircled{\scriptsize ㄴ}$을 연립하여 풀면

$$a=\frac{1}{8},\ b=\frac{1}{2}$$

$$\therefore \mathrm{V}(X)=\mathrm{E}(X^2)-\{\mathrm{E}(X)\}^2$$

$$=1^2\times\frac{1}{4}+2^2\times\frac{1}{8}+4^2\times\frac{1}{8}+8^2\times\frac{1}{2}-5^2=\frac{39}{4}$$

目 $\dfrac{39}{4}$

044 $\sum\limits_{x=1}^{n}\mathrm{P}(X=x)=1$이므로

$$\sum_{x=1}^{n}ax=\frac{an(n+1)}{2}=1$$

$$\therefore a=\frac{2}{n(n+1)}$$

$$\mathrm{E}(X)=\sum_{x=1}^{n}x\times\mathrm{P}(X=x)$$

$$=\frac{2}{n(n+1)}\sum_{x=1}^{n}x^2$$

$$=\frac{2}{n(n+1)}\times\frac{n(n+1)(2n+1)}{6}$$

$$=\frac{2n+1}{3}$$

$$\mathrm{E}(X^2)=\sum_{x=1}^{n}x^2\times\mathrm{P}(X=x)$$

$$=\frac{2}{n(n+1)}\sum_{x=1}^{n}x^3$$

$$=\frac{2}{n(n+1)}\times\left\{\frac{n(n+1)}{2}\right\}^2$$

$$=\frac{n(n+1)}{2}$$

$$\therefore \mathrm{V}(X)=\mathrm{E}(X^2)-\{\mathrm{E}(X)\}^2$$

$$=\frac{n(n+1)}{2}-\left(\frac{2n+1}{3}\right)^2$$

$$=\frac{n^2+n-2}{18}$$

$\mathrm{V}(X)=1$에서 $\dfrac{n^2+n-2}{18}=1$

$$n^2+n-2=18$$

$$n^2+n-20=0$$

$$(n+5)(n-4)=0$$

$$\therefore n=4\ (\because n>0)$$

따라서 $a=\dfrac{1}{10}$이므로 $\mathrm{P}(X=x)=\dfrac{x}{10}\ (x=1,\,2,\,3,\,4)$

$$\therefore \mathrm{P}(2\le X\le 3)=\frac{2}{10}+\frac{3}{10}=\frac{1}{2}$$

目 $\dfrac{1}{2}$

045 확률변수 X가 가질 수 있는 값은 1, 2, 3이므로

$$\mathrm{P}(X=1)=\frac{1}{6},\ \mathrm{P}(X=2)=\frac{2}{6},\ \mathrm{P}(X=3)=\frac{3}{6}$$

즉, 확률변수 X의 확률분포를 표로 나타내면 다음과 같다.

X	1	2	3	합계
$\mathrm{P}(X=x)$	$\frac{1}{6}$	$\frac{2}{6}$	$\frac{3}{6}$	1

$$\mathrm{E}(X)=1\times\frac{1}{6}+2\times\frac{2}{6}+3\times\frac{3}{6}=\frac{7}{3}$$

$$\therefore \mathrm{V}(X)=\mathrm{E}(X^2)-\{\mathrm{E}(X)\}^2$$

$$=1^2\times\frac{1}{6}+2^2\times\frac{2}{6}+3^2\times\frac{3}{6}-\left(\frac{7}{3}\right)^2=\frac{5}{9}$$

目 ⑤

046 확률변수 X가 가질 수 있는 값은 1, 2, 3이므로

$$\mathrm{P}(X=1)=\frac{{}_4\mathrm{C}_1\times{}_2\mathrm{C}_2}{{}_6\mathrm{C}_3}=\frac{1}{5},\ \mathrm{P}(X=2)=\frac{{}_4\mathrm{C}_2\times{}_2\mathrm{C}_1}{{}_6\mathrm{C}_3}=\frac{3}{5}$$

$$\mathrm{P}(X=3)=\frac{{}_4\mathrm{C}_3}{{}_6\mathrm{C}_3}=\frac{1}{5}$$

즉, 확률변수 X의 확률분포를 표로 나타내면 다음과 같다.

X	1	2	3	합계
$\mathrm{P}(X=x)$	$\frac{1}{5}$	$\frac{3}{5}$	$\frac{1}{5}$	1

$$\mathrm{E}(X)=1\times\frac{1}{5}+2\times\frac{3}{5}+3\times\frac{1}{5}=2$$

$$\mathrm{V}(X)=\mathrm{E}(X^2)-\{\mathrm{E}(X)\}^2$$

$$=1^2\times\frac{1}{5}+2^2\times\frac{3}{5}+3^2\times\frac{1}{5}-2^2=\frac{2}{5}$$

$$\therefore \sigma(X)=\sqrt{\mathrm{V}(X)}=\sqrt{\frac{2}{5}}=\frac{\sqrt{10}}{5}$$

目 $\dfrac{\sqrt{10}}{5}$

047 확률변수 X가 가질 수 있는 값은 1, 2, 3, 4이다.

약수의 개수가 1인 경우는

1의 1가지

약수의 개수가 2인 경우는

2, 3, 5의 3가지

약수의 개수가 3인 경우는

4의 1가지

약수의 개수가 4인 경우는

6의 1가지

$$\therefore \mathrm{P}(X=1)=\frac{1}{6},\ \mathrm{P}(X=2)=\frac{3}{6},\ \mathrm{P}(X=3)=\frac{1}{6},$$

$$\mathrm{P}(X=4)=\frac{1}{6}$$

즉, 확률변수 X의 확률분포를 표로 나타내면 다음과 같다.

X	1	2	3	4	합계
$\mathrm{P}(X=x)$	$\frac{1}{6}$	$\frac{3}{6}$	$\frac{1}{6}$	$\frac{1}{6}$	1

$$\mathrm{E}(X)=1\times\frac{1}{6}+2\times\frac{3}{6}+3\times\frac{1}{6}+4\times\frac{1}{6}=\frac{7}{3}$$

$$\therefore \mathrm{V}(X)=\mathrm{E}(X^2)-\{\mathrm{E}(X)\}^2$$

$$=1^2\times\frac{1}{6}+2^2\times\frac{3}{6}+3^2\times\frac{1}{6}+4^2\times\frac{1}{6}-\left(\frac{7}{3}\right)^2=\frac{8}{9}$$

目 $\dfrac{8}{9}$

048 확률변수 X가 가질 수 있는 값은 1, 2, 3이므로

$$P(X=1)=\frac{_3C_2}{_5C_2}=\frac{3}{10}$$

$$P(X=2)=\frac{_3C_1\times_2C_1}{_5C_2}=\frac{6}{10}$$

$$P(X=3)=\frac{_2C_2}{_5C_2}=\frac{1}{10}$$

즉, 확률변수 X의 확률분포를 표로 나타내면 다음과 같다.

X	1	2	3	합계
$P(X=x)$	$\frac{3}{10}$	$\frac{6}{10}$	$\frac{1}{10}$	1

$$E(X)=1\times\frac{3}{10}+2\times\frac{6}{10}+3\times\frac{1}{10}=\frac{9}{5}$$

$$\therefore V(X)=E(X^2)-\{E(X)\}^2$$

$$=1^2\times\frac{3}{10}+2^2\times\frac{6}{10}+3^2\times\frac{1}{10}-\left(\frac{9}{5}\right)^2=\frac{9}{25}$$

답 ①

049 2, 3, 4, 5 중에서 서로 다른 두 수를 뽑는 경우의 수는 $_4C_2=6$ 이고, 확률변수 X가 가질 수 있는 값은 1, 2, 3이다.

$(2, 3), (3, 4), (4, 5)$일 때 $X=1$

$(2, 4), (3, 5)$일 때 $X=2$

$(2, 5)$일 때 $X=3$

따라서 확률변수 X의 확률분포를 표로 나타내면 다음과 같다.

X	1	2	3	합계
$P(X=x)$	$\frac{1}{2}$	$\frac{1}{3}$	$\frac{1}{6}$	1

$$E(X)=1\times\frac{1}{2}+2\times\frac{1}{3}+3\times\frac{1}{6}=\frac{5}{3}$$

$$V(X)=1^2\times\frac{1}{2}+2^2\times\frac{1}{3}+3^2\times\frac{1}{6}-\left(\frac{5}{3}\right)^2=\frac{5}{9}$$

이므로

$$\sigma(X)=\sqrt{V(X)}=\sqrt{\frac{5}{9}}=\frac{\sqrt5}{3}$$

답 $\frac{\sqrt5}{3}$

050 C, D 사이에 서는 사람의 수 X가 가질 수 있는 값은 0, 1, 2, 3, 4이다.

$$P(X=0)=\frac{5!2!}{6!}=\frac{1}{3}$$

$$P(X=1)=\frac{4\times4!\times2!}{6!}=\frac{4}{15}$$

$$P(X=2)=\frac{_4P_2\times3!\times2!}{6!}=\frac{1}{5}$$

$$P(X=3)=\frac{_4P_3\times2!\times2!}{6!}=\frac{2}{15}$$

$$P(X=4)=\frac{_4P_4\times2!}{6!}=\frac{1}{15}$$

$$E(X)=0\times\frac{1}{3}+1\times\frac{4}{15}+2\times\frac{1}{5}+3\times\frac{2}{15}+4\times\frac{1}{15}=\frac{4}{3}$$

$$\therefore V(X)$$

$$=0^2\times\frac{1}{3}+1^2\times\frac{4}{15}+2^2\times\frac{1}{5}+3^2\times\frac{2}{15}+4^2\times\frac{1}{15}-\left(\frac{4}{3}\right)^2$$

$$=\frac{14}{9}$$

답 $\frac{14}{9}$

051 $$E(X)=1\times\frac{3}{10}+2\times\frac{4}{10}+3\times\frac{1}{10}+4\times\frac{2}{10}$$

$$=\frac{11}{5}$$

$$\therefore E(Y)=E(5X+3)=5E(X)+3=14$$

답 14

052 확률의 총합은 1이므로

$$\frac{1}{4}+a+a^2=1, 4a^2+4a-3=0$$

$$(2a-1)(2a+3)=0$$

$$\therefore a=\frac{1}{2}\ (\because a>0)$$

$$E(X)=0\times\frac{1}{4}+1\times\frac{1}{2}+2\times\frac{1}{4}=1$$

$$\therefore E(Y)=E(X-1)$$

$$=E(X)-1$$

$$=1-1=0$$

답 ②

053 주어진 확률변수 X의 확률분포를 표로 나타내면 다음과 같다.

X	-1	0	1	2	합계
$P(X=x)$	$5a$	$3a$	$3a$	$5a$	1

확률의 총합은 1이므로

$$5a+3a+3a+5a=1$$

$$\therefore a=\frac{1}{16}$$

$$E(X)=(-1)\times\frac{5}{16}+0\times\frac{3}{16}+1\times\frac{3}{16}+2\times\frac{5}{16}=\frac{1}{2}$$

$$\therefore E\left(\frac{1}{a}X-2\right)=\frac{1}{a}E(X)-2=16\times\frac{1}{2}-2=6$$

답 6

054 확률변수 X의 확률분포를 표로 나타내면 다음과 같다.

X	1	2	3	4	5	6	합계
$P(X=x)$	$\frac{1}{6}$	$\frac{1}{6}$	$\frac{1}{6}$	$\frac{1}{6}$	$\frac{1}{6}$	$\frac{1}{6}$	1

따라서 $E(X)=\frac{1}{6}(1+2+3+4+5+6)=\frac{7}{2}$이므로

$$E(Y)=E(2X+3)$$

$$=2E(X)+3$$

$$=2\times\frac{7}{2}+3=10$$

답 ①

055 확률변수 X가 취할 수 있는 값은 0, 1, 2이고 그 확률은 각각

$$P(X=0)=\frac{_3C_2}{_7C_2}=\frac{3}{21}$$

$$P(X=1)=\frac{_3C_1\times_4C_1}{_7C_2}=\frac{12}{21}$$

$$P(X=2)=\frac{_4C_2}{_7C_2}=\frac{6}{21}$$

이므로 확률변수 X의 확률분포를 표로 나타내면 다음과 같다.

X	0	1	2	합계
$P(X=x)$	$\frac{3}{21}$	$\frac{12}{21}$	$\frac{6}{21}$	1

따라서 $E(X)=0\times\frac{3}{21}+1\times\frac{12}{21}+2\times\frac{6}{21}=\frac{8}{7}$이므로

$$E(-7X+10)=-7E(X)+10$$
$$=(-7)\times\frac{8}{7}+10=2 \qquad \text{답 } 2$$

056 확률변수 X가 취할 수 있는 값은 20, 110, 200이고 그 확률은 각각

$$P(X=20)=\frac{{}_2C_2}{{}_5C_2}=\frac{1}{10}$$

$$P(X=110)=\frac{{}_2C_1\times{}_3C_1}{{}_5C_2}=\frac{6}{10}$$

$$P(X=200)=\frac{{}_3C_2}{{}_5C_2}=\frac{3}{10}$$

이므로 확률변수 X의 확률분포를 표로 나타내면 다음과 같다.

X	20	110	200	합계
$P(X=x)$	$\frac{1}{10}$	$\frac{6}{10}$	$\frac{3}{10}$	1

따라서 $E(X)=20\times\frac{1}{10}+110\times\frac{6}{10}+200\times\frac{3}{10}=128$이므로

$$E(Y)=E(100X+50)=100E(X)+50$$
$$=100\times128+50=12850 \text{ (원)} \qquad \text{답 } 12850원$$

057 $E(X)=100$, $\sigma(X)=10$이므로

$$E(3X+7)=3E(X)+7=3\times100+7=307$$
$$\sigma(3X+7)=|3|\sigma(X)=3\times10=30 \qquad \text{답 } ③$$

058 $E(X)=a$, $V(X)=b$이므로

$$E(Y)=E(2X+5)=2E(X)+5$$
$$=2a+5=25$$
$$\therefore a=10$$
$$V(Y)=V(2X+5)=2^2V(X)$$
$$=4b=12$$
$$\therefore b=3$$
$$\therefore a+b=10+3=13 \qquad \text{답 } 13$$

059 $E(X)=0\times\frac{2}{7}+1\times\frac{3}{7}+2\times\frac{2}{7}=1$

$$V(X)=0^2\times\frac{2}{7}+1^2\times\frac{3}{7}+2^2\times\frac{2}{7}-1^2$$
$$=\frac{3}{7}+\frac{8}{7}-1=\frac{4}{7}$$

따라서 확률변수 $7X$의 분산은

$$V(7X)=7^2V(X)=49\times\frac{4}{7}=28 \qquad \text{답 } 28$$

060 확률의 총합은 1이므로

$$\frac{1}{6}+\frac{1}{3}+a=1 \qquad \therefore a=\frac{1}{2}$$

$$E(X)=0\times\frac{1}{6}+1\times\frac{1}{3}+2\times\frac{1}{2}=\frac{4}{3}$$

$$V(X)=0^2\times\frac{1}{6}+1^2\times\frac{1}{3}+2^2\times\frac{1}{2}-\left(\frac{4}{3}\right)^2$$

$$=\frac{7}{3}-\frac{16}{9}=\frac{5}{9}$$

$$\therefore E(Y)=3E(X)-2=2$$
$$V(Y)=9V(X)=5 \qquad \text{답 } E(Y)=2,\ V(Y)=5$$

061 확률의 총합은 1이므로

$$a^2+\frac{a}{2}+a=1$$
$$2a^2+3a-2=0$$
$$(a+2)(2a-1)=0$$
$$\therefore a=\frac{1}{2} (\because a>0)$$

$$E(X)=(-2)\times\frac{1}{4}+0\times\frac{1}{4}+2\times\frac{1}{2}=\frac{1}{2}$$

$$\therefore E(aX)=aE(X)$$
$$=\frac{1}{2}\times\frac{1}{2}=\frac{1}{4}$$

$$V(X)=(-2)^2\times\frac{1}{4}+0^2\times\frac{1}{4}+2^2\times\frac{1}{2}-\left(\frac{1}{2}\right)^2$$

$$=3-\frac{1}{4}=\frac{11}{4}$$

$$\therefore V(aX+3)=a^2V(X)$$
$$=\frac{1}{4}\times\frac{11}{4}=\frac{11}{16}$$

$$\therefore E(aX)+V(aX+3)=\frac{1}{4}+\frac{11}{16}=\frac{15}{16}$$
$$\text{답 } \frac{15}{16}$$

062 확률변수 X가 취할 수 있는 값은 1, 2, 3이고, 그 확률은 각각

$$P(X=1)=\frac{{}_2C_2\times{}_4C_1}{{}_6C_3}=\frac{4}{20}$$

$$P(X=2)=\frac{{}_2C_1\times{}_4C_2}{{}_6C_3}=\frac{12}{20}$$

$$P(X=3)=\frac{{}_4C_3}{{}_6C_3}=\frac{4}{20}$$

이므로 확률변수 X의 확률분포를 표로 나타내면 다음과 같다.

X	1	2	3	합계
$P(X=x)$	$\frac{4}{20}$	$\frac{12}{20}$	$\frac{4}{20}$	1

X의 평균과 분산은

$$E(X)=1\times\frac{4}{20}+2\times\frac{12}{20}+3\times\frac{4}{20}=2$$

$$V(X)=1^2\times\frac{4}{20}+2^2\times\frac{12}{20}+3^2\times\frac{4}{20}-2^2=\frac{22}{5}-2^2=\frac{2}{5}$$

$$\therefore V(10X+1)=10^2V(X)=100\times\frac{2}{5}=40$$
$$\text{답 } ④$$

063 $V(X)=E(X^2)-\{E(X)\}^2$이므로

$$13=E(X^2)-8^2$$
$$\therefore E(X^2)=77 \qquad \text{답 } ④$$

064 $V(X)=E(X^2)-\{E(X)\}^2$에서

$$4=E(X^2)-3^2$$
$$\therefore E(X^2)=4+3^2=13$$
$$\therefore E(Y)=E((X+1)^2)$$
$$=E(X^2+2X+1)$$
$$=E(X^2)+2E(X)+1$$
$$=13+2\times3+1=20 \qquad \text{답 } 20$$

065 $V(X)=E(X^2)-\{E(X)\}^2$에서

$5=E(X^2)-2^2$ $\therefore E(X^2)=5+2^2=9$

$\therefore E(3X^2-5)=3E(X^2)-5=3\times9-5=22$

답 22

066 $E(X)=a$로 놓으면 $E(X^2)=5a$이고

$V(X)=E(X^2)-\{E(X)\}^2$이므로

$4=5a-a^2$

$a^2-5a+4=0$, $(a-4)(a-1)=0$

$\therefore a=E(X)=4\ (\because a\geq2)$

답 ③

067 $Y=\dfrac{1}{5}X-10$에서 $5Y=X-50$

$\therefore X=5Y+50$

$\therefore E(X)=E(5Y+50)=5E(Y)+50=40$

$V(Y)=E(Y^2)-\{E(Y)\}^2=5-(-2)^2=1$

$\therefore V(X)=V(5Y+50)=5^2V(Y)=25$

$\therefore E(X)+V(X)=40+25=65$

답 ⑤

068 $a=E(Y)=E\left(\dfrac{X-50}{2}\right)$

$=\dfrac{1}{2}E(X)-25$

$=\dfrac{1}{2}\times60-25=5$

$b=E(Y^2)=V(Y)+\{E(Y)\}^2$

$=V\left(\dfrac{X-50}{2}\right)+5^2$

$=\left(\dfrac{1}{2}\right)^2V(X)+25$

$=\dfrac{1}{4}\times12+25=28$

$\therefore a+b=5+28=33$

답 33

069 확률의 총합은 1이므로

$a+b+a^2=1$ ······㉠

$E(X)=(-2)\times a+0\times b+2\times a^2=-\dfrac{1}{2}$이므로

$2a^2-2a=-\dfrac{1}{2}$, $4a^2-4a+1=0$

$(2a-1)^2=0$ $\therefore a=\dfrac{1}{2}$

$a=\dfrac{1}{2}$을 ㉠에 대입하면

$\dfrac{1}{2}+b+\dfrac{1}{4}=1$

$\therefore b=\dfrac{1}{4}$

$\therefore a+b=\dfrac{1}{2}+\dfrac{1}{4}=\dfrac{3}{4}$

답 ④

070 확률변수 X의 확률분포를 표로 나타내면 다음과 같다.

X	0	10	100	110	200	210	합계
$P(X=x)$	$\dfrac{1}{8}$	$\dfrac{1}{8}$	$\dfrac{2}{8}$	$\dfrac{2}{8}$	$\dfrac{1}{8}$	$\dfrac{1}{8}$	1

$\therefore E(X)=0\times\dfrac{1}{8}+10\times\dfrac{1}{8}+100\times\dfrac{2}{8}+110\times\dfrac{2}{8}$

$\qquad\qquad\qquad\qquad+200\times\dfrac{1}{8}+210\times\dfrac{1}{8}$

$\quad=105$

답 105

071 얻을 수 있는 이익금을 확률변수 X라 하면 기댓값이 300원이므로

$E(X)=1000\times\dfrac{8}{8+x}+(-500)\times\dfrac{x}{8+x}=300$

$\dfrac{80-5x}{8+x}=3$, $8x=56$ $\therefore x=7$

따라서 흰 구슬의 개수는 7이다.

답 7

072 확률의 총합은 1이므로

$a+b+c=1$ ······㉠

$E(X)=1\times a+2\times b+3\times c=2$

$\therefore a+2b+3c=2$ ······㉡

$V(X)=E(X^2)-\{E(X)\}^2$

$\qquad=1^2\times a+2^2\times b+3^2\times c-2^2=\dfrac{1}{2}$

$\therefore a+4b+9c=\dfrac{9}{2}$ ······㉢

㉠, ㉡, ㉢을 연립하여 풀면 $a=\dfrac{1}{4}$, $b=\dfrac{1}{2}$, $c=\dfrac{1}{4}$

$\therefore abc=\dfrac{1}{32}$

답 ③

073 확률변수 X가 가질 수 있는 값은 2, 3, 4이고, 그 확률은 각각

$P(X=2)=\dfrac{{}_1C_1\times{}_3C_1}{{}_5C_3}=\dfrac{3}{10}$, $P(X=3)=\dfrac{{}_2C_1\times{}_2C_1}{{}_5C_3}=\dfrac{2}{5}$

$P(X=4)=\dfrac{{}_3C_1\times{}_1C_1}{{}_5C_3}=\dfrac{3}{10}$

이므로 확률변수 X의 확률분포를 표로 나타내면 다음과 같다.

X	2	3	4	합계
$P(X=x)$	$\dfrac{3}{10}$	$\dfrac{2}{5}$	$\dfrac{3}{10}$	1

$E(X)=2\times\dfrac{3}{10}+3\times\dfrac{2}{5}+4\times\dfrac{3}{10}=3$

$V(X)=E(X^2)-\{E(X)\}^2$

$\qquad=2^2\times\dfrac{3}{10}+3^2\times\dfrac{2}{5}+4^2\times\dfrac{3}{10}-3^2=\dfrac{3}{5}$

$\therefore \dfrac{V(X)}{E(X)}=\dfrac{\frac{3}{5}}{3}=\dfrac{1}{5}$

답 $\dfrac{1}{5}$

074 확률변수 X가 취할 수 있는 값은 0, 1, 2, 3이고, 그 확률은 각각

$P(X=0)=\dfrac{1}{5}\times\dfrac{1}{4}\times\dfrac{1}{2}=\dfrac{1}{40}$

$P(X=1)=\dfrac{4}{5}\times\dfrac{1}{4}\times\dfrac{1}{2}+\dfrac{1}{5}\times\dfrac{3}{4}\times\dfrac{1}{2}+\dfrac{1}{5}\times\dfrac{1}{4}\times\dfrac{1}{2}$

$\qquad=\dfrac{8}{40}$

$P(X=2)=\dfrac{4}{5}\times\dfrac{3}{4}\times\dfrac{1}{2}+\dfrac{4}{5}\times\dfrac{1}{4}\times\dfrac{1}{2}+\dfrac{1}{5}\times\dfrac{3}{4}\times\dfrac{1}{2}$

$\qquad=\dfrac{19}{40}$

$$P(X=3)=\frac{4}{5}\times\frac{3}{4}\times\frac{1}{2}=\frac{12}{40}$$

이므로 확률변수 X의 확률분포를 표로 나타내면 다음과 같다.

X	0	1	2	3	합계
$P(X=x)$	$\frac{1}{40}$	$\frac{8}{40}$	$\frac{19}{40}$	$\frac{12}{40}$	1

따라서 $E(X)=0\times\frac{1}{40}+1\times\frac{8}{40}+2\times\frac{19}{40}+3\times\frac{12}{40}=\frac{41}{20}$

이므로

$$E(20X+3)=20E(X)+3=20\times\frac{41}{20}+3=44$$

日 44

075

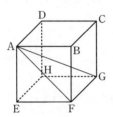

그림에서 $\overline{AB}=1$, $\overline{AF}=\sqrt{2}$, $\overline{AG}=\sqrt{3}$이므로

$$P(X=1)=\frac{12}{{}_8C_2}=\frac{3}{7}$$

$$P(X=\sqrt{2})=\frac{12}{{}_8C_2}=\frac{3}{7}$$

$$P(X=\sqrt{3})=\frac{4}{{}_8C_2}=\frac{1}{7}$$

즉, 확률변수 X의 확률분포를 표로 나타내면 다음과 같다.

X	1	$\sqrt{2}$	$\sqrt{3}$	합계
$P(X=x)$	$\frac{3}{7}$	$\frac{3}{7}$	$\frac{1}{7}$	1

$$\therefore E(X)=1\times\frac{3}{7}+\sqrt{2}\times\frac{3}{7}+\sqrt{3}\times\frac{1}{7}$$

$$=\frac{3+3\sqrt{2}+\sqrt{3}}{7}$$

$$\therefore E(7X-3-\sqrt{3})=7E(X)-3-\sqrt{3}=3\sqrt{2}$$

日 $3\sqrt{2}$

076 확률의 총합은 1이므로

$$\frac{a}{2}+a^2+\frac{a^2}{2}=1$$

$$3a^2+a-2=0,\ (3a-2)(a+1)=0$$

$$\therefore a=\frac{2}{3}$$

따라서 확률변수 X의 평균과 분산은

$$E(X)=(-1)\times\frac{1}{3}+0\times\frac{4}{9}+1\times\frac{2}{9}=-\frac{1}{9}$$

$$V(X)=(-1)^2\times\frac{1}{3}+0^2\times\frac{4}{9}+1^2\times\frac{2}{9}-\left(-\frac{1}{9}\right)^2=\frac{44}{81}$$

$$\therefore \sigma(9X-8)=9\sigma(X)=9\sqrt{\frac{44}{81}}=2\sqrt{11}$$

日 ②

077 주어진 이차방정식의 판별식을 D라 하면

$$\frac{D}{4}=a^2-b^2=(a+b)(a-b)$$이고

$a>0$, $b>0$이므로 $a+b>0$

실근의 개수가 확률변수 X이므로

$X=0$일 때, $\frac{D}{4}=(a+b)(a-b)<0$에서 $a<b$

$X=1$일 때, $\frac{D}{4}=(a+b)(a-b)=0$에서 $a=b$

$X=2$일 때, $\frac{D}{4}=(a+b)(a-b)>0$에서 $a>b$

확률변수 X의 확률분포를 표로 나타내면 다음과 같다.

X	0	1	2	합계
$P(X=x)$	$\frac{15}{36}$	$\frac{6}{36}$	$\frac{15}{36}$	1

X의 평균과 분산은

$$E(X)=0\times\frac{15}{36}+1\times\frac{6}{36}+2\times\frac{15}{36}=1$$

$$V(X)=0^2\times\frac{15}{36}+1^2\times\frac{6}{36}+2^2\times\frac{15}{36}-1^2=\frac{66}{36}-1=\frac{5}{6}$$

이므로

$$E(2X+3)+V(2X+3)=2E(X)+3+2^2V(X)$$

$$=2\times1+3+4\times\frac{5}{6}$$

$$=\frac{25}{3}$$

日 $\frac{25}{3}$

078
$$V(X)=E(X^2)-\{E(X)\}^2$$

$$=725-25^2=100$$

$$E(Y)=E(aX+b)=aE(X)+b$$

$$=25a+b=51 \quad\cdots\cdots\ \bigcirc$$

$$V(Y)=V(aX+b)=a^2V(X)$$

$$=100a^2=20$$

$$\therefore a=\frac{\sqrt{5}}{5}\ (\because a>0)$$

$a=\frac{\sqrt{5}}{5}$를 $\bigcirc$에 대입하면

$$b=51-5\sqrt{5}$$

日 $51-5\sqrt{5}$

079 확률의 총합은 1이므로

$$a+b+c=1 \quad\cdots\cdots\ \bigcirc$$

$X^2-8X+12\geq0$에서 $(X-2)(X-6)\geq0$

$\therefore X\leq2$ 또는 $X\geq6$

$$P(X^2-8X+12\geq0)=P(X\leq2)+P(X\geq6)$$

$$=a+c=\frac{3}{4} \quad\cdots\cdots\ \bigcirc$$

$\bigcirc$, $\bigcirc$을 연립하여 풀면 $b=\frac{1}{4}$

$\bigcirc$에서 $c=\frac{3}{4}-a$이므로

$$E(X)=2a+4b+6c$$

$$=2a+1+6\left(\frac{3}{4}-a\right)$$

$$=-4a+\frac{11}{2}$$

$$E(X^2)=4a+16b+36c$$

$$=4a+4+36\left(\frac{3}{4}-a\right)$$

$$=-32a+31$$

$$\therefore V(X) = E(X^2) - \{E(X)\}^2$$
$$= -32a + 31 - \left(-4a + \frac{11}{2}\right)^2$$
$$= -16a^2 + 12a + \frac{3}{4}$$
$$= -16\left(a - \frac{3}{8}\right)^2 + 3$$

따라서 $a = \frac{3}{8}$, 즉 $\alpha = \frac{3}{8}$일 때 최댓값 $\beta = 3$을 가지므로

$8\alpha + \beta = 3 + 3 = 6$　　　　　　　　　답 6

080　$E(X) = 1 \times \frac{1}{n} + 2 \times \frac{1}{n} + 3 \times \frac{1}{n} + \cdots + n \times \frac{1}{n}$
$$= (1 + 2 + 3 + \cdots + n) \times \frac{1}{n}$$
$$= \sum_{k=1}^{n} k \times \frac{1}{n}$$
$$= \frac{n(n+1)}{2} \times \frac{1}{n}$$
$$= \frac{n+1}{2} = 9$$
$$\therefore n = 17$$
$$V(X) = 1^2 \times \frac{1}{n} + 2^2 \times \frac{1}{n} + 3^2 \times \frac{1}{n} + \cdots + n^2 \times \frac{1}{n} - 9^2$$
$$= (1^2 + 2^2 + 3^2 + \cdots + n^2) \times \frac{1}{n} - 9^2$$
$$= \sum_{k=1}^{n} k^2 \times \frac{1}{n} - 9^2$$
$$= \frac{n(n+1)(2n+1)}{6} \times \frac{1}{n} - 9^2$$
$$= \frac{(n+1)(2n+1)}{6} - 9^2$$
$$= \frac{18 \times 35}{6} - 9^2$$
$$= 24$$

한편, 10, 13, 16, 19, 22, …은 첫째항이 10이고 공차가 3인 등차수열이므로 X, Y의 관계식은
$$Y = 3X + 7$$
$$\therefore V(Y) = V(3X+7)$$
$$= 3^2 V(X)$$
$$= 9 \times 24$$
$$= 216$$　　　　　　답 216

---

08 이항분포

001　한 개의 동전을 던질 때, 뒷면이 나올 확률은 $\frac{1}{2}$이므로

$B\left(50, \frac{1}{2}\right)$　　　　　　답 $B\left(50, \frac{1}{2}\right)$

002　한 개의 주사위를 던질 때, 6의 눈이 나오는 확률은 $\frac{1}{6}$이므로

$B\left(30, \frac{1}{6}\right)$　　　　　　답 $B\left(30, \frac{1}{6}\right)$

003　한 개의 주사위를 던질 때, 3의 배수의 눈이 나올 확률은 $\frac{1}{3}$이므로

$B\left(10, \frac{1}{3}\right)$　　　　　　답 $B\left(10, \frac{1}{3}\right)$

004　두 개의 동전을 동시에 던질 때, 모두 앞면이 나오는 확률은 $\frac{1}{4}$이므로

$B\left(100, \frac{1}{4}\right)$　　　　　　답 $B\left(100, \frac{1}{4}\right)$

005　자유투 성공률이 $0.6 = \frac{3}{5}$이므로

$B\left(25, \frac{3}{5}\right)$　　　　　　답 $B\left(25, \frac{3}{5}\right)$

006　하나의 공을 꺼내어 색을 확인할 때, 흰 공일 확률은 $\frac{1}{3}$이므로

$B\left(30, \frac{1}{3}\right)$　　　　　　답 $B\left(30, \frac{1}{3}\right)$

007　　　　　　답 $B\left(5, \frac{1}{3}\right)$

008　　　　　　답 $B\left(4, \frac{1}{6}\right)$

009　　　　　　답 $B\left(3, \frac{3}{10}\right)$

010　${}_{10}C_x \frac{2^x \times 3^{10-x}}{5^{10}} = {}_{10}C_x \frac{2^x}{5^x} \times \frac{3^{10-x}}{5^{10-x}} = {}_{10}C_x \left(\boxed{\frac{2}{5}}\right)^x \left(\frac{3}{5}\right)^{10-x}$

➡ $B\left(10, \boxed{\frac{2}{5}}\right)$　　　　답 $\frac{2}{5}, \frac{2}{5}$

011　${}_8C_{8-x} \left(\frac{1}{4}\right)^x \left(\frac{3}{4}\right)^{8-x} = {}_8C_x \left(\frac{1}{4}\right)^x \left(\frac{3}{4}\right)^{8-x}$

➡ $B\left(8, \boxed{\frac{1}{4}}\right)$　　　　答 $\frac{1}{4}$

012　${}_{20}C_x \frac{2^{20-x}}{3^{20}} = {}_{20}C_x \frac{1}{3^x} \times \frac{2^{20-x}}{3^{20-x}} = {}_{20}C_x \left(\frac{1}{3}\right)^x \left(\boxed{\frac{2}{3}}\right)^{20-x}$

➡ $B\left(\boxed{20}, \frac{1}{3}\right)$　　　　답 $\frac{2}{3}$, 20

54 아샘 Hi Math 확률과 통계

013 $_{10}C_x \dfrac{4^x}{5^{10}} = {_{10}}C_x \dfrac{4^x}{5^x} \times \dfrac{1^{10-x}}{5^{10-x}} = {_{10}}C_x \left(\boxed{\dfrac{4}{5}}\right)^x \left(\dfrac{1}{5}\right)^{10-x}$

➡ $B\left(10, \boxed{\dfrac{4}{5}}\right)$　　　　답 $\dfrac{4}{5}, \dfrac{4}{5}$

014 $B\left(10, \dfrac{1}{3}\right) \Rightarrow P(X=x) = {_{\boxed{10}}}C_x \left(\boxed{\dfrac{1}{3}}\right)^x \left(\dfrac{2}{3}\right)^{10-x}$

답 $10, \dfrac{1}{3}$

015 $B\left(5, \dfrac{2}{5}\right) \Rightarrow P(X=x) = {_5}C_x \left(\dfrac{2}{5}\right)^x \left(\boxed{\dfrac{3}{5}}\right)^{\boxed{5-x}}$

답 $\dfrac{3}{5}, 5-x$

016 $B\left(20, \dfrac{1}{4}\right)$

➡ $P(X=x) = {_{20}}C_x \left(\dfrac{1}{4}\right)^x \left(\dfrac{3}{4}\right)^{20-x} = {_{20}}C_x \dfrac{1^x}{4^x} \times \dfrac{3^{20-x}}{4^{20-x}}$

　　　　　$= {_{\boxed{20}}}C_x \dfrac{\boxed{3}^{20-x}}{4^{20}}$　　답 $20, 3$

017 확률변수 X는 이항분포 $B\left(12, \dfrac{1}{4}\right)$을 따르므로

　$P(X=x) = {_{12}}C_x \left(\dfrac{1}{4}\right)^x \left(\dfrac{3}{4}\right)^{12-x}$ $(x=0, 1, 2, \cdots, 12)$

답 $P(X=x) = {_{12}}C_x \left(\dfrac{1}{4}\right)^x \left(\dfrac{3}{4}\right)^{12-x}$ $(x=0, 1, 2, \cdots, 12)$

018 $P(X=0) = {_{12}}C_0 \left(\dfrac{1}{4}\right)^0 \left(\dfrac{3}{4}\right)^{12} = \left(\dfrac{3}{4}\right)^{12}$　　답 $\left(\dfrac{3}{4}\right)^{12}$

019 $P(1 \le X \le 12) = 1 - P(X=0)$

　　　　　　$= 1 - \left(\dfrac{3}{4}\right)^{12}$　　답 $1 - \left(\dfrac{3}{4}\right)^{12}$

020 $E(X) = 10 \times \dfrac{1}{5} = 2$　　답 2

021 $V(X) = 10 \times \dfrac{1}{5} \times \dfrac{4}{5} = \dfrac{8}{5}$　　답 $\dfrac{8}{5}$

022 $\sigma(X) = \sqrt{V(X)} = \sqrt{\dfrac{8}{5}} = \dfrac{2\sqrt{10}}{5}$　　답 $\dfrac{2\sqrt{10}}{5}$

023 $E(X) = 72 \times \dfrac{5}{6} = 60$

　∴ $E(3X+5) = 3E(X) + 5$

　　　　　$= 3 \times 60 + 5 = 185$　　답 185

024 $V(X) = 72 \times \dfrac{5}{6} \times \dfrac{1}{6} = 10$

　∴ $V(2X-3) = 2^2 V(X)$

　　　　　$= 4 \times 10 = 40$　　답 40

025 $\sigma(X) = \sqrt{V(X)} = \sqrt{10}$

　∴ $\sigma(5X) = |5| \sigma(X) = 5\sqrt{10}$　　답 $5\sqrt{10}$

026 $E(X) = 6$에서 $18p = 6$　　∴ $p = \dfrac{1}{3}$　　답 $\dfrac{1}{3}$

027 확률변수 X가 이항분포 $B\left(18, \dfrac{1}{3}\right)$을 따르므로

　$V(X) = 18 \times \dfrac{1}{3} \times \dfrac{2}{3} = 4$　　답 4

028 $\sigma(X) = \sqrt{V(X)} = \sqrt{4} = 2$　　답 2

029 $E(X) = n \times \dfrac{2}{3} = 24$

　∴ $n = 36$　　답 36

030 $V(X) = 36 \times \dfrac{2}{3} \times \dfrac{1}{3} = 8$　　답 8

031 $\sigma(X) = \sqrt{V(X)} = \sqrt{8} = 2\sqrt{2}$

　∴ $\sigma(3X+5) = |3| \sigma(X) = 6\sqrt{2}$　　답 $6\sqrt{2}$

032 한 개의 주사위를 던져서 홀수의 눈이 나올 확률이 $\dfrac{1}{2}$이므로

　$B\left(3, \dfrac{1}{2}\right)$　　답 $B\left(3, \dfrac{1}{2}\right)$

033 $E(X) = 3 \times \dfrac{1}{2} = \dfrac{3}{2}$　　답 $\dfrac{3}{2}$

034 $V(X) = 3 \times \dfrac{1}{2} \times \dfrac{1}{2} = \dfrac{3}{4}$

　∴ $V(3X+1) = 3^2 V(X)$

　　　　　$= 9 \times \dfrac{3}{4} = \dfrac{27}{4}$　　답 $\dfrac{27}{4}$

035 $V(X) = 3 \times \dfrac{1}{2} \times \dfrac{1}{2} = \dfrac{3}{4}$이므로

　$\sigma(X) = \sqrt{V(X)} = \sqrt{\dfrac{3}{4}} = \dfrac{\sqrt{3}}{2}$　　답 $\dfrac{\sqrt{3}}{2}$

036 확률변수 X는 이항분포 $B\left(3, \dfrac{1}{2}\right)$을 따르므로 X의 확률질량함수는

　$P(X=x) = {_3}C_x \left(\dfrac{1}{2}\right)^x \left(\dfrac{1}{2}\right)^{3-x}$ $(x=0, 1, 2, 3)$

답 $P(X=x) = {_3}C_x \left(\dfrac{1}{2}\right)^x \left(\dfrac{1}{2}\right)^{3-x}$ $(x=0, 1, 2, 3)$

037 $P(X=2) = {_3}C_2 \left(\dfrac{1}{2}\right)^2 \left(\dfrac{1}{2}\right)^1 = 3 \times \dfrac{1}{4} \times \dfrac{1}{2} = \dfrac{3}{8}$　　답 $\dfrac{3}{8}$

038 확률변수 X의 확률질량함수가

　$P(X=r) = {_{60}}C_r \left(\dfrac{1}{3}\right)^r \left(\dfrac{2}{3}\right)^{60-r}$ $(r=0, 1, 2, \cdots, 60)$

이므로 1회의 시행에서 사건이 일어날 확률은 $\dfrac{1}{3}$이고, 시행 횟수는 60이므로 확률변수 X는 이항분포 $B\left(60, \dfrac{1}{3}\right)$을 따른다.

　∴ $np = 60 \times \dfrac{1}{3} = 20$　　답 20

039 확률변수 X의 확률질량함수가

$$\mathrm{P}(X=x)={}_4\mathrm{C}_x\frac{2^x}{3^4}={}_4\mathrm{C}_x\frac{2^x}{3^x\times 3^{4-x}}$$
$$={}_4\mathrm{C}_x\left(\frac{2}{3}\right)^x\left(\frac{1}{3}\right)^{4-x}\ (x=0,1,2,3,4)$$

이므로 1회의 시행에서 사건이 일어날 확률은 $\frac{2}{3}$이고, 시행 횟수는 4이므로 확률변수 X는 이항분포 $\mathrm{B}\left(4,\frac{2}{3}\right)$를 따른다.

$$\therefore np=4\times\frac{2}{3}=\frac{8}{3}$$

답 ①

040 확률변수 X는 이항분포 $\mathrm{B}\left(25,\frac{4}{5}\right)$를 따르므로 X의 확률질량함수는

$$\mathrm{P}(X=x)={}_{25}\mathrm{C}_x\left(\frac{4}{5}\right)^x\left(\frac{1}{5}\right)^{25-x}\ (x=0,1,2,\cdots,25)$$

따라서 $n=25,\ p=\frac{4}{5}$이므로

$$n+5p=25+4=29$$

답 29

041 화살을 1발 쏠 때 명중할 확률이 $\frac{3}{4}$이고, 각 시행에서 일어나는 사건은 독립이므로 확률변수 X는 이항분포 $\mathrm{B}\left(6,\frac{3}{4}\right)$을 따른다.

따라서 $n=6,\ p=\frac{3}{4}$이므로

$$n+p=6+\frac{3}{4}=\frac{27}{4}$$

답 $\frac{27}{4}$

042 두 주사위의 눈의 수의 곱이 홀수가 되려면 각 주사위에서 모두 홀수가 나와야 하므로 이때의 경우의 수는 $3\times3=9$

따라서 두 주사위의 눈의 수의 곱이 짝수가 되는 경우의 수는 $36-9=27$이고, 이 경우의 확률은 $\frac{27}{36}=\frac{3}{4}$이다.

확률변수 X의 확률분포는 독립시행의 확률을 따르므로 X는 이항분포 $\mathrm{B}\left(120,\frac{3}{4}\right)$을 따른다.

따라서 $n=120,\ p=\frac{3}{4}$이므로

$$np=120\times\frac{3}{4}=90$$

답 90

043 3의 눈이 나올 확률은 $\frac{1}{6}$이고, 한 개의 주사위를 4번 던지는 시행에서 확률변수 X는 이항분포 $\mathrm{B}\left(4,\frac{1}{6}\right)$을 따르므로 X의 확률질량함수는

$$\mathrm{P}(X=r)={}_4\mathrm{C}_r\left(\frac{1}{6}\right)^r\left(\frac{5}{6}\right)^{4-r}\ (r=0,1,2,3,4)$$

$$\therefore a=\frac{1}{6},\ b=\frac{5}{6}$$

답 ①

044 $\mathrm{P}(X=2)={}_3\mathrm{C}_2\left(\frac{2}{5}\right)^2\left(\frac{3}{5}\right)^1=3\times\frac{12}{125}=\frac{36}{125}$

답 ④

045 확률변수 X가 이항분포 $\mathrm{B}\left(10,\frac{1}{3}\right)$을 따르므로 $X=r$일 때의 확률은

$$\mathrm{P}(X=r)={}_{10}\mathrm{C}_r\left(\frac{1}{3}\right)^r\left(\frac{2}{3}\right)^{10-r}\ (r=0,1,2,\cdots,10)$$

$$\therefore\frac{\mathrm{P}(X=4)}{\mathrm{P}(X=8)}=\frac{{}_{10}\mathrm{C}_4\left(\frac{1}{3}\right)^4\left(\frac{2}{3}\right)^6}{{}_{10}\mathrm{C}_8\left(\frac{1}{3}\right)^8\left(\frac{2}{3}\right)^2}=\frac{210}{45}\times\frac{\left(\frac{2}{3}\right)^4}{\left(\frac{1}{3}\right)^4}$$

$$=\frac{14}{3}\times2^4=\frac{224}{3}$$

답 ③

046 확률변수 X가 이항분포 $\mathrm{B}\left(6,\frac{1}{3}\right)$을 따르므로 $X=r$일 때의 확률은

$$p_r=\mathrm{P}(X=r)={}_6\mathrm{C}_r\left(\frac{1}{3}\right)^r\left(\frac{2}{3}\right)^{6-r}\ (r=0,1,2,\cdots,6)$$

$$p_2={}_6\mathrm{C}_2\left(\frac{1}{3}\right)^2\left(\frac{2}{3}\right)^4=15\times\frac{16}{3^6}$$

$$p_4={}_6\mathrm{C}_4\left(\frac{1}{3}\right)^4\left(\frac{2}{3}\right)^2=15\times\frac{4}{3^6}$$

$$\therefore p_2+p_4=15\times\left(\frac{16}{3^6}+\frac{4}{3^6}\right)=\frac{100}{3^5}$$

$$\therefore k=100$$

답 100

047 확률변수 X의 확률질량함수는

$\mathrm{P}(X=x)={}_3\mathrm{C}_x p^x(1-p)^{3-x}$이므로

$10\mathrm{P}(X=3)=10\times{}_3\mathrm{C}_3 p^3=10p^3$

확률변수 Y의 확률질량함수는

$\mathrm{P}(Y=y)={}_4\mathrm{C}_y(2p)^y(1-2p)^{4-y}$이므로

$$\mathrm{P}(Y\geq3)=\mathrm{P}(Y=3)+\mathrm{P}(Y=4)$$
$$={}_4\mathrm{C}_3(2p)^3(1-2p)+{}_4\mathrm{C}_4(2p)^4$$
$$=32p^3(1-2p)+16p^4$$
$$=16p^3(2-3p)$$

$10\mathrm{P}(X=3)=\mathrm{P}(Y\geq3)$이므로

$10p^3=16p^3(2-3p),\ 10=16(2-3p)$

$$\therefore p=\frac{11}{24}$$

따라서 $m=24,\ n=11$이므로

$m+n=35$

답 ③

048 5번 던져서 성공한 횟수를 확률변수 X라 하면 X는 이항분포 $\mathrm{B}(5,0.8)$을 따른다.

$$\therefore\mathrm{P}(X\geq2)=1-\mathrm{P}(X\leq1)$$
$$=1-({}_5\mathrm{C}_0\,0.2^5+{}_5\mathrm{C}_1\,0.8\times0.2^4)$$
$$=1-0.00672=0.99328$$

답 0.99328

049 사망자의 수를 확률변수 X라 하면 X는 이항분포 $\mathrm{B}\left(10,\frac{1}{100}\right)$을 따르므로

$$\mathrm{P}(X\leq1)=\mathrm{P}(X=0)+\mathrm{P}(X=1)$$
$$={}_{10}\mathrm{C}_0\left(\frac{1}{100}\right)^0\left(\frac{99}{100}\right)^{10}+{}_{10}\mathrm{C}_1\left(\frac{1}{100}\right)^1\left(\frac{99}{100}\right)^9$$
$$=\left(1+\frac{10}{99}\right)\left(\frac{99}{100}\right)^{10}$$
$$=\frac{109}{99}\left(\frac{99}{100}\right)^{10}$$

$$\therefore k=\frac{109}{99}$$

답 $\frac{109}{99}$

050 확률변수 X가 이항분포 $B\left(5, \dfrac{2}{3}\right)$를 따르므로 X의 평균은

$$E(X) = 5 \times \dfrac{2}{3} = \dfrac{10}{3}$$

$$\therefore E(6X-5) = 6E(X) - 5$$
$$= 6 \times \dfrac{10}{3} - 5$$
$$= 15$$

답 ③

051 확률변수 X가 이항분포 $B(100, p)$를 따르므로

$$E(X) = 100 \times p = 20 \quad \therefore p = \dfrac{1}{5}$$

$$\therefore V(X) = 100 \times \dfrac{1}{5} \times \dfrac{4}{5} = 16$$

답 ①

052 $E(X) = np = \dfrac{7}{8}$

$$\sigma(X) = \sqrt{np(1-p)} = \dfrac{7}{8}$$

에서

$$\sqrt{\dfrac{7}{8} \times (1-p)} = \dfrac{7}{8}$$

$$1 - p = \dfrac{7}{8}$$

$$\therefore p = \dfrac{1}{8}$$

답 ①

053 확률변수 X가 이항분포 $B(n, p)$를 따르고, X의 평균과 분산이 각각 2, 1이므로

$$E(X) = np = 2 \qquad \cdots\cdots \text{㉠}$$
$$V(X) = np(1-p) = 1 \qquad \cdots\cdots \text{㉡}$$

㉡$\div$㉠을 하면 $1 - p = \dfrac{1}{2}$ $\quad \therefore p = \dfrac{1}{2}$

$p = \dfrac{1}{2}$을 ㉠에 대입하면 $\dfrac{1}{2}n = 2$ $\quad \therefore n = 4$

따라서 확률변수 X가 이항분포 $B\left(4, \dfrac{1}{2}\right)$을 따르므로 $X = r$일 때의 확률은

$$P(X=r) = {}_4C_r \left(\dfrac{1}{2}\right)^r \left(\dfrac{1}{2}\right)^{4-r} \ (r = 0, 1, 2, 3, 4)$$

$$\therefore P(X=2) = {}_4C_2 \left(\dfrac{1}{2}\right)^2 \left(\dfrac{1}{2}\right)^2 = \dfrac{6}{16} = \dfrac{3}{8}$$

답 ③

054 확률변수 X가 이항분포 $B\left(90, \dfrac{1}{3}\right)$을 따르므로 X의 평균은

$$E(X) = 90 \times \dfrac{1}{3} = 30$$

$\displaystyle\sum_{i=0}^{90} i \times p_i$의 값은 확률변수 X의 평균을 나타내므로

$$\sum_{i=0}^{90} i \times p_i = E(X) = 30$$

답 ③

055 확률변수 X가 이항분포 $B\left(100, \dfrac{1}{5}\right)$을 따르므로 X의 평균과 분산은

$$E(X) = 100 \times \dfrac{1}{5} = 20$$

$$V(X) = 100 \times \dfrac{1}{5} \times \dfrac{4}{5} = 16$$

$\displaystyle\sum_{i=0}^{100} (i-20)^2 \times p_i = \sum_{i=0}^{100} \{i - E(X)\}^2 \times p_i$의 값은 확률변수 X의 분산을 나타내므로

$$\sum_{i=0}^{100} (i-20)^2 \times p_i = V(X) = 16$$

답 ⑤

056 1회의 시행에서 5의 눈이 나올 확률은 $\dfrac{1}{6}$이고, 주사위를 30번 던지는 시행에서 확률변수 X의 확률분포는 독립시행의 확률을 따르므로 X는 이항분포 $B\left(30, \dfrac{1}{6}\right)$을 따른다.

따라서 X의 평균은

$$E(X) = 30 \times \dfrac{1}{6} = 5$$

답 ②

057 문서를 작성할 때 오타가 발생할 확률은 $\dfrac{1}{10}$이고, 작성한 400자 중에서 오타의 수인 확률변수 X의 확률분포는 독립시행의 확률을 따르므로 X는 이항분포 $B\left(400, \dfrac{1}{10}\right)$을 따른다.

따라서 X의 평균과 표준편차는

$$E(X) = 400 \times \dfrac{1}{10} = 40$$

$$\sigma(X) = \sqrt{400 \times \dfrac{1}{10} \times \dfrac{9}{10}} = \sqrt{36} = 6$$

$$\therefore E(X) + \sigma(X) = 40 + 6 = 46$$

답 ④

058 사건 A가 일어날 확률은 p이고, 확률변수 X의 확률분포는 독립시행의 확률을 따르므로 X는 이항분포 $B(12, p)$를 따른다.

$V(X) = 3$이므로

$$12 \times p(1-p) = 3$$
$$4p^2 - 4p + 1 = 0, \ (2p-1)^2 = 0$$

$$\therefore p = \dfrac{1}{2}$$

$$\therefore E(X) = 12 \times \dfrac{1}{2} = 6$$

답 ④

059 주머니 속에 들어 있는 흰 공의 개수를 x라 하면 주머니에서 꺼낸 1개의 공이 흰 공일 확률은 $\dfrac{x}{8}$이고, 확률변수 X의 확률분포는 독립시행의 확률을 따르므로 X는 이항분포 $B\left(64, \dfrac{x}{8}\right)$를 따른다.

X의 평균이 24이므로

$$64 \times \dfrac{x}{8} = 24$$

$$\therefore x = 3$$

따라서 흰 공의 개수는 3이다.

답 ③

060 한 개의 동전을 10번 던져서 앞면이 나오는 횟수를 확률변수 X라 하면 1회의 시행에서 동전의 앞면이 나올 확률은 $\dfrac{1}{2}$이고, 동전을 10번 던지는 시행에서 확률변수 X의 확률분포는 독립시행의 확률을 따르므로 X는 이항분포 $B\left(10, \dfrac{1}{2}\right)$을 따른다.

즉, X의 평균은

$$E(X)=10\times\frac{1}{2}=5$$

동전의 앞면이 나온 횟수가 X이면 뒷면이 나온 횟수는 $10-X$
이므로 받는 상금은
$$100X+50(10-X)=50X+500$$
따라서 상금의 기댓값은
$$\begin{aligned}E(50X+500)&=50E(X)+500\\&=50\times5+500=750(원)\end{aligned}$$
답 ②

061 확률변수 X는 이항분포 $B\left(160,\frac{1}{4}\right)$을 따르므로 X의 평균과 분산은
$$E(X)=160\times\frac{1}{4}=40,\ V(X)=160\times\frac{1}{4}\times\frac{3}{4}=30$$
$$\therefore E(X^2)=V(X)+\{E(X)\}^2=30+1600=1630$$
답 1630

062 확률변수 X의 확률질량함수가
$$P(X=x)={}_{45}C_x\left(\frac{2}{3}\right)^x\left(\frac{1}{3}\right)^{45-x}\ (x=0,1,2,\cdots,45)$$
이므로 확률변수 X는 이항분포 $B\left(45,\frac{2}{3}\right)$를 따른다.
X의 평균과 표준편차는
$$E(X)=45\times\frac{2}{3}=30$$
$$\sigma(X)=\sqrt{45\times\frac{2}{3}\times\frac{1}{3}}=\sqrt{10}$$
$$\therefore E(X)\times\sigma(X)=30\sqrt{10}$$
답 $30\sqrt{10}$

063 주어진 확률분포표로부터 확률변수 X의 확률질량함수는
$$P(X=r)={}_{20}C_r\left(\frac{1}{2}\right)^r\left(\frac{1}{2}\right)^{20-r}\ (r=0,1,2,\cdots,20)$$
이므로 X는 이항분포 $B\left(20,\frac{1}{2}\right)$을 따른다.
X의 평균과 분산은
$$E(X)=20\times\frac{1}{2}=10$$
$$V(X)=20\times\frac{1}{2}\times\frac{1}{2}=5$$
확률변수 $Y=aX+b$의 평균과 분산은
$$\begin{aligned}E(Y)=E(aX+b)&=aE(X)+b\\&=10a+b=0\end{aligned}$$
$$\therefore b=-10a$$
$$\begin{aligned}V(Y)=V(aX+b)&=a^2V(X)\\&=5a^2=1\end{aligned}$$
$$\therefore a^2=\frac{1}{5}$$
$$\begin{aligned}\therefore ab=a(-10a)&=-10a^2\\&=(-10)\times\frac{1}{5}=-2\end{aligned}$$
답 ①

064 확률변수 X의 확률질량함수가
$$P(X=x)={}_{72}C_x\left(\frac{1}{3}\right)^x\left(\frac{2}{3}\right)^{72-x}\ (x=0,1,2,\cdots,72)$$
이므로 1회의 시행에서 사건이 일어날 확률은 $\frac{1}{3}$이고, 시행 횟수
는 72이므로 확률변수 X는 이항분포 $B\left(72,\frac{1}{3}\right)$을 따른다.

X의 평균과 분산은
$$E(X)=72\times\frac{1}{3}=24$$
$$V(X)=72\times\frac{1}{3}\times\frac{2}{3}=16$$
$$\begin{aligned}\therefore E(2X-10)&=2E(X)-10\\&=2\times24-10=38\end{aligned}$$
$$V(2X-10)=2^2V(X)=4\times16=64$$
답 $E(2X-10)=38,\ V(2X-10)=64$

065 주어진 확률질량함수로부터 확률변수 X는 이항분포 $B(n,p)$
를 따르므로
$$E(X)=np=1\qquad\cdots\cdots\ ㉠$$
$$V(X)=np(1-p)=\frac{9}{10}\qquad\cdots\cdots\ ㉡$$
$㉡\div㉠$을 하면 $1-p=\frac{9}{10}$ $\quad\therefore p=\frac{1}{10}$
$p=\frac{1}{10}$을 $㉠$에 대입하면 $n=10$
$$\begin{aligned}\therefore P(X<2)&=P(X=0)+P(X=1)\\&={}_{10}C_0\left(\frac{1}{10}\right)^0\left(\frac{9}{10}\right)^{10}+{}_{10}C_1\left(\frac{1}{10}\right)^1\left(\frac{9}{10}\right)^9\\&=\left(\frac{9}{10}\right)^9\left(\frac{9}{10}+10\times\frac{1}{10}\right)\\&=\frac{19}{10}\left(\frac{9}{10}\right)^9\end{aligned}$$
답 ①

066 확률변수 X가 이항분포 $B\left(25,\frac{2}{5}\right)$를 따르므로 X의 평균과
분산은
$$E(X)=25\times\frac{2}{5}=10$$
$$V(X)=25\times\frac{2}{5}\times\frac{3}{5}=6$$
$\sum\limits_{x=1}^{25}x^2\times{}_{25}C_x\left(\frac{2}{5}\right)^x\left(\frac{3}{5}\right)^{25-x}-10^2$의 값은 확률변수 X의 분산을
나타내므로
$$\sum_{x=1}^{25}x^2\times{}_{25}C_x\left(\frac{2}{5}\right)^x\left(\frac{3}{5}\right)^{25-x}-10^2=V(X)=6$$
답 ⑤

067 $P(X=x)={}_{50}C_x\dfrac{2^x\times3^{50-x}}{5^{50}}={}_{50}C_x\dfrac{2^x}{5^x}\times\dfrac{3^{50-x}}{5^{50-x}}$
$$={}_{50}C_x\left(\frac{2}{5}\right)^x\left(\frac{3}{5}\right)^{50-x}\ (x=0,1,2,\cdots,50)$$
이므로 확률변수 X는 이항분포 $B\left(50,\frac{2}{5}\right)$를 따른다.
따라서 $n=50,\ p=\frac{2}{5}$이므로
$$n+25p=50+25\times\frac{2}{5}=60$$
답 ③

068 씨앗 한 개를 뿌릴 때, 싹이 나올 확률은 $\dfrac{60}{100}=\dfrac{3}{5}$이므로
확률변수 X는 이항분포 $B\left(200,\frac{3}{5}\right)$을 따른다.
따라서 $n=200,\ p=\frac{3}{5}$이므로
$$np=200\times\frac{3}{5}=120$$
답 120

069 확률변수 X가 이항분포 $B\left(4, \dfrac{2}{3}\right)$를 따르므로 $X=r$일 때의 확률은

$$P(X=r)={}_4C_r\left(\frac{2}{3}\right)^r\left(\frac{1}{3}\right)^{4-r}\ (r=0,\ 1,\ 2,\ 3,\ 4)$$

$$\begin{aligned}
\therefore P(X^2-4X+3\geq 0)&=P((X-1)(X-3)\geq 0)\\
&=P(X\leq 1)+P(X\geq 3)\\
&=1-P(X=2)\\
&=1-{}_4C_2\left(\frac{2}{3}\right)^2\left(\frac{1}{3}\right)^2\\
&=1-6\times\frac{4}{81}=\frac{19}{27}
\end{aligned}$$

$\therefore p+q=27+19=46$ 탑 ④

070 $P(X=x)=\dfrac{3^x}{2^{20}}\times{}_nC_x=\dfrac{3^x}{4^{10}}\times{}_nC_x={}_nC_x\left(\dfrac{3}{4}\right)^x\left(\dfrac{1}{4}\right)^{10-x}$

$$(x=0,\ 1,\ 2,\ \cdots,\ n)$$

이므로 X는 이항분포 $B\left(10, \dfrac{3}{4}\right)$을 따른다.

즉, $n=10$, $p=\dfrac{3}{4}$이므로

$$P(X=x)={}_{10}C_x\left(\frac{3}{4}\right)^x\left(\frac{1}{4}\right)^{10-x}\ (x=0,\ 1,\ 2,\ \cdots,\ 10)$$

$$\therefore P(X=2)={}_{10}C_2\left(\frac{3}{4}\right)^2\left(\frac{1}{4}\right)^8=\frac{405}{4^{10}}=\frac{405}{2^{20}}$$

$\therefore a=405$ 탑 405

071 확률변수 X가 이항분포 $B\left(16, \dfrac{3}{4}\right)$을 따르므로

ㄱ. 확률변수 X의 평균은

$$E(X)=16\times\frac{3}{4}=12\ (참)$$

ㄴ. 확률변수 X의 표준편차는

$$\sigma(X)=\sqrt{16\times\frac{3}{4}\times\frac{1}{4}}=\sqrt{3}\ (거짓)$$

ㄷ. $P(X=1)={}_{16}C_1\left(\dfrac{3}{4}\right)^1\left(\dfrac{1}{4}\right)^{15}$

$$\begin{aligned}
&=16\times\frac{3}{4^{16}}\\
&=2^4\times\frac{3}{2^{32}}=\frac{3}{2^{28}}\ (참)
\end{aligned}$$

따라서 옳은 것은 ㄱ, ㄷ이다.   탑 ④

072 확률변수 X가 이항분포 $B(10, p)$를 따르므로 $X=r$일 때의 확률은

$$P(X=r)={}_{10}C_r\,p^r(1-p)^{10-r}\ (r=0,\ 1,\ 2,\ \cdots,\ 10)$$

$P(X=4)=\dfrac{1}{3}P(X=5)$에서

$${}_{10}C_4\,p^4(1-p)^6=\frac{1}{3}\times{}_{10}C_5\,p^5(1-p)^5$$

$$210\times p^4(1-p)^6=\frac{1}{3}\times 252\times p^5(1-p)^5$$

$1-p=\dfrac{2}{5}p\qquad\therefore p=\dfrac{5}{7}$

따라서 X의 평균은

$$E(X)=10p=10\times\frac{5}{7}=\frac{50}{7}$$

이므로

$$E(7X)=7E(X)=50$$ 탑 50

073 1회의 시행에서 동전의 앞면이 나올 확률은 $\dfrac{1}{2}$이고, 동전을 6번 던지는 시행에서 확률변수 X의 확률분포는 독립시행의 확률을 따르므로 X는 이항분포 $B\left(6, \dfrac{1}{2}\right)$을 따른다.

따라서 X의 평균과 분산은

$$E(X)=6\times\frac{1}{2}=3$$

$$V(X)=6\times\frac{1}{2}\times\frac{1}{2}=\frac{3}{2}$$

이므로

$$E(aX+b)=aE(X)+b=3a+b=2\quad\cdots\cdots\ \unicode{x24B6}$$

$$V(aX+b)=a^2V(X)=\frac{3}{2}a^2=24$$

$a^2=16\quad\therefore a=4\ (\because a>0)$

$a=4$를 $\unicode{x24B6}$에 대입하면 $b=-10$

$\therefore ab=4\times(-10)=-40$ 탑 ①

074 사건 E가 일어나는 경우의 수는

(ⅰ) $m=1$일 때, $n^2\leq 24$에서 $n=1,\ 2,\ 3,\ 4$의 4

(ⅱ) $m=2$일 때, $n^2\leq 21$에서 $n=1,\ 2,\ 3,\ 4$의 4

(ⅲ) $m=3$일 때, $n^2\leq 16$에서 $n=1,\ 2,\ 3,\ 4$의 4

(ⅳ) $m=4$일 때, $n^2\leq 9$에서 $n=1,\ 2,\ 3$의 3

$$\therefore P(E)=\frac{4+4+4+3}{36}=\frac{5}{12}$$

따라서 확률변수 X는 이항분포 $B\left(12, \dfrac{5}{12}\right)$를 따르므로

$$V(X)=12\times\frac{5}{12}\times\frac{7}{12}=\frac{35}{12}$$

$\therefore p+q=12+35=47$ 탑 47

075 한 개의 주사위를 던질 때 3의 배수의 눈이 나올 확률은 $\dfrac{2}{6}=\dfrac{1}{3}$이고, 확률변수 X의 확률분포는 독립시행의 확률을 따르므로 X는 이항분포 $B\left(n, \dfrac{1}{3}\right)$을 따른다.

X의 평균이 6이므로

$$E(X)=n\times\frac{1}{3}=6$$

$\therefore n=18$

$$\therefore V(X)=18\times\frac{1}{3}\times\frac{2}{3}=4$$

$V(X)=E(X^2)-\{E(X)\}^2$에서

$$4=E(X^2)-6^2$$

$\therefore E(X^2)=4+36=40$ 탑 ③

076 확률변수 X의 확률질량함수가

$$P(X=r)={}_{80}C_r\left(\frac{1}{4}\right)^r\left(\frac{3}{4}\right)^{80-r}\ (r=0,\ 1,\ 2,\ \cdots,\ 80)$$

이므로 확률변수 X는 이항분포 $B\left(80, \dfrac{1}{4}\right)$을 따른다.

$$E(X)=80\times\frac{1}{4}=20,\ V(X)=80\times\frac{1}{4}\times\frac{3}{4}=15$$이므로

$$\sum_{r=0}^{80} r^2 \times P(X=r) = E(X^2) = V(X) + \{E(X)\}^2$$
$$= 15 + 400 = 415$$
답 415

077 $\sum_{i=0}^{n}(2i+4)p_i = 2\sum_{i=0}^{n}ip_i + 4\sum_{i=0}^{n}p_i = 2E(X) + 4 \times 1 = 10$

$\therefore E(X) = 3$

확률변수 X가 이항분포 $B\left(n, \dfrac{1}{2}\right)$을 따르므로 X의 평균과 분산은

$E(X) = n \times \dfrac{1}{2} = 3$ $\quad \therefore n = 6$

$V(X) = 6 \times \dfrac{1}{2} \times \dfrac{1}{2} = \dfrac{3}{2}$

그런데
$1^2p_1 + 2^2p_2 + 3^2p_3 + \cdots + n^2p_n$
$= 1^2p_1 + 2^2p_2 + 3^2p_3 + 4^2p_4 + 5^2p_5 + 6^2p_6$
$= 0^2p_0 + 1^2p_1 + 2^2p_2 + 3^2p_3 + 4^2p_4 + 5^2p_5 + 6^2p_6$
의 값은 확률변수 X에 대하여 X^2의 평균과 같다.

$V(X) = E(X^2) - \{E(X)\}^2$에서

$\dfrac{3}{2} = E(X^2) - 3^2$

$\therefore E(X^2) = \dfrac{3}{2} + 9 = \dfrac{21}{2}$

$\therefore 1^2p_1 + 2^2p_2 + 3^2p_3 + 4^2p_4 + 5^2p_5 + 6^2p_6 = E(X^2) = \dfrac{21}{2}$

답 $\dfrac{21}{2}$

078 $f(x)g(x) = {}_{45}P_x\left(\dfrac{2}{3}\right)^{45-x} \times \dfrac{1}{x!}\left(\dfrac{1}{3}\right)^x = {}_{45}C_x\left(\dfrac{1}{3}\right)^x\left(\dfrac{2}{3}\right)^{45-x}$

즉, $f(x)g(x)$는 이항분포 $B\left(45, \dfrac{1}{3}\right)$을 따르는 확률변수 X에 대하여 $P(X=x)$를 나타내므로

$E(X) = 45 \times \dfrac{1}{3} = 15$

$V(X) = 45 \times \dfrac{1}{3} \times \dfrac{2}{3} = 10$

$\therefore E(X^2) = V(X) + \{E(X)\}^2$
$\qquad = 10 + 225 = 235$

$\therefore \sum_{x=0}^{45}(x+1)^2 f(x)g(x)$
$= \sum_{x=0}^{45}x^2 f(x)g(x) + 2\sum_{x=0}^{45}xf(x)g(x) + \sum_{x=0}^{45}f(x)g(x)$
$= E(X^2) + 2E(X) + 1$
$= 235 + 30 + 1 = 266$

답 266

09 정규분포

본책 113~124쪽

001 평균이 2, 표준편차가 5이므로 $N(2, 5^2)$ 답 $N(2, 5^2)$

002 평균이 10, 표준편차가 3이므로 $N(10, 3^2)$ 답 $N(10, 3^2)$

003 정규분포 $N(m, \sigma^2)$을 따르는 확률변수 X의 확률밀도함수의 그래프는 직선 $x=m$에 대하여 대칭이다. 그림에서 확률밀도함수 $y=g(x)$의 그래프의 대칭축이 확률밀도함수 $y=f(x)$의 그래프의 대칭축보다 오른쪽에 있으므로 X_B의 평균이 X_A의 평균보다 크다.

$\therefore (X_A$의 평균$) \boxed{<} (X_B$의 평균$)$ 답 $<$

004 정규분포 $N(m, \sigma^2)$을 따르는 확률변수 X의 확률밀도함수의 그래프에서 m의 값이 일정할 때 σ의 값이 커지면 곡선은 높이가 낮아지면서 양쪽으로 넓게 퍼지므로 X_A의 표준편차가 X_B의 표준편차보다 크다.

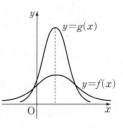

$\therefore (X_A$의 표준편차$) \boxed{>} (X_B$의 표준편차$)$ 답 $>$

005 $P(m-\sigma \le X \le m) = P(m \le X \le m+\sigma) = a$ 답 a

006 $P(m-\sigma \le X \le m+2\sigma)$
$= P(m-\sigma \le X \le m) + P(m \le X \le m+2\sigma)$
$= a+b$ 답 $a+b$

007 $P(m+\sigma \le X \le m+2\sigma)$
$= P(m \le X \le m+2\sigma) - P(m \le X \le m+\sigma)$
$= b-a$ 답 $b-a$

008 확률변수 X가 정규분포 $N(20, 4^2)$을 따르므로 $Z = \dfrac{X-20}{4}$으로 놓으면 Z는 표준정규분포 $N(0, 1)$을 따른다.

$\therefore P(20 \le X \le 28) = P\left(\dfrac{20-20}{4} \le Z \le \dfrac{28-20}{4}\right)$
$\qquad\qquad\qquad = P(0 \le Z \le 2)$

$\therefore a=0, b=2$ 답 $a=0, b=2$

009 확률변수 X가 정규분포 $N(70, 2^2)$을 따르므로 $Z = \dfrac{X-70}{2}$으로 놓으면 Z는 표준정규분포 $N(0, 1)$을 따른다.

$\therefore P(64 \le X \le 72) = P\left(\dfrac{64-70}{2} \le Z \le \dfrac{72-70}{2}\right)$
$\qquad\qquad\qquad = P(-3 \le Z \le 1)$

$\therefore a=-3, b=1$ 답 $a=-3, b=1$

010 $P(X \geq 50) = P\left(Z \geq \dfrac{50-50}{10}\right)$
$= P(Z \geq 0)$ 답 $P(Z \geq 0)$

011 $P(55 \leq X \leq 70) = P\left(\dfrac{55-50}{10} \leq Z \leq \dfrac{70-50}{10}\right)$
$= P(0.5 \leq Z \leq 2)$ 답 $P(0.5 \leq Z \leq 2)$

012 $P(40 \leq X \leq 65) = P\left(\dfrac{40-50}{10} \leq Z \leq \dfrac{65-50}{10}\right)$
$= P(-1 \leq Z \leq 1.5)$ 답 $P(-1 \leq Z \leq 1.5)$

013 $P(0 \leq Z \leq 2) = 0.4772$ 답 0.4772

014 $P(1 \leq Z \leq 2) = P(0 \leq Z \leq 2) - P(0 \leq Z \leq 1)$
$= 0.4772 - 0.3413$
$= 0.1359$ 답 0.1359

015 $P(-1 \leq Z \leq 1.5) = P(-1 \leq Z \leq 0) + P(0 \leq Z \leq 1.5)$
$= P(0 \leq Z \leq 1) + P(0 \leq Z \leq 1.5)$
$= 0.3413 + 0.4332$
$= 0.7745$ 답 0.7745

016 $P(Z \geq 1.5) = P(Z \geq 0) - P(0 \leq Z \leq 1.5)$
$= 0.5 - 0.4332$
$= 0.0668$ 답 0.0668

017 확률변수 X가 정규분포 $N(50, 3^2)$을 따르므로
$Z = \dfrac{X-50}{3}$으로 놓으면 Z는 표준정규분포 $N(0, 1)$을 따른다.
$\therefore P(47 \leq X \leq 56) = P\left(\dfrac{47-50}{3} \leq Z \leq \dfrac{56-50}{3}\right)$
$= P(-1 \leq Z \leq 2)$
$= P(-1 \leq Z \leq 0) + P(0 \leq Z \leq 2)$
$= P(0 \leq Z \leq 1) + P(0 \leq Z \leq 2)$
$= 0.3413 + 0.4772$
$= 0.8185$ 답 0.8185

018 확률변수 X가 정규분포 $N(20, 2^2)$을 따르므로
$Z = \dfrac{X-20}{2}$으로 놓으면 Z는 표준정규분포 $N(0, 1)$을 따른다.
$\therefore P(X \leq 22) = P\left(Z \leq \dfrac{22-20}{2}\right)$
$= P(Z \leq 1)$
$= 0.5 + P(0 \leq Z \leq 1)$
$= 0.5 + 0.3413$
$= 0.8413$ 답 0.8413

019 $B\left(72, \dfrac{1}{3}\right)$에서

020 $B\left(150, \dfrac{2}{5}\right)$에서
$m = 150 \times \dfrac{2}{5} = 60$, $\sigma^2 = 150 \times \dfrac{2}{5} \times \dfrac{3}{5} = 36 = 6^2$
$\therefore N(60, 6^2)$ 답 $N(60, 6^2)$

$m = 72 \times \dfrac{1}{3} = 24$, $\sigma^2 = 72 \times \dfrac{1}{3} \times \dfrac{2}{3} = 16 = 4^2$
$\therefore N(24, 4^2)$ 답 $N(24, 4^2)$

021 시행 횟수 $n=100$, 한 개의 동전을 한 번 던질 때, 앞면이 나올 확률은 $\dfrac{1}{2}$이므로
$B\left(100, \dfrac{1}{2}\right)$ 답 $B\left(100, \dfrac{1}{2}\right)$

022 확률변수 X가 이항분포 $B\left(100, \dfrac{1}{2}\right)$을 따르므로
$E(X) = 100 \times \dfrac{1}{2} = 50$
$\sigma(X) = \sqrt{100 \times \dfrac{1}{2} \times \dfrac{1}{2}} = 5$
답 평균: 50, 표준편차: 5

023 확률변수 X가 이항분포 $B\left(100, \dfrac{1}{2}\right)$을 따를 때, 시행 횟수 100은 충분히 크므로 X는 근사적으로 정규분포 $N(50, 5^2)$을 따른다. 답 $N(50, 5^2)$

024 확률변수 X가 정규분포 $N(50, 5^2)$을 따르므로
$Z = \dfrac{X-50}{5}$으로 놓으면 Z는 표준정규분포 $N(0, 1)$을 따른다.
$\therefore P(X \geq 60) = P\left(Z \geq \dfrac{60-50}{5}\right)$
$= P(Z \geq 2)$
$= 0.5 - P(0 \leq Z \leq 2)$
$= 0.5 - 0.4772$
$= 0.0228$ 답 0.0228

025 $P(35 \leq X \leq 55) = P\left(\dfrac{35-50}{5} \leq Z \leq \dfrac{55-50}{5}\right)$
$= P(-3 \leq Z \leq 1)$
$= P(-3 \leq Z \leq 0) + P(0 \leq Z \leq 1)$
$= P(0 \leq Z \leq 3) + P(0 \leq Z \leq 1)$
$= 0.4987 + 0.3413$
$= 0.84$ 답 0.84

026 ⑤ 평균이 일정할 때, 표준편차가 작아질수록 높이는 높아지고 폭은 좁아진다.
따라서 옳지 않은 것은 ⑤이다. 답 ⑤

027 1반과 2반의 정규분포곡선의 대칭축은 각각 $x=m_1$, $x=m_2$이다. 그런데 주어진 그림에서 대칭축은 일치하므로 $m_1 = m_2$
또 정규분포곡선의 모양에서 1반 학생들의 키의 분포가 2반 학생들의 키의 분포보다 평균에 밀집해 있다.

즉, 1반 학생들의 키의 표준편차가 2반 학생들의 키의 표준편차보다 작다.

$\therefore \sigma_1 < \sigma_2$ 답 ①

028 확률밀도함수 $y=f(x)$는 k의 값에 관계없이 $f(30-k)=f(30+k)$를 만족시키므로 그림과 같이 확률밀도 함수 $y=f(x)$의 그래프는 직선 $x=30$에 대하여 대칭이다.
따라서 평균 m의 값은 30이다.

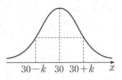

답 30

029 정규분포곡선은 직선 $x=m$에 대하여 대칭이므로
$P(X \le -3)=P(X \ge 13)$에서
$$m=\frac{-3+13}{2}=5$$
또 $V\left(\frac{1}{3}X\right)=1$에서 $\left(\frac{1}{3}\right)^2 V(X)=1$
$\therefore V(X)=9$
따라서 확률변수 X가 따르는 정규분포를 기호로 나타내면 $N(5, 9)$이다. 답 ③

참고
이산확률변수뿐 아니라 연속확률변수일 때도 다음이 성립한다.
확률변수 X와 두 상수 a $(a \neq 0)$, b에 대하여
(1) $E(aX+b)=aE(X)+b$
(2) $V(aX+b)=a^2V(X)$
(3) $\sigma(aX+b)=|a|\sigma(X)$

030 확률변수 X가 정규분포 $N(8, 2^2)$을 따르므로 그림과 같이 정규분포 곡선은 직선 $x=8$에 대하여 대칭이다. 따라서 $P(k \le X \le k+4)$가 최대가 되려면 k와 $k+4$의 중점이 8이어야 하므로
$$\frac{k+k+4}{2}=8, \ 2k+4=16$$
$\therefore k=6$

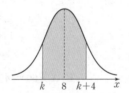

답 ④

031 확률변수 X가 정규분포 $N(80, 5^2)$을 따르므로
$m=80$, $\sigma=5$
$\therefore P(75 \le X \le 90)=P(80-5 \le X \le 80+10)$
$\qquad\qquad\qquad\quad =P(m-\sigma \le X \le m+2\sigma)$
즉, $a=1$, $b=2$이므로 $a+b=3$ 답 3

032 확률변수 X가 정규분포 $N(50, 10^2)$을 따르므로 그림과 같이 정규분포곡선은 직선 $x=50$에 대하여 대칭이다.
$\therefore P(X \le 30)=P(X \le 50-20)$
$\qquad\qquad\quad =P(X \ge 50+20)$
$\qquad\qquad\quad =P(X \ge m+2\sigma)$
$\qquad\qquad\quad =0.5-P(m \le X \le m+2\sigma)$
$\qquad\qquad\quad =0.5-0.4772$
$\qquad\qquad\quad =0.0228$

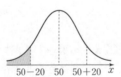

답 0.0228

033 $P(m-\sigma \le X \le m+\sigma)=a$에서
$2P(m \le X \le m+\sigma)=a$
$\therefore P(m \le X \le m+\sigma)=\frac{a}{2}$
$P(m-2\sigma \le X \le m+\sigma)=b$에서
$P(m-2\sigma \le X \le m)+P(m \le X \le m+\sigma)=b$
$P(m-2\sigma \le X \le m)=b-\frac{a}{2}$
$\therefore P(m \le X \le m+2\sigma)=b-\frac{a}{2}$
$\therefore P(m-2\sigma \le X \le m+2\sigma)=2P(m \le X \le m+2\sigma)$
$\qquad\qquad\qquad\qquad\qquad\quad =2\left(b-\frac{a}{2}\right)$
$\qquad\qquad\qquad\qquad\qquad\quad =2b-a$ 답 ②

034 $P(|X-m| \le 2\sigma)=P(-2\sigma \le X-m \le 2\sigma)$
$\qquad\qquad\qquad\quad =P(m-2\sigma \le X \le m+2\sigma)$
$\qquad\qquad\qquad\quad =2P(m \le X \le m+2\sigma)$
$\qquad\qquad\qquad\quad =2 \times 0.4772$
$\qquad\qquad\qquad\quad =0.9544$ 답 0.9544

035 $P(X \le a)=0.0228$에서 $a<m$이므로
$0.5-P(a \le X \le m)=0.0228$
$\therefore P(a \le X \le m)=0.4772$
$P(m \le X \le m+2\sigma)=0.4772$이므로
$P(m-2\sigma \le X \le m)=0.4772$
따라서 $a=m-2\sigma$이므로
$a=48-2 \times 3=42$ 답 ①

036 하루 컴퓨터 사용 시간을 확률변수 X라 하면 X는 정규분포 $N(120, 20^2)$을 따르므로
$P(X \ge 160)=P(X \ge 120+2 \times 20)$
$\qquad\qquad\quad =P(X \ge m+2\sigma)$
$\qquad\qquad\quad =0.5-P(m \le X \le m+2\sigma)$
$\qquad\qquad\quad =0.5-\frac{1}{2} \times 0.95$
$\qquad\qquad\quad =0.025$
따라서 구하는 대학생의 수는
$400 \times 0.025=10$ 답 ①

037 확률변수 X가 정규분포 $N(m, 4^2)$을 따르므로 X를 표준화한 확률변수 Z는
$$Z=\frac{X-m}{4}=\frac{X-12}{\sigma}$$
따라서 $m=12$, $\sigma=4$이므로
$m+\sigma=16$ 답 ①

038 확률변수 X는 정규분포 $N(52, 16^2)$을 따르므로 $X=60$을 표준화하면
$$z_1=\frac{60-52}{16}=\frac{1}{2}$$
확률변수 Y는 정규분포 $N(50, 10^2)$을 따르므로 $Y=60$을 표준화하면

$$z_2 = \frac{60-50}{10} - 1$$

$$\therefore z_2 - z_1 = 1 - \frac{1}{2}$$

$$= \frac{1}{2}$$

目 $\frac{1}{2}$

039 두 확률변수 X, Y가 각각 정규분포 $N(2, 3^2)$, $N(0, 5^2)$을 따르므로

$$Z_X = \frac{X-2}{3}, \ Z_Y = \frac{Y-0}{5}$$

으로 놓으면 Z_X, Z_Y는 모두 표준정규분포 $N(0, 1)$을 따른다.

$P(2 \le X \le 8) = P(0 \le Y \le k)$에서

$$P\left(\frac{2-2}{3} \le Z_X \le \frac{8-2}{3}\right) = P\left(\frac{0-0}{5} \le Z_Y \le \frac{k-0}{5}\right)$$

$$P(0 \le Z_X \le 2) = P\left(0 \le Z_Y \le \frac{k}{5}\right)$$

따라서 $\frac{k}{5} = 2$이므로

$$k = 10$$

目 10

040 하현이네 반 학생들의 국어, 영어, 수학 성적을 각각 확률변수 X_A, X_B, X_C라 하면 X_A, X_B, X_C는 각각 정규분포 $N(72, 12^2)$, $N(85, 14^2)$, $N(60, 15^2)$을 따르므로

$$Z_A = \frac{X_A - 72}{12}, \ Z_B = \frac{X_B - 85}{14}, \ Z_C = \frac{X_C - 60}{15}$$

으로 놓으면 Z_A, Z_B, Z_C는 모두 표준정규분포 $N(0, 1)$을 따른다.

하현이의 국어, 영어, 수학 성적을 표준화한 것을 각각 Z_P, Z_Q, Z_R라 하면

국어 성적: $Z_P = \frac{84-72}{12} = 1$

영어 성적: $Z_Q = \frac{92-85}{14} = \frac{1}{2}$

수학 성적: $Z_R = \frac{80-60}{15} = \frac{4}{3}$

표준화시킨 값이 클수록 다른 학생에 비해 성적이 좋다.

즉, $\frac{1}{2} < 1 < \frac{4}{3}$이므로 상대적으로 하현이의 성적이 좋은 과목부터 순서대로 적으면 수학, 국어, 영어이다.

目 ④

041 A, B, C 영역의 원점수를 표준화한 값을 각각 Z_A, Z_B, Z_C, 표준점수를 T_A, T_B, T_C라 하면

$$Z_A = \frac{70-60}{20} = \frac{1}{2}, \ T_A = 20 \times \frac{1}{2} + 100 = 110$$

$$Z_B = \frac{65-55}{10} = 1, \ T_B = 20 \times 1 + 100 = 120$$

$$Z_C = \frac{57-45}{16} = \frac{3}{4}, \ T_C = 20 \times \frac{3}{4} + 100 = 115$$

따라서 구하는 표준점수의 차는

$$120 - 110 = 10$$

目 ②

042 확률변수 X가 정규분포 $N(30, 2^2)$을 따르므로

$Z = \frac{X-30}{2}$로 놓으면 Z는 표준정규분포 $N(0, 1)$을 따른다.

$$\therefore P(28 \le X \le 36) = P\left(\frac{28-30}{2} \le Z \le \frac{36-30}{2}\right)$$

$$= P(-1 \le Z \le 3)$$

$$= P(0 \le Z \le 1) + P(0 \le Z \le 3)$$

$$= 0.3413 + 0.4987$$

$$= 0.84$$

目 0.84

043 확률변수 X가 정규분포 $N(56, 8^2)$을 따르므로

$Z = \frac{X-56}{8}$으로 놓으면 Z는 표준정규분포 $N(0, 1)$을 따른다.

$$\therefore P(X \le 48) = P\left(Z \le \frac{48-56}{8}\right)$$

$$= P(Z \le -1)$$

$$= P(Z \ge 1)$$

$$= 0.5 - P(0 \le Z \le 1)$$

$$= 0.5 - 0.3413$$

$$= 0.1587$$

目 ①

044 $Y = 2X - 1$이므로

$$P(Y \le 79) = P(2X - 1 \le 79)$$

$$= P(X \le 40)$$

확률변수 X가 정규분포 $N(45, 10^2)$을 따르므로

$Z = \frac{X-45}{10}$로 놓으면 Z는 표준정규분포 $N(0, 1)$을 따른다.

$$\therefore P(X \le 40) = P\left(Z \le \frac{40-45}{10}\right)$$

$$= P(Z \le -0.5)$$

$$= P(Z \ge 0.5)$$

$$= 0.5 - P(0 \le Z \le 0.5)$$

$$= 0.5 - 0.1915$$

$$= 0.3085$$

目 ②

045 $H(0) + H(2) = P(0 \le X \le 1) + P(2 \le X \le 3)$

$$= P\left(\frac{0 - \frac{3}{2}}{2} \le Z \le \frac{1 - \frac{3}{2}}{2}\right)$$

$$+ P\left(\frac{2 - \frac{3}{2}}{2} \le Z \le \frac{3 - \frac{3}{2}}{2}\right)$$

$$= P(-0.75 \le Z \le -0.25)$$

$$+ P(0.25 \le Z \le 0.75)$$

$$= 2 \times (0.2734 - 0.0987) = 0.3494$$

目 0.3494

046 확률변수 X는 정규분포 $N(10, 2^2)$을 따르므로

$Z = \frac{X-10}{2}$으로 놓으면 Z는 표준정규분포 $N(0, 1)$을 따른다.

$$P(10 - 2k \le X \le 10 + 2k)$$

$$= P\left(\frac{10-2k-10}{2} \le Z \le \frac{10+2k-10}{2}\right)$$

$$= P(-k \le Z \le k) = 2P(0 \le Z \le k)$$

$$= 0.8664$$

즉, $P(0 \le Z \le k) = 0.4332$이므로

$$k = 1.5$$

目 ③

047 확률변수 X는 정규분포 $N(15, 6^2)$을 따르므로
$Z=\dfrac{X-15}{6}$로 놓으면 Z는 표준정규분포 $N(0, 1)$을 따른다.

$$\therefore P(21 \le X \le a) = P\left(\dfrac{21-15}{6} \le Z \le \dfrac{a-15}{6}\right)$$
$$= P\left(1 \le Z \le \dfrac{a-15}{6}\right)$$
$$= P\left(0 \le Z \le \dfrac{a-15}{6}\right) - P(0 \le Z \le 1)$$
$$= P\left(0 \le Z \le \dfrac{a-15}{6}\right) - 0.34$$
$$= 0.09$$

즉, $P\left(0 \le Z \le \dfrac{a-15}{6}\right) = 0.43$이므로

$$\dfrac{a-15}{6} = 1.5 \quad \therefore a = 24 \qquad \text{답 } 24$$

048 토마토 모종을 심은 지 3주가 지났을 때의 토마토 줄기의 길이를 확률변수 X라 하면 X는 정규분포 $N(30, 2^2)$을 따르므로
$Z=\dfrac{X-30}{2}$으로 놓으면 Z는 표준정규분포 $N(0, 1)$을 따른다.

$$\therefore P(27 \le X \le 32) = P\left(\dfrac{27-30}{2} \le Z \le \dfrac{32-30}{2}\right)$$
$$= P(-1.5 \le Z \le 1)$$
$$= P(0 \le Z \le 1.5) + P(0 \le Z \le 1)$$
$$= 0.4332 + 0.3413$$
$$= 0.7745 \qquad \text{답 } ②$$

049 출근하는 데 걸리는 시간을 확률변수 X라 하면 X는 정규분포 $N(50, 5^2)$을 따르므로 $Z=\dfrac{X-50}{5}$으로 놓으면 Z는 표준정규분포 $N(0, 1)$을 따른다.
지각할 확률은 $P(X>60)$이므로

$$P(X>60) = P\left(Z > \dfrac{60-50}{5}\right)$$
$$= P(Z>2)$$
$$= 0.5 - P(0 \le Z \le 2)$$
$$= 0.5 - 0.4772$$
$$= 0.0228 \qquad \text{답 } ③$$

050 반응 시간을 확률변수 X라 하면 X는 정규분포 $N(m, 1)$을 따르므로 $Z=X-m$으로 놓으면 Z는 표준정규분포 $N(0, 1)$을 따른다.
$P(X<2.93)=0.1003$이므로
$$P(Z<2.93-m)=P(Z>m-2.93)$$
$$= 0.5 - P(0 \le Z \le m-2.93)$$
$$= 0.1003$$
즉, $P(0 \le Z \le m-2.93)=0.3997$이므로
$$m-2.93=1.28$$
$$\therefore m=4.21 \qquad \text{답 } 4.21$$

051 과자 한 개의 무게를 확률변수 X라 하면 X는 정규분포 $N(16, 0.3^2)$을 따르므로 $Z=\dfrac{X-16}{0.3}$으로 놓으면 Z는 표준정규분포 $N(0, 1)$을 따른다.

$$\therefore P(X \le 15.25) = P\left(Z \le \dfrac{15.25-16}{0.3}\right)$$
$$= P(Z \le -2.5)$$
$$= P(Z \ge 2.5)$$
$$= 0.5 - P(0 \le Z \le 2.5)$$
$$= 0.5 - 0.49 = 0.01 \qquad \text{답 } ①$$

052 확률변수 X는 정규분포 $N(250, 20^2)$을 따르므로
$Z=\dfrac{X-250}{20}$으로 놓으면 Z는 표준정규분포 $N(0, 1)$을 따른다.

$$\therefore P(240 \le X \le 280) = P\left(\dfrac{240-250}{20} \le Z \le \dfrac{280-250}{20}\right)$$
$$= P(-0.5 \le Z \le 1.5)$$
$$= P(0 \le Z \le 0.5) + P(0 \le Z \le 1.5)$$
$$= 0.1915 + 0.4332$$
$$= 0.6247$$
따라서 구하는 것은 전체의 62.47 %이다. 　　　답 ③

053 인터넷 사용 시간을 확률변수 X라 하면 X는 정규분포
$N(67, 5^2)$을 따르므로 $Z=\dfrac{X-67}{5}$로 놓으면 Z는 표준정규분포 $N(0, 1)$을 따른다.

$$\therefore P(X \le 60) = P\left(Z \le \dfrac{60-67}{5}\right)$$
$$= P(Z \le -1.4) = P(Z \ge 1.4)$$
$$= 0.5 - P(0 \le Z \le 1.4)$$
$$= 0.5 - 0.419$$
$$= 0.081$$
따라서 구하는 학생 수는
$$2000 \times 0.081 = 162 \qquad \text{답 } 162$$

054 제품의 무게를 확률변수 X라 하면 X는 정규분포 $N(150, 4^2)$을 따르므로 $Z=\dfrac{X-150}{4}$으로 놓으면 Z는 표준정규분포 $N(0, 1)$을 따른다.

$$\therefore P(144 \le X \le 160) = P\left(\dfrac{144-150}{4} \le Z \le \dfrac{160-150}{4}\right)$$
$$= P(-1.5 \le Z \le 2.5)$$
$$= P(0 \le Z \le 1.5) + P(0 \le Z \le 2.5)$$
$$= 0.433 + 0.494 = 0.927$$
따라서 출고 불합격을 받은 제품의 개수는
$$1000 \times (1-0.927) = 73 \qquad \text{답 } 73$$

055 확률변수 X는 정규분포 $N(1000, 100^2)$을 따르므로
$Z=\dfrac{X-1000}{100}$으로 놓으면 Z는 표준정규분포 $N(0, 1)$을 따른다.

$$P(X \ge a) = P\left(Z \ge \dfrac{a-1000}{100}\right)$$
$$= P\left(\dfrac{a-1000}{100} \le Z \le 0\right) + 0.5$$
$$= P\left(0 \le Z \le \dfrac{1000-a}{100}\right) + 0.5 = 0.98$$
즉, $P\left(0 \le Z \le \dfrac{1000-a}{100}\right) = 0.48$이므로

$$\frac{1000-a}{100}-2.05$$

$$\therefore a=795$$

📋 795

056 학생들의 수학 성적을 확률변수 X라 하면 X는 정규분포 $N(55,\ 20^2)$을 따르므로 $Z=\dfrac{X-55}{20}$로 놓으면 Z는 표준정규분포 $N(0,\ 1)$을 따른다.

상위 4% 이내에 속하는 학생의 최저 점수를 k점이라 하면

$$P(X\geq k)=0.04$$

$$P\!\left(Z\geq \frac{k-55}{20}\right)=0.04$$

$$0.5-P\!\left(0\leq Z\leq \frac{k-55}{20}\right)=0.04$$

즉, $P\!\left(0\leq Z\leq \dfrac{k-55}{20}\right)=0.46$이므로

$$\frac{k-55}{20}=1.75,\ k-55=35$$

$$\therefore k=90$$

따라서 1등급을 받으려면 최소한 90점 이상이어야 한다.

📋 90점

057 달걀 한 개의 무게를 확률변수 X라 하면 X는 정규분포 $N(54,\ 9^2)$을 따르므로 $Z=\dfrac{X-54}{9}$로 놓으면 Z는 표준정규분포 $N(0,\ 1)$을 따른다.

상위 10% 이내인 달걀의 최저 무게를 $k\mathrm{g}$이라 하면

$$P(X\geq k)=0.1$$

$$P\!\left(Z\geq \frac{k-54}{9}\right)=0.1$$

$$0.5-P\!\left(0\leq Z\leq \frac{k-54}{9}\right)=0.1$$

즉, $P\!\left(0\leq Z\leq \dfrac{k-54}{9}\right)=0.4$이므로

$$\frac{k-54}{9}=1.28,\ k-54=11.52$$

$$\therefore k=65.52$$

따라서 특란의 무게는 약 $65.5\,\mathrm{g}$ 이상이다.

📋 ⑤

058 전체 400명 중에서 상위 2% 이내에 속하는 학생 수는

$$400\times 0.02=8 \qquad \therefore a=8$$

기말고사 성적을 확률변수 X라 하면 X는 정규분포 $N(75,\ 4^2)$을 따르므로 $Z=\dfrac{X-75}{4}$로 놓으면 Z는 표준정규분포 $N(0,\ 1)$을 따른다.

상위 2% 이내에 속하는 학생의 최소 점수를 b점이라 하면

$$P(X\geq b)=0.02$$

$$P\!\left(Z\geq \frac{b-75}{4}\right)=0.02$$

$$0.5-P\!\left(0\leq Z\leq \frac{b-75}{4}\right)=0.02$$

즉, $P\!\left(0\leq Z\leq \dfrac{b-75}{4}\right)=0.48$이므로

$$\frac{b-75}{4}=2,\ b-75=8$$

$$\therefore b=83$$

$$\therefore a+b=8+83=91$$

📋 91

059 확률변수 X는 이항분포 $B\!\left(100,\ \dfrac{1}{5}\right)$을 따르므로

$$m=100\times \frac{1}{5}=20,\quad \sigma^2=100\times \frac{1}{5}\times \frac{4}{5}=16$$

$$\therefore m+3\sigma^2=20+3\times 16=68$$

📋 ②

060 주사위를 던져 3의 배수의 눈, 즉 3 또는 6의 눈이 나올 확률이 $\dfrac{1}{3}$이므로 확률변수 X는 이항분포 $B\!\left(180,\ \dfrac{1}{3}\right)$을 따른다.

$$\therefore m=180\times \frac{1}{3}=60,\ \sigma^2=180\times \frac{1}{3}\times \frac{2}{3}=40$$

180은 충분히 크므로 확률변수 X는 근사적으로 정규분포 $N(60,\ 40)$을 따른다.

$$\therefore m+\sigma^2=60+40=100$$

📋 100

061 면역력이 생길 확률을 p라 하면 확률변수 X는 이항분포 $B(n,\ p)$를 따른다.

$$E(X)=np=48 \qquad\cdots\cdots ㉠$$

$$V(X)=np(1-p)=36 \qquad\cdots\cdots ㉡$$

㉠을 ㉡에 대입하면 $1-p=\dfrac{3}{4}$

$$\therefore p=\frac{1}{4}$$

$p=\dfrac{1}{4}$을 ㉠에 대입하면

$$\frac{1}{4}n=48 \qquad \therefore n=192$$

📋 ③

062 확률변수 X는 이항분포 $B\!\left(180,\ \dfrac{5}{6}\right)$를 따르므로

$$E(X)=180\times \frac{5}{6}=150,\ V(X)=180\times \frac{5}{6}\times \frac{1}{6}=25$$

따라서 확률변수 X는 근사적으로 정규분포 $N(150,\ 5^2)$을 따르므로

$$\begin{aligned}
P(X\leq 155)&=P\!\left(Z\leq \frac{155-150}{5}\right)\\
&=P(Z\leq 1)\\
&=0.5+P(0\leq Z\leq 1)\\
&=0.5+0.3413=0.8413
\end{aligned}$$

📋 0.8413

063 확률변수 X는 이항분포 $B\!\left(180,\ \dfrac{1}{6}\right)$을 따르므로

$$E(X)=180\times \frac{1}{6}=30,\ V(X)=180\times \frac{1}{6}\times \frac{5}{6}=25$$

따라서 확률변수 X는 근사적으로 정규분포 $N(30,\ 5^2)$을 따르므로

$$\begin{aligned}
P(20\leq X\leq 40)&=P\!\left(\frac{20-30}{5}\leq Z\leq \frac{40-30}{5}\right)\\
&=P(-2\leq Z\leq 2)\\
&=2P(0\leq Z\leq 2)\\
&=2\times 0.48=0.96
\end{aligned}$$

📋 ④

064 $\displaystyle\sum_{k=351}^{369}{}_{400}C_k\left(\frac{9}{10}\right)^{k}\left(\frac{1}{10}\right)^{400-k}$의 값은 확률변수 X가 이항분포 $B\!\left(400,\ \dfrac{9}{10}\right)$를 따를 때 확률 $P(351\leq X\leq 369)$의 값과 같다.

$E(X)=400\times\dfrac{9}{10}=360$, $V(X)=400\times\dfrac{9}{10}\times\dfrac{1}{10}=36$

이고, 시행 횟수 400이 충분히 크므로 확률변수 X는 근사적으로 정규분포 $N(360,\,6^2)$을 따른다.

$\therefore P(351\le X\le 369)=P\left(\dfrac{351-360}{6}\le Z\le\dfrac{369-360}{6}\right)$

$\qquad\qquad\qquad\qquad=P(-1.5\le Z\le 1.5)$

$\qquad\qquad\qquad\qquad=2P(0\le Z\le 1.5)$

$\qquad\qquad\qquad\qquad=2\times 0.4332$

$\qquad\qquad\qquad\qquad=0.8664$ 🔲 ④

065 2의 눈이 나오는 횟수를 확률변수 X라 하면 X는 이항분포 $B\left(720,\,\dfrac{1}{6}\right)$을 따르므로

$E(X)=720\times\dfrac{1}{6}=120$, $V(X)=720\times\dfrac{1}{6}\times\dfrac{5}{6}=100$

따라서 확률변수 X는 근사적으로 정규분포 $N(120,\,10^2)$을 따르므로

$P(X\ge 110)=P\left(Z\ge\dfrac{110-120}{10}\right)$

$\qquad\qquad\quad=P(Z\ge -1)$

$\qquad\qquad\quad=0.5+P(0\le Z\le 1)$

$\qquad\qquad\quad=0.5+0.3413$

$\qquad\qquad\quad=0.8413$ 🔲 0.8413

066 예약하여 승선하는 고객 수를 확률변수 X라 하면 X는 이항분포 $B\left(400,\,\dfrac{4}{5}\right)$를 따르므로

$E(X)=400\times\dfrac{4}{5}=320$, $V(X)=400\times\dfrac{4}{5}\times\dfrac{1}{5}=64$

따라서 확률변수 X는 근사적으로 정규분포 $N(320,\,8^2)$을 따르므로

$P(X\le 340)=P\left(Z\le\dfrac{340-320}{8}\right)$

$\qquad\qquad\quad=P(Z\le 2.5)$

$\qquad\qquad\quad=0.5+P(0\le Z\le 2.5)$

$\qquad\qquad\quad=0.5+0.4938$

$\qquad\qquad\quad=0.9938$ 🔲 ①

067 확률변수 X는 이항분포 $B\left(n,\,\dfrac{1}{6}\right)$을 따르고, X의 표준편차는 10이므로

$\sigma(X)=\sqrt{n\times\dfrac{1}{6}\times\dfrac{5}{6}}=10$

$\dfrac{5}{36}n=100$ $\therefore n=720$

$E(X)=n\times\dfrac{1}{6}=720\times\dfrac{1}{6}=120$

따라서 확률변수 X는 근사적으로 정규분포 $N(120,\,10^2)$을 따르므로

$P(100\le X\le 130)=P\left(\dfrac{100-120}{10}\le Z\le\dfrac{130-120}{10}\right)$

$\qquad\qquad\qquad\qquad=P(-2\le Z\le 1)$

$\qquad\qquad\qquad\qquad=P(0\le Z\le 2)+P(0\le Z\le 1)$

$\qquad\qquad\qquad\qquad=0.4772+0.3413$

$\qquad\qquad\qquad\qquad=0.8185$ 🔲 0.8185

068 확률변수 X는 이항분포 $B(10000,\,0.02)$를 따르므로

$E(X)=10000\times 0.02=200$,

$V(X)=10000\times 0.02\times 0.98=196$

따라서 확률변수 X는 근사적으로 정규분포 $N(200,\,14^2)$을 따르므로

$P(a\le X\le 214)=P\left(\dfrac{a-200}{14}\le Z\le\dfrac{214-200}{14}\right)$

$\qquad\qquad\qquad\quad=P\left(\dfrac{a-200}{14}\le Z\le 1\right)$

$\qquad\qquad\qquad\quad=P\left(\dfrac{a-200}{14}\le Z\le 0\right)+P(0\le Z\le 1)$

$\qquad\qquad\qquad\quad=P\left(0\le Z\le -\dfrac{a-200}{14}\right)+0.3413$

$\qquad\qquad\qquad\quad=0.6826$

즉, $P\left(0\le Z\le -\dfrac{a-200}{14}\right)=0.3413$이므로

$-\dfrac{a-200}{14}=1$ $\therefore a=186$ 🔲 186

069 (i) 한 번의 시행에서 5가 쓰여 있는 카드가 한 번도 나오지 않으면 세 수의 합이 9 이하이고, 이때의 확률은

$\dfrac{{}_5C_3}{{}_{10}C_3}=\dfrac{1}{12}$

(ii) 5가 쓰여 있는 카드가 한 번 나오면 2가 쓰여 있는 카드가 2번 나올 때만 세 수의 합이 9 이하이고, 이때의 확률은

$\dfrac{{}_2C_2\times{}_5C_1}{{}_{10}C_3}=\dfrac{1}{24}$

(i), (ii)에 의하여 한 번의 시행에서 세 숫자의 합이 9 이하일 확률은

$\dfrac{1}{12}+\dfrac{1}{24}=\dfrac{1}{8}$

즉, 확률변수 X는 이항분포 $B\left(448,\,\dfrac{1}{8}\right)$을 따르므로

$E(X)=448\times\dfrac{1}{8}=56$, $V(X)=448\times\dfrac{1}{8}\times\dfrac{7}{8}=49$이고,

X는 근사적으로 정규분포 $N(56,\,7^2)$을 따른다.

따라서 구하는 확률은

$P(49\le X\le 70)=P\left(\dfrac{49-56}{7}\le Z\le\dfrac{70-56}{7}\right)$

$\qquad\qquad\qquad\quad=P(-1\le Z\le 2)$

$\qquad\qquad\qquad\quad=P(0\le Z\le 1)+P(0\le Z\le 2)$

$\qquad\qquad\qquad\quad=0.3413+0.4772=0.8185$

  🔲 0.8185

070 제품의 무게를 확률변수 X라 하면 X는 정규분포 $N(40,\,4^2)$을 따르므로 제품 1개가 불량품일 확률은

$P(X\ge 44)=P\left(Z\ge\dfrac{44-40}{4}\right)=P(Z\ge 1)$

$\qquad\qquad\quad=0.5-P(0\le Z\le 1)$

$\qquad\qquad\quad=0.5-0.34=0.16$

즉, 확률변수 Y는 이항분포 $B\left(2100,\,\dfrac{16}{100}\right)$을 따른다.

$\therefore m=2100\times\dfrac{16}{100}=336$

$\quad\sigma^2=2100\times\dfrac{16}{100}\times\dfrac{84}{100}=\left(\dfrac{84}{5}\right)^2$

따라서 확률변수 Y는 근사적으로 정규분포

$N\left(336, \left(\dfrac{84}{5}\right)^2\right)$을 따르므로

$m=336$ 目 336

071 ㄱ. 3학년의 자료가 평균에 가장 밀집해 있으므로 가장 고른 분포를 보인다. (참)

ㄴ. 1학년의 평균 몸무게는 60, 2학년의 평균 몸무게는 64이므로 평균적으로 1학년 학생들이 2학년 학생들보다 가볍다. (참)

ㄷ. 2학년과 3학년의 평균 몸무게는 같지만 3학년의 몸무게의 분포가 2학년보다 평균에 집중되어 있으므로 몸무게가 아주 많이 나가는 학생들은 3학년보다 2학년에 많다. (참)

따라서 ㄱ, ㄴ, ㄷ 모두 옳다. 目 ⑤

참고

아주 많다는 것은 수학적으로 기준이 없지만 ㄷ의 내용이 옳다고 말할 수 있다.

072 확률변수 X가 정규분포 $N(60, 4^2)$을 따르므로

$m=60, \sigma=4$

따라서 수험생의 점수가 68점 이상일 확률은

$\begin{aligned}
P(X \geq 68) &= P(X \geq 60+2 \times 4) \\
&= P(X \geq m+2\sigma) \\
&= 0.5 - P(m \leq X \leq m+2\sigma) \\
&= 0.5 - \dfrac{1}{2}P(m-2\sigma \leq X \leq m+2\sigma) \\
&= 0.5 - \dfrac{1}{2} \times 0.954 \\
&= 0.5 - 0.477 \\
&= 0.023
\end{aligned}$ 目 0.023

073 확률변수 X가 정규분포 $N(30, 4^2)$을 따르므로

$m=30, \sigma=4$

$\begin{aligned}
P(30 \leq X \leq 38) &= P(30 \leq X \leq 30+2 \times 4) \\
&= P(m \leq X \leq m+2\sigma) \\
&= \dfrac{1}{2}P(m-2\sigma \leq X \leq m+2\sigma) \\
&= \dfrac{1}{2} \times 0.9544 \\
&= 0.4772
\end{aligned}$

$\begin{aligned}
P(26 \leq X \leq 34) &= P(30-4 \leq X \leq 30+4) \\
&= P(m-\sigma \leq X \leq m+\sigma) \\
&= 0.6826
\end{aligned}$

$\therefore P(30 \leq X \leq 38) + P(26 \leq X \leq 34) = 0.4772 + 0.6826$
$\hspace{6cm} = 1.1598$ 目 1.1598

074 A과수원에서 생산하는 귤의 무게를 확률변수 X라 하면 X는 정규분포 $N(86, 15^2)$을 따른다. 또 B과수원에서 생산하는 귤의 무게를 확률변수 Y라 하면 Y는 정규분포 $N(88, 10^2)$을 따른다. A과수원에서 임의로 선택한 귤의 무게가 98 이하일 확률과 B과수원에서 임의로 선택한 귤의 무게가 a 이하일 확률이 같으므로

$P(X \leq 98) = P(Y \leq a)$에서

$P\left(Z \leq \dfrac{98-86}{15}\right) = P\left(Z \leq \dfrac{a-88}{10}\right)$

$\dfrac{a-88}{10} = \dfrac{98-86}{15} = \dfrac{4}{5}$

$a-88 = 8$

$\therefore a = 96$ 目 96

075 $f(100-x) = f(100+x)$이므로 $y=f(x)$의 그래프는 $x=100$에 대하여 대칭이다.

$\therefore m = 100$

$P(100 \leq X \leq 112) = P(0 \leq Z \leq 3) = 0.4987$이므로

$\dfrac{112-100}{\sigma} = 3$

$\therefore \sigma = 4$

$\begin{aligned}
\therefore P(94 \leq X \leq 110) &= P\left(\dfrac{94-100}{4} \leq Z \leq \dfrac{110-100}{4}\right) \\
&= P(-1.5 \leq Z \leq 2.5) \\
&= P(0 \leq Z \leq 1.5) + P(0 \leq Z \leq 2.5) \\
&= 0.4332 + 0.4938 \\
&= 0.9270
\end{aligned}$ 目 ②

076 $x^2 + Ax + 4 = 0$의 판별식을 D라 하면 실근을 갖기 위한 조건은

$D = A^2 - 16 \geq 0$

$(A-4)(A+4) \geq 0$

$\therefore A \geq 4$ 또는 $A \leq -4$

확률변수 A는 정규분포 $N(2, 2^2)$을 따르므로 $Z = \dfrac{A-2}{2}$로 놓으면 Z는 표준정규분포 $N(0, 1)$을 따른다.

$\begin{aligned}
\therefore P(A \geq 4) + P(A \leq -4) \\
&= P\left(Z \geq \dfrac{4-2}{2}\right) + P\left(Z \leq \dfrac{-4-2}{2}\right) \\
&= P(Z \geq 1) + P(Z \leq -3) \\
&= P(Z \geq 1) + P(Z \geq 3) \\
&= 0.5 - P(0 \leq Z \leq 1) + 0.5 - P(0 \leq Z \leq 3) \\
&= 1 - (0.3413 + 0.4987) \\
&= 0.16
\end{aligned}$

따라서 구하는 확률은 16 %이다. 目 ①

077 응시자의 성적을 확률변수 X라 하면 X는 정규분포 $N(70, 12^2)$을 따르므로 $Z = \dfrac{X-70}{12}$으로 놓으면 Z는 표준정규분포 $N(0, 1)$을 따른다.

합격자의 최저 점수를 k점이라 하면

$P(X \geq k) = \dfrac{140}{2000} = 0.07$

$P\left(Z \geq \dfrac{k-70}{12}\right) = 0.07$

$0.5 - P\left(0 \leq Z \leq \dfrac{k-70}{12}\right) = 0.07$

즉, $P\left(0 \leq Z \leq \dfrac{k-70}{12}\right) = 0.43$이므로

$\dfrac{k-70}{12} = 1.5, k-70 = 18$

$\therefore k = 88$

따라서 88점 이상이어야 합격할 수 있다. 目 88점

078 불량품의 개수를 확률변수 X라 하면 X는 이항분포

$B\left(100,\dfrac{1}{5}\right)$을 따르므로

$E(X)=100\times\dfrac{1}{5}=20,\ V(X)=100\times\dfrac{1}{5}\times\dfrac{4}{5}=16$

따라서 확률변수 X는 근사적으로 정규분포 $N(20,\ 4^2)$을 따르므로

$$P(X\le28)=P\left(Z\le\dfrac{28-20}{4}\right)$$
$$=P(Z\le2)$$
$$=0.5+P(0\le Z\le2)$$
$$=0.5+0.4772$$
$$=0.9772$$

$\boxed{\text{답}}\ 0.9772$

079 확률변수 X는 이항분포 $B\left(450,\dfrac{2}{3}\right)$를 따르므로

$E(X)=450\times\dfrac{2}{3}=300,\ V(X)=450\times\dfrac{2}{3}\times\dfrac{1}{3}=100$

따라서 확률변수 X는 근사적으로 정규분포 $N(300,\ 10^2)$을 따르므로

$$P(300\le X\le a)=P\left(\dfrac{300-300}{10}\le Z\le\dfrac{a-300}{10}\right)$$
$$=P\left(0\le Z\le\dfrac{a-300}{10}\right)$$
$$=0.38$$

$P(0\le Z\le1.2)=0.38$이므로

$\dfrac{a-300}{10}=1.2$

$\therefore a=312$

$\boxed{\text{답}}\ 312$

080 $P(X=x)={}_nC_x\dfrac{4^{n-x}}{5^n}={}_nC_x\left(\dfrac{1}{5}\right)^x\left(\dfrac{4}{5}\right)^{n-x}\ (x=0,1,2,\cdots,n)$

이므로 확률변수 X는 이항분포 $B\left(n,\dfrac{1}{5}\right)$을 따른다.

$E(X)=n\times\dfrac{1}{5}=\dfrac{n}{5},\ V(X)=n\times\dfrac{1}{5}\times\dfrac{4}{5}=\dfrac{4n}{25}$

$E(X^2)=V(X)+\{E(X)\}^2$
$$=\dfrac{4n}{25}+\left(\dfrac{n}{5}\right)^2$$
$$=\dfrac{n^2+4n}{25}=416$$

$n^2+4n-10400=0,\ (n+104)(n-100)=0$

$\therefore n=100\ (\because n>0)$

즉, 확률변수 X는 근사적으로 정규분포 $N(20,\ 4^2)$을 따르므로

$$P(X\le a)=P\left(Z\le\dfrac{a-20}{4}\right)$$
$$=0.9772$$
$$=0.5+0.4772$$
$$=P(Z\le0)+P(0\le Z\le2)$$
$$=P(Z\le2)$$

따라서 $\dfrac{a-20}{4}=2$이므로

$a=28$

$\boxed{\text{답}}\ 28$

081 신제품의 무게를 확률변수 X라 하면 X는 정규분포 $N(180,\ 8^2)$을 따르므로

신제품 1개가 불량품일 확률은

$$P(X<164)=P\left(Z<\dfrac{164-180}{8}\right)$$
$$=P(Z<-2)$$
$$=P(Z>2)$$
$$=0.5-P(0\le Z\le2)$$
$$=0.5-0.48=0.02$$

신제품 2500개 중에서 불량품의 개수를 확률변수 Y라 하면

Y는 이항분포 $B\left(2500,\dfrac{1}{50}\right)$을 따르므로 평균과 표준편차는

$E(Y)=2500\times\dfrac{1}{50}=50$

$\sigma(Y)=\sqrt{2500\times\dfrac{1}{50}\times\dfrac{49}{50}}=\sqrt{49}=7$

총 신제품 수 2500은 충분히 큰 수이므로 확률변수 Y는 근사적으로 정규분포 $N(50,\ 7^2)$을 따른다.

따라서 불량품의 개수가 64 이하일 확률은

$$P(Y\le64)=P\left(Z\le\dfrac{64-50}{7}\right)$$
$$=P(Z\le2)$$
$$=0.5+P(0\le Z\le2)$$
$$=0.5+0.48$$
$$=0.98$$

$\boxed{\text{답}}\ 0.98$

10 표본평균의 분포

본책 127~138쪽

001 $\overline{X}=\dfrac{1+3}{2}=2$ **답** 2

002 표본이 $(1, 1)$일 때, $\overline{X}=\dfrac{1}{2}(1+1)=1$

표본이 $(1, 3)$, $(3, 1)$일 때,

$\overline{X}=\dfrac{1}{2}(1+3)=\dfrac{1}{2}(3+1)=2$

표본이 $(1, 5)$, $(3, 3)$, $(5, 1)$일 때,

$\overline{X}=\dfrac{1}{2}(1+5)=\dfrac{1}{2}(3+3)=\dfrac{1}{2}(5+1)=3$

표본이 $(3, 5)$, $(5, 3)$일 때,

$\overline{X}=\dfrac{1}{2}(3+5)=\dfrac{1}{2}(5+3)=4$

표본이 $(5, 5)$일 때, $\overline{X}=\dfrac{1}{2}(5+5)=5$

따라서 확률변수 $\overline{X}$가 가질 수 있는 값은 1, 2, 3, 4, 5이다.

답 1, 2, 3, 4, 5

003 $\overline{X}=3$이 되는 표본은 $(1, 5)$, $(3, 3)$, $(5, 1)$의 3개이다.

답 3

004 (ⅰ) 3을 두 번 추출하면 되므로 이 경우

$\{P(X=3)\}^2=\left(\dfrac{1}{3}\right)^2=\dfrac{1}{9}$

(ⅱ) 1, 5를 각각 한 번씩 추출하면 되므로 이 경우

$2!\times P(X=1)\times P(X=5)=2\times\dfrac{1}{3}\times\dfrac{1}{3}=\dfrac{2}{9}$

(ⅰ), (ⅱ)에 의하여

$P(\overline{X}=3)=\dfrac{1}{9}+\dfrac{2}{9}=\dfrac{1}{3}$ **답** $\dfrac{1}{3}$

005

$\overline{X}$	1	2	3	4	5	합계
$P(\overline{X}=\overline{x})$	$\dfrac{1}{9}$	$\dfrac{2}{9}$	$\dfrac{1}{3}$	$\dfrac{2}{9}$	$\dfrac{1}{9}$	1

답 풀이 참조

006 모집단 $\{0, 2, 4\}$에서 크기가 2인 표본을 복원추출하는 방법의 수는 $_3\Pi_2=3^2=9$

표본이 $(0, 0)$일 때, $\overline{X}=\dfrac{1}{2}(0+0)=0$

표본이 $(0, 2)$, $(2, 0)$일 때, $\overline{X}=\dfrac{1}{2}(0+2)=\dfrac{1}{2}(2+0)=1$

표본이 $(0, 4)$, $(2, 2)$, $(4, 0)$일 때,

$\overline{X}=\dfrac{1}{2}(0+4)=\dfrac{1}{2}(2+2)=\dfrac{1}{2}(4+0)=2$

표본이 $(2, 4)$, $(4, 2)$일 때, $\overline{X}=\dfrac{1}{2}(2+4)=\dfrac{1}{2}(4+2)=3$

표본이 $(4, 4)$일 때, $\overline{X}=\dfrac{1}{2}(4+4)=4$

따라서 표본평균 $\overline{X}$의 확률분포를 표로 나타내면 다음과 같다.

$\overline{X}$	0	1	2	3	4	합계
$P(\overline{X}=\overline{x})$	$\dfrac{1}{9}$	$\dfrac{2}{9}$	$\dfrac{1}{3}$	$\dfrac{2}{9}$	$\dfrac{1}{9}$	1

답 풀이 참조

007 $P(1\le\overline{X}\le3)=P(\overline{X}=1)+P(\overline{X}=2)+P(\overline{X}=3)$

$=\dfrac{2}{9}+\dfrac{1}{3}+\dfrac{2}{9}$

$=\dfrac{7}{9}$ **답** $\dfrac{7}{9}$

008 $E(\overline{X})=0\times\dfrac{1}{9}+1\times\dfrac{2}{9}+2\times\dfrac{1}{3}+3\times\dfrac{2}{9}+4\times\dfrac{1}{9}=2$

답 2

009 $V(\overline{X})=\left(0^2\times\dfrac{1}{9}+1^2\times\dfrac{2}{9}+2^2\times\dfrac{1}{3}+3^2\times\dfrac{2}{9}+4^2\times\dfrac{1}{9}\right)-2^2$

$=\dfrac{4}{3}$ **답** $\dfrac{4}{3}$

010 $E(\overline{X})=m$ **답** m

011 $V(\overline{X})=\dfrac{\sigma^2}{100}$ **답** $\dfrac{\sigma^2}{100}$

012 $\sigma(\overline{X})=\sqrt{V(\overline{X})}$

$=\sqrt{\dfrac{\sigma^2}{100}}=\dfrac{\sigma}{10}$ **답** $\dfrac{\sigma}{10}$

[013-015] 모평균을 m, 모표준편차를 σ라 하면 $m=60$, $\sigma=6$이고, 표본의 크기가 $n=4$이므로

013 $E(\overline{X})=m=60$ **답** 60

014 $V(\overline{X})=\dfrac{\sigma^2}{n}$

$=\dfrac{6^2}{4}=9$ **답** 9

015 $\sigma(\overline{X})=\sqrt{V(\overline{X})}=3$ **답** 3

016 확률의 총합은 1이므로

$a+\dfrac{1}{2}+\dfrac{1}{4}=1$

$\therefore a=\dfrac{1}{4}$ **답** $\dfrac{1}{4}$

017 $E(X)=1\times\dfrac{1}{4}+2\times\dfrac{1}{2}+3\times\dfrac{1}{4}$

$=2$ **답** 2

018 $E(X^2)=1^2\times\dfrac{1}{4}+2^2\times\dfrac{1}{2}+3^2\times\dfrac{1}{4}$

$=\dfrac{9}{2}$

$V(X)=E(X^2)-\{E(X)\}^2$

$=\dfrac{9}{2}-2^2=\dfrac{1}{2}$

$\therefore \sigma(X)=\sqrt{V(X)}=\dfrac{\sqrt{2}}{2}$ **답** $\dfrac{\sqrt{2}}{2}$

019 모평균을 m이라 하면

$E(\overline{X})=m=2$ **답** 2

020 모분산을 σ^2이라 하면 $\sigma^2=\dfrac{1}{2}$이고,

표본의 크기가 $n=5$이므로

$$V(\overline{X})=\frac{\sigma^2}{n}$$

$$=\frac{\dfrac{1}{2}}{5}=\frac{1}{10}$$

$$\therefore \sigma(\overline{X})=\sqrt{V(\overline{X})}$$

$$=\frac{\sqrt{10}}{10} \qquad\qquad \boxed{\text{답}}\ \frac{\sqrt{10}}{10}$$

[021-024] 확률변수 X의 확률분포를 표로 나타내면 다음과 같다.

X	1	2	3	4	5	합계
$P(X=x)$	$\dfrac{1}{5}$	$\dfrac{1}{5}$	$\dfrac{1}{5}$	$\dfrac{1}{5}$	$\dfrac{1}{5}$	1

021 모집단의 모평균을 m이라 하면

$$m=\frac{1}{5}(1+2+3+4+5)=3$$

$$\therefore E(X)=m=3 \qquad\qquad \boxed{\text{답}}\ 3$$

022 모분산을 σ^2이라 하면

$$\sigma^2=\frac{1}{5}(1^2+2^2+3^2+4^2+5^2)-3^2=2$$

$$\therefore V(X)=\sigma^2=2 \qquad\qquad \boxed{\text{답}}\ 2$$

023 $E(\overline{X})=m=3 \qquad\qquad \boxed{\text{답}}\ 3$

024 $V(\overline{X})=\dfrac{\sigma^2}{n}$

$$=\frac{2}{2}=1$$

$$\therefore \sigma(\overline{X})=\sqrt{V(\overline{X})}=1 \qquad\qquad \boxed{\text{답}}\ 1$$

025 $E(\overline{X})=m \qquad\qquad \boxed{\text{답}}\ m$

026 $V(\overline{X})=\dfrac{\sigma^2}{n} \qquad\qquad \boxed{\text{답}}\ \dfrac{\sigma^2}{n}$

027 $\sigma(\overline{X})=\sqrt{V(\overline{X})}$

$$=\sqrt{\frac{\sigma^2}{n}}=\frac{\sigma}{\sqrt{n}} \qquad\qquad \boxed{\text{답}}\ \dfrac{\sigma}{\sqrt{n}}$$

[028-031] 모집단이 정규분포 $N(50,\,10^2)$을 따르므로 모평균을 m, 모분산을 σ^2이라 하면 $m=50$, $\sigma^2=10^2$이고, 표본의 크기는 $n=25$이므로

028 $E(\overline{X})=m=50 \qquad\qquad \boxed{\text{답}}\ 50$

029 $V(\overline{X})=\dfrac{\sigma^2}{n}=\dfrac{10^2}{25}=4 \qquad\qquad \boxed{\text{답}}\ 4$

030 $\sigma(\overline{X})=\sqrt{V(\overline{X})}=2 \qquad\qquad \boxed{\text{답}}\ 2$

031 정규분포 $N(m,\,\sigma^2)$을 따르는 모집단에서 크기가 n인 표본을 임의추출할 때, 표본평균 $\overline{X}$의 분포는 정규분포 $N\!\left(m,\,\dfrac{\sigma^2}{n}\right)$을

따르므로 정규분포 $N(50,\,10^2)$을 따르는 모집단에서 크기가 25인 표본을 임의추출할 때, 표본평균 $\overline{X}$의 분포는 정규분포 $N\!\left(50,\,\dfrac{10^2}{25}\right)$, 즉 $N(\,\boxed{50}\,,\,\boxed{2^2}\,)$을 따른다. $\quad\boxed{\text{답}}\ 50,\,2^2$

032 평균이 500, 표준편차가 20인 모집단은 정규분포 $N(500,\,20^2)$을 따르므로 크기가 100인 표본을 임의추출할 때, 표본평균 $\overline{X}$의 분포는 정규분포 $N\!\left(500,\,\dfrac{20^2}{100}\right)$, 즉 $N(500,\,2^2)$을 따른다.

$$\therefore a=500,\,b=4 \qquad\qquad \boxed{\text{답}}\ a=500,\,b=4$$

[033-037] $m=150$, $\sigma=5$, $n=100$이므로 표본평균 $\overline{X}$의 분포는 정규분포 $N\!\left(150,\,\dfrac{5^2}{100}\right)$, 즉 $N\!\left(150,\,\left(\dfrac{1}{2}\right)^2\right)$을 따른다.

033 $E(\overline{X})=m=150 \qquad\qquad \boxed{\text{답}}\ 150$

034 $\sigma(\overline{X})=\dfrac{\sigma}{\sqrt{n}}=\dfrac{5}{\sqrt{100}}=\dfrac{1}{2} \qquad\qquad \boxed{\text{답}}\ \dfrac{1}{2}$

035 $Z=\dfrac{\overline{X}-150}{\dfrac{1}{2}}$으로 놓으면 확률변수 Z는 표준정규분포

$N(0,\,1^2)$을 따르므로

$$P(150\le \overline{X}\le 150.5)$$

$$=P\!\left(\frac{150-150}{\dfrac{1}{2}}\le Z\le \frac{150.5-150}{\dfrac{1}{2}}\right)$$

$$=P(0\le Z\le 1)$$

$$=0.3413 \qquad\qquad \boxed{\text{답}}\ 0.3413$$

036 $P(\overline{X}\ge 151)=P\!\left(Z\ge \dfrac{151-150}{\dfrac{1}{2}}\right)$

$$=P(Z\ge 2)$$

$$=0.5-P(0\le Z\le 2)$$

$$=0.5-0.4772$$

$$=0.0228 \qquad\qquad \boxed{\text{답}}\ 0.0228$$

037 $P(\overline{X}\ge 149)=P\!\left(Z\ge \dfrac{149-150}{\dfrac{1}{2}}\right)$

$$=P(Z\ge -2)$$

$$=P(-2\le Z\le 0)+0.5$$

$$=P(0\le Z\le 2)+0.5$$

$$=0.4772+0.5$$

$$=0.9772 \qquad\qquad \boxed{\text{답}}\ 0.9772$$

038 전수조사는 긴 시간과 많은 비용을 들여 조사 대상을 전체로 하는 것이고, 표본조사는 짧은 시간과 적은 비용을 들이기 위해 조사 대상을 일부분으로 하는 것이다.

ㄱ. 학교에서 실시하는 학생들의 키 조사
　➡ 전수조사

ㄴ. 방송사에서 하는 여론조사
　➡ 표본조사

ㄷ. 어느 전자 회사의 특정 제품의 수명 조사

➡ 표본조사

ㄹ. 인구조사 ➡ 전수조사

따라서 표본조사를 하는 것이 적당한 것은 ㄴ, ㄷ이다.

$\qquad$ 🅰 ③

039 (1) 복원추출하는 방법의 수는 6개의 공에서 중복을 허용하여 3개를 꺼내는 경우의 수와 같으므로

$_6\Pi_3 = 216$

(2) 비복원추출로 1개씩 3번 꺼내는 방법의 수는 6개의 공에서 3개를 꺼내어 일렬로 나열하는 경우의 수와 같으므로

$_6P_3 = 120$

(3) 6개의 공에서 3개를 꺼내는 경우의 수이므로

$_6C_3 = 20$

$\qquad$ 🅰 (1) 216 (2) 120 (3) 20

040 모평균이 200, 모표준편차가 5, 표본의 크기가 100이므로

$a = E(\overline{X}) = 200$

$b = \sigma(\overline{X}) = \dfrac{5}{\sqrt{100}} = \dfrac{1}{2}$

$\therefore ab = 200 \times \dfrac{1}{2} = 100$

$\qquad$ 🅰 100

041 모평균이 75, 모표준편차가 10, 표본의 크기가 25이므로

$E(\overline{X}) = 75$

$\sigma(\overline{X}) = \dfrac{10}{\sqrt{25}} = 2$

$\qquad$ 🅰 ③

042 모평균이 10, 모분산이 6, 표본의 크기가 3이므로

$E(\overline{X}) = 10$

$V(\overline{X}) = \dfrac{6}{3} = 2$

$V(\overline{X}) = E(\overline{X}^2) - \{E(\overline{X})\}^2$에서

$2 = E(\overline{X}^2) - 10^2$

$\therefore E(\overline{X}^2) = 2 + 10^2 = 102$

$\qquad$ 🅰 102

043 모평균이 10, 모표준편차가 2, 표본의 크기가 4이므로

$E(\overline{X}) = 10$, $V(\overline{X}) = \dfrac{2^2}{4} = 1$

$E(3\overline{X} + 1) = 3E(\overline{X}) + 1 = 3 \times 10 + 1 = 31$

$V(2\overline{X} - 3) = 2^2 V(\overline{X}) = 2^2 \times 1 = 4$

$\therefore E(3\overline{X} + 1) + V(2\overline{X} - 3) = 31 + 4 = 35$

$\qquad$ 🅰 ⑤

044 ㄱ. 표본평균 $\overline{X}$는 표본을 추출할 때마다 달라질 수 있는 확률변수이므로 $\overline{X} = 50$이라고 단정할 수 없다. (거짓)

ㄴ. S는 추출한 표본에 따라 달라질 수 있는 확률변수이다. (참)

ㄷ. 표본평균 $\overline{X}$의 표준편차는

$\sigma(\overline{X}) = \dfrac{5}{\sqrt{25}} = 1$ (참)

따라서 옳은 것은 ㄴ, ㄷ이다.

$\qquad$ 🅰 ⑤

045 표본평균 $\overline{X}$의 표준편차는

$\sigma(\overline{X}) = \dfrac{12}{\sqrt{n}}$

즉, $\dfrac{12}{\sqrt{n}} \leq 1$에서 $\sqrt{n} \geq 12$

$\therefore n \geq 144$

따라서 n의 최솟값은 144이다.

$\qquad$ 🅰 144

046 모평균을 m, 모분산을 σ^2이라 하면

$m = 0 \times \dfrac{1}{4} + 1 \times \dfrac{1}{2} + 2 \times \dfrac{1}{4} = 1$

$\sigma^2 = 0^2 \times \dfrac{1}{4} + 1^2 \times \dfrac{1}{2} + 2^2 \times \dfrac{1}{4} - 1^2 = \dfrac{1}{2}$

표본의 크기가 $n = 8$이므로

$\sigma(\overline{X}) = \dfrac{\sigma}{\sqrt{n}} = \dfrac{\frac{1}{\sqrt{2}}}{\sqrt{8}} = \dfrac{1}{4}$

$\qquad$ 🅰 $\dfrac{1}{4}$

047 확률의 총합은 1이므로

$\dfrac{1}{4} + \dfrac{1}{4} + a + a = 1$ $\therefore a = \dfrac{1}{4}$

모평균을 m, 모분산을 σ^2이라 하면

$m = \dfrac{1}{4}(1 + 2 + 3 + 4) = \dfrac{5}{2}$

$\sigma^2 = \dfrac{1}{4}(1^2 + 2^2 + 3^2 + 4^2) - \left(\dfrac{5}{2}\right)^2 = \dfrac{5}{4}$

표본의 크기가 $n = 2$이므로

$E(\overline{X}) = m = \dfrac{5}{2}$

$V(\overline{X}) = \dfrac{\sigma^2}{n} = \dfrac{\frac{5}{4}}{2} = \dfrac{5}{8}$

$\therefore E(\overline{X}) + V(\overline{X}) = \dfrac{5}{2} + \dfrac{5}{8} = \dfrac{25}{8}$

$\qquad$ 🅰 ④

048 확률의 총합은 1이므로

$\dfrac{1}{8} + a + a + \dfrac{1}{8} = 1$ $\therefore a = \dfrac{3}{8}$

모평균을 m, 모분산을 σ^2이라 하면

$m = 0 \times \dfrac{1}{8} + 1 \times \dfrac{3}{8} + 2 \times \dfrac{3}{8} + 3 \times \dfrac{1}{8} = \dfrac{3}{2}$

$\sigma^2 = 0^2 \times \dfrac{1}{8} + 1^2 \times \dfrac{3}{8} + 2^2 \times \dfrac{3}{8} + 3^2 \times \dfrac{1}{8} - \left(\dfrac{3}{2}\right)^2 = \dfrac{3}{4}$

표본의 크기가 n이고, $\overline{X}$의 분산이 $\dfrac{1}{8}$이므로

$V(\overline{X}) = \dfrac{\sigma^2}{n} = \dfrac{\frac{3}{4}}{n} = \dfrac{1}{8}$

$\therefore n = 6$

$\qquad$ 🅰 6

049 확률의 총합은 1이므로

$\dfrac{1}{2} + \dfrac{1}{4} + a = 1$ $\therefore a = \dfrac{1}{4}$

모평균을 m, 모분산을 σ^2이라 하면

$m = (-2) \times \dfrac{1}{2} + 0 \times \dfrac{1}{4} + 2 \times \dfrac{1}{4} = -\dfrac{1}{2}$

$\sigma^2 = (-2)^2 \times \dfrac{1}{2} + 0^2 \times \dfrac{1}{4} + 2^2 \times \dfrac{1}{4} - \left(-\dfrac{1}{2}\right)^2 = \dfrac{11}{4}$

표본의 크기가 $n = 6$이므로

$E(\overline{X}) = m = -\dfrac{1}{2}$

$$V(\overline{X})=\frac{\sigma^2}{n}=\frac{\frac{11}{4}}{6}=\frac{11}{24}$$

한편, $V(\overline{X})=E(\overline{X}^2)-\{E(\overline{X})\}^2$에서

$$\frac{11}{24}=E(\overline{X}^2)-\left(-\frac{1}{2}\right)^2$$

$$\therefore E(\overline{X}^2)=\frac{11}{24}+\frac{1}{4}=\frac{17}{24}$$ 답 ④

050 확률변수 X의 확률질량함수가

$$P(X=r)={}_{90}C_r\left(\frac{1}{3}\right)^r\left(\frac{2}{3}\right)^{90-r} (r=0,\,1,\,2,\,\cdots,\,90)$$

이므로 확률변수 X는 이항분포 $B\left(90,\,\frac{1}{3}\right)$을 따른다.

모평균을 m, 모분산을 σ^2이라 하면
$E(X)=m=30$, $V(X)=\sigma^2=20$이고 표본의 크기가
$n=5$이므로
$E(\overline{X})=m=30$

$$V(\overline{X})=\frac{\sigma^2}{n}=\frac{20}{5}=4$$

$$\therefore E(\overline{X})\times V(\overline{X})=30\times4=120$$ 답 120

051 4장의 카드에 적힌 숫자를 확률변수 X라 하고, X의 확률분포를 표로 나타내면 다음과 같다.

X	2	4	6	8	합계
$P(X=x)$	$\frac{1}{4}$	$\frac{1}{4}$	$\frac{1}{4}$	$\frac{1}{4}$	1

모평균을 m, 모분산을 σ^2이라 하면

$$m=\frac{1}{4}(2+4+6+8)=5$$

$$\sigma^2=\frac{1}{4}(2^2+4^2+6^2+8^2)-5^2=5$$

표본의 크기가 $n=2$이므로

$$E(\overline{X})=m=5,\ V(\overline{X})=\frac{\sigma^2}{n}=\frac{5}{2}$$ 답 ②

052 12개의 구슬에 적힌 숫자를 확률변수 X라 하고, X의 확률분포를 표로 나타내면 다음과 같다.

X	1	2	3	4	합계
$P(X=x)$	$\frac{1}{4}$	$\frac{1}{4}$	$\frac{1}{4}$	$\frac{1}{4}$	1

모평균을 m, 모분산을 σ^2이라 하면

$$m=\frac{1}{4}(1+2+3+4)=\frac{5}{2}$$

$$\therefore E(\overline{X})=m=\frac{5}{2}$$

$$\therefore E(4\overline{X}-5)=4E(\overline{X})-5=4\times\frac{5}{2}-5=5$$ 답 5

053 9개의 공에 적힌 숫자를 확률변수 X라 하고, X의 확률분포를 표로 나타내면 다음과 같다.

X	1	2	3	$\cdots$	9	합계
$P(X=x)$	$\frac{1}{9}$	$\frac{1}{9}$	$\frac{1}{9}$	$\cdots$	$\frac{1}{9}$	1

모평균을 m, 모분산을 σ^2이라 하면

$$m=\frac{1}{9}(1+2+3+\cdots+9)=5$$

$$\sigma^2=\frac{1}{9}(1^2+2^2+3^2+\cdots+9^2)-5^2$$

$$=\frac{20}{3}$$

표본의 크기가 $n=4$이므로

$$V(\overline{X})=\frac{\frac{20}{3}}{4}=\frac{5}{3}$$

$$\therefore V(3\overline{X}+1)=3^2V(\overline{X})=9\times\frac{5}{3}=15$$ 답 15

054 5개의 공에 적힌 숫자를 확률변수 X라 하고, X의 확률분포를 표로 나타내면 다음과 같다.

X	6	8	10	12	14	합계
$P(X=x)$	$\frac{1}{5}$	$\frac{1}{5}$	$\frac{1}{5}$	$\frac{1}{5}$	$\frac{1}{5}$	1

모평균을 m, 모분산을 σ^2이라 하면

$$m=\frac{1}{5}(6+8+10+12+14)=10$$

$$\sigma^2=\frac{1}{5}(6^2+8^2+10^2+12^2+14^2)-10^2=8$$

표본의 크기가 n이므로

$$E(\overline{X})=10,\ V(\overline{X})=\frac{8}{n}$$

즉, $E(\overline{X})\times V(\overline{X})=40$에서

$$10\times\frac{8}{n}=40$$

$$\therefore n=2$$ 답 2

055 공에 적힌 숫자를 확률변수 X라 하고, X의 확률분포를 표로 나타내면 다음과 같다.

X	1	2	3	합계
$P(X=x)$	$\frac{2}{7}$	$\frac{3}{7}$	$\frac{2}{7}$	1

모평균을 m, 모분산을 σ^2이라 하면

$$m=1\times\frac{2}{7}+2\times\frac{3}{7}+3\times\frac{2}{7}=2$$

$$\sigma^2=1^2\times\frac{2}{7}+2^2\times\frac{3}{7}+3^2\times\frac{2}{7}-2^2=\frac{4}{7}$$

표본의 크기가 $n=3$이므로

$$E(\overline{X})=m=2$$

$$V(\overline{X})=\frac{\sigma^2}{n}=\frac{\frac{4}{7}}{3}=\frac{4}{21}$$

$$\therefore E(\overline{X})\times V(\overline{X})=\frac{8}{21}$$ 답 ③

056 카드에 적힌 숫자를 확률변수 X라 하고, X의 확률분포를 표로 나타내면 다음과 같다.

X	1	3	5	7	9	합계
$P(X=x)$	$\frac{3}{17+n}$	$\frac{4}{17+n}$	$\frac{6}{17+n}$	$\frac{4}{17+n}$	$\frac{n}{17+n}$	1

표본평균 $\overline{X}$의 평균은 모평균과 같으므로
모평균을 m이라 하면

$$m = \frac{1}{17+n}(1\times3+3\times4+5\times6+7\times4+9\times n)$$
$$\quad = \frac{73+9n}{17+n} = 5$$
$$73+9n=85+5n, \ 4n=12$$
$$\therefore n=3 \qquad\qquad\qquad \text{달} ③$$

057 $m=10, \ \sigma^2=16, \ n=16$이므로
$$\mathrm{E}(\overline{X})=m=10$$
$$\mathrm{V}(\overline{X})=\frac{\sigma^2}{n}=1$$
따라서 표본평균 $\overline{X}$는 정규분포 $\mathrm{N}(10, 1)$을 따른다.
$$\therefore m+a=10+1=11 \qquad\qquad \text{답} 11$$

058 $m=300, \ n=50$이므로
$$\mathrm{E}(\overline{X})=m=300$$
$$\mathrm{V}(\overline{X})=\frac{\sigma^2}{n}=\frac{\sigma^2}{50}$$
즉, 표본평균 $\overline{X}$는 정규분포 $\mathrm{N}\!\left(300, \frac{\sigma^2}{50}\right)$을 따르므로
$$k=300$$
$$\frac{\sigma^2}{50}=\frac{1}{2}, \ \sigma^2=25$$
$$\therefore \sigma=5 \ (\because \sigma>0)$$
$$\therefore k+\sigma=300+5=305 \qquad\qquad \text{답} 305$$

059 ①, ② 표본평균 $\overline{X_1}, \overline{X_2}$는 각각 정규분포 $\mathrm{N}\!\left(m, \frac{\sigma^2}{n_1}\right)$,

$\mathrm{N}\!\left(m, \frac{\sigma^2}{n_2}\right)$을 따른다.

③ n_1, n_2의 값에 관계없이
$$\mathrm{E}(\overline{X_1})=\mathrm{E}(\overline{X_2})=m$$
④, ⑤ $n_1<n_2$이면 $\frac{\sigma^2}{n_1}>\frac{\sigma^2}{n_2}$ 이므로
$$\mathrm{V}(\overline{X_1})>\mathrm{V}(\overline{X_2})$$
$$\text{즉, } \sigma(\overline{X_1})>\sigma(\overline{X_2})$$
따라서 옳은 것은 ⑤이다. $\qquad\qquad \text{답} ⑤$

060 모집단이 정규분포 $\mathrm{N}(30, 6^2)$을 따르고, 임의추출한 9개의 표본평균 $\overline{X}$는
$$\mathrm{E}(\overline{X})=m=30, \ \sigma(\overline{X})=\frac{\sigma}{\sqrt{n}}=\frac{6}{\sqrt{9}}=2$$
이므로 정규분포 $\mathrm{N}(30, 2^2)$을 따른다.
따라서 $Z=\dfrac{\overline{X}-30}{2}$으로 놓으면 확률변수 Z는 표준정규분포 $\mathrm{N}(0, 1^2)$을 따르므로 구하는 확률은
$$\mathrm{P}(26.08\le\overline{X}\le33.3)=\mathrm{P}\!\left(\frac{26.08-30}{2}\le Z\le\frac{33.3-30}{2}\right)$$
$$=\mathrm{P}(-1.96\le Z\le1.65)$$
$$=\mathrm{P}(0\le Z\le1.96)+\mathrm{P}(0\le Z\le1.65)$$
$$=0.475+0.450$$
$$=0.925 \qquad\qquad \text{답} ④$$

061 모집단이 정규분포 $\mathrm{N}(40, 4^2)$을 따르고, 임의추출한 16개의 표본평균 $\overline{X}$는

$$\mathrm{E}(\overline{X})=m=40$$
$$\sigma(\overline{X})=\frac{\sigma}{\sqrt{n}}=\frac{4}{\sqrt{16}}=1$$
이므로 정규분포 $\mathrm{N}(40, 1^2)$을 따른다.
따라서 $Z=\dfrac{\overline{X}-40}{1}$으로 놓으면 확률변수 Z는 표준정규분포 $\mathrm{N}(0, 1^2)$을 따르므로 구하는 확률은
$$\mathrm{P}(\overline{X}\ge42)=\mathrm{P}\!\left(Z\ge\frac{42-40}{1}\right)$$
$$=\mathrm{P}(Z\ge2)$$
$$=0.5-\mathrm{P}(0\le Z\le2)$$
$$=0.5-0.4772$$
$$=0.0228 \qquad\qquad \text{답} 0.0228$$

062 학생의 키를 확률변수 X라 하면 X는 정규분포 $\mathrm{N}(160, 8^2)$을 따르고, 임의추출한 16명의 표본평균 $\overline{X}$는
$$\mathrm{E}(\overline{X})=m=160$$
$$\sigma(\overline{X})=\frac{\sigma}{\sqrt{n}}=\frac{8}{\sqrt{16}}=2$$
이므로 정규분포 $\mathrm{N}(160, 2^2)$을 따른다.
$$\therefore \mathrm{P}(156\le\overline{X}\le162)$$
$$=\mathrm{P}\!\left(\frac{156-160}{2}\le Z\le\frac{162-160}{2}\right)$$
$$=\mathrm{P}(-2\le Z\le1)$$
$$=\mathrm{P}(0\le Z\le2)+\mathrm{P}(0\le Z\le1)$$
$$=0.4772+0.3413$$
$$=0.8185 \qquad\qquad \text{답} 0.8185$$

063 전구의 수명을 확률변수 X라 하면 X는 정규분포 $\mathrm{N}(2000, 200^2)$을 따르고, 임의추출한 400개의 표본평균 $\overline{X}$는
$$\mathrm{E}(\overline{X})=m=2000$$
$$\sigma(\overline{X})=\frac{\sigma}{\sqrt{n}}=\frac{200}{\sqrt{400}}=10$$
이므로 정규분포 $\mathrm{N}(2000, 10^2)$을 따른다.
$$\therefore \mathrm{P}(\overline{X}\le1990)=\mathrm{P}\!\left(Z\le\frac{1990-2000}{10}\right)$$
$$=\mathrm{P}(Z\le-1)$$
$$=0.5-\mathrm{P}(0\le Z\le1)$$
$$=0.5-0.3413$$
$$=0.1587 \qquad\qquad \text{답} 0.1587$$

064 학생의 몸무게를 확률변수 X라 하면 X는 정규분포 $\mathrm{N}(60, 6^2)$을 따르고, 임의추출한 9명의 표본평균 $\overline{X}$는
$$\mathrm{E}(\overline{X})=m=60, \ \sigma(\overline{X})=\frac{\sigma}{\sqrt{n}}=\frac{6}{\sqrt{9}}=2$$
이므로 정규분포 $\mathrm{N}(60, 2^2)$을 따른다.
한편, 경고음이 울리려면
$9\overline{X}\ge549$에서 $\overline{X}\ge61$
$$\therefore \mathrm{P}(\overline{X}\ge61)=\mathrm{P}\!\left(Z\ge\frac{61-60}{2}\right)$$
$$=\mathrm{P}(Z\ge0.5)$$
$$=0.5-\mathrm{P}(0\le Z\le0.5)$$
$$=0.5-0.1915$$
$$=0.3085 \qquad\qquad \text{답} ③$$

065 생산되는 제품의 무게를 확률변수 X라 하면 X는 정규분포 $N(11, 2^2)$을 따르고, 표본의 크기가 4이므로 표본평균 $\overline{X}$는 정규분포 $N\left(11, \dfrac{2^2}{4}\right)$, 즉 $N(11, 1^2)$을 따른다.

$$\therefore P(10 \leq \overline{X} \leq 14) = P\left(\frac{10-11}{1} \leq Z \leq \frac{14-11}{1}\right)$$
$$= P(-1 \leq Z \leq 3)$$
$$= P(0 \leq Z \leq 1) + P(0 \leq Z \leq 3)$$
$$= 0.3413 + 0.4987$$
$$= 0.84$$

A와 B 두 사람이 각각 독립적인 표본을 임의추출하였으므로 두 사람이 뽑은 표본의 표본평균이 10 이상 14 이하가 될 확률은 모두 0.84로 같고, 두 사건은 서로 독립이다.
따라서 구하는 확률은
$0.84 \times 0.84 = 0.7056$　　　　　　　**답** 0.7056

066 모집단이 정규분포 $N(2000, 100^2)$을 따르고, 표본의 크기가 100이므로 표본평균 $\overline{X}$는 정규분포 $N\left(2000, \dfrac{100^2}{100}\right)$, 즉 $N(2000, 10^2)$을 따른다.

$$\therefore P(a \leq \overline{X} \leq 2015) = P\left(\frac{a-2000}{10} \leq Z \leq \frac{2015-2000}{10}\right)$$
$$= P\left(\frac{a-2000}{10} \leq Z \leq 1.5\right)$$

(i) $\dfrac{a-2000}{10} \leq 0$일 때,

$$P\left(\frac{a-2000}{10} \leq Z \leq 1.5\right)$$
$$= P\left(0 \leq Z \leq \frac{2000-a}{10}\right) + P(0 \leq Z \leq 1.5)$$
$$= P\left(0 \leq Z \leq \frac{2000-a}{10}\right) + 0.433 = 0.241$$

즉, $P\left(0 \leq Z \leq \dfrac{2000-a}{10}\right) = -0.192$이므로 성립하지 않는다.

(ii) $\dfrac{a-2000}{10} > 0$일 때,

$$P\left(\frac{a-2000}{10} \leq Z \leq 1.5\right)$$
$$= P(0 \leq Z \leq 1.5) - P\left(0 \leq Z \leq \frac{a-2000}{10}\right)$$
$$= 0.433 - P\left(0 \leq Z \leq \frac{a-2000}{10}\right) = 0.241$$
$$\therefore P\left(0 \leq Z \leq \frac{a-2000}{10}\right) = 0.192$$

$P(0 \leq Z \leq 0.5) = 0.192$이므로

$$\frac{a-2000}{10} = 0.5$$
$$a - 2000 = 5$$
$$\therefore a = 2005$$

(i), (ii)에 의하여 상수 a의 값은 2005이다.　　**답** 2005

067 모집단이 정규분포 $N(10, 2^2)$을 따르고, 표본의 크기가 4이므로 표본평균 $\overline{X}$는 정규분포 $N\left(10, \dfrac{2^2}{4}\right)$, 즉 $N(10, 1^2)$을 따른다.

$Z_1 = \dfrac{X-10}{2}$, $Z_2 = \overline{X} - 10$으로 놓으면

Z_1, Z_2는 각각 표준정규분포 $N(0, 1^2)$을 따르므로
$P(X \geq a) = P(\overline{X} \geq b)$에서

$$P\left(Z_1 \geq \frac{a-10}{2}\right) = P(Z_2 \geq b-10)$$
$$\frac{a-10}{2} = b-10$$
$$a-10 = 2b-20$$
$$\therefore a - 2b + 10 = 0$$　　　　　　　　**답** ⑤

068 세제 A의 무게를 확률변수 X라 하면 X는 정규분포 $N(800, 14^2)$을 따르고, 표본의 크기가 49이므로 표본평균 $\overline{X}$는 정규분포 $N\left(800, \dfrac{14^2}{49}\right)$, 즉 $N(800, 2^2)$을 따른다.

그런데 $P(\overline{X} \leq c) = 0.02$에서 $c < 800$이므로

$$P(\overline{X} \leq c) = P\left(Z \leq \frac{c-800}{2}\right) = 0.02$$

즉, $0.5 - P\left(0 \leq Z \leq \dfrac{800-c}{2}\right) = 0.02$이므로

$$P\left(0 \leq Z \leq \frac{800-c}{2}\right) = 0.48$$
$$P(0 \leq Z \leq 2.05) = 0.48$$이므로
$$\frac{800-c}{2} = 2.05$$
$$800 - c = 4.1$$
$$\therefore c = 795.9$$　　　　　　　　　　**답** ⑤

069 포도 1송이의 무게를 확률변수 X라 하면 X는 정규분포 $N(500, 30^2)$을 따르고, 임의추출한 포도 9송이의 표본평균 $\overline{X}$는
$E(\overline{X}) = m = 500$

$\sigma(\overline{X}) = \dfrac{\sigma}{\sqrt{n}} = \dfrac{30}{\sqrt{9}} = 10$

이므로 정규분포 $N(500, 10^2)$을 따른다.
확률변수 G는 한 상자에서 담긴 9송이의 포도의 무게의 합이므로
$G = 9\overline{X}$

ㄱ. $E(G) = E(9\overline{X}) = 9E(\overline{X})$
　　　　$= 9 \times 500 = 4500$ (참)

ㄴ. $\sigma(G) = \sigma(9\overline{X}) = 9\sigma(\overline{X})$
　　　　$= 9 \times 10 = 90$ (거짓)

ㄷ. 확률변수 G는 정규분포 $N(4500, 90^2)$을 따르므로

$$P(G \leq 4320) = P\left(Z \leq \frac{4320-4500}{90}\right)$$
$$= P(Z \leq -2)$$
$$= 0.5 - P(0 \leq Z \leq 2)$$

$P(|Z| \leq 2) = 0.96$에서
$P(-2 \leq Z \leq 2) = 0.96$
$\therefore P(0 \leq Z \leq 2) = 0.48$
$\therefore P(G \leq 4320) = 0.5 - 0.48 = 0.02$ (참)

따라서 옳은 것은 ㄱ, ㄷ이다.　　　　　　　　**답** ③

070 모집단이 정규분포 $N(8, 4)$를 따르므로 표본평균 $\overline{X}$는 정규분포 $N\left(8, \left(\dfrac{2}{\sqrt{n}}\right)^2\right)$을 따른다.

$$P(\overline{X} \geq 9) = P\left(Z \geq \dfrac{9-8}{\dfrac{2}{\sqrt{n}}}\right)$$

$$= P\left(Z \geq \dfrac{\sqrt{n}}{2}\right)$$

$$= 0.5 - P\left(0 \leq Z \leq \dfrac{\sqrt{n}}{2}\right) = 0.1587$$

$$\therefore P\left(0 \leq Z \leq \dfrac{\sqrt{n}}{2}\right) = 0.5 - 0.1587$$

$$= 0.3413$$

$P(0 \leq Z \leq 1) = 0.3413$이므로

$$\dfrac{\sqrt{n}}{2} = 1, \ \sqrt{n} = 2$$

$$\therefore n = 4 \qquad\qquad \boxed{답} \ 4$$

071 농구공의 무게를 확률변수 X라 하면 X는 정규분포 $N(600, 20^2)$을 따르고, 임의추출한 농구공 n개의 표본평균 $\overline{X}$는 정규분포 $N\left(600, \left(\dfrac{20}{\sqrt{n}}\right)^2\right)$을 따른다.

$$P(595 \leq \overline{X} \leq 610) = P\left(\dfrac{595-600}{\dfrac{20}{\sqrt{n}}} \leq Z \leq \dfrac{610-600}{\dfrac{20}{\sqrt{n}}}\right)$$

$$= P\left(-\dfrac{\sqrt{n}}{4} \leq Z \leq \dfrac{\sqrt{n}}{2}\right)$$

$$= P\left(0 \leq Z \leq \dfrac{\sqrt{n}}{4}\right) + P\left(0 \leq Z \leq \dfrac{\sqrt{n}}{2}\right)$$

$P(0 \leq Z \leq 1) = 0.3413, \ P(0 \leq Z \leq 2) = 0.4772$이므로

$$\dfrac{\sqrt{n}}{4} = 1, \ \dfrac{\sqrt{n}}{2} = 2$$에서

$$\sqrt{n} = 4$$

$$\therefore n = 16 \qquad\qquad \boxed{답} \ 16$$

072 모집단이 정규분포 $N(100, 64)$를 따르므로 표본평균 $\overline{X}$는 정규분포 $N\left(100, \left(\dfrac{8}{\sqrt{n}}\right)^2\right)$을 따른다.

$$P(98 \leq \overline{X} \leq 102) = P\left(\dfrac{98-100}{\dfrac{8}{\sqrt{n}}} \leq Z \leq \dfrac{102-100}{\dfrac{8}{\sqrt{n}}}\right)$$

$$= P\left(-\dfrac{\sqrt{n}}{4} \leq Z \leq \dfrac{\sqrt{n}}{4}\right)$$

$$= 2P\left(0 \leq Z \leq \dfrac{\sqrt{n}}{4}\right) \geq 0.98$$

$$\therefore P\left(0 \leq Z \leq \dfrac{\sqrt{n}}{4}\right) \geq 0.49$$

$P(0 \leq Z \leq 2.33) = 0.49$이므로

$$\dfrac{\sqrt{n}}{4} \geq 2.33$$

$$\sqrt{n} \geq 9.32$$

$$\therefore n \geq 86.8624$$

따라서 n의 최솟값은 87이다. $\qquad \boxed{답} \ ④$

073 사과의 무게를 확률변수 X라 하면 X는 정규분포 $N(300, 50^2)$을 따르고, 임의추출한 n개의 표본평균 $\overline{X}$는 정규분포 $N\left(300, \left(\dfrac{50}{\sqrt{n}}\right)^2\right)$을 따른다.

$$P(|\overline{X} - 300| \leq 10) = P\left(|Z| \leq \dfrac{10}{\dfrac{50}{\sqrt{n}}}\right)$$

$$= P\left(|Z| \leq \dfrac{\sqrt{n}}{5}\right)$$

$$= 2P\left(0 \leq Z \leq \dfrac{\sqrt{n}}{5}\right) \geq 0.76$$

$$\therefore P\left(0 \leq Z \leq \dfrac{\sqrt{n}}{5}\right) \geq 0.38$$

$P(0 \leq Z \leq 1.2) = 0.38$이므로

$$\dfrac{\sqrt{n}}{5} \geq 1.2, \ \sqrt{n} \geq 6$$

$$\therefore n \geq 36$$

따라서 n의 최솟값은 36이다. $\qquad \boxed{답} \ 36$

074 모집단이 정규분포 $N(84, 64)$를 따르므로 표본평균 $\overline{X}$는 정규분포 $N\left(84, \left(\dfrac{8}{\sqrt{n}}\right)^2\right)$을 따른다.

$$P\left(\overline{X} \leq 76 + \dfrac{8}{\sqrt{n}}\right) = P\left(Z \leq \dfrac{76 + \dfrac{8}{\sqrt{n}} - 84}{\dfrac{8}{\sqrt{n}}}\right)$$

$$= P(Z \leq 1 - \sqrt{n})$$

$$= 0.5 - P(0 \leq Z \leq \sqrt{n} - 1) \geq 0.025$$

$$\therefore P(0 \leq Z \leq \sqrt{n} - 1) \leq 0.475$$

$P(0 \leq Z \leq 1.96) = 0.475$이므로

$$\sqrt{n} - 1 \leq 1.96, \ \sqrt{n} \leq 2.96$$

$$\therefore n \leq 8.7616$$

따라서 자연수 n의 최댓값은 8이다. $\qquad \boxed{답} \ 8$

075 N개 중에서 n개를 복원추출하는 방법의 수는

$$_N\Pi_n = 125 \quad \cdots\cdots ㉠$$

1개씩 연속적으로 n개를 비복원추출하는 방법의 수는

$$_N P_n = 60 \quad \cdots\cdots ㉡$$

한꺼번에 n개를 비복원추출하는 방법의 수는

$$_N C_n = 10 \quad \cdots\cdots ㉢$$

㉡, ㉢에서

$$n! = \dfrac{_N P_n}{_N C_n} = \dfrac{60}{10} = 6$$

$$\therefore n = 3$$

$n = 3$을 ㉠에 대입하면

$$N^3 = 125 \quad \therefore N = 5$$

$$\therefore N + n = 5 + 3 = 8 \qquad\qquad \boxed{답} \ 8$$

076 크기가 16인 표본을 임의추출하였으므로

$$E(\overline{X}) = m, \ V(\overline{X}) = \dfrac{\sigma^2}{16}$$

$$E(4\overline{X} - 1) = 4E(\overline{X}) - 1$$

$$= 4m - 1 = 15$$

$$\therefore m = 4$$

$$V(3\overline{X} + 2) = 9V(\overline{X}) = \dfrac{9\sigma^2}{16} = 36$$

따라서 $\sigma^2 = 64$이므로 $\sigma = 8$

$$\therefore m + \sigma = 12 \qquad\qquad \boxed{답} \ 12$$

077 모평균을 m, 모분산을 σ^2이라 하면

$$m = 0 \times \frac{1}{3} + 3 \times a + 6 \times \left(\frac{2}{3} - a\right) = 4 - 3a$$

$$\sigma^2 = 0^2 \times \frac{1}{3} + 3^2 \times a + 6^2 \times \left(\frac{2}{3} - a\right) - (4 - 3a)^2$$

$$= -9a^2 - 3a + 8$$

표본의 크기가 $n=3$이고, $\overline{X}$의 분산이 $\frac{17}{12}$이므로

$$V(\overline{X}) = \frac{\sigma^2}{n} = \frac{-9a^2 - 3a + 8}{3} = \frac{17}{12}$$

$$-36a^2 - 12a + 32 = 17, \quad 12a^2 + 4a - 5 = 0$$

$$(2a - 1)(6a + 5) = 0$$

$$\therefore a = \frac{1}{2} \left(\because 0 \le a \le \frac{2}{3}\right)$$ 답 ⑤

078 확률변수 X가 가질 수 있는 값이 1, 2, 3이고 2개의 표본을 추출하므로 표로 나타내면 다음과 같다.

X	$\overline{X}$	$P(\overline{X})$
1, 1	1	0.5×0.5
1, 2	1.5	0.5×0.3
1, 3	2	0.5×0.2
2, 1	1.5	0.3×0.5
2, 2	2	0.3×0.3
2, 3	2.5	0.3×0.2
3, 1	2	0.2×0.5
3, 2	2.5	0.2×0.3
3, 3	3	0.2×0.2

$a = 0.5 \times 0.3 + 0.3 \times 0.5 = 0.3$

$b = 0.5 \times 0.2 + 0.3 \times 0.3 + 0.2 \times 0.5 = 0.29$

즉, 표본평균 $\overline{X}$의 확률분포를 표로 나타내면 다음과 같다.

$\overline{X}$	1	1.5	2	2.5	3	합계
$P(\overline{X} = \overline{x})$	0.25	0.3	0.29	0.12	0.04	1

$$E(\overline{X}) = 1 \times 0.25 + 1.5 \times 0.3 + 2 \times 0.29 + 2.5 \times 0.12 + 3 \times 0.04$$
$$= 1.7$$

$$V(\overline{X}) = 1^2 \times 0.25 + 1.5^2 \times 0.3 + 2^2 \times 0.29 + 2.5^2 \times 0.12$$
$$+ 3^2 \times 0.04 - (1.7)^2$$
$$= 0.305$$

$$\therefore a + V(\overline{X}) = 0.3 + 0.305 = 0.605$$ 답 0.605

다른 풀이

모평균을 m, 모분산을 σ^2이라 하면

$m = 1 \times 0.5 + 2 \times 0.3 + 3 \times 0.2 = 1.7$

$\sigma^2 = 1^2 \times 0.5 + 2^2 \times 0.3 + 3^2 \times 0.2 - 1.7^2 = 0.61$

표본의 크기가 $n=2$이므로

$$V(\overline{X}) = \frac{\sigma^2}{n} = \frac{0.61}{2} = 0.305$$

079 카드에 적힌 숫자를 확률변수 X라 하고, X의 확률분포를 표로 나타내면 다음과 같다.

X	1	2	3	합계
$P(X = x)$	$\frac{1}{6}$	$\frac{1}{3}$	$\frac{1}{2}$	1

모평균을 m, 모분산을 σ^2이라 하면

$$m = 1 \times \frac{1}{6} + 2 \times \frac{1}{3} + 3 \times \frac{1}{2} = \frac{7}{3}$$

$$\sigma^2 = 1^2 \times \frac{1}{6} + 2^2 \times \frac{1}{3} + 3^2 \times \frac{1}{2} - \left(\frac{7}{3}\right)^2 = \frac{5}{9}$$

표본의 크기가 $n=5$이므로

$$E(\overline{X}) = m = \frac{7}{3}, \quad V(\overline{X}) = \frac{\sigma^2}{n} = \frac{\frac{5}{9}}{5} = \frac{1}{9}$$

$$\therefore \frac{E(\overline{X})}{V(\overline{X})} = \frac{\frac{7}{3}}{\frac{1}{9}} = 21$$ 답 ④

080 n개의 공에 적힌 숫자를 확률변수 X라 하고, X의 확률분포를 표로 나타내면 다음과 같다.

X	1	2	3	$\cdots$	n	합계
$P(X = x)$	$\frac{1}{n}$	$\frac{1}{n}$	$\frac{1}{n}$	$\cdots$	$\frac{1}{n}$	1

모평균을 m, 모분산을 σ^2이라 하면

$$m = \frac{1}{n}(1 + 2 + 3 + \cdots + n)$$

$$= \frac{1}{n} \times \frac{n(n+1)}{2}$$

$$= \frac{n+1}{2} = 3$$

$$\therefore n = 5$$

$$\sigma^2 = \frac{1}{5}(1^2 + 2^2 + 3^2 + 4^2 + 5^2) - 3^2 = 2$$

표본의 크기가 2이므로

$$V(\overline{X}) = \frac{2}{2} = 1$$ 답 1

081 정규분포 $N(m, \sigma^2)$을 따르는 모집단에서 크기가 n인 표본을 임의추출하면 표본평균 $\overline{X}$는 정규분포 $N\left(m, \frac{\sigma^2}{n}\right)$을 따르므로

$\overline{X_1}$는 정규분포 $N\left(m, \frac{\sigma^2}{10}\right)$,

$\overline{X_2}$는 정규분포 $N\left(m, \frac{\sigma^2}{20}\right)$을 따른다.

ㄱ. 표본에 따라 표본평균이 달라질 수 있다. (거짓)

ㄴ. $E(\overline{X_1}) = E(\overline{X_2}) = m$ (참)

ㄷ. $\sigma(\overline{X_1}) = \frac{\sigma}{\sqrt{10}}$, $\sigma(\overline{X_2}) = \frac{\sigma}{2\sqrt{5}}$이므로

$\quad \sigma(\overline{X_1}) > \sigma(\overline{X_2})$ (참)

따라서 옳은 것은 ㄴ, ㄷ이다. 답 ④

082 함수 $y = f(x)$는 $x = 40$에 대하여 대칭이므로

$m = 40$

따라서 $\overline{X}$는 정규분포 $N\left(40, \frac{\sigma^2}{16}\right)$을 따른다.

$$V(\overline{X}) = \frac{\sigma^2}{16} = 4$$이므로 $\sigma = 8$

$$\therefore P(32 \le X \le 44) = P\left(\frac{32 - 40}{8} \le Z \le \frac{44 - 40}{8}\right)$$
$$= P(-1 \le Z \le 0.5)$$
$$= 0.3413 + 0.1915$$
$$= 0.5328$$ 답 0.5328

083 모집단이 정규분포 $N(m, 3^2)$을 따르고, 표본의 크기가 n이므로 표본평균 $\overline{X}$는 정규분포 $N\left(m, \left(\dfrac{3}{\sqrt{n}}\right)^2\right)$을 따른다.

$$P(m-0.5 \leq \overline{X} \leq m+0.5) = P\left(\dfrac{-0.5}{\dfrac{3}{\sqrt{n}}} \leq Z \leq \dfrac{0.5}{\dfrac{3}{\sqrt{n}}}\right)$$
$$= P\left(-\dfrac{\sqrt{n}}{6} \leq Z \leq \dfrac{\sqrt{n}}{6}\right)$$
$$= 2P\left(0 \leq Z \leq \dfrac{\sqrt{n}}{6}\right) = 0.9876$$

$$\therefore P\left(0 \leq Z \leq \dfrac{\sqrt{n}}{6}\right) = 0.4938$$

$P(0 \leq Z \leq 2.5) = 0.4938$이므로

$$\dfrac{\sqrt{n}}{6} = 2.5, \ \sqrt{n} = 15$$

$$\therefore n = 225$$

답 225

084 확률변수 X가 정규분포 $N(m, \sigma^2)$을 따르므로 $Z = \dfrac{X-m}{\sigma}$으로 놓으면 확률변수 Z는 표준정규분포 $N(0, 1^2)$을 따른다.

$$P(|X-m| \leq 6) = P\left(\left|\dfrac{X-m}{\sigma}\right| \leq \dfrac{6}{\sigma}\right)$$
$$= P\left(|Z| \leq \dfrac{6}{\sigma}\right)$$
$$= 2P\left(0 \leq Z \leq \dfrac{6}{\sigma}\right) = 0.9544$$

$P\left(0 \leq Z \leq \dfrac{6}{\sigma}\right) = 0.4772$이므로

$$\dfrac{6}{\sigma} = 2 \qquad \therefore \sigma = 3$$

즉, 확률변수 X는 정규분포 $N(m, 3^2)$을 따른다.

$$P(X \leq 153) = P\left(Z \leq \dfrac{153-m}{3}\right)$$
$$= 0.5 + P\left(0 \leq Z \leq \dfrac{153-m}{3}\right)$$
$$= 0.8413$$

$P\left(0 \leq Z \leq \dfrac{153-m}{3}\right) = 0.3413$이므로

$$\dfrac{153-m}{3} = 1$$

$$\therefore m = 150$$

확률변수 X는 정규분포 $N(150, 3^2)$을 따르고, 임의추출한 통조림 9개의 무게의 평균 $\overline{X}$에 대하여

$$E(\overline{X}) = m = 150, \ V(\overline{X}) = \dfrac{\sigma^2}{n} = \dfrac{3^2}{9} = 1$$

이므로 $\overline{X}$는 정규분포 $N(150, 1^2)$을 따른다.

$Z = \dfrac{\overline{X}-150}{1}$으로 놓으면 확률변수 Z는 표준정규분포 $N(0, 1^2)$을 따르므로

$$P(\overline{X} \geq 151) = P\left(Z \geq \dfrac{151-150}{1}\right)$$
$$= P(Z \geq 1)$$
$$= 0.5 - P(0 \leq Z \leq 1)$$
$$= 0.5 - 0.3413$$
$$= 0.1587$$

답 0.1587

085 $P(|Z| > c) = 0.06$에서
$P(|Z| \leq c) = 1 - 0.06 = 0.94$이므로

$$P(0 \leq Z \leq c) = \dfrac{1}{2}P(|Z| \leq c)$$
$$= \dfrac{1}{2} \times 0.94 = 0.47$$

ㄱ. $P(Z > a) = 0.05$이면
$$P(0 \leq Z \leq a) = 0.5 - P(Z > a)$$
$$= 0.5 - 0.05 = 0.45$$
즉, $P(0 \leq Z \leq a) < P(0 \leq Z \leq c)$이므로
$a < c$ (참)

ㄴ. 모집단의 확률변수 X가 정규분포 $N(75, 5^2)$을 따르고, 표본의 크기가 25이므로 표본평균 $\overline{X}$는 정규분포 $N(75, 1^2)$을 따른다.
$$\therefore P(\overline{X} \leq c+75) = P\left(Z \leq \dfrac{c+75-75}{1}\right)$$
$$= P(Z \leq c)$$
$$= 0.5 + P(0 \leq Z \leq c)$$
$$= 0.5 + 0.47 = 0.97 \text{ (참)}$$

ㄷ. $P(\overline{X} > b) = P\left(Z > \dfrac{b-75}{1}\right)$
$$= P(Z > b-75) = 0.01$$
$$P(0 \leq Z \leq b-75) = 0.5 - P(Z > b-75)$$
$$= 0.5 - 0.01 = 0.49$$
즉, $P(0 \leq Z \leq c) < P(0 \leq Z \leq b-75)$이므로
$c < b-75$ (참)

따라서 ㄱ, ㄴ, ㄷ 모두 옳다.

답 ㄱ, ㄴ, ㄷ

001 $\mathrm{P}(-1.96 \leq Z \leq 1.96)=0.95$이므로

$$\mathrm{P}\left(-1.96 \leq \frac{\overline{X}-m}{\boxed{\dfrac{\sigma}{\sqrt{n}}}} \leq \boxed{1.96}\right)=0.95$$

따라서 모평균 m에 대한 신뢰도 95 %의 신뢰구간은

$$-1.96 \times \boxed{\frac{\sigma}{\sqrt{n}}} \leq \overline{X}-m \leq \boxed{1.96} \times \boxed{\frac{\sigma}{\sqrt{n}}}$$

$$\therefore \overline{X}-1.96 \times \boxed{\frac{\sigma}{\sqrt{n}}} \leq m \leq \overline{X}+\boxed{1.96} \times \boxed{\frac{\sigma}{\sqrt{n}}}$$

🔲 (가): $\dfrac{\sigma}{\sqrt{n}}$, (나): 1.96

002 정규분포 $\mathrm{N}(m,\sigma^2)$을 따르는 모집단에서 크기가 4인 표본의 표본평균 $\overline{X}$의 값이 30일 때, 모평균 m에 대한 신뢰도 95 %의 신뢰구간은

$$30-1.96\frac{6}{\sqrt{n}} \leq m \leq 30+1.96\frac{6}{\sqrt{n}}$$이므로

$\sigma=6$ 🔲 6

003 정규분포 $\mathrm{N}(m,\sigma^2)$을 따르는 모집단에서 크기가 4인 표본의 표본평균 $\overline{X}$의 값이 30일 때, 모평균 m에 대한 신뢰도 95 %의 신뢰구간은

$$30-1.96\frac{6}{\sqrt{n}} \leq m \leq 30+1.96\frac{6}{\sqrt{n}}$$이므로

$n=4$ 🔲 4

004 모평균 m에 대한 신뢰도 95 %의 신뢰구간은

$$20-1.96\frac{10}{\sqrt{25}} \leq m \leq 20+1.96\frac{10}{\sqrt{25}}$$

$$20-3.92 \leq m \leq 20+3.92$$

$$\therefore 16.08 \leq m \leq 23.92$$ 🔲 $16.08 \leq m \leq 23.92$

005 모평균 m에 대한 신뢰도 99 %의 신뢰구간은

$$20-2.58\frac{10}{\sqrt{25}} \leq m \leq 20+2.58\frac{10}{\sqrt{25}}$$

$$20-5.16 \leq m \leq 20+5.16$$

$$\therefore 14.84 \leq m \leq 25.16$$ 🔲 $14.84 \leq m \leq 25.16$

006 표본의 크기가 4일 때, 모평균 m에 대한 신뢰도 95 %의 신뢰구간은

$$100-1.96\frac{5}{\sqrt{4}} \leq m \leq 100+1.96\frac{5}{\sqrt{4}}$$

$$100-4.9 \leq m \leq 100+4.9$$

$$\therefore 95.1 \leq m \leq 104.9$$ 🔲 $95.1 \leq m \leq 104.9$

007 표본의 크기가 100일 때, 모평균 m에 대한 신뢰도 95 %의 신뢰구간은

$$100-1.96\frac{5}{\sqrt{100}} \leq m \leq 100+1.96\frac{5}{\sqrt{100}}$$

$$100-0.98 \leq m \leq 100+0.98$$

$$\therefore 99.02 \leq m \leq 100.98$$ 🔲 $99.02 \leq m \leq 100.98$

008 정규분포 $\mathrm{N}(m,5^2)$을 따르므로 $\sigma=5$ 🔲 5

009 정규분포 $\mathrm{N}(m,5^2)$을 따르는 모집단에서 n개의 표본을 임의추출하여 모평균을 신뢰도 95 %로 추정할 때, 신뢰구간의 길이가 $2 \times 1.96\dfrac{\sigma}{4}$이므로

$$\sqrt{n}=4 \quad \therefore n=16$$ 🔲 16

010 모평균 m에 대한 신뢰도 95 %의 신뢰구간의 길이는

$$2 \times 1.96\frac{12}{\sqrt{9}}=15.68$$ 🔲 15.68

011 모평균 m에 대한 신뢰도 99 %의 신뢰구간의 길이는

$$2 \times 2.58\frac{12}{\sqrt{9}}=20.64$$ 🔲 20.64

012 모표준편차 $\sigma=5$, 표본평균 $\overline{x}=42$, 표본의 크기 $n=100$이므로 모평균 m에 대한 신뢰도 99 %의 신뢰구간은

$$42-2.58\frac{5}{\sqrt{100}} \leq m \leq 42+2.58\frac{5}{\sqrt{100}}$$

$$42-1.29 \leq m \leq 42+1.29$$

$$\therefore 40.71 \leq m \leq 43.29$$

$$\therefore a=40.71$$ 🔲 40.71

013 모표준편차 $\sigma=10$, 표본평균 $\overline{x}=70$, 표본의 크기 $n=400$이므로 모평균 m에 대한 신뢰도 99 %의 신뢰구간은

$$70-2.58\frac{10}{\sqrt{400}} \leq m \leq 70+2.58\frac{10}{\sqrt{400}}$$

$$70-1.29 \leq m \leq 70+1.29$$

$$\therefore a=1.29$$ 🔲 ②

014 표본평균 $\overline{X}$의 값을 $\overline{x}$라 하면

$$\overline{x}=\frac{1}{9}(10+11+12+8+9+9+11+10+10)=10$$

모표준편차 $\sigma=3$, 표본의 크기 $n=9$이므로 모평균 m에 대한 신뢰도 95 %의 신뢰구간은

$$10-1.96\frac{3}{\sqrt{9}} \leq m \leq 10+1.96\frac{3}{\sqrt{9}}$$

$$10-1.96 \leq m \leq 10+1.96$$

$$\therefore 8.04 \leq m \leq 11.96$$ 🔲 ③

015 모표준편차 $\sigma=4$, 표본평균 $\overline{x}=12$이므로 모평균 m에 대한 신뢰도 95 %의 신뢰구간은

$$12-2\frac{4}{\sqrt{n}} \leq m \leq 12+2\frac{4}{\sqrt{n}}$$

$10 \leq m \leq 14$이므로

$$12-2\frac{4}{\sqrt{n}}=10, \ 12+2\frac{4}{\sqrt{n}}=14$$

즉, $2 \times \dfrac{4}{\sqrt{n}}=2$에서 $\sqrt{n}=4$

$$\therefore n=16$$ 🔲 16

016 모표준편차 σ, 표본평균 $\overline{x}=12.34$, 표본의 크기 $n=16$이므로 모평균 m에 대한 신뢰도 95 %의 신뢰구간은

$$12.34-1.96\frac{\sigma}{\sqrt{16}}\le m\le 12.34+1.96\frac{\sigma}{\sqrt{16}}$$

$11.36\le m\le a$에서

$$12.34-1.96\frac{\sigma}{\sqrt{16}}=11.36$$

$$1.96\frac{\sigma}{\sqrt{16}}=0.49\sigma=0.98$$

$\therefore \sigma=2$

$$a=12.34+1.96\frac{2}{\sqrt{16}}$$

$$=12.34+0.98$$

$$=13.32$$

$\therefore a+\sigma=13.32+2=15.32$ 　　　　　　　　답 15.32

017 표본의 크기 $n=100$, 표본평균 $\overline{x}=1000$, 표본표준편차 $s=50$이고, 표본의 크기 n이 충분히 크므로 모표준편차 대신 표본표준편차를 사용할 수 있다.
모평균 m에 대한 신뢰도 95 %의 신뢰구간은

$$1000-1.96\frac{50}{\sqrt{100}}\le m\le 1000+1.96\frac{50}{\sqrt{100}}$$

$$1000-9.8\le m\le 1000+9.8$$

$\therefore 990.2\le m\le 1009.8$ 　　　　　답 $990.2\le m\le 1009.8$

018 표본의 크기 $n=100$, 표본평균 $\overline{x}=70$, 표본표준편차 $s=10$이고, 표본의 크기 n이 충분히 크므로 모표준편차 대신 표본표준편차를 사용할 수 있다.
모평균 m에 대한 신뢰도 99 %의 신뢰구간은

$$70-2.58\frac{10}{\sqrt{100}}\le m\le 70+2.58\frac{10}{\sqrt{100}}$$

$$70-2.58\le m\le 70+2.58$$

$\therefore 67.42\le m\le 72.58$ 　　　　　　　답 ②

019 표본의 크기 $n=400$, 표본평균 $\overline{x}=a$, 표본표준편차 $s=10$이고, 표본의 크기 n이 충분히 크므로 모표준편차 대신 표본표준편차를 사용할 수 있다.
모평균 m에 대한 신뢰도 95 %의 신뢰구간은

$$a-1.96\frac{10}{\sqrt{400}}\le m\le a+1.96\frac{10}{\sqrt{400}}$$

$$a-0.98\le m\le a+0.98$$

$a-0.98=63.52$, $a+0.98=b$

$\therefore a=64.5$, $b=65.48$

$\therefore a+b=129.98$ 　　　　　　　　답 129.98

020 모표준편차 $\sigma=10$, 표본의 크기 $n=100$일 때, 모평균에 대한 신뢰도 95 %의 신뢰구간의 길이는

$$2\times 1.96\frac{10}{\sqrt{100}}=3.92$$　　　　　　　답 3.92

021 표본의 크기 $n=100$, 표본표준편차 $s=50$이고, 표본의 크기 n이 충분히 크므로 모표준편차 대신 표본표준편차를 사용할 수 있다.

$P(-k\le Z\le k)=\dfrac{a}{100}$라 하면 신뢰도 a %로 추정한 신뢰구간의 길이는

$$2\times k\frac{50}{\sqrt{100}}=10k$$

즉, $10k=16$이므로 $k=1.6$
그런데 주어진 표준정규분포표에서 $P(0\le Z\le 1.6)=0.445$이므로

$$P(-1.6\le Z\le 1.6)=2\times 0.445$$

$$=0.89$$

$\therefore a=89$ 　　　　　　　　　　　　답 89

022 모평균 m에 대한 신뢰도 95 %의 신뢰구간의 길이가 11.76이므로

$$2\times 1.96\frac{\sigma}{\sqrt{n}}=11.76,\ \frac{\sigma}{\sqrt{n}}=3$$

$$\therefore P(\overline{X}\ge m+5.88)=P\left(\frac{\overline{X}-m}{3}\ge \frac{m+5.88-m}{3}\right)$$

$$=P(Z\ge 1.96)$$

$$=0.5-P(0\le Z\le 1.96)$$

$$=0.5-0.475$$

$$=0.025$$　　　　　　답 0.025

023 모표준편차를 σ라 하면 신뢰도 99 %로 추정한 신뢰구간의 길이 l은

$$l=2\times 2.58\frac{\sigma}{\sqrt{n}}$$

주어진 표준정규분포표에서 $P(-0.86\le Z\le 0.86)=0.61$이므로 신뢰도 61 %로 추정한 신뢰구간의 길이를 l'이라 하면

$$l'=2\times 0.86\frac{\sigma}{\sqrt{n}}$$

$$=\frac{1}{3}\times 2\times 2.58\frac{\sigma}{\sqrt{n}}$$

$$=\frac{1}{3}l$$　　　　　　　　　답 ①

024 모표준편차를 σ라 하면 $P(-2.84\le Z\le 2.84)=0.98$이므로 신뢰도 98 %로 추정한 신뢰구간의 길이 l은

$$l=2\times 2.84\frac{\sigma}{\sqrt{n}}$$

$$\frac{l}{2}=\frac{1}{2}\times 2\times 2.84\frac{\sigma}{\sqrt{n}}=2\times 1.42\frac{\sigma}{\sqrt{n}}$$이고

주어진 표준정규분포표에서

$$P(-1.42\le Z\le 1.42)=2\times 0.42$$

$$=0.84$$

이므로

$a=84$ 　　　　　　　　　　　　　답 84

025 모표준편차를 σ라 하면
주어진 표준정규분포표에서 $P(-2.5\le Z\le 2.5)=0.98$이므로 신뢰도 98 %로 추정한 신뢰구간의 길이 l은

$$l=2\times 2.5\frac{\sigma}{\sqrt{n}}$$

$$=5\frac{\sigma}{\sqrt{n}}$$

주어진 표준정규분포표에서 $P(-1\le Z\le 1)=0.68$이므로

신뢰도 68%로 추정한 신뢰구간의 길이 al은

$$al = 2 \times 1 \frac{\sigma}{\sqrt{n}}$$

$$= \frac{2}{5} \times 5 \frac{\sigma}{\sqrt{n}}$$

$$= \frac{2}{5} l$$

$$\therefore a = \frac{2}{5}$$

답 $\dfrac{2}{5}$

026 모표준편차 $\sigma = 6$, 표본의 크기가 n일 때, 모평균 m을 신뢰도 99%로 추정한 신뢰구간의 길이가 0.6이므로

$$2 \times 3 \frac{6}{\sqrt{n}} = 0.6 에서$$

$$\frac{6}{\sqrt{n}} = \frac{1}{10}$$

$$\sqrt{n} = 60$$

$$\therefore n = 3600$$

답 3600

027 모표준편차 $\sigma = \sqrt{2}$ 이고, 주어진 표준정규분포표에서
$P(|Z| \leq 1.96) = 0.95$이므로 신뢰도 95%로 추정한 신뢰구간의 길이가 2 이하가 되려면

$$2 \times 1.96 \frac{\sqrt{2}}{\sqrt{n}} \leq 2$$

$$\sqrt{n} \geq 1.96\sqrt{2}$$

$$\therefore n \geq 7.6832$$

n은 자연수이므로 n의 최솟값은 8이다.

답 8

028 표본의 크기가 100일 때, 신뢰도 95%로 추정한 모평균의 신뢰구간의 길이 l은

$$l = 2 \times 1.96 \frac{\sigma}{\sqrt{100}}$$

표본의 크기가 400일 때, 신뢰도 95%로 추정한 모평균의 신뢰구간의 길이는

$$2 \times 1.96 \frac{\sigma}{\sqrt{400}} = \frac{1}{2} \times 2 \times 1.96 \frac{\sigma}{\sqrt{100}} = \frac{1}{2} l$$

답 ②

다른 풀이

표본의 크기를 n이라 하면 같은 신뢰도로 추정할 때, 신뢰구간의 길이는 $\dfrac{1}{\sqrt{n}}$에 비례하므로 표본의 크기가 100일 때와 400일 때의 신뢰구간의 길이의 비는

$$\frac{1}{\sqrt{100}} : \frac{1}{\sqrt{400}} = \frac{1}{10} : \frac{1}{20} = 2 : 1$$

따라서 구하는 신뢰구간의 길이는 $\dfrac{1}{2} l$ 이다.

029 $P(|Z| \leq k) = \dfrac{\alpha}{100}$라 하고 신뢰도 α%로 모평균을 추정할 때, 표본의 크기가 16, 신뢰구간의 길이가 4이므로

$$2 \times k \frac{2}{\sqrt{16}} = 4$$

$$k = \sqrt{16}$$

$$\therefore k = 4$$

같은 신뢰도로 모평균을 추정할 때, 신뢰구간의 길이가 1이

되도록 하기 위한 표본의 크기를 n이라 하면

$$2 \times 4 \frac{2}{\sqrt{n}} = 1$$

$$\sqrt{n} = 16$$

$$\therefore n = 256$$

답 ④

다른 풀이

표본의 크기를 n이라 하면 같은 신뢰도로 모평균을 추정할 때, 신뢰구간의 길이는 $\dfrac{1}{\sqrt{n}}$에 비례하므로 신뢰구간의 길이의 비는

$$4 : 1 = \frac{1}{\sqrt{16}} : \frac{1}{\sqrt{n}}$$

$$\frac{4}{\sqrt{n}} = \frac{1}{4}$$

$$\sqrt{n} = 16$$

$$\therefore n = 256$$

030 신뢰도 95%로 추정한 모평균의 신뢰구간의 길이는 $\dfrac{1}{2}\sigma$ 이하
이므로

$$2 \times 2 \frac{\sigma}{\sqrt{n}} \leq \frac{1}{2}\sigma$$

$$\sqrt{n} \geq 8$$

$$\therefore n \geq 64$$

따라서 표본의 크기 n의 최솟값은 64이다.

답 64

031 모집단이 정규분포 $N(m, \sigma^2)$을 따르고 표본의 크기가 n일 때, 신뢰도 95%의 신뢰구간의 길이가 $8l$이므로

$$2 \times 2 \frac{\sigma}{\sqrt{n}} = 8l$$

$$\therefore \frac{\sigma}{\sqrt{n}} = 2l$$

표본의 크기가 $9n$일 때, 신뢰도 99%의 신뢰구간의 길이는

$$2 \times 3 \frac{\sigma}{\sqrt{9n}} = 2 \frac{\sigma}{\sqrt{n}}$$

$$= 4l$$

답 ⑤

032 모평균을 m, 표본평균을 $\overline{X}$, 표본의 크기를 n이라 하면

$$P\left(\overline{X} - 2\frac{0.25}{\sqrt{n}} \leq m \leq \overline{X} + 2\frac{0.25}{\sqrt{n}}\right)$$

$$= P\left(-2\frac{0.25}{\sqrt{n}} \leq m - \overline{X} \leq 2\frac{0.25}{\sqrt{n}}\right)$$

$$= P\left(|m - \overline{X}| \leq 2\frac{0.25}{\sqrt{n}}\right) = 0.95$$

모평균 m과 표본평균 $\overline{X}$의 차가 $\dfrac{1}{10}$ 이하이어야 하므로

$$2\frac{0.25}{\sqrt{n}} \leq \frac{1}{10}$$

$$\frac{0.5}{\sqrt{n}} \leq \frac{1}{10}$$

$$\sqrt{n} \geq 5$$

$$\therefore n \geq 25$$

따라서 표본의 크기의 최솟값은 25이다.

답 ②

033 표본의 크기를 n이라 하면

$$P\left(\overline{X}-3\frac{10}{\sqrt{n}}\leq m\leq \overline{X}+3\frac{10}{\sqrt{n}}\right)$$

$$=P\left(-3\frac{10}{\sqrt{n}}\leq m-\overline{X}\leq 3\frac{10}{\sqrt{n}}\right)$$

$$=P\left(|m-\overline{X}|\leq 3\frac{10}{\sqrt{n}}\right)=0.99$$

모평균 m과 표본평균 $\overline{X}$의 차가 1 이하이어야 하므로

$$3\frac{10}{\sqrt{n}}\leq 1,\ \sqrt{n}\geq 30$$

$$\therefore\ n\geq 900$$

따라서 적어도 900개의 표본을 조사해야 한다.　🔲 900

034 모평균을 m, 표본평균을 $\overline{X}$, 표본의 크기를 n이라 하면

$$P\left(\overline{X}-2\frac{6}{\sqrt{n}}\leq m\leq \overline{X}+2\frac{6}{\sqrt{n}}\right)$$

$$=P\left(-2\frac{6}{\sqrt{n}}\leq m-\overline{X}\leq 2\frac{6}{\sqrt{n}}\right)$$

$$=P\left(|m-\overline{X}|\leq 2\frac{6}{\sqrt{n}}\right)=0.95$$

모평균 m과 표본평균 $\overline{X}$의 차가 3 mL 이하이어야 하므로

$$2\frac{6}{\sqrt{n}}\leq 3,\ \sqrt{n}\geq 4$$

$$\therefore\ n\geq 16$$

따라서 표본의 크기의 최솟값은 16이다.　🔲 16

035 표준정규분포 $N(0, 1)$을 따르는 확률변수 Z에 대하여 $P(|Z|\leq k)=\dfrac{\alpha}{100}$라 하면 정규분포 $N(m, \sigma^2)$을 따르는 모집단에서 크기가 n인 표본을 임의추출할 때, 모평균을 신뢰도 α %로 추정한 신뢰구간의 길이는 $2\times k\dfrac{\sigma}{\sqrt{n}}$이다.

ㄱ. 표본평균은 신뢰구간을 추정할 때는 영향을 주지만 신뢰구간의 길이에는 영향을 주지 않으므로 신뢰구간의 길이는 표본평균과 관계없다. (거짓)

ㄴ. 표본의 크기가 일정할 때, 신뢰도를 높이면 k의 값이 커지므로 신뢰구간의 길이는 길어진다. (참)

ㄷ. 신뢰도가 일정할 때, 표본의 크기를 크게 하면 $\sqrt{n}$의 값이 커지므로 신뢰구간의 길이는 짧아진다. (참)

따라서 옳은 것은 ㄴ, ㄷ이다.　🔲 ⑤

036 신뢰도 95 %일 때, 모평균의 신뢰구간의 길이는

$$2\times 1.96\frac{\sigma}{\sqrt{n}}$$

신뢰도 99 %일 때, 모평균의 신뢰구간의 길이는

$$2\times 2.58\frac{\sigma}{\sqrt{n}}$$

즉, 신뢰도 α의 값은 커질수록, 표본의 크기 n의 값은 작아질수록 신뢰구간의 길이는 길어진다.

따라서 신뢰구간의 길이가 가장 긴 것은 ①이다.　🔲 ①

037 ㄱ. 모집단이 정규분포 $N(m, \sigma^2)$을 따를 때, 표본평균 $\overline{X}$는 정규분포 $N\left(m, \dfrac{\sigma^2}{n}\right)$을 따른다. (참)

ㄴ. 신뢰도 α %일 때, 신뢰구간의 길이는

$$2\times k\frac{\sigma}{\sqrt{n}}\ \left(\text{단, } P(|Z|\leq k)=\frac{\alpha}{100}\right)$$

이므로 표본의 크기가 작을수록 신뢰구간의 길이는 길어진다. (참)

ㄷ. 표본평균 $\overline{X}$의 값이 $\overline{x}$일 때, 신뢰도 95 %의 신뢰구간은

$$\overline{x}-1.96\frac{\sigma}{\sqrt{n}}\leq m\leq \overline{x}+1.96\frac{\sigma}{\sqrt{n}}$$

또 신뢰도 99 %의 신뢰구간은

$$\overline{x}-2.58\frac{\sigma}{\sqrt{n}}\leq m\leq \overline{x}+2.58\frac{\sigma}{\sqrt{n}}$$

이므로 신뢰도 95 %의 신뢰구간은 신뢰도 99 %의 신뢰구간에 포함된다. (거짓)

따라서 옳은 것은 ㄱ, ㄴ이다.　🔲 ④

038 ㄱ. 표준편차가 작은 표본 B의 분포가 더 고르다. (참)

ㄴ. 두 표본 A, B에 대하여 $P(-k\leq Z\leq k)=\dfrac{\alpha}{100}$라 할 때, 모평균 m을 신뢰도 α %로 추정한 각각의 신뢰구간은

표본 A의 신뢰구간: $240-k\dfrac{12}{\sqrt{n_1}}\leq m\leq 240+k\dfrac{12}{\sqrt{n_1}}$

표본 B의 신뢰구간: $230-k\dfrac{10}{\sqrt{n_2}}\leq m\leq 230+k\dfrac{10}{\sqrt{n_2}}$

표본 A의 신뢰구간에서 $k\dfrac{12}{\sqrt{n_1}}=3$,

표본 B의 신뢰구간에서 $k\dfrac{10}{\sqrt{n_2}}=2$이므로

$$\sqrt{n_1}=4k,\ \sqrt{n_2}=5k$$

$$n_1=16k^2,\ n_2=25k^2$$

$$\therefore\ n_1<n_2\ (\text{참})$$

ㄷ. 신뢰도를 α보다 크게 하면 k의 값이 커지므로 신뢰구간의 길이도 길어진다. (참)

따라서 ㄱ, ㄴ, ㄷ 모두 옳다.　🔲 ⑤

참고

ㄱ. 자료를 비교했을 때, 표준편차가 더 작거나 평균을 중심으로 더 모여 있는 자료의 분포를 더 고르다고 한다.

039 모표준편차 $\sigma=20$, 표본평균 $\overline{x}=60$, 표본의 크기 $n=100$이므로 모평균 m에 대한 신뢰도 95 %의 신뢰구간은

$$60-2\frac{20}{\sqrt{100}}\leq m\leq 60+2\frac{20}{\sqrt{100}}$$

$$60-4\leq m\leq 60+4$$

$$\therefore\ 56\leq m\leq 64$$　🔲 ③

040 신뢰도 99 %로 추정한 모평균 m의 신뢰구간은

$$\overline{x}-3\frac{\sigma}{\sqrt{n}}\leq m\leq \overline{x}+3\frac{\sigma}{\sqrt{n}}$$

$$\overline{x}-0.1\sigma\leq m\leq \overline{x}+0.1\sigma\text{에서 }3\frac{\sigma}{\sqrt{n}}=0.1\sigma$$

$$\sqrt{n}=30\quad \therefore\ n=900$$　🔲 900

041 $\overline{x}$를 이용하여 얻은 모평균 m에 대한 신뢰도 95 %의 신뢰구간은

$$\overline{x}-1.96\frac{1}{\sqrt{16}}\leq m\leq \overline{x}+1.96\frac{1}{\sqrt{16}}$$

즉, $\bar{x}-0.49\le m\le \bar{x}+0.49$

모평균이 9이고, 이 모평균이 신뢰구간에 포함되므로

$\bar{x}-0.49\le 9\le \bar{x}+0.49$에서

$8.51\le \bar{x}\le 9.49$

따라서 $M=9.49$이므로

$100M=100\times 9.49=949$ 답 ④

042 표본의 크기 $n=121$, 표본평균 $\bar{x}=60$, 표본표준편차 $s=a$이고, 표본의 크기 n이 충분히 크므로 모표준편차 대신 표본표준편차를 사용할 수 있다.

모평균 m에 대한 신뢰도 99%의 신뢰구간은

$60-3\dfrac{a}{\sqrt{121}}\le m\le 60+3\dfrac{a}{\sqrt{121}}$

$60-\dfrac{3}{11}a=54$

$\therefore a=22$ 답 ①

043 표본평균 $\bar{x}=60$, 표본표준편차 $s=20$이고, 표본의 크기 n이 충분히 크므로 모표준편차 대신 표본표준편차를 사용할 수 있다.

모평균 m에 대한 신뢰도 99%의 신뢰구간은

$60-2.58\dfrac{20}{\sqrt{n}}\le m\le 60+2.58\dfrac{20}{\sqrt{n}}$

$57.42\le m\le 62.58$이므로

$60-2.58\dfrac{20}{\sqrt{n}}=57.42,\ 60+2.58\dfrac{20}{\sqrt{n}}=62.58$

즉, $2.58\times\dfrac{20}{\sqrt{n}}=2.58$에서

$\dfrac{20}{\sqrt{n}}=1$

$\therefore n=400$ 답 400

044 모표준편차 $\sigma=4$, 표본의 크기 $n=256$이고,

$P(-k\le Z\le k)=\dfrac{a}{100}$라 하면 신뢰도 $a\%$로 모평균을 추정할 때 신뢰구간의 길이는

$2\times k\dfrac{4}{\sqrt{256}}=\dfrac{k}{2}$

즉, $\dfrac{k}{2}=0.3$이므로

$k=0.6$

$P(-0.6\le Z\le 0.6)=\dfrac{a}{100}$에서

$a=100P(-0.6\le Z\le 0.6)$

$\quad=200P(0\le Z\le 0.6)$

$\quad=200\times 0.23=46$

$P(-k'\le Z\le k')=\dfrac{2a}{100}=\dfrac{92}{100}$라 하면

$2P(0\le Z\le k')=0.92$

$\therefore P(0\le Z\le k')=0.46$

그런데 주어진 표준정규분포표에서 $P(0\le Z\le 1.8)=0.46$이므로 $k'=1.8$

따라서 신뢰도 $2a\%$로 모평균을 추정할 때 신뢰구간의 길이는

$2\times 1.8\dfrac{4}{\sqrt{256}}=0.9$ 답 0.9

045 주어진 표준정규분포표에서

$P(0\le Z\le 1.12)=0.3686$이므로

$P(-1.12\le Z\le 1.12)=0.7372$

모표준편차는 σ, 표본의 크기는 n이므로 모평균 m을 신뢰도 73.72%로 추정한 신뢰구간의 길이 l은

$l=2\times 1.12\dfrac{\sigma}{\sqrt{n}}$

$\quad=2.24\dfrac{\sigma}{\sqrt{n}}$

$\therefore 2l=2\times 2.24\dfrac{\sigma}{\sqrt{n}}$

신뢰구간의 길이 $2l$은 모표준편차가 σ, 표본의 크기가 n일 때 모평균 m을 신뢰도 $a\%$로 추정한 것이므로

$\dfrac{a}{100}=P(|Z|\le 2.24)$

$\quad=P(-2.24\le Z\le 2.24)$

$\quad=2P(0\le Z\le 2.24)$

$\quad=2\times 0.4875$

$\quad=0.975$

$\therefore a=97.5$ 답 97.5

046 모집단에서 크기가 n인 표본을 임의추출하여 신뢰도 99%로 모평균을 추정하였을 때, 신뢰구간의 길이 l_1은

$l_1=2\times 2.58\dfrac{\sigma}{\sqrt{n}}$ ……㉠

모집단에서 크기가 $16n$인 표본을 임의추출하여 신뢰도 99%로 모평균을 추정하였을 때, 신뢰구간의 길이 l_2는

$l_2=2\times 2.58\dfrac{\sigma}{\sqrt{16n}}$

$\quad=2\times 2.58\times\dfrac{\sigma}{4\sqrt{n}}$ ……㉡

㉠, ㉡에서 $l_1=4l_2$

따라서 신뢰도 99%일 때, 표본의 크기가 n인 신뢰구간의 길이는 표본의 크기가 $16n$인 신뢰구간의 길이의 4배이다.

     답 ③

047 모평균을 m, 표본평균을 $\bar{X}$, 표본의 크기를 n이라 하면

$P\left(\bar{X}-2\dfrac{6}{\sqrt{n}}\le m\le \bar{X}+2\dfrac{6}{\sqrt{n}}\right)$

$=P\left(-2\dfrac{6}{\sqrt{n}}\le m-\bar{X}\le 2\dfrac{6}{\sqrt{n}}\right)$

$=P\left(|m-\bar{X}|\le 2\dfrac{6}{\sqrt{n}}\right)=0.95$

모평균 m과 표본평균 $\bar{X}$의 차가 1 이하이어야 하므로

$2\dfrac{6}{\sqrt{n}}\le 1$

$\sqrt{n}\ge 12$

$\therefore n\ge 144$

따라서 표본의 크기의 최솟값은 144이다.   답 144

048 이 나라에서 작년에 운행된 택시의 연간 주행거리를 확률변수 X라 하고, X의 표준편차를 σ라 하면 X는 정규분포 $N(m,\sigma^2)$을 따른다. 표본의 크기가 36, 표본평균이 $\bar{x}$일 때,

모평균 m에 대한 신뢰도 99 % 의 신뢰구간은

$$\overline{x}-2.58\frac{\sigma}{\sqrt{36}}\leq m\leq\overline{x}+2.58\frac{\sigma}{\sqrt{36}}$$

이므로

$$c=2.58\frac{\sigma}{\sqrt{36}}=0.43\sigma$$

따라서 구하는 확률은

$$\begin{aligned}
\mathrm{P}(X\leq m+c)&=\mathrm{P}(X\leq m+0.43\sigma)\\
&=\mathrm{P}\left(\frac{X-m}{\sigma}\leq\frac{(m+0.43\sigma)-m}{\sigma}\right)\\
&=\mathrm{P}(Z\leq 0.43)\\
&=0.5+\mathrm{P}(0\leq Z\leq 0.43)\\
&=0.5+0.166\\
&=0.666
\end{aligned}$$

冒 0.666

049 모평균 m에 대한 신뢰도 α % 의 신뢰구간의 길이는

$$2\times k\frac{\sigma}{\sqrt{n}}\ \left(단,\ \mathrm{P}(|Z|\leq k)=\frac{\alpha}{100}\right)$$

ㄱ. B와 C의 표본의 크기와 분산이 서로 같기 때문에 표본평균에 관계없이 두 신뢰구간의 길이는 같다. (참)

ㄴ. A의 신뢰도 95 % 의 신뢰구간의 길이는

$$2\times 1.96\frac{6}{\sqrt{100}}=2.352이고,$$

C의 신뢰도 99 % 의 신뢰구간의 길이는

$$2\times 2.58\frac{4}{\sqrt{400}}=1.032이므로\ A의\ 신뢰도\ 95\ \%\ 의\ 신뢰구$$

간의 길이가 C의 신뢰도 99 % 의 신뢰구간의 길이보다 길다. (거짓)

ㄷ. B와 D의 표본표준편차를 각각 s_B, s_D라 하자.
B와 D의 신뢰도 95 % 의 신뢰구간의 길이는 표본표준편차를 비교하면 되므로

$$s_B=\frac{4}{\sqrt{400}}=\frac{1}{5},\ s_D=\frac{5}{\sqrt{100}}=\frac{1}{2}$$

즉, $s_B<s_D$이므로 B의 신뢰도 95 % 의 신뢰구간의 길이가 D의 신뢰도 95 % 의 신뢰구간의 길이보다 짧다. (참)

따라서 옳은 것은 ㄱ, ㄷ이다.

冒 ㄱ, ㄷ

memo

memo

memo

아름다운 샘 BOOK LIST

개념기본서
수학의 기본을 다지는 최고의 수학 개념기본서

❖ 수학의 샘

- 수학(상)
- 수학(하)
- 수학 I
- 수학 II
- 확률과 통계
- 미적분
- 기하

Total 내신문제집
한 권으로 끝내는 내신 대비 문제집

❖ Total 짱

- 수학(상)
- 수학(하)
- 수학 I
- 수학 II
- 확률과 통계
- 미적분

문제기본서
{기본, 유형}, {유형, 심화}로 구성된 수준별 문제기본서

❖ 아샘 Hi Math

- 수학(상)
- 수학(하)
- 수학 I
- 수학 II
- 확률과 통계
- 미적분
- 기하

❖ 아샘 Hi High

- 수학(상)
- 수학(하)
- 수학 I
- 수학 II
- 확률과 통계
- 미적분

수능 기출유형 문제집
수능 대비하는 수준별·유형별 문제집

❖ 짱 쉬운 유형 / 확장판

- 수학 I
- 수학 II
- 확률과 통계
- 미적분
- 기하

- 수학 I
- 수학 II
- 확률과 통계

❖ 짱 중요한 유형

- 수학 I
- 수학 II
- 확률과 통계
- 미적분
- 기하

❖ 짱 어려운 유형

- 수학 I
- 수학 II
- 확률과 통계
- 미적분

중간·기말고사 교재
학교 시험 대비 실전모의고사

❖ 아샘 내신 FINAL (고1 수학, 고2 수학 I, 고2 수학 II)

- 1학기 중간고사
- 1학기 기말고사
- 2학기 중간고사
- 2학기 기말고사

수능 실전모의고사
수능 대비 파이널 실전모의고사

❖ 짱 Final 실전모의고사

- 수학 영역

예비 고1 교재
고교 수학의 기본을 다지는 참 쉬운 기본서

❖ 그래 할 수 있어

- 수학(상)
- 수학(하)

내신 기출유형 문제집
내신 대비하는 수준별·유형별 문제집

❖ 짱 쉬운 내신

- 수학(상)
- 수학(하)

❖ 짱 중요한 내신

- 수학(상)
- 수학(하)

기본기를 다지는
문제기본서 하이 매쓰
Hi Math
확률과 통계

펴낸이 (주)아름다운샘

펴낸곳 (주)아름다운샘

등록번호 제324-2013-41호

주소 서울시 강동구 상암로 257, 진승빌딩 3F

전화 02-892-7878

팩스 02-892-7874

아름다운샘 에서 장학금을 드립니다.

수학의 샘 시리즈를 통하여 얻어지는 저자 수익금 중 10%를 열심히 공부하고자 하나
형편이 어려운 학생들을 위하여 장학금으로 지급하고자 합니다.

| 접수방법

하나. 주위에 열심히 공부하고자 하나 형편이 어려운 학생(고1, 고2 대상)을 찾습니다.

둘. 그 학생의 인적사항(성명, 학교, 전화번호)을 알아내어 학교 수학선생님께 달려가 추천서를 받습니다.

셋. 우편 또는 메일을 통해 인적사항과 추천 사유를 적고 추천서를 첨부하여 아름다운샘으로 보냅니다.

| 접수처

주소 (05272) 서울시 강동구 상암로 257, 진승빌딩 3F
수학의 샘 시리즈 담당자 앞

e-mail assam7878@hanmail.net

※소정의 심사를 거쳐 선정된 학생에게 장학금을 지급하고자 합니다.

※제출된 서류는 심사 후 폐기 처분합니다.